Hernandes Dias Lopes

ATOS

A ação do Espírito Santo na vida da igreja

hagnos

© 2012 Hernandes Dias Lopes

1ª edição: maio de 2012
12ª reimpressão: agosto de 2023

REVISÃO
Andrea Filatro
Simone Granconato

DIAGRAMAÇÃO
Sandra Oliveira

CAPA
Claudio Souto (layout)
Julio Carvalho (adaptação)

EDITOR
Aldo Menezes

COORDENADOR DE PRODUÇÃO
Mauro Terrengui

IMPRESSÃO E ACABAMENTO
Imprensa da Fé

As opiniões, as interpretações e os conceitos emitidos nesta obra são de responsabilidade do autor e não refletem necessariamente o ponto de vista da Hagnos.

Todos os direitos desta edição reservados à
EDITORA HAGNOS LTDA.
Rua Geraldo Flausino Gomes, 42, conj. 41
CEP 04575-060 — São Paulo, SP
Tel.: (11) 5990-3308

E-mail: hagnos@hagnos.com.br
Home page: www.hagnos.com.br

Editora associada à:

Dados Internacionais de Catalogação na Publicação (CIP)
Angélica Ilacqua CRB-8/7057

Lopes, Hernandes Dias
  Atos: a ação do Espírito Santo na vida da igreja / Hernandes Dias Lopes. — São Paulo: Hagnos, 2012.

  ISBN 978-85-7742-088-9

  1. Bíblia. N.T. Atos dos Apóstolos - Crítica e interpretação
  2. Espírito Santo
  3. Espírito Santo na Bíblia
  I. Título

11-14439   CDD 226.606

Índices para catálogo sistemático:
1. Atos: Atos dos Apóstolos: Interpretação e crítica 226.606

Dedicatória

Dedico este livro ao presbítero Sinval Pimentel, meu sogro, meu amigo, homem bom, crente fiel, intercessor incansável, exemplo dos fiéis, bênção de Deus na minha vida, ministério e família.

Sumário

Prefácio 7

1. Uma introdução ao livro de Atos 11

2. Cristo vai, o Espírito Santo vem
   (At 1.1-26) 29

3. O Pentecostes: o derramamento do Espírito Santo
   (At 2.1-47) 49

4. A manifestação do poder de Deus
   (At 3.1-26) 73

5. As marcas de uma igreja cheia do Espírito Santo
   (At 4.1-31) 91

6. A igreja sob ataque
   (At 4.32—5.42) 111

7. Transformando crises em oportunidades
   (At 6.1-15) 133

8. A defesa e o martírio de Estêvão
   (At 7.1-60) 151

9. Evangelização que transpõe fronteiras
   (At 8.1-40) 167

10. A conversão mais importante da história
    (At 9.1-31) 187

11. A conversão de Cornélio, um soldado graduado
    (At 9.32—10.48) 205

12. A igreja alarga suas fronteiras
(At 11.1-30) 219

13. Quando tudo parece perdido, Deus reverte a situação
(At 12.1-25) 233

14. Semeando com lágrimas, colhendo com júbilo
(At 13—14) 253

15. O Concílio de Jerusalém, um divisor de águas na história da igreja
(At 15.1-35) 275

16. A chegada do evangelho à Europa
(At 15.36—16.40) 293

17. Igrejas estratégicas plantadas na Macedônia
(At 17.1-15) 319

18. Um pregador do evangelho na terra dos deuses
(At 17.16-34) 339

19. Uma igreja em Corinto, a capital da Acaia
(At 18.1-28) 361

20. Uma igreja em Éfeso, a capital da Ásia Menor
(At 19.1-41) 379

21. Paulo rumo a Jerusalém
(At 20.1-38) 401

22. A saga de Paulo em Jerusalém
(At 21—22) 427

23. O julgamento de Paulo em Jerusalém e Cesareia
(At 23—24) 445

24. Paulo diante do governador Festo e do rei Agripa
(At 25—26) 465

25. Paulo a caminho de Roma
(At 27—28) 483

Prefácio

ATOS DOS APÓSTOLOS é o primeiro livro da história da igreja cristã. Registra a caminhada da igreja de Jerusalém a Roma. Este robusto livro não tem conclusão, porque a história da igreja continua. Cabe-nos dar continuidade a esta bendita empreitada de levar o evangelho de Cristo até aos confins da terra e fazer discípulos de todas as nações.

Atos desenvolve o esboço traçado por Jesus, o Senhor da Igreja, quando disse aos seus discípulos: *E recebereis poder ao descer sobre vós o Espírito Santo e sereis minhas testemunhas tanto em Jerusalém, como em toda a Judeia, Samaria e até aos confins da terra* (1.8).

Nos sete capítulos iniciais de Atos, vemos o avanço da igreja em Jerusalém e Judeia. No capítulo 8, o evangelho chega a Samaria. E a partir do capítulo 9, avança para os confins da terra. A conversão de Saulo de Tarso, o maior perseguidor do cristianismo, e o seu comissionamento como o maior bandeirante da fé cristã são marcos decisivos na história da igreja. Mais da metade do livro de Atos dedica-se a narrar suas viagens missionárias e descrever o avanço do cristianismo pelas diversas províncias do império romano.

Embora este livro seja chamado de Atos dos Apóstolos, Lucas enfatiza especialmente o ministério de Pedro e Paulo. A primeira metade do livro destaca o ministério de Pedro, e a outra metade se debruça sobre o ministério de Paulo. Pedro endereçou seu ministério aos judeus e Paulo se dirigiu aos gentios. Embora os judaizantes tenham lutado com todas as forças para colocar um apóstolo contra o outro, insinuando que pregavam mensagens diferentes, ficou provado, tanto em Atos como nas epístolas, que ambos os apóstolos estavam em harmonia e que essa insinuação não passava de consumada mentira. O evangelho é um só. Proclama a salvação pela graça mediante a fé, independentemente das obras. A salvação não é resultado da obra que fazemos para Deus, mas da obra que Deus fez por nós em Cristo Jesus, seu amado Filho.

Atos não é um livro exaustivo. Não tem a pretensão de registrar todos os detalhes do avanço missionário da igreja de Jerusalém a Roma. Lucas, como zeloso historiador, selecionou apenas alguns pontos importantes para ressaltar a vitoriosa marcha do cristianismo até a capital do Império. Nessa jornada, os apóstolos enfrentaram implacável perseguição dos judeus. Aqueles que deveriam ser os maiores promotores da fé cristã assumiram a desditosa posição de seus maiores inimigos. Seja em Jerusalém ou Damasco, na província da Galácia ou na Macedônia, ou ainda na província da Acaia ou Ásia Menor, os judeus foram sempre e sem cessar os grandes opositores do evangelho. Curiosamente, Lucas registra que, em todo o tempo e por todos os lugares, os romanos constituíram-se em defensores da fé cristã e protetores de seus arautos.

Atos é um livro para ser estudado não como uma história remota e distante, mas como um desafio presente. Os tempos mudaram, mas Deus não mudou. As circunstâncias são outras, mas o evangelho é o mesmo. A forma de pregar pode ser repaginada, mas o conteúdo da pregação permanece inalterável. Não pregamos um Cristo que esteve vivo e agora está morto, mas o Cristo que esteve morto e agora está vivo. Pregamos o Cristo que padeceu por nossos pecados, mas triunfou sobre a morte e desbancou os principados e potestades na cruz. Pregamos o Cristo que ressuscitou e está assentado no trono; governa a igreja e tem as rédeas da história em suas mãos. Pregamos o Cristo que voltará em glória para colocar todos os seus inimigos debaixo de seus pés e reinar para sempre com sua igreja.

Estudar o livro de Atos é trazer à memória os gloriosos feitos de Deus. É alimentar nossa alma com a esperança de que o mesmo Deus que realizou coisas exponenciais no passado tem poder para realizar de novo em nossos dias. Estudar o livro de Atos é nutrir nosso coração com a perspectiva de novos avivamentos, que coloquem a igreja no trilho da verdade e firmem seus passos no caminho da santidade.

Estude este livro como seu devocionário pessoal e compartilhe essa mensagem com seus amigos e com sua igreja!

Hernandes Dias Lopes

Capítulo 1

Uma introdução ao livro de Atos

O LIVRO DE ATOS é a dobradiça do Novo Testamento. Ele fecha os evangelhos e abre as epístolas. William Barclay considera-o um dos mais importantes livros do Novo Testamento.[1] Calvino o chamou de "um grande tesouro" e Martyn Loyd-Jones, de "o mais lírico dos livros".[2] O livro de Atos é a segunda parte de uma obra cujo primeiro volume é o Evangelho de Lucas. O objetivo de Lucas em sua dupla obra era oferecer um relato coordenado das origens cristãs.[3]

Lucas reúne a história de Jesus e a história da igreja primitiva. Explica como as boas novas começaram e se espalharam a ponto de abranger o mundo mediterrâneo, desde Jerusalém até Roma.⁴ O segundo volume trata de *tudo o que Jesus continuou a fazer e ensinar*. Desta maneira, os dois volumes abrangem o começo do evangelho e a proclamação da salvação pela igreja primitiva. David Stern sugere que esse "segundo livro" poderia ser chamado de "Lucas, Parte II".⁵ Matthew Henry diz que as promessas feitas nos evangelhos têm seu cumprimento em Atos. A comissão dada aos apóstolos lá é executada aqui, e os poderes implantados lá são mostrados aqui em milagres feitos no corpo das pessoas: milagres de misericórdia, curando corpos doentes e ressuscitando corpos mortos; milagres de julgamento, golpeando os rebeldes com cegueira ou tirando-lhes a vida; e milagres muitos maiores feitos na mente das pessoas, concedendo-lhes dons espirituais, dons de entendimento e dons de expressão vocal. E toda essa dinâmica é consequência dos propósitos de Cristo e do cumprimento de suas promessas feitas nos evangelhos.⁶

Citando Leon Tucker, Myer Pearlman afirma que Atos pode ser sintetizado em três palavras: ascensão, descida e expansão. A ascensão de Cristo é seguida pela descida do Espírito, que por sua vez é seguida pela expansão do evangelho.⁷

Destacamos três verdades importantes sobre a mensagem de Atos, à guisa de introdução.

Em primeiro lugar, *a importância de sua mensagem*. John Stott diz que Atos é fundamental por causa de seus registros históricos e também por sua inspiração contemporânea.⁸ Atos narra a história da igreja apostólica, desde os seus primeiros passos em Jerusalém até Roma, a cidade imperial. Faz uma estreita conexão entre o que Jesus começou a fazer e ensinar e o que ele continuou a fazer e ensinar por intermédio dos apóstolos. O livro de Atos não coloca no centro do palco os apóstolos, mas o Senhor Jesus. É ele quem fala e faz. Os homens de Deus são apenas instrumentos; o agente é o próprio Filho de Deus. O poder que transforma vidas não vem do homem, mas de Deus; não vem da terra, mas do céu; não vem de dentro, mas de cima. Concordo com Guilherme Orr quando diz que o tema central de Atos é ainda *Cristo*, mas agora é o Cristo ressuscitado, vivo, que dá poder, e que desafia seus seguidores a *irem por todo o mundo* com a incomparável história do amor de Deus.[9]

William MacDonald ressalta com razão que o livro de Atos é a única história da igreja inspirada; é também o primeiro livro da história da igreja apostólica. Atos não é apenas uma ponte que liga a vida de Cristo com o Cristo vivo ensinado nas epístolas; é também um elo de transição entre o judaísmo e o cristianismo, entre a lei e a graça.[10]

Em segundo lugar, *a necessidade de sua mensagem*. Atos é um manual sobre o crescimento saudável da igreja. Vivemos num tempo de busca desenfreada pelo crescimento numérico da igreja. No entanto, muitos se perdem nessa corrida. Buscam as fórmulas do pragmatismo em vez de recorrer aos princípios emanados do livro de Atos. Caem nas armadilhas da *numerolatria* (idolatria dos números) e transigem com a verdade para alcançar resultados. Pregam o que o povo quer ouvir em vez de pregar o que povo precisa ouvir. Pregam para agradar os incrédulos em vez de levá-los ao arrependimento. Pregam prosperidade em vez de graça. Por outro lado, o livro de Atos nos previne contra a *numerofobia* (medo dos números). Uma igreja saudável cresce naturalmente. Quando a igreja vive a doutrina apostólica, Deus acrescenta a ela, diariamente, os que vão sendo salvos. O livro de Atos é o mais importante manual de crescimento da igreja. Se quisermos vê-la crescer, não devemos começar com os manuais modernos; devemos retornar ao livro de Atos e nele buscar os princípios que levaram a igreja de Jerusalém a Roma em poucas décadas.

John Stott está correto ao dizer que o livro de Atos trata de importantes questões para a igreja contemporânea, como o batismo do Espírito Santo, os dons espirituais, sinais e milagres carismáticos, a comunhão econômica da primeira comunidade cristã em Jerusalém, a disciplina na igreja, a diversidade de ministérios, a conversão cristã, o preconceito racial, os princípios missionários, o preço da unidade cristã, as motivações e os métodos na evangelização, o chamado para sofrer por Cristo, a relação entre a igreja e o Estado, e a providência divina.[11] O livro Atos é também o maior livro de missões do mundo. É, de igual forma, o maior livro sobre organização e procedimentos eclesiásticos.[12]

Em terceiro lugar, *a urgência de sua mensagem*. O livro de Atos trata do crescimento espiritual e numérico da igreja. Para alcançar esse alvo, a igreja manteve, inseparavelmente, ortodoxia e piedade, doutrina e vida, palavra e poder. Ortodoxia sem piedade gera racionalismo estéril. Piedade sem ortodoxia produz misticismo histérico. Ao longo da história, a igreja várias vezes caiu num extremo ou noutro. Ainda hoje, vemos muitas igrejas zelosas da doutrina, mas áridas como um deserto; outras cheias de entusiasmo, mas vazias de doutrina. Atos é um alerta para a necessidade urgente de uma nova reforma e de um profundo reavivamento. Não precisamos buscar as novidades do mercado da fé, mas nos voltarmos às origens do cristianismo apostólico.

O autor de Atos

O autor de Atos dos Apóstolos e do Evangelho nada diz a respeito de si mesmo, nem mesmo em sua dedicatória pessoal a Teófilo. A tradição eclesiástica, porém, desde cedo não tem dúvidas de que o autor é Lucas.[13] Lucas era médico e historiador. A tradição liga-o à cidade de Antioquia da Síria, a terceira maior do mundo naquela época. Único escritor gentio do Novo Testamento, Lucas foi testemunha ocular dos ocorridos nas viagens missionárias de Paulo, uma vez que acompanhou o apóstolo nessas peregrinações como seu companheiro e médico.

Sabemos muito pouco acerca de Lucas; só há três citações diretas a ele no Novo Testamento (Cl 4.14; 2Tm 4.11; Fm 24). Essas referências nos permitem afirmar duas coisas a seu respeito: Lucas era médico e cooperador de Paulo, aliás, um de seus amigos mais fiéis, pois estava com ele em sua segunda prisão em Roma.

Como já pontuamos, Atos é o segundo volume do livro escrito por Lucas. O volume inicial trata do que Jesus começou a fazer e a ensinar; nesse segundo volume, o que Jesus continuou a fazer e a ensinar por intermédio dos apóstolos, no poder do Espírito Santo. O livro de Atos não foi apenas um apêndice ou posfácio ao evangelho de Lucas, mas com ele formava uma obra única e contínua.[14]

Atos precisa ser lido à luz de Lucas. Observe:

> *Visto que muitos houve que empreenderam uma narração coordenada dos fatos que entre nós se realizaram, conforme nos transmitiram os que desde o princípio foram deles testemunhas oculares e ministros da palavra, igualmente a mim me pareceu bem, depois de acurada investigação de tudo desde sua origem, dar-te por escrito, excelentíssimo Teófilo, uma exposição em ordem, para que tenhas plena certeza das verdades em que foste instruído* (Lc 1.1-4).

Escrevi o primeiro livro, ó Teófilo, relatando todas as coisas que Jesus começou a fazer e a ensinar (At 1.1).

John Stott diz que, nessa importante declaração, Lucas esboça cinco estágios na composição do seu livro Lucas-Atos: a) os eventos históricos; b) as testemunhas oculares contemporâneas; c) a investigação pessoal de Lucas; d) a escrita; e) a audiência a quem o texto se destinava, incluindo Teófilo, a quem Lucas se dirige.[15]

Embora o nome de Lucas não apareça explicitamente em Atos, há um consenso praticamente unânime de que ele foi seu autor. Há sobejas evidências internas da autoria lucana. Dentre as provas internas, destacamos três:

1. O *prólogo do livro*. O autor demonstra que está dando continuidade a um relato, endereçado ao mesmo indivíduo ao qual já destinara a parte inicial da obra: *Escrevi o primeiro livro, ó Teófilo*. O relato começa em Lucas e termina em Atos.

2. *A perfeita identidade vocabular*. São 17 os vocábulos comuns a Mateus e Lucas-Atos que não figuram nos demais livros do Novo Testamento; há 14 palavras exclusivas de Marcos e Lucas-Atos; e há 58 palavras que só aparecem em Lucas.

3. A *alta qualidade do grego coinê* de Lucas-Atos, quase clássico, é forte evidência de que ambos foram escritos pela mesma mão.[16] Howard Marshall enfatiza que a linguagem e o estilo de Lucas se destacam no Novo Testamento e demonstram que, entre todos os escritores, este era o mais consciente de estar escrevendo literatura para uma audiência culta.[17]

Robert Gundry menciona ainda outra evidência da autoria lucana de Atos. De acordo com esse erudito escritor, as descobertas arqueológicas têm confirmado de maneira surpreendente a exatidão histórica do Evangelho de Lucas. Por exemplo, sabe-se atualmente que o uso que Lucas fez dos títulos de vários escalões de oficiais locais e governantes de províncias – procuradores, cônsules, pretores, politarcas, asiarcas e outros – mostra-se acuradamente correto, correspondendo às ocasiões e aos lugares acerca dos quais Lucas escrevia. A sua exatidão torna-se duplamente notável porque o emprego desses vocabulários se mantinha em constante estado de fluxo devido às alterações de situação política de várias comunidades.[18]

Com o uso do pronome "nós" (às vezes subentendido), ao descrever diversas das jornadas de Paulo, o autor do livro de Atos deixa entendido que ele mesmo era um dos companheiros de viagem do apóstolo.[19]

Quanto às evidências externas, ressaltamos que o *Cânon Muratoriano* e uma gama enorme de Pais da igreja reconheceram Lucas como autor de Atos. Entre eles, citamos Eusébio, Irineu, Tertuliano, Clemente de Alexandria, Orígenes e Jerônimo. Howard Marshall diz que a evidência mais clara é aquela de Irineu (c. de 180 d.C.), que cita Lucas como o autor do terceiro Evangelho e de Atos. A partir dessa altura, a tradição é atestada com firmeza.[20]

O destinatário de Atos

Tanto o Evangelho de Lucas como Atos, ou seja, tanto o primeiro como o segundo volume da obra escrita por Lucas, foram endereçados à mesma pessoa, ou seja, Teófilo. Possivelmente, era um homem rico, membro da nobreza romana ou alguém que ocupava alto posto no governo romano. Tudo nos faz crer que era um homem piedoso, pois seu nome significa "aquele que ama a Deus".

Quais foram os propósitos de Lucas em remeter essa obra acerca do ministério de Cristo e da ação da igreja para esse nobre romano? a) Provar que a igreja cristã era uma religião lícita, legítima, e não um risco para o Estado, como queriam demonstrar seus críticos; b) mostrar a conexão entre o ministério terreno e celestial de Cristo, pois mesmo depois de partir, Jesus continuou a fazer e a ensinar a igreja por intermédio do seu Espírito, usando os apóstolos como instrumentos; c) oferecer um esboço do espantoso crescimento da igreja cristã, que começa com 120 judeus em Jerusalém e termina como uma multidão inumerável por todos os recantos do Império, chegando, inclusive a Roma, a capital.

A data em que Atos foi escrito

Não podemos definir com exatidão a data em que Atos foi escrito. Sabemos, entretanto, que o livro encerra sua narrativa com a primeira prisão de Paulo em Roma, e isso por volta do ano 62 d.C. Consequentemente, o livro deve ter sido escrito depois dessa data e antes da segunda prisão de Paulo em Roma e seu consequente martírio por volta de 67 d.C. Como exímio historiador, Lucas não teria deixado de registrar o incêndio de Roma em 64 d.C., a execução de Paulo em 67 d.C., bem como a destruição de Jerusalém em 70 d.C.

Atos acompanha a vida de Paulo somente até sua primeira reclusão em Roma, quando ele permaneceu dois anos numa prisão domiciliar (28.30,31). Dessa prisão, Paulo saiu para uma quarta viagem missionária. Essa quarta viagem pode ser reconstituída levando em consideração os seguintes dados: a) a intenção de Paulo de ir a Espanha (Rm 15.24,28); b) o testemunho de Eusébio sobre a soltura de Paulo, após sua primeira detenção em Roma (*História eclesiástica*, 2.22.2-3); c) os testemunhos de Clemente de Roma de que Paulo esteve na Espanha (Rm 15.24,28); e do Cânon Muratoriano (linhas 34-39). O provável itinerário seguido por Paulo deve ter sido o seguinte:

1. Roma – soltura em 62 d.C.;
2. Espanha (Rm 15.24,28), em 62-64 d.C.;
3. Creta (Tt 1.5), em 64-65 d.C.;
4. Mileto (2Tm 4.20), em 65 d.C.;
5. Colossos (Fm 22), em 66 d.C.;
6. Éfeso (1Tm 1.3), em 66 d.C.;
7. Filipos (Fp 2.23,24; 1Tm 1.3), em 66 d.C.;
8. Nicópolis (Tt 3.12), em 66-67 d.C.;
9. Trôade (2Tm 4.13), em 67 d.C.;
10. Roma – segundo aprisionamento, em 67 d.C.;
11. Martírio em Roma, em 67 d.C.

Como Lucas não inclui nenhum desses episódios em Atos, concluímos que o livro deve ter sido escrito antes de 62 d.C., quando Paulo ainda não tinha sido solto.[21]

A expansão da igreja conforme o livro de Atos

Antes de voltar ao Pai, Jesus deu à igreja a agenda de sua ação no mundo. Atos 1.8 é o programa que os apóstolos deveriam seguir: *Mas recebereis poder ao descer sobre vós o Espírito Santo, e sereis minhas testemunhas tanto em Jerusalém, como em toda a Judeia, Samaria e até aos confins da terra.* Everett Harrison salienta que Atos é definitivamente um documento missionário, com a grande comissão de Atos 1.8 como chave para a sua estrutura.[22] Lucas compreendera que o *evangelho* não acabara com a despedida de Jesus, mas continuava seu próprio curso pelo mundo, saindo de Jerusalém e indo para Samaria, Antioquia, Ásia Menor, Macedônia e Grécia, até a capital do mundo, Roma. A estrutura do livro corresponde a esse percurso.[23] Atos demonstra como o evangelho tinha em mira os gentios, e não apenas os judeus.

O livro de Atos pode ser dividido em três partes bem distintas.

Em primeiro lugar, *a expansão da igreja em Jerusalém* (capítulos 1—7). Depois da ascensão de Cristo, a igreja era composta por 120 membros que, em obediência à ordem de Cristo, perseveraram na oração até que do alto foram revestidos de poder. Cinquenta dias após a ressurreição de Cristo e dez dias após a ascensão, o Espírito Santo foi derramado sobre aqueles que estavam orando no cenáculo. Nesse mesmo dia, Pedro pregou uma mensagem cristocêntrica, e cerca de três mil pessoas foram convertidas, batizadas e agregadas à igreja. Deus fez grandes milagres por intermédio dos apóstolos e, em resultado da pregação poderosa, o número dos convertidos multiplicou-se em Jerusalém. A perseguição tornou-se ferrenha, e o diabo tentou impedir o avanço da igreja através de intimidação, infiltração e distração. A igreja, porém, encheu Jerusalém da doutrina de Cristo.

Em segundo lugar, *a expansão da igreja na Judeia e em Samaria* (capítulos 8—12). A igreja foi perseguida e dispersada; e, por onde passavam, os crentes pregavam a Palavra de Deus. O evangelho chegou à cidade de Samaria por intermédio de Filipe, que pregou, e a cidade alegrou-se ao ver e ouvir o que Deus falava e fazia ali. O muro de inimizade foi quebrado, o preconceito racial foi vencido e o evangelho penetrou naquela terra, outrora dominada pelo misticismo. Pela conversão de Saulo, o evangelho chegou a

Damasco, na Síria. Por intermédio de Pedro, o evangelho atingiu a Cesareia Marítima e alcançou o gentio Cornélio. A Palavra de Deus floresceu também em Antioquia da Síria, ultrapassando a fronteira de Israel.

Em terceiro lugar, *a expansão da igreja até aos confins da terra* (capítulos 13—28). Com a conversão de Saulo ao cristianismo e suas subsequentes viagens missionárias, o evangelho alcança as províncias da Galácia, Macedônia, Acaia e Ásia Menor. O evangelho rompe barreiras linguísticas, culturais e religiosas. Mesmo em face de duras perseguições, a bandeira do evangelho é fincada em Roma, a capital do Império.

Os propósitos do livro de Atos

Lucas, inspirado pelo Espírito de Deus, escreveu o livro de Atos com vários propósitos em mente. Elencamos alguns deles a seguir.

Em primeiro lugar, *mostrar a legitimidade do cristianismo diante das autoridades romanas*. O livro de Atos não é apenas a história do avanço dos cristãos, mas, sobretudo, uma defesa do cristianismo. Werner de Boor diz com todas as letras que o alvo de Atos de Apóstolos é a defesa do novel cristianismo perante o Estado romano.[24] O propósito de Lucas é defender a fé cristã diante dos seus opositores, mostrando que a religião do Caminho é legítima, legal e salutar para o povo. Ao longo do livro, Lucas reúne vários relatos nos quais as autoridades romanas reconhecem que não têm nenhuma acusação formal contra os cristãos.

Como um diplomata, Lucas reuniu provas para mostrar que o cristianismo era inofensivo (porque alguns oficiais romanos chegaram a adotá-lo pessoalmente), inocente (porque os juízes romanos não conseguiram encontrar nenhuma base para condená-lo) e legal (pois ele era o cumprimento verdadeiro do judaísmo).[25]

Era um claro propósito de Lucas recomendar o cristianismo ao governo romano. Em Atos 13.12 Sérgio Paulo, o governador de Chipre, converte-se ao cristianismo. Em Atos 18.12 Gálio é absolutamente imparcial em Corinto. Em Atos 16.35-39 os magistrados, ao reconhecerem seu erro, pedem desculpas publicamente a Paulo. Em Atos 19.31 as autoridades da Ásia demonstram preocupação de que Paulo não sofresse nenhum dano. Lucas destaca que os cristãos são cidadãos bons e fiéis: em Atos 18.14 Gálio declara que não existe agravo nem crime a questionar; em Atos 19.37 o secretário de Éfeso dá um bom testemunho dos cristãos; em Atos 23.29 Cláudio Lísias cuida para não dizer nada contra Paulo; em Atos 25.25 Festo declara que Paulo nada fez que mereça a morte; e nesse mesmo capítulo Festo e Agripa concordam que poderiam ter deixado Paulo em liberdade se ele não tivesse apelado a César.[26]

Em segundo lugar, *mostrar a expansão da igreja de Jerusalém a Roma apesar das perseguições*. Lucas é enfático em mostrar as variadas formas de perseguição que os apóstolos e toda a igreja sofreram na marcha do cristianismo de Jerusalém a Roma. Perseguições internas e externas, físicas e psicológicas, políticas e religiosas. O próprio apóstolo Paulo afirma: ...*através de muitas tribulações, nos importa entrar no reino de Deus* (14.22). A perseguição começa com a zombaria dirigida aos apóstolos no dia de Pentecostes, e continua com a tentativa do Sinédrio de calar os apóstolos, mandando prendê-los e açoitá-los. Chega rapidamente ao auge na morte de Estêvão, passando também pela morte de Tiago. Paulo foi apedrejado em Listra, açoitado em Filipos, escorraçado da Tessalônica, enxotado de Bereia, chamado de tagarela em Atenas e de impostor em Corinto. Em Éfeso enfrentou feras, foi preso em Jerusalém, acusado em Cesareia e novamente preso em Roma. Longe, porém, de recuar diante das perseguições, a igreja caminhou com ainda mais ousadia e desassombro para obter resultados alvissareiros.

Em terceiro lugar, *mostrar o espantoso crescimento da igreja apesar das limitações humanas*. A igreja apostólica estava desprovida de recursos financeiros. Os apóstolos não tinham prata nem ouro. E, mais, eram homens iletrados. Não tinham influência política, e a maioria dos membros da novel igreja era composta de escravos. Apesar dessas limitações humanas, a igreja encheu o império romano com a doutrina de Cristo e fincou a bandeira do evangelho no centro da cidade imperial. A mensagem de Atos é vital para a igreja contemporânea porque nos mostra o caminho de Deus para o crescimento da igreja, a despeito de todas as suas limitações. A igreja cresce pela oração e pela Palavra, no poder e na virtude do Espírito Santo, por intermédio de cristãos fiéis e ousados.

Em quarto lugar, *mostrar a oração e a Palavra como os dois vetores do crescimento da igreja*. Os apóstolos entenderam que não poderiam abandonar a oração e o ministério da Palavra para servirem às mesas. A oração e a Palavra foram os grandes vetores do crescimento da igreja. Ainda hoje esses dois instrumentos são os principais fatores do crescimento saudável da igreja. Deus não unge métodos; unge homens e mulheres de oração. Sem oração não há pregação de poder. Pregação é lógica em fogo. Pregação é demonstração de poder. Não podemos separar pregação de oração. Só podemos levantar-nos diante dos homens se primeiro nos prostrarmos diante de Deus.

Em quinto lugar, *mostrar a obra do Espírito Santo na expansão da igreja*. A igreja apostólica avançou de Jerusalém a Roma no poder do Espírito Santo. Foi o Espírito quem capacitou a igreja para viver e pregar. Foi o Espírito Santo quem liderou a igreja em seu extraordinário crescimento espiritual e numérico. Nas palavras de Everett Harrison, o Espírito Santo é a fonte da pregação eficaz (4.8), dos poderes miraculosos (13.9-11), da sabedoria nas deliberações da igreja (15.28), da autoridade administrativa (5.3; 13.2) e da orientação em geral (10.19; 16.6-10).[27] A ação do Espírito Santo é tão marcante em Atos que este livro tem sido descrito às vezes como o livro dos "Atos do Espírito Santo".[28]

Em sexto lugar, *mostrar o triunfo do reino de Deus sobre o reino das trevas*. A igreja apostólica cresceu espantosamente e desbastou as trevas do paganismo. A igreja triunfou sobre o legalismo fariseu e o liberalismo saduceu em Jerusalém. Triunfou, outrossim, sobre o sincretismo samaritano. Triunfou, de igual forma, sobre o paganismo e a idolatria nas províncias da Galácia, Macedônia, Acaia e Ásia Menor. Triunfou, finalmente, sobre o culto ao imperador. A igreja apostólica cresceu a despeito das mais variadas e perversas perseguições. O sangue dos mártires tornou-se a sementeira do evangelho.

Características do livro de Atos

Vejamos algumas particularidades deste livro.

Em primeiro lugar, *a pesquisa não anula a assistência do Espírito*. Lucas foi um historiador e um acurado pesquisador (Lc 1.3). O relato de Atos é fruto tanto de pesquisa quanto de testemunho ocular. O mesmo Espírito que assistiu Lucas na pesquisa, também o inspirou no registro. Concordo com Werner de Boor quando ele escreve:

A glória do Espírito de Deus está em não ter necessidade de deslocar o pensamento, a vontade e a ação do ser humano para obter o espaço necessário para a sua atuação, mas iluminar e moldar o pensar, o querer e o agir próprio do ser humano. Não é diferente o que ocorre com as cartas do NT. Também elas não são um ditado celestial, mas cartas humanas genuínas, escritas com esmero e reflexão a determinadas pessoas ou igrejas numa situação específica. Pode-se constatar nelas as características pessoais do autor, seja Paulo, ou João, ou Pedro, ou Tiago. Não obstante, no meio disso o Espírito Santo foi eficaz a tal ponto que agora essas mesmas cartas humanas, ligadas a seu tempo, constituem a palavra de Deus ativa e criadora, dirigida hoje às pessoas de todos os continentes. Tão misteriosa e viva é a inspiração da Sagrada Escritura, que temos diante de nós em sua realidade maravilhosa.[29]

Em segundo lugar, *a importância dos discursos*. Atos não é apenas a história da igreja apostólica em sua jornada até a capital do Império, mas é também uma cuidadosa coletânea de discursos, especialmente de Pedro e Paulo. Os vários sermões registrados em Atos servem de modelos homiléticos que apontam para a centralidade da pregação apostólica: a morte e a ressurreição de Cristo. Esses sermões podem ser classificados em evangelísticos (At 2—3), deliberativos (At 15), apologéticos (At 7 e 17) e exortativos (At 20).[30]

Em terceiro lugar, *a importância de Jerusalém e Antioquia*. Duas cidades, Jerusalém e Antioquia, dominam o relato do livro de Atos. De Jerusalém o evangelho se espalhou até Antioquia, e de Antioquia chegou até aos confins da terra. Paralelamente a essas duas proeminentes capitais estão os dois apóstolos mais importantes, Pedro e Paulo.[31]

Em quarto lugar, *o caráter cristocêntrico do livro*. O livro de Atos é uma biografia de Cristo, de seu ensino e de suas obras poderosas, por meio dos apóstolos, no poder do Espírito. Na verdade é uma continuação do evangelho de Lucas, ou seja, uma continuação daquilo que Cristo começou a fazer e a ensinar. William Barclay destaca o fato de que geralmente chamamos este livro de *Atos dos Apóstolos*. Mas o livro não pretende dar um relato exaustivo acerca do que foi realizado pelos apóstolos. Além de Paulo, só se mencionam no livro outros três apóstolos. Em Atos 12.2 lemos sobre a execução de Tiago, irmão de João, por ordem de Herodes. João aparece na cena da cura do paralítico na porta formosa do templo, mas não profere nenhuma palavra. O livro só nos dá informação detalhada sobre Pedro e Paulo.[32]

Na metade inicial do livro, é somente de Pedro que obtemos um relato concreto. Por outro lado, o interesse do autor também não se volta para "Pedro" como tal. Nada é dito sobre a continuação de sua atividade após o concílio dos apóstolos, nem mesmo acerca de sua morte. E também Paulo, cujas viagens missionárias e cujo processo preenchem a segunda parte do livro, não tem nenhuma importância biográfica. Na realidade o objetivo de Lucas não é escrever uma "história dos apóstolos". Importa unicamente o curso do evangelho pelo mundo. Diante dele, todos os instrumentos humanos deixam de ser importantes.[33] Werner De Boor ainda alerta: "Não há no Antigo Testamento ou no livro de Atos culto a heróis. Apenas Deus e sua magnífica causa estão em jogo. É isso que precisamos reaprender, a partir de Atos dos Apóstolos".[34]

NOTAS DO CAPÍTULO 1

1. BARCLAY, William. *Hechos de los Apóstoles*. Buenos Aires: La Aurora, 1974, p. 7.
2. STOTT, John. *A mensagem de Atos*. São Paulo: ABU, 2005, p. 9,10.
3. HARRISON, Everett. *Introducción al Nuevo Testamento*. Grand Rapids, MI: TELL, 1980, p. 234.
4. MARSHALL, I. Howard. *Atos: introdução e comentário*. São Paulo: Mundo Cristão/ Vida Nova, 1982, p. 17.
5. STERN, David H. *Comentário judaico do Novo Testamento*. São Paulo: Atos, 2008, p. 243.
6. HENRY, Matthew. *Comentário bíblico Atos-Apocalipse*. Rio de Janeiro: CPAD, 2010, p. 1.
7. PEARLMAN, Myer. *Através da Bíblia*. Miami, FL: Vida, 1987, p. 229.
8. STOTT, John. *A mensagem de Atos* , p. 9.
9. ORR, Guilherme. *Chaves para o Novo Testamento*. São Paulo: Imprensa Batista Regular, 1970, p. 21.
10. MacDONALD, William. *Believer's Bible commentary*. Nashville, TN: Thomas Nelson Publishers, 1995, p. 1575.
11. STOTT, John. *A mensagem de Atos*, p. 11.
12. ORR, Guilherme. *Chaves para o Novo Testamento*, p. 23.
13. DE BOOR, Werner. *Atos dos Apóstolos*. Curitiba: Editora Evangélica Esperança, 2002, p. 17.
14. STOTT, John. *A mensagem de Atos*, p. 18.
15. STOTT, John. *A mensagem de Atos*, p. 19,20.
16. TOGNINI, Enéas; BENTES, João Marques. *Janelas para o Novo Testamento*. São Paulo: Hagnos, 2009, p. 132.
17. MARSHALL, I. Howard. *Atos: introdução e comentário*, 1982, p. 16.
18. GUNDRY, Robert H. *Panorama do Novo Testamento*. São Paulo: Vida Nova, 1978, p. 238,239.
19. GUNDRY, Robert H. *Panorama do Novo Testamento*, p. 237.
20. MARSHALL, I. Howard. *Atos: introdução e comentário*. 1982, p. 44.
21. TOGNINI, Enéas; BENTES, João Marques. *Janelas para o Novo Testamento*, p. 144.
22. HARRISON, Everett. *Introducción al Nuevo Testamento*, p. 236.
23. DE BOOR, Werner. *Atos dos Apóstolos*, p. 17.
24. DE BOOR, Werner. *Atos dos Apóstolos*, p. 16.
25. STOTT, John. *A mensagem de Atos* , p. 24.
26. BARCLAY, William. *Hechos de los Apóstoles*, p. 9,10.

27 HARRISON, Everett. *Introducción al Nuevo Testamento*, p. 237,238.
28 MARSHALL, I. Howard. *Atos: introdução e comentário*. 1982, p. 31.
29 DE BOOR, Werner. *Atos dos Apóstolos*, p. 19.
30 HARRISON, Everett. *Introducción al Nuevo Testamento*, p. 237.
31 HARRISON, Everett. *Introducción al Nuevo Testamento*, p. 237.
32 BARCLAY, William. *Hechos de los Apóstoles*, p. 7.
33 DE BOOR, Werner. *Atos dos Apóstolos*, p. 15.
34 DE BOOR, Werner. *Atos dos Apóstolos*, p. 15.

Capítulo 2

Cristo vai, o Espírito Santo vem
(At 1.1-26)

O LIVRO DE ATOS é a continuação do evangelho de Lucas. É como se fosse o segundo volume de um único livro. É o relato do que Cristo começou a fazer e a ensinar. Como a igreja é o corpo de Cristo na terra, mesmo tendo Jesus sido assunto aos céus, ele continuou agindo e ensinando por intermédio da igreja. Nas palavras de William Barclay, Atos ensina que a vida de Jesus continua em sua igreja.[35]

Concordo com John Stott quando diz que o contraste que Lucas apresenta entre os dois volumes não se dá entre Jesus e sua igreja, mas entre os dois estágios do ministério de Cristo. Assim, o ministério de Jesus na terra, exercido de forma pessoal e pública, foi seguido por seu ministério celestial, exercido mediante o Espírito Santo por intermédio dos seus apóstolos. E mais: o que separa esses dois estágios é a ascensão. Esta não só concluiu o primeiro livro de Lucas e introduz o segundo (1.9), mas encerra o ministério terreno de Jesus e inaugura o seu ministério celestial.[36]

Cinco verdades são destacadas neste primeiro capítulo de Atos. Vamos examiná-las agora.

A ressurreição de Cristo, uma verdade incontroversa (1.1-3)

Lucas endereça tanto o Evangelho como Atos à mesma pessoa, o excelentíssimo Teófilo, e isso para apresentar uma exposição detalhada do que Cristo começou a fazer e a ensinar. Marshall é de opinião que Teófilo já era cristão, e Lucas escreveu seu livro para que Teófilo e outros como ele pudessem ter um relato fidedigno do começo do cristianismo.[37] No livro de Atos, Lucas reúne provas insofismáveis acerca da ressurreição de Cristo, mostrando que seu ministério terreno fora consumado e que ele, agora, continuava exercendo o seu ministério celestial. O Cristo histórico e o Cristo da glória são a mesma pessoa.

Destacamos, aqui três verdades importantes.

Em primeiro lugar, *a continuidade do ministério de Cristo* (1.1,2). *Escrevi o primeiro livro, ó Teófilo, relatando todas as coisas que Jesus começou a fazer e a ensinar até ao dia em que, depois de haver dado mandamentos por intermédio do Espírito Santo aos apóstolos que escolhera, foi elevado às alturas.* Jesus fez e falou em vez de falar e fazer. Suas palavras foram autenticadas por suas obras, e suas obras foram o penhor de suas palavras. Conforme diz William MacDonald, o ministério de Jesus foi marcado pela ação e pelo ensino. Não foi doutrina sem dever, nem credo sem conduta.

Jesus praticou o que pregou.[38] Jesus pregou aos ouvidos e aos olhos. Os homens não apenas ouviram dele grandes discursos, mas, sobretudo, viram nele grandes obras. Jesus concluiu sua obra na terra morrendo vicariamente, ressuscitando gloriosamente, dando mandamentos aos apóstolos imperativamente e retornando aos céus majestosamente. Jesus veio do céu e retornou ao céu.

Antes, porém, de Jesus encerrar seu ministério pessoal na terra, deliberadamente tomou providências para que ele continuasse ainda na terra (por meio dos seus apóstolos), mas a partir do céu (por meio do Santo Espírito).[39] John Stott diz que, pelo fato dos apóstolos ocuparem uma posição tão singular, receberam também um preparo singular. Primeiro, Jesus os escolheu (1.2). Todos os apóstolos (os doze, Matias e Paulo) não se autonomearam, nem foram indicados por um ser humano, um comitê, um sínodo ou uma igreja, mas foram escolhidos, de modo direto e pessoal, por Jesus Cristo. Segundo, Jesus se revelou a eles (1.2). Jesus escolheu os apóstolos para estarem com ele e para falarem dele, especialmente de sua ressurreição. Terceiro, Jesus os comissionou (1.2). O apóstolo era um embaixador que levava consigo a mensagem e a autoridade de quem o enviou. Quarto, Jesus lhes prometeu o Espírito Santo (1.4) para revesti-los de poder e capacitá-los a testemunhar até aos confins da terra.[40]

Em segundo lugar, *as provas da ressurreição de Cristo* (1.3). *A estes também, depois de ter padecido, se apresentou vivo, com muitas provas incontestáveis, aparecendo-lhes durante quarenta dias...* Tanto a morte de Cristo como sua ressurreição foram fatos públicos e verificáveis. Ele padeceu, mas se apresentou vivo. Sua ressurreição foi um fato histórico irrefutável.

Ainda hoje os céticos tentam negar essa verdade central do cristianismo, dizendo que Jesus não chegou a morrer, mas sofreu apenas um desmaio. Outros dizem que as mulheres erraram o túmulo e espalharam uma notícia inverídica. Há aqueles que afirmam que os discípulos roubaram o corpo de Jesus e o sepultaram num lugar desconhecido. A verdade irrefutável, entretanto, é que Jesus ressuscitou. Não adoramos o Cristo morto que esteve vivo, mas o Cristo vivo que esteve morto (Ap 1.18). Ele ressuscitou e apareceu aos apóstolos durante quarenta dias. E não apenas apareceu, mas falou acerca do reino de Deus. Há dez aparições de Jesus narradas nos evangelhos e em 1Coríntios:

1. a Maria (Mc 16.9-11; Jo 20.14-28);
2. às mulheres (Mt 28.9,10);
3. aos dois discípulos no caminho de Emaús (Mc 16.12,13; Lc 24.13-22);
4. a Pedro (Lc 24.34);
5. aos dez discípulos (Mc 16.14; Lc 24.36,43; Jo 20.19-23);
6. aos discípulos e Tomé com eles (Jo 20.26-29);
7. a sete discípulos no mar da Galileia (Jo 21.1-24);
8. aos onze discípulos na montanha da Galileia (Mt 28.16-20; Mc 16.15-18);
9. a Tiago (1Co 15.7);
10. a Paulo (1Co 15.8).

Em terceiro lugar, *o ensino acerca do reino de Deus* (1.3). *... e falando das coisas concernentes ao reino de Deus.* O tema central do ministério de Jesus foi o reino de Deus. Ele abriu e fechou o seu ministério com esse magno assunto. Os discípulos, não obstante tenham escutado tantas vezes sobre a natureza desse reino, ainda apresentavam uma compreensão distorcida e nutriam sentimentos inverídicos a respeito.

A promessa do Espírito Santo, uma dádiva do Pai (1.4-8)

Lucas faz uma transição da ressurreição de Cristo para a promessa do Espírito. A descida do Espírito estava condicionada à subida de Cristo (Jo 7.39). Quatro verdades devem ser aqui observadas.

Em primeiro lugar, *a promessa do Pai* (1.4). *E, comendo com eles, determinou-lhes que não se ausentassem de Jerusalém, mas que esperassem a promessa do Pai, a qual, disse ele, de mim ouvistes.* O Pai prometeu o Espírito e a igreja deveria esperá-lo (Jl 2.28-32; Jo 14.16; Gl 3.14; Ef 1.13). Jesus reafirmou essa promessa várias vezes: *Mas, o Consolador, o Espírito Santo, a quem o Pai enviará em meu nome, esse vos ensinará todas as coisas e vos fará lembrar de tudo o que vos tenho dito* (Jo 14.26). *Quando, porém, vier o Consolador, que eu vos enviarei da parte do Pai, o Espírito da verdade, que dele procede, esse dará testemunho de mim* (Jo 15.26). *Mas eu vos digo a verdade: convém-vos que eu vá, porque, se eu não for, o Consolador não virá para vós outros; se, porém, eu for, eu vo-lo enviarei* (Jo 16.7).

Essa espera deveria ser, *com obediência irrestrita*. Eles não poderiam ausentar-se de Jerusalém. O lugar do fracasso haveria de ser o território da vitória. O mesmo lugar onde Cristo foi humilhado, ali deveria também ser exaltado. O palco do padecimento deveria ser também o cenário do derramamento do Espírito. Marshall diz que o lugar onde Jesus foi rejeitado haveria de ser o lugar onde começaria novo testemunho dele.[41] Em segundo lugar, essa espera deveria ser *com perseverança inabalável*. Eles deveriam esperar até que do alto fossem revestidos de poder (Lc 24.49). Por fim, essa espera deveria ser *com expectativa triunfante*. Eles deveriam receber o revestimento de poder.

Em segundo lugar, *o batismo com o Espírito Santo* (1.5). *Porque João, na verdade, batizou com água, mas vós sereis batizados com o Espírito Santo, não muito depois destes dias.* A terminologia *batismo com o Espírito Santo* tem sido muito debatida e gerado discussões acaloradas e muita distorção nas últimas décadas. Muitos estudiosos acreditam que o batismo com o Espírito é uma experiência distinta da conversão. Outros defendem que sua evidência é o falar em outras línguas. Há aqueles, porém, que entendem que o batismo com o Espírito se dá na conversão, quando somos batizados no corpo de Cristo pelo Espírito (1Co 12.13). Embora o Espírito já estivesse agindo antes do Pentecostes, sua dispensação plena começa ali, pois só quando Cristo foi glorificado é que o Espírito Santo foi derramado para estar para sempre com a igreja. Lucas está falando da vinda definitiva do Espírito para habitar na igreja e também da capacitação de poder para testemunhar o evangelho.

Em terceiro lugar, *a natureza do reino* (1.6,7). *Então, os que estavam reunidos lhe perguntaram: Senhor, será este o tempo em que restaures o reino a Israel? Respondeu-lhes: Não vos compete conhecer tempos ou épocas que o Pai reservou pela sua exclusiva autoridade.* Os discípulos ainda nutriam uma expectativa de que o reino se limitasse ao governo físico, terreno e político de Israel sobre a terra. Havia muito tempo, Israel havia perdido sua independência política e estava sob o domínio de povos estrangeiros. Eles alimentavam a esperança de que um dia a mesa iria virar e Israel assumiria o comando político do mundo. No entendimento dos discípulos, o reino já pertencia a Israel. Agora, eles aguardavam apenas o tempo em que esse reino lhes seria restituído. William Barclay assim descreve esse sentimento judaico:

> O centro da mensagem de Cristo era o reino de Deus (Mc 1.14). Mas o problema era que ele queria dizer uma coisa por reino e aqueles que o escutavam pensavam em outra. Os judeus estavam sempre conscientes de que eram o povo escolhido de Deus. Criam que isto significava que estavam destinados inevitavelmente a receber honras e privilégios especiais e a dominar o mundo. O curso da história, porém, mostrava que isso era impossível. A Palestina era um país muito pequeno, de apenas 200 km de comprimento por 60 de largura. Teve seus dias de independência, mas estava, havia muitos séculos, submetida sucessivamente a Babilônia, Pérsia, Grécia e Roma. Desse modo, os judeus começaram a esperar um dia em que Deus entraria diretamente na história humana para colocá-los no topo do mundo. Concebiam o reino em termos políticos. Esperavam um reino estabelecido pelo poder, e não pelo amor.*[42]

Jesus corrigiu essas falsas noções a respeito da natureza, extensão e chegada do reino, mostrando que o reino é espiritual quanto ao caráter, internacional quanto aos membros, e gradual quanto à expansão.[43] Três eram as ideias equivocadas dos discípulos acerca do reino.

1. *Eles pensavam que o reino era terreno em vez de espiritual.* O reino de Deus não é um conceito territorial. Não consta de nenhum mapa geopolítico. E era exatamente isso o que os apóstolos tinham em mente ao confundir o reino de Deus com o reino de Israel.[44] O reino de Deus não é

---

* [NR] Tradução livre

terreno, mas espiritual. Seu trono é estabelecido no coração das pessoas, não nas embaixadas dos governos. Onde um escravo do pecado é libertado e onde um súdito do reino das trevas é transportado para o reino da luz, aí se estabelece o reino de Deus. O reino de Deus não é implantado pelo poder da baioneta nem pela força das armas, mas pela ação transformadora do Espírito Santo. Marshall diz que Jesus transformou a esperança judaica do reino de Deus, purgando dela os seus elementos políticos nacionalistas.[45]

2. Eles pensavam que o reino era regional em vez de internacional. Os apóstolos ainda nutriam aspirações limitadas e nacionalistas. O reino de Deus, porém, não tem fronteiras geográficas nem políticas. Os discípulos deveriam ser testemunhas não apenas no território de Israel, mas até aos confins da terra. Não apenas aos judeus, mas também aos gentios. O reino de Deus abrange todos os povos, de todos os lugares, de todas as línguas e culturas. O reino de Deus alcança a todos, em todos os lugares, de todos os tempos, que foram lavados no sangue do Cordeiro (Ap 5.9). Somente no Novo Testamento, a consciência missionária centrípeta é substituída por uma atividade missionária centrífuga, e o grande ponto de partida é a ressurreição, da qual Jesus recebe autoridade universal e delega ao seu povo a comissão universal de ir e discipular as nações.[46]

3. Eles pensavam que o reino era estático em vez de gradual. O reino de Deus é como uma semente de mostarda que vai crescendo. Ele não se estabelece com visível aparência. Ele amplia seus horizontes na medida em que os corações se rendem ao Salvador.

> A escatologia dos discípulos estava eivada de equívocos. Jesus os corrige, mostrando-lhes que essa tendência de marcação de datas para sua vinda é uma consumada tolice. O tempo da segunda vinda e

da transição do reino da graça para o reino da glória é da exclusiva economia do Pai. Não nos é dado saber nem *kronos* nem *kairós*, nem tempos nem épocas. Nosso papel não é especular o futuro, mas agir no presente.

John Stott tem razão quando diz que o antídoto para a vã especulação espiritual é uma teologia cristã da história. Primeiro, Jesus voltou ao céu (Ascensão). Segundo, o Espírito Santo veio do céu (Pentecostes). Terceiro, a igreja sai para o mundo para ser testemunha (Missão). Quarto, Jesus voltará (Parousia).[47]

Em quarto lugar, *o revestimento de poder* (1.8). *Mas recebereis poder, ao descer sobre vós o Espírito Santo, e sereis minhas testemunhas tanto em Jerusalém como em toda a Judeia e Samaria e até aos confins da terra*. Jesus redireciona os olhos dos discípulos para a ação missionária e dá-lhes um esboço geral da obra que deveriam fazer. David Stern diz que este versículo serve como uma espécie de índice para o livro de Atos.[48] O período de testemunho e missão deve anteceder a volta de Jesus. Em vez de conhecer tempos ou épocas, eles seriam revestidos com o poder do Espírito para serem testemunhas (2.33). Não lhes bastaria o poder do intelecto, da vontade ou da eloquência humana. Era preciso que o Espírito agisse neles, dentro deles e através deles.

James Hastings destaca no oitavo versículo três pontos importantes: a) o poder; b) a fonte do poder; c) o uso do poder. Há na língua grega duas palavras para poder: *exousia* e *dunamis*. A primeira refere-se ao poder no sentido de governo e autoridade; e a segunda significa habilidade e força. O poder que a igreja recebe não é político, intelectual ou ministerial, mas um poder espiritual, pessoal e moral. A fonte desse poder é o Espírito Santo, e esse poder é dado para que a igreja seja testemunha de Cristo até aos confins da terra.[49]

Conhecemos o termo "testemunha" do linguajar jurídico. Num processo judicial são interrogadas testemunhas. Não lhes cabe externar sua opinião em relatar seus pensamentos.[50] *Testemunha* é uma palavra-chave no livro de Atos e aparece 29 vezes na forma de substantivo ou verbo. Uma testemunha é alguém que relata o que viu e ouviu (4.19,20). É alguém que está pronto a dar sua própria vida para testificar o que viu e ouviu. Mário Neves interpreta corretamente quando escreve: "A palavra *testemunha*, no grego, corresponde a mártir, de sorte que ser testemunha implica na disposição íntima, não só de sofrer, mas até de sacrificar a própria vida pela Causa".[51]

Para que os discípulos precisariam do revestimento de poder?

1. Para sair do campo da especulação para o terreno da ação. Os discípulos estavam perdendo o foco. Queriam investigar o que não lhes competia, enquanto deveriam ser capacitados para fazer o que lhes fora dado por obrigação. Não podemos viver com um mapa profético nas mãos, especulando o futuro. Somos desafiados a testemunhar aqui, ali, alhures, no poder do Espírito Santo.

2. Para perdoar. As antigas barreiras raciais, culturais e religiosas que os separavam dos samaritanos deveriam ser quebradas. O mapa traçado por Jesus incluía Samaria. Aonde o evangelho chega, os muros de inimizade são derrubados. O poder do Espírito capacita a igreja a amar até mesmo seus inimigos.

3. Para pregar até aos confins da terra. Os horizontes são ampliados. Os limites dilatados. O projeto de Deus é o evangelho todo, por toda a igreja, em todo o mundo. Os gentios que eram considerados pelos judeus apenas combustível para o fogo do inferno, agora deveriam merecer a mais acendrada atenção dos judeus no cumprimento da missão.

4. *Para morrer.* A palavra *testemunha* significa "mártir". Os discípulos eram testemunhas que haviam presenciado um fato glorioso, a ressurreição de Cristo, e essa notícia da exaltação de Jesus deveria ser anunciada até aos confins da terra, ainda que para isso, a morte fosse o preço a ser pago.

A ascensão de Cristo, o selo da sua vitória (1.9-11)

A ascensão de Cristo foi o selo da sua vitória sobre o pecado, o mundo, o diabo e a morte. Sua ascensão foi visível, vitoriosa e gloriosa. Somente Lucas relata a ascensão de Cristo (Lc 24.50-53; At 1.9-11) Várias implicações decorrem da ascensão de Cristo.

Em primeiro lugar, *ele consumou sua obra* (1.9). *Ditas estas palavras, foi Jesus elevado às alturas, à vista deles, e uma nuvem o encobriu dos seus olhos.* Essa subida pública, visível e gloriosa era uma mensagem eloquente da obra consumada de Cristo. Seu sacrifício vicário foi aceito, a vontade do Pai foi cumprida, a redenção foi realizada e, agora, o Filho está de volta à mesma glória que sempre teve junto ao Pai.

Em segundo lugar, *ele foi elevado às alturas* (1.9). A ascensão de Jesus foi uma obra do Pai, um dos componentes de sua exaltação. Paulo interpreta essa verdade da seguinte forma: *Pelo que também Deus o exaltou sobremaneira e lhe deu o nome que está acima de todo nome, para que ao nome de Jesus se dobre todo joelho, nos céus, na terra e debaixo da terra e toda língua confesse que Jesus é Senhor, para a glória de Deus Pai* (Fp 2.9-11). Manford Gutzke diz Jesus Cristo ascendeu à mão direita de Deus Pai. Está intercedendo pela sua igreja. Está conduzindo os destinos da história e aguardando o dia em que o Pai o enviará de volta para buscar sua noiva e estabelecer seu reino de glória.[52]

Em terceiro lugar, *ele voltará pessoalmente* (1.10,11). *E, estando eles com os olhos fitos no céu, enquanto Jesus subia, eis que dois varões vestidos de branco se puseram ao lado deles e lhes disse: Varões galileus, por que estais olhando para as alturas? Esse Jesus que dentre vós foi assunto ao céu virá do modo como o viste subir.* Com respeito à segunda vinda de Cristo, os apóstolos cometeram dois erros opostos, que tinham de ser corrigidos. Primeiro, eles estavam à espera de um poder político (a restauração do reino de Israel). Segundo, estavam observando o céu (preocupados com o Jesus celestial). Ambos eram fantasias falsas. O primeiro é o erro do político que sonha em instalar a utopia na terra. O segundo é o erro do pietista que sonha apenas com os prazeres celestiais. A primeira visão é terrena demais, e a segunda, celestial demais.[53] Para o ilustre historiador Justo González, nós, cristãos, com frequência demasiada, permanecemos com os olhos voltados para o céu e esquecemos que fomos postos na terra a fim de cumprir uma missão. Nossa pregação tão preocupada com o além frequentemente corre o risco de ter pouco a dizer àqueles que ainda devem viver em meio à injustiça e ao sofrimento atuais.[54]

Da mesma forma que a ascensão de Jesus foi física, pessoal, visível e gloriosa, assim também será sua volta. Da mesma forma que ele retornou ao céu cavalgando uma nuvem, assim também voltará entre nuvens. Concordo com John Stott quando diz que sua volta será pessoal, mas não será vista por poucos, como na ascensão. Em vez de voltar sozinho (como partiu), milhões de santos – humanos e angelicais – formarão sua comitiva. E, em vez de ser uma volta restrita a um local, será "assim como o relâmpago, que fuzilando, brilha de uma à outra extremidade do céu".[55]

A busca do Espírito Santo, um clamor da igreja (1.12-14)

Jesus voltou para o céu triunfantemente, e os discípulos voltaram para Jerusalém alegremente (Lc 24.52). Destacamos, aqui, quatro pontos importantes acerca dessa volta dos discípulos para Jerusalém após a ascensão de Cristo.

Em primeiro lugar, *a volta* (1.12). *Então, voltaram para Jerusalém, do monte chamado Olival, que dista daquela cidade tanto como a jornada de um sábado*. Jesus ascendeu ao céu do monte das Oliveiras, cerca de um quilômetro e pouco da cidade de Jerusalém. Essa volta foi com grande júbilo. Jesus ausentou-se fisicamente, mas prometeu estar sempre com eles e derramar sobre eles o Espírito Santo.

Em segundo lugar, *o local* (1.13a). *Quando ali entraram, subiram para o cenáculo...* O cenáculo foi o palco das promessas e o lugar da busca. Ali Jesus orou pelos discípulos e ali os discípulos oraram pelo derramamento do Espírito. Ali os discípulos se turbaram e ali recobraram ânimo. O mesmo palco da tristeza tornou-se o cenário da expectativa mais gloriosa.

Em terceiro lugar, *os integrantes* (1.13b,14b). *... onde se reuniam Pedro, João, Tiago, André, Filipe, Tomé, Bartolomeu, Mateus, Tiago, filho de Alfeu, Simão, o Zelote, e Judas, filho de Tiago [...] com as mulheres, com Maria, mãe de Jesus, e com os irmãos dele*. O grupo reunido no cenáculo somava umas 120 pessoas (1.15). Conforme a lei judaica, era necessário um mínimo de 120 homens judeus para estabelecer uma comunidade com seu próprio concílio; em termos judaicos, os discípulos perfaziam um corpo do tamanho suficiente para formar uma nova comunidade.[56] Ali estava o colégio apostólico, a família de Jesus, outras mulheres e outros irmãos. Não havia entre eles nenhuma supremacia de Pedro ou Maria. Todos estavam reunidos na mesma condição e com o mesmo propósito. Como H. Leo Boles observou: "Há aqui no cenáculo quatro grupos distintos de pessoas : a) os apóstolos; b) Maria, a mãe de Jesus e certas outras mulheres piedosas; c) os irmãos de Jesus; e d) outros discípulos.[57] Vale ressaltar que esta é a última referência das Escrituras a Maria, mãe de Jesus. Também vemos aqui que os irmãos de Jesus, que eram duvidosos e não criam nele (Jo 7.5), estavam agora persuadidos da sua messianidade, após a ressurreição.

Em quarto lugar, *a oração* (1.14a). *Todos estes perseveravam unânimes em oração...* Aqueles 120 irmãos reunidos no cenáculo não estavam mais, como os apóstolos, trancados com medo dos judeus, porém aguardavam o revestimento de poder. Werner de Boor diz com acerto que a espera não é nem impaciente e agitada, nem vazia e inativa. É plena de "perseverar em oração".[58] O grupo estava coeso na busca e manteve-se perseverante na oração até que todos foram revestidos de poder. Posto que o Espírito Santo é a dádiva divina que capacita e guia a igreja, a atitude humana correspondente diante de Deus é a oração. É na medida em que a igreja ora que ela recebe o Espírito.[59]

Os Estados Unidos da América sofreram um colapso econômico em 1850. Os bancos fracassaram. Os empresários entraram em crise. As estradas de ferro faliram. Fábricas foram fechadas, e milhões de trabalhadores ficaram desempregados. A situação era desesperadora. Em 1º de julho de 1857, Jeremiah Lamphier, um homem de negócios, assumiu o posto de missionário urbano. Sua denominação vinha perdendo milhares de membros todos os anos. Lamphier imprimiu um folheto e o distribuiu em Nova York. Em 23 de setembro de 1857, ele começou uma reunião de oração com o objetivo de juntar comerciantes, mecânicos e viajantes para buscar a Deus. No primeiro encontro apareceram seis pessoas. Na segunda semana, quarenta. A reunião deixou de ser semanal para ser diária. Em seis meses, cerca de dez mil homens se reuniam todos os dias em Nova York para orar. O resultado foi um poderoso avivamento que varreu o país e, em dois anos, acrescentaram-se às igrejas americanas mais de um milhão de novos convertidos. Todos os avivamentos na história foram precedidos por oração. É grande a igreja que ora! Os céus se fendem e Deus derrama seu Espírito!

Warren Wiersbe faz um apanhado sobre a vida de oração da igreja no livro de Atos. Os cristãos oravam pedindo orientação para tomar decisões (1.15-26) e coragem para testemunhar de Cristo (4.23-31). Na verdade, a oração era parte integrante do ministério diário dos cristãos e apóstolos. (2.42-47; 3.1; 6.4). Estêvão orou enquanto era apedrejado (7.55-60). Pedro e João oraram pelos samaritanos (8.14-17), e Saulo de Tarso orou depois de sua conversão (9.11). Pedro orou antes de ressuscitar Dorcas (9.36-43). Cornélio orou para que Deus lhe mostrasse como deveria ser salvo (10.1-4), e Pedro estava no terraço orando quando Deus lhe disse como responder às orações de Cornélio (10.9). Os cristãos na casa de João Marcos oraram por Pedro quando o apóstolo estava na prisão, e o Senhor o livrou tanto da prisão quanto da morte (12.1-11). A igreja de Antioquia jejuou e orou antes de enviar

Barnabé e Saulo (13.1-3). Foi em uma reunião de oração em Filipos que Deus tocou o coração de Lídia (16.13); em outra reunião de oração em Filipos, Deus abriu as portas da prisão (16.25-31). Paulo orou por seus amigos antes de partir em viagem (20.36; 21.5). No meio de uma tempestade, orou pedindo a bênção de Deus (27.35) e, depois de uma tempestade, orou para que Deus curasse um homem enfermo (28.8). Em quase todos os capítulos de Atos encontramos alguma referência à oração, e este livro deixa claro que algo sempre acontece quando o povo de Deus ora. Na verdade, a oração é um escudo para alma, um sacrifício para Deus e um flagelo para Satanás.[60]

A substituição de Judas, uma decisão necessária (1.15-26)

Judas teve o maior dos privilégios e perdeu a maior das oportunidades. Judas traiu seu nome, seu apostolado e seu Senhor. Vendeu Jesus por míseras moedas de prata, pelo preço vil de um escravo. Judas não se arrependeu, por isso se enforcou. Arrependimento e vida, ou remorso e morte. No episódio da morte de Jesus e da escolha de Matias, vemos quatro fatos dignos de destaque.

Em primeiro lugar, *a liderança de Pedro* (1.15). *Naqueles dias, levantou-se Pedro no meio dos irmãos...* Pedro foi o grande líder do colégio apostólico desde seu chamado para o apostolado. Ele sempre esteve na dianteira do grupo. Mais uma vez é Pedro quem toma a iniciativa de promover a substituição de Judas e propor a escolha de um novo nome para ocupar a sublime posição.

Em segundo lugar, *a profecia de Davi* (1.16,17). *Irmãos, convinha que se cumprisse a Escritura que o Espírito Santo proferiu anteriormente por boca de Davi, acerca de Judas, que foi o guia daqueles que prenderam Jesus, porque ele era* *contado entre nós e teve parte neste ministério.* Judas teve a honra de ser chamado por Cristo para ser um apóstolo. Ele, como tesoureiro, ocupou um cargo de confiança no colégio apostólico. Judas ouviu palavras inefáveis, viu milagres memoráveis e, possivelmente, falou e fez coisas extraordinárias. Porém, mesmo tendo parte no ministério apostólico, liderou a turba que prendeu Jesus no Getsêmani. Concordo com o que escreveu Calvino: "Judas não pode ser justificado pelo fato de sua ação ter sido profetizada, já que ele caiu não por causa da compulsão da profecia, mas devido à iniquidade de seu próprio coração*".[61] Nessa mesma linha de pensamento, Werner de Boor explica que não foi a ação de Judas como tal que havia sido "predestinada" (Sl 69.25; 109.8), pois a soberania de Deus não se contrapõe à responsabilidade humana.[62]

Em terceiro lugar, *a ambição de Judas* (1.18-20). *(Ora, este homem adquiriu um campo com o preço da iniquidade; e, precipitando-se, rompeu-se pelo meio, e todas as suas entranhas se derramaram; e isto chegou ao conhecimento de todos os habitantes de Jerusalém, de maneira que em sua própria língua esse campo era chamado Aceldama, isto, é Campo de Sangue.) Porque está escrito no Livro dos Salmos: Fique deserta a sua morada; e não haja quem nela habite; e: Tome outro o seu encargo.* A Bíblia não nos oferece todas as motivações de Judas nesse longo processo da traição de Jesus. Sabemos que ele era ladrão. Ele teve muitas oportunidades para voltar atrás em seu intento, porém, tapou os ouvidos a todas as advertências e acabou vendendo a Jesus, traindo-o com um beijo mentiroso. Sentiu remorso pelo seu ato, devolveu o dinheiro aos sacerdotes, mas não se voltou para Jesus em genuíno arrependimento. O desespero levou-o ao suicídio e, mais tarde, o dinheiro devolvido foi usado para comprar um campo, chamado Aceldama, Campo de Sangue.

Lucas nos oferece aqui alguns detalhes omitidos nos evangelhos. Judas não apenas se suicidou, morrendo enforcado, mas também se rompeu pelo meio e suas entranhas se derramaram. Esse fato tornou-se público.

Agora, outro homem deve ocupar o seu lugar e é para esse fim que a igreja busca a direção divina. Werner de Boor diz que Judas se demitiu da "vaga neste ministério e envio", para ir para o seu próprio lugar, isto é, para a perdição. O lugar vazio precisa ser preenchido e assumido por outro.[63]

Em quarto lugar, *o substituto de Judas* (1.21-26). Lucas relata:

> *É necessário, pois, que, dos homens que nos acompanharam todo o tempo que o Senhor Jesus andou entre nós, começando no batismo de João, até ao dia em que dentre nós foi levado às alturas, um destes se torne testemunha conosco da sua ressurreição. Então, propuseram dois: José, chamado Barsabás, cognominado Justo, e Matias. E, orando, disseram: Tu, Senhor, que conheces o coração de todos, revela-nos qual destes dois tens escolhido para preencher a vaga neste ministério e apostolado, do qual Judas se transviou, indo para o seu próprio lugar. E os lançaram em sortes, vindo a sorte recair sobre Matias, sendo-lhe, então, votado lugar com os onze apóstolos (1.21-26).*

Duas verdades saltam aos nossos olhos aqui acerca do apostolado: as credenciais do apostolado e a função de um apóstolo. Um apóstolo deve ser testemunha ocular do que Jesus fez e ensinou (1.21,22a) e também deve ser testemunha ocular da sua ressurreição (1.22b). A igreja reunida no cenáculo fez essa escolha não mediante artifícios humanos ou manobras políticas, mas na inteira dependência de Deus, buscando a direção divina nessa escolha. Concordo com Marshall quando escreveu: "A verdadeira escolha foi deixada para o Senhor, sendo que o apostolado não era um cargo humanamente ordenado. A assembleia, portanto, orou no sentido de Deus exercer sua escolha em virtude do seu conhecimento dos corações humanos".[64] Alguns escritores entendem que a escolha de Matias foi uma precipitação da igreja, uma vez que Paulo, e não Matias, teria sido o escolhido de Cristo para ocupar a vaga de Judas.[65] O Novo Testamento, entretanto, nada diz a esse respeito. Ao contrário, lemos que Matias foi contado entre os doze (At 6.2) e que o próprio Paulo faz menção aos doze sem se incluir entre eles (1Co 15.5).

Notas do capítulo 2

[35] BARCLAY, William. *Hechos de los Apóstoles*, p. 15.
[36] STOTT, John. *A mensagem de Atos*, p. 30.
[37] MARSHALL, I. Howard. *Atos: introdução e comentário*, p. 56.
[38] MacDONALD, William. *Believer's Bible commentary*, p. 1577.
[39] STOTT, John. *A mensagem de Atos*. 1985, p. 33.
[40] STOTT, John. *A mensagem de Atos*. 1985, p. 33-35.
[41] MARSHALL, I. Howard. *Atos: introdução e comentário*. 1982, p. 58.
[42] BARCLAY, William. *Hechos de los Apóstoles*, p. 17.

43 STOTT, John. *A mensagem de Atos*. 1985, p. 40-42.
44 STOTT, John. *A mensagem de Atos*. 1985, p. 40.
45 MARSHALL, I. Howard. *Atos: introdução e comentário*. 1982, p. 60.
46 STOTT, John. *A mensagem de Atos*. 1985, p. 42.
47 STOTT, John. *A mensagem de Atos*. 1985, p. 51.
48 STERN, David H. *Comentário judaico do Novo Testamento*, p. 245.
49 HASTINGS, James. *The great texts of the Bible*. Vol. XIII. Grand Rapids, MI: Wm. B. Eerdmans Publishing Company, n. d., p. 4-9.
50 DE BOOR, Werner. *Atos dos Apóstolos*, p. 27.
51 NEVES, Mário. *Atos dos Apóstolos*. São Paulo: Casa Editora Presbiteriana, n. d., p. 35.
52 GUTZKE, Manford George. *Plain talk on Acts*. Grand Rapids, MI: Zondervan Publishing House, 1966, p. 28.
53 STOTT, John. *A mensagem de Atos*. 1985, p. 51.
54 GONZÁLEZ, Justo L. *Atos*. São Paulo: Hagnos, 2011, p. 42,43.
55 STOTT, John. *A mensagem de Atos*. 1985, p. 50.
56 MARSHALL, I. Howard. *Atos: introdução e comentário*. 1982, p. 64.
57 BOLES, H. Leo. *Commentary on the Acts*. Nashville, TN: Gospel Advocate Company, 1953, p. 26.
58 DE BOOR, Werner. *Atos dos Apóstolos*, p. 32.
59 MARSHALL, I. Howard. *Atos: introdução e comentário*. 1982, p. 62,63.
60 WIERSBE, Warren W. *Comentário bíblico expositivo*. Vol. 5. Santo André: Geográfico, 2006, p. 523.
61 CALVIN, John. "Commentary upon the Acts of the Apostles". In: *Calvin's Commentary*. Vol. XVIII. Grand Rapids, MI: Baker Books. 2009, p. 61.
62 DE BOOR, Werner. *Atos dos Apóstolos*, p. 36.
63 DE BOOR, Werner. *Atos dos Apóstolos*, p. 37.
64 MARSHALL, I. Howard. *Atos: introdução e comentário*. 1982, p. 66.
65 NEVES, Mário. *Atos dos Apóstolos,* n. d., p. 40,41.

Capítulo 3

O Pentecostes: o derramamento do Espírito Santo
(At 2.1-47)

Lucas é o evangelista que mais enfatiza a obra do Espírito Santo na vida de Jesus e da igreja. O mesmo Espírito que desceu sobre Jesus no Jordão, guiou-o no deserto e revestiu-o com poder para salvar, libertar e curar (Lc 3.21,22; 4.1,14,18) agora vem sobre os discípulos de Jesus (At 1.5,8; 2.33). Nos capítulos iniciais de Atos, Lucas refere-se à promessa, à dádiva, ao batismo, ao poder e à plenitude do Espírito na experiência do povo de Deus.[66]

O Pentecostes não foi um acontecimento casual, mas uma agenda estabelecida por Deus desde a eternidade. Como o Calvário, o Pentecostes foi um acontecimento único e irrepetível. O

Espírito Santo foi enviado a fim de estar para sempre com a igreja. Temos outros derramamentos do Espírito registrado em Atos e no decurso da história, mas todos eles decorreram deste Pentecostes. Concordo com John Stott quando diz que devemos cuidar para não diminuir nossas expectativas ou relegar à categoria do excepcional aquilo que Deus talvez queira que seja a experiência normal da igreja. O vento e o fogo eram extraordinários, e provavelmente também as línguas; mas a nova vida e a alegria, a comunhão e o culto, a liberdade e o poder, não.[67] Destacamos no capítulo 2 de Atos quatro pontos importantes: a descida do Espírito, o fenômeno das línguas, o sermão de Pedro e a vida da igreja.

A descida do Espírito Santo (2.1-4)

Cristo subiu, e o Espírito Santo desceu. O Cristo ressurreto ascendeu aos céus e enviou o Espírito a fim de habitar para sempre com a igreja.

Destacamos aqui alguns pontos importantes.

Em primeiro lugar, *o significado do Pentecostes* (2.1a). *Ao cumprir-se o dia de Pentecostes...* A palavra *pentecoste* significa o quinquagésimo dia. Pentecostes era a festa que acontecia cinquenta dias após o sábado da semana da Páscoa (Lv 23.15,16), portanto era o primeiro dia da semana. É também chamado de Festa das Semanas (Dt 16.10), Festa da Colheita (Êx 23.16) e Festa das Primícias (Nm 28.26). Cristo ressuscitou como as primícias dos que dormem e durante quarenta dias deu provas incontestáveis de sua ressurreição com várias aparições a seus discípulos. Dez dias após sua ascensão, o Espírito Santo foi derramado no Pentecostes. John Wesley afirma que, no Pentecostes do Sinai no Antigo Testamento e no Pentecostes de Jerusalém no

Novo Testamento aconteceram duas grandes manifestações de Deus, a legal e a evangélica; uma da montanha e a outra do céu; a primeira terrível, e a segunda, misericordiosa.[68]

Em segundo lugar, *a espera do Pentecostes* (2.1b). ... *estavam todos reunidos no mesmo lugar*. Os 120 discípulos estavam congregados no cenáculo em unânime e perseverante oração, quando, de repente, o Espírito Santo foi derramado sobre eles. Estribados na promessa do Pai anunciada por Jesus, havia no coração deles a expectativa do revestimento de poder. Todos estavam no mesmo lugar, com o mesmo propósito, buscando o mesmo revestimento do Espírito.

Em terceiro lugar, *o derramamento do Espírito no Pentecostes* (2.2-4). O historiador Lucas registra a descida do Espírito com as seguintes palavras:

> *De repente, veio do céu um som, como de um vento impetuoso, e encheu toda a casa onde estavam assentados. E apareceram distribuídas entre eles, línguas, como de fogo, e pousou uma sobre cada um deles. Todos ficaram cheios do Espírito Santo e passaram a falar em outras línguas, segundo o Espírito lhes concedia que falassem (2.2-4)*

O derramamento do Espírito Santo foi um fenômeno celestial. Não foi algo produzido, ensaiado, fabricado. Aconteceu algo verdadeiramente do céu. Foi incontestável e irresistível. Foi soberano, ninguém pôde produzi-lo. Foi eficaz, ninguém pôde desfazer os seus resultados. Foi definitivo, ele veio para ficar para sempre com a igreja. Aquilo que aqui se denomina *ficar cheio*, também é chamado de *batismo* (1.5; 11.16), *derramamento* (2.17,18; 10.45) e *recebimento* (10.47).[69] William MacDonald diz que a vinda do Espírito envolveu um som para ouvir, um cenário para ver e um milagre para experimentar.[70] O versículo 1 informa-nos que *todos estavam reunidos no mesmo lugar*. O termo *todos*, que aparece mais uma vez no versículo 4, deve ser entendido no sentido de que não só os doze estão presentes, mas também as mulheres e os outros discípulos mencionados em 1.13-15. Foi sobre todos esses, e não só sobre os doze, que o Espírito desceu.[71] Três fatos nos chamam a atenção.

Primeiro, *o derramamento do Espírito veio como um som* (2.2). Não foi barulho, algazarra, falta de ordem, histeria, mas um som do céu. A palavra grega *echos,* usada aqui, é a mesma usada em Lucas 21.25 para descrever o estrondo do mar.[72] O derramamento do Espírito foi um acontecimento audível, verificável, público, reverberando sua influência na sociedade. Esse impacto atraiu grande multidão para ouvir a Palavra.

Segundo, *o derramamento do Espírito veio como um vento* (2.2). O vento é símbolo do Espírito Santo (Ez 37.9,14; Jo 3.8). O Espírito veio em forma de vento para mostrar sua soberania, liberdade e inescrutabilidade. Assim como o vento é livre, o Espírito sopra onde quer, da forma que quer, em quem quer. O Espírito sopra onde jamais sopraríamos e deixa de soprar onde gostaríamos que ele soprasse. Como o vento, o Espírito é soberano; ele sopra irresistivelmente. O chamado de Deus é irresistível, e sua graça é eficaz. O Espírito sopra no templo, na rua, no hospital, no campo, na cidade, nos ermos da terra e nos antros do pecado. Quando ele sopra, ninguém pode detê-lo. Os homens podem até medir a velocidade do vento, mas não podem mudar o seu curso. Como o vento, o Espírito também é misterioso; ninguém sabe donde vem nem para onde vai. Seu curso é livre e soberano. Deus não se submete à agenda dos homens nem se deixa domesticar.

Terceiro, *o derramamento do Espírito veio em línguas como de fogo* (2.3). O fogo também é símbolo do Espírito Santo. Deus se manifestou a Moisés na sarça em que o fogo ardia e não se consumia (Êx 3.2). Quando Salomão consagrou o templo ao Senhor, desceu fogo do céu (2Cr 7.1). No Carmelo, Elias orou, e fogo desceu (1Rs 18.38,39). Deus é fogo. Sua Palavra é fogo. Ele faz dos seus ministros labaredas de fogo. Jesus batiza com fogo, e o Espírito desceu em línguas como de fogo. O fogo ilumina, purifica, aquece e alastra. Jesus veio para lançar fogo sobre a terra. Hoje, muitas vezes, a igreja está fria. Parece mais uma geladeira a conservar intacto seu religiosismo do que uma fogueira a inflamar corações. Muitos crentes parecem mais uma barra de gelo do que uma labareda de fogo. Certa feita alguém perguntou a Dwight Moody: "Como podemos experimentar um reavivamento na igreja?". O grande avivalista respondeu: "Acenda uma fogueira no púlpito". Quando gravetos secos pegam fogo, até lenha verde começa a arder. John Wesley disse: "Ponha fogo no seu sermão, ou ponha o seu sermão no fogo".

Matthew Henry diz que o fogo foi dado como sinal de cumprimento da predição de João Batista relativa a Jesus: *Ele vos batizará com o Espírito Santo e com fogo* (Mt 3.11), ou seja, com o Espírito Santo, como fogo. Os discípulos estavam na Festa de Pentecostes celebrando o recebimento da lei no monte Sinai. A lei foi dada em fogo, por isso foi chamada "lei de fogo" como o evangelho é chamado "evangelho de fogo". A missão de Ezequiel foi confirmada por uma visão de brasas de fogo ardente (Ez 1.13), e a de Isaías, por uma visão de brasa viva que lhe tocou os lábios (Is 6.6,7). O Espírito, como o fogo, derrete o coração, separa e queima a escória, e acende sentimentos santos e devotos na alma. É na alma, como o fogo que está sobre o altar, que são oferecidos os sacrifícios espirituais. Este é o fogo que Jesus veio lançar na terra (Lc 12.49).[73]

Quarto, *o derramamento do Espírito traz uma experiência pessoal de enchimento do Espírito Santo* (2.4). Aqueles discípulos já eram salvos. Por três vezes Jesus havia deixado isso claro (Jo 13.10; 15.3; 17.12). De acordo com a teologia de Paulo, se eles já eram já salvos, já tinham o Espírito Santo, pois o apóstolo escreveu: [...] *Se alguém não tem o Espírito de Cristo, esse tal não é dele* (Rm 8.9). Jesus disse: *Quem não nascer da água e do Espírito não pode entrar no Reino* (Jo 3.5). Além de já terem o Espírito Santo, após sua ressurreição Jesus ainda soprou sobre eles o Espírito Santo, e disse: [...] *Recebei o Espírito Santo* (Jo 20.22). Mas a despeito de serem regenerados pelo Espírito e de receberem o sopro do Espírito, eles ainda não estavam cheios do Espírito. Uma coisa é ter o Espírito Santo, outra é o Espírito Santo ter alguém. Uma coisa é ser habitado pelo Espírito, outra é ser cheio dele. Uma coisa é ter o Espírito presente, outra é tê-lo como presidente. Você, que tem o Espírito, está cheio do Espírito?

A experiência da plenitude é pessoal (At 2.3,4). O Espírito desce sobre cada um individualmente. Cada um vive sua própria experiência. Ninguém precisa pedir, como as virgens néscias, azeite emprestado. Todos ficaram cheios do Espírito. Concordo com Matthew Henry quando diz: "Para mim está claro que não só os doze apóstolos, mas todos os 120 discípulos foram igualmente cheios do Espírito Santo nessa ocasião".[74] Logo que eles ficaram cheios do Espírito, começaram a falar as grandezas de Deus (2.11). Sempre que alguém ficou cheio do Espírito no livro de Atos começou a pregar (At 1.8; 2.4,11,14,41; 4.8,29-31; 6.5,8-10; 9.17-22). A plenitude do Espírito nos dá poder para pregar com autoridade. Certa feita, David Hume, o patrono dos agnósticos, foi visto correndo pelas ruas de Londres. Alguém o abordou: "Para onde você vai, com tanta pressa?". O filósofo respondeu: "Vou ver George Whitefield pregar". O questionador lhe perguntou, espantado: "Mas você não acredita no que ele prega, acredita?". Hume respondeu: "Eu não acredito, mas ele acredita!". Um crente cheio do Espírito prega a Palavra com poder e autoridade.

Matthew Henry diz que eles foram cheios com a graça do Espírito e ficaram, mais do que nunca, sob a sua influência santificadora. Agora, eles eram santos, espirituais, menos apegados a este mundo e mais familiarizados uns com os outros. Ficaram mais cheios do consolo do Espírito, alegraram-se mais no amor de Jesus e na esperança celestial, e, nisso, todas as suas aflições e medos foram absorvidos. Eles também foram, como prova disso, enchidos com os dons do Espírito Santo, que é o propósito específico do evento narrado neste texto.[75]

O fenômeno das línguas (2.4-13)

O derramamento do Espírito Santo produziu o fenômeno das línguas. O Pentecostes foi o oposto de Babel. Em Babel as línguas eram ininteligíveis; no Pentecostes, não houve necessidade de interpretação. Em Babel houve dispersão; no Pentecostes, ajuntamento. Babel foi resultado de rebeldia contra Deus; Pentecostes, fruto da oração perseverante a Deus. Em Babel os homens enalteciam seu próprio nome; no Pentecostes, falavam sobre as grandezas de Deus. John Stott escreve: "Em Babel, a terra orgulhosamente tentou subir ao céu, enquanto, em Jerusalém, o céu humildemente desceu à terra".[76]

Lucas destaca a natureza internacional da multidão poliglota reunida ao redor dos 120 discípulos que foram cheios do Espírito Santo. Eram *judeus, homens piedosos e todos estavam habitando em Jerusalém* (2.5). Mas eles não tinham nascido naquela cidade: vinham da dispersão, *de todas as nações debaixo do céu* (2.5).

Destacamos aqui três fatos importantes.

Em primeiro lugar, *o milagre das línguas* (2.4-7). No Pentecostes Deus rompeu a barreira da língua, e judeus de diversas partes do mundo puderam ouvir os discípulos falando em sua própria língua materna. Essas outras línguas eram dialetos conhecidos e falados pelos judeus que habitavam diversas regiões do Império e estavam em Jerusalém por ocasião da festa. O apóstolo Pedro aborda a questão da *glossolalia* de Atos e diz que não fora consequência de uma intoxicação ou embriaguez (2.13). Os discípulos não perderam suas funções físicas e mentais. Também não se tratara de um engano ou milagre apenas de audição, e não de fala, de forma que os ouvintes pensassem que os crentes estavam falando em outras línguas, quando não falavam de fato.

A *glossolalia* de Atos 2 foi um fenômeno tanto de fala como de audição. Não foram sons incoerentes, mas uma habilidade sobrenatural para falar em línguas reconhecíveis. Assim, a expressão *outras línguas* poderia ser traduzida por "línguas diferentes da sua língua materna". Os discípulos falaram línguas que ainda não haviam aprendido.[77] O termo grego traduzido por *língua* em Atos 2.6 e 8 é *dialektos* e refere-se à linguagem ou dialeto de um país ou região (21.40; 22.2; 26.14).[78] Concordo com Fritz Rienecker quando ele diz que a escolha feita por Lucas desta palavra *dialektos* neste trecho indica que o falar noutras línguas era o uso de outros idiomas.[79] O fenômeno das línguas ainda é citado mais duas vezes em Atos: Cesareia (10.46) e Éfeso (19.6).

Uma questão levantada pelos estudiosos é: as línguas mencionadas em Atos 2 são da mesma natureza daquelas mencionadas em 1Coríntios 12 e 14? Há quem defenda a semelhança. Porém, entendemos que elas são diferentes. Damos a seguir algumas razões.

1. As línguas em Atos eram pregação, ou seja, os discípulos falavam aos homens; já as línguas em 1Coríntios eram oração, ou seja, os crentes falavam a Deus. Desta forma, essas línguas eram diferentes quanto ao seu endereçamento.

2. As línguas em Atos eram entendidas pelos diversos grupos linguísticos de judeus que habitavam Jerusalém, enquanto em 1Coríntios as línguas eram ininteligíveis e existia a necessidade de um intérprete para traduzi-las. Consequentemente, elas eram diferentes também quanto ao caráter.

3. As línguas em Atos foram dadas a um grupo específico, num lugar específico, num tempo específico, para evidenciar a recepção do Espírito; ao passo que em 1Coríntios as línguas são um dom espiritual que continua sendo outorgado a alguns para edificação própria e para edificação da igreja.[80]

4. As línguas em Atos eram dialetos (2.6,8), ou seja, línguas faladas e entendidas pelos vários povos que estavam em Jerusalém, ao passo que em 1Coríntios quem falava em línguas proferia mistérios e ninguém podia entender (1Co 14.2).

5. As línguas em Atos não precisam de intérprete, pois cada um os ouvia falar em sua própria língua, enquanto

em 1Coríntios até quem fala não entende o que fala, a não ser que tenha também o dom de interpretação (1Co 14.13,14).

6. As línguas em Atos têm o propósito de proclamar as grandezas de Deus para fora, edificando as outras pessoas, já em 1Coríntios, as línguas não deveriam ser usadas em público, a não ser que houvesse intérprete. Era um dom de autoedificação (1Co 12.2,3,19).

7. As línguas em Atos eram faladas por todos aqueles que estavam cheios do Espírito Santo, enquanto em 1Coríntios é um dom espiritual concedido não a todos, mas apenas a alguns (1Co 12.10,30).

8. As línguas em Atos são profecia, a proclamação das virtudes de Deus aos homens, ao passo que em 1Coríntios são oração, palavras dos homens a Deus.

9. As línguas em Atos eram uma evidência de que aqueles homens estavam cheios do Espírito, mas em 1Coríntios elas não têm conexão com a plenitude do Espírito. Os crentes da igreja de Corinto falavam em outras línguas, mas eram crentes imaturos e carnais.

10. As línguas em Atos cessaram; em 1Coríntios, por serem um dom espiritual concedido à igreja pelo Espírito Santo, elas continuaram. A última palavra que Paulo tem sobre o assunto é: ... *e não proibais o falar em outras línguas* (1Co 14.39).

Em segundo lugar, *a perplexidade da multidão* (2.6,7). A multidão foi atraída pelo extraordinário fenômeno do Pentecostes. Algo sobrenatural estava acontecendo, e eles não tinham explicações plausíveis para aquele fato insólito. Vale ressaltar, como diz William Barclay, que a Festa de Pentecostes era tanto ou mais concorrida que a Festa da

Páscoa. Isso explica a quantidade de países mencionados neste capítulo, porque nunca havia em Jerusalém uma multidão mais internacional que nesse momento.[81] Marshall comenta sobre essa multidão internacional reunida em Jerusalém. Começa com três países ao leste do império romano, na área conhecida como Pérsia ou Irã, e depois, continua para o oeste, para a Mesopotâmia, o Iraque moderno e a Judeia. Seguem-se, então, várias províncias e áreas na Ásia Menor (a moderna Turquia) e, depois, o Egito e área imediatamente a oeste, seguida por Roma.[82]

Em terceiro lugar, *a reação ao milagre das línguas* (2.7-13). O derramamento do Espírito prova que os milagres abrem portas para o evangelho, mas não são o próprio evangelho. O milagre em si não pôde transformar a multidão, mas a atraiu para ouvir a Palavra de Deus. Quando Pedro começou a pregar, o coração do povo começou a derreter.

Três foram as reações da multidão com respeito ao milagre do Pentecostes:

1. Preconceito (2.7). *Estavam, pois, atônitos e se admiravam, dizendo: Vede! Não são, porventura, galileus todos esses que aí estão falando?* Os galileus eram recebidos em Jerusalém com grande preconceito. Eram pessoas de segunda classe. Os sulistas da Judeia consideravam gentios os nortistas da Galileia. A primeira reação ao Pentecostes foi de profundo preconceito.

2. Ceticismo (2.12). *Todos, atônitos e perplexos, interpelavam uns aos outros: Que quer isto dizer?* O milagre do derramamento do Espírito clareou a mente dos discípulos e turvou a mente dos céticos. Estes ficaram atônitos e perplexos, ansiosos por uma explicação plausível para aquele extraordinário acontecimento.

3. Zombaria (2.13). *Outros, porém, zombando, diziam: Estão embriagados!* Um grupo dentre a multidão rotulou o fenômeno das línguas como resultado de embriaguez. Confundiram a plenitude do Espírito como o enchimento de vinho.

A pregação poderosa (2.14-41)

O milagre pode atrair a multidão, mas não toca os corações. O milagre abre portas para o evangelho, mas não é o evangelho. Pedro se levantou para pregar uma mensagem eminentemente bíblica. A primeira coisa que Pedro fez foi esclarecer que aquele fenômeno extraordinário não era resultado da embriaguez, mas do cumprimento da profecia de Joel (2.28-32). Os discípulos não estavam dominados pelo vinho, mas cheios do Espírito Santo. A palavra grega *gleukos* foi usada para descrever o vinho doce, provavelmente o vinho novo, ainda não envelhecido por tempo suficiente e que está fermentando.[83]

O profeta havia profetizado que o Espírito seria derramado sobre toda a carne, e isso em termos qualitativos, não quantitativos. O derramamento do Espírito quebraria barreiras e romperia o preconceito sexual (filhos e filhas), etário (jovens e velhos) e social (servos e servas) (2.17,18). A profecia de Joel teve um cumprimento no Pentecostes, mas aponta também para a Parousia (2.19,20). O profeta identifica o derramamento do Espírito como um evento salvador: *E acontecerá que todo aquele que invocar o nome do Senhor será salvo* (2.21).

O padrão e os temas da mensagem pregada por Pedro tornaram-se comuns na igreja primitiva: a) a explanação dos eventos (2.14-21); b) o evangelho de Jesus Cristo – sua morte, ressurreição e exaltação (2.22-36); c) uma exortação para o arrependimento e batismo (2.37-40). Este esboço é similar aos sermões encontrados nos capítulos 2, 10 e 13.[84] Cinco verdades devem ser destacadas nessa pregação de Pedro:

Em primeiro lugar, *uma pregação cristocêntrica na sua essência*. A mensagem de Pedro versou sobre a pessoa de Cristo e sua obra. Cinco pontos podem ser identificados no sermão de Pedro.

1. A *vida de Cristo* (2.22). Pedro mostra que Jesus foi aprovado por Deus, vivendo de forma extraordinária e realizando milagres portentosos. Sua vida e sua obra eram realidades conhecidas por todos.

2. A *morte de Cristo* (2.23). A cruz não foi um acidente, mas parte do plano eterno de Deus (3.18; 4.28; 13.29). Frank Stagg diz acertadamente que isto não significa que Jesus buscou a morte, ou que o Pai desejou que os homens crucificassem Jesus, mas, sim, que, ao fazer a escolha para redimir os pecadores, foi previsto o quanto isso custaria.[85] A cruz não foi uma derrota para Jesus, mas a sua exaltação. Jesus marchou para a cruz como um rei caminha para a sua coroação. Foi na cruz que Jesus conquistou redenção para nós e desbaratou o inferno. Cristo não foi crucificado porque Judas o traiu, os judeus o entregaram, Pilatos o sentenciou e os soldados o pregaram. Foi crucificado porque Deus o entregou por amor a nós. Ele foi crucificado porque se ofereceu voluntariamente como sacrifício pelo nosso pecado. Foi na cruz que Deus provou da forma mais eloquente seu amor por nós e seu repúdio ao pecado. Na cruz de Cristo, a paz e a justiça se encontraram.

3. A *ressurreição de Cristo* (2.24-32). Não adoramos um Cristo morto, mas o Jesus vitorioso que triunfou sobre a

morte, derrotou o pecado, desfez as obras do diabo, cumpriu a lei, satisfez a justiça de Deus e nos deu eterna redenção. Pedro cita a profecia de Davi para evidenciar a realidade insofismável da ressurreição de Jesus. Pedro confirma a ressurreição de Cristo fundamentado no Salmo 16.8-11. Davi não poderia estar falando sobre si mesmo quando disse que Deus não o deixaria na morte nem permitiria que o seu Santo visse corrupção (2.27), pois Davi morreu e foi sepultado, e seu túmulo ainda estava em Jerusalém (2.29). Obviamente, Davi se referia ao seu descendente, ou seja, estava fazendo referência à ressurreição de Cristo (2.30,31). Warren Wiersbe diz que Pedro deu quatro provas da ressurreição de Cristo: a) a pessoa de Jesus Cristo (2.22-24); b) a profecia de Davi (2.25-31); c) o testemunho dos cristãos (2.33); d) a presença do Espírito Santo (2.33-35).[86]

4. A *exaltação de Cristo* (2.33-35). Ao consumar sua obra aqui no mundo, Jesus ressuscitou em glória e comissionou seus discípulos a pregar o evangelho em todo o mundo, a toda a criatura. Depois, voltou para o céu, entrou na glória, foi recebido apoteoticamente pelos anjos e assentou-se à destra do Pai, para governar a igreja, intercedendo em seu favor e revestindo-a com o poder do seu Espírito. Jesus reina. Ele está no trono do universo e ele voltará gloriosamente.

5. O *senhorio de Cristo* (2.36). Jesus é o Senhor do universo, da história e da igreja. Diante dele todo joelho deve dobrar-se nos céus, na terra e debaixo da terra. Ele reina e todas as coisas estão debaixo dos seus pés. O Espírito Santo veio para exaltar Jesus. O ministério do Espírito Santo é um ministério de holofote, ou seja, de exaltação a Jesus (Jo 16.13,14). O Espírito não lança luz sobre si mesmo. Ele não fala de si mesmo. Ele não exalta a si mesmo. Ele projeta sua luz na direção de Jesus para exaltá-lo.

Em segundo lugar, *uma pregação eficaz quanto ao seu propósito* (2.37). A pregação de Pedro explodiu como dinamite no coração da multidão. Produziu uma compulsão na alma. Foi um sermão penetrante. O termo grego *akousantes* significa ferir, dar uma forte ferroada. Era usado para descrever emoções dolorosas, que penetram o coração como um aguilhão.[87] Pedro não pregou para agradar nem para entreter. Ele foi direto ao ponto. Pôs o dedo na ferida. Não pregou diante do auditório, mas ao auditório. Pedro disse ao povo que, embora a cruz tivesse sido planejada por Deus desde a eternidade, eles eram responsáveis pela morte de Cristo. O apóstolo sentenciou: ... *vós o matastes, crucificando-o por mãos de iníquos* (2.23). A pregação precisa ser direta, confrontadora. Ela precisa gerar a agonia do arrependimento. A pregação de Pedro produziu na multidão profunda convicção de pecado. Hoje, há pouca convicção de pecado na igreja. Estamos insensíveis demais, com os olhos enxutos demais e o coração duro demais.

Em terceiro lugar, *uma pregação clara em suas exigências* (2.38). Antes de falar sobre perdão, Pedro falou sobre culpa. Antes de falar sobre cura, ele revelou à multidão a sua doença. Antes de falar sobre redenção, falou sobre pecado. Antes de falar sobre salvação, mostrou que eles estavam perdidos em seus pecados. Antes de pregar o evangelho, mostrou-lhes a lei. Não há salvação sem arrependimento. Ninguém entra no céu sem antes saber que é um pecador. Pedro se dirigiu a um grupo extremamente religioso, pois todo aquele povo tinha ido a Jerusalém para uma festa religiosa; mas, a despeito dessa religiosidade, eles precisavam arrepender-se para screm salvos. Hoje, a pregação do arrependimento está desaparecendo dos púlpitos. Precisamos arrependernos da nossa falta de arrependimento. O brado de Deus que emana das Escrituras ainda é: Arrependei-vos! Esta foi a ênfase de João Batista, de Jesus e dos apóstolos.

Vemos hoje uma mudança desastrosa na pregação. Tem-se pregado muito sobre libertação e quase nada sobre arrependimento. Os pregadores berram dos púlpitos, dizendo que as pessoas estão com encosto, mau-olhado e espírito maligno. Dizem que elas precisam ser libertadas. Mas essa pregação é incompleta, pois, ainda que as pessoas estejam realmente possessas e sejam libertadas dessa possessão, o seu problema não está de todo resolvido, pois a Bíblia diz que todos pecaram e carecem da glória de Deus. O ser humano é culpado diante de Deus e, por isso, precisa arrepender-se. Precisa colocar a boca no pó e depor as suas armas. Sem arrependimento, o mais virtuoso ser humano não pode ser salvo. O pecado não é tanto uma questão do que fazemos, mas de quem somos. O homem não é pecador porque peca; ele peca porque é pecador. Nossa natureza é pecaminosa. Nosso coração não é bom como pensava Jean Jacques Rousseau, mas corrupto; não é neutro como acreditava John Locke, mas inclinado para o mal.

Em quarto lugar, *uma pregação específica quanto à promessa* (2.38-40). Duas promessas são feitas ao arrependido, uma relacionada ao passado e outra ao futuro: remissão de pecados e dom do Espírito Santo. Depois que somos salvos, então podemos ser cheios do Espírito. Primeiro o povo se volta para Deus de todo o coração, com choro, jejum e coração rasgado; depois o Espírito é derramado.

Em quinto lugar, *uma pregação vitoriosa quanto aos resultados* (2.41). Quando há poder na pregação, vidas são salvas. A pregação de Pedro não apenas produziu conversões abundantes, mas também frutos permanentes. Eles não somente nasceram na graça de Jesus, mas também nela cresceram (At 2.42-47). Ao serem convertidos, eles foram batizados, integraram-se na igreja e perseveraram. Criaram raízes. Amadureceram. Fizeram outros discípulos, e a igreja tornou-se irresistível. Hoje é difícil manter atualizado o rol de membros de uma igreja. As pessoas entram pela porta da frente e, ao sinal da primeira crise, buscam uma fuga pela porta dos fundos. Bebericam em várias fontes, buscam alimento em diversos pastos, colocam-se sob o cajado de diversos pastores. Tornam-se ovelhas errantes, sem redil, sem referência, sem raízes.

Ao concluir essa exposição sobre o sermão de Pedro, John Stott destaca que Pedro enfocou a pessoa de Cristo, contando sua história em seis estágios:

1. Ele era um homem, mas sua divindade era reconhecida pelos seus milagres;

2. Ele foi morto por mãos iníquas, mas segundo o propósito de Deus;

3. Ele ressurgiu dos mortos, como previram os profetas e testemunharam os apóstolos;

4. Ele foi elevado à destra de Deus e de lá derramou o seu Espírito;

5. Ele oferece o perdão e o Espírito a todos os que se arrependem, creem e são batizados;

6. Ele os acrescenta à sua nova comunidade.[88]

A vida da igreja cheia do Espírito Santo (2.42-47)

A igreja de Jerusalém conjugava doutrina e vida, credo e conduta, palavra e poder, qualidade e quantidade. Hoje vemos igrejas que revelam grandes desequilíbrios. As igrejas que zelam pela doutrina não celebram com entusiasmo. As igrejas ativas na ação social desprezam a oração. Aquelas que mais crescem em número mercadejam a verdade. Ao contrário disso, a igreja de Jerusalém era unificada (2.44), exaltada (2.47a) e multiplicada (2.47b).

Quais são as marcas de uma igreja cheia do Espírito Santo?

Em primeiro lugar, *uma igreja cheia do Espírito é comprometida com a fidelidade à Palavra de Deus* (2.42). A igreja de Jerusalém nasceu sob a égide da verdade. A igreja começou com o derramamento do Espírito, a pregação cristocêntrica e a permanência dos novos crentes na doutrina dos apóstolos. A doutrina dos apóstolos é o inspirado ensino pregado oralmente naquele tempo, e agora preservado no Novo Testamento.[89] Stott diz que o Espírito Santo abriu uma escola em Jerusalém; seus professores eram os apóstolos que Jesus escolhera; e havia 3 mil alunos no jardim da infância. A igreja apostólica era uma igreja que aprendia. Com isso, deduzimos que o antiintelectualismo e a plenitude do Espírito são incompatíveis, pois o Espírito Santo é o Espírito da verdade. O Espírito de Deus leva o povo de Deus a submeter-se à Palavra de Deus.[90] Justo González destaca que o perseverar no ensino dos apóstolos não quer só dizer que o povo não se desviou das doutrinas apostólicas ou permaneceu ortodoxo. Quer dizer também que eles perseveraram na prática de aprender com os apóstolos – que eram alunos, ou discípulos, ávidos por conhecimento sob o comando dos mestres.[91]

Ao longo da história houve muitos desvios da verdade: as heresias da Idade Média; a ortodoxia sem piedade; o Pietismo – piedade sem ortodoxia; os quacres – o importante é a luz interior; o movimento liberal – a razão acima da revelação; e o movimento neopentecostal – a experiência acima da revelação.

Deus tem um compromisso com a Palavra. Ele tem zelo pela Palavra. Uma igreja fiel não pode mercadejar a Palavra.

Em segundo lugar, *uma igreja cheia do Espírito é perseverante na oração* (2.42). Uma igreja cheia do Espírito ora com fervor e constância. A igreja de Jerusalém não apenas possuia uma boa teologia da oração, mas efetivamente orava. Ela dependia mais de Deus do que dos próprios recursos: Atos 1.14 – Todos unânimes perseveravam em oração; Atos 3.1 – Os líderes da igreja vão orar às 3 horas da tarde; Atos 4.31 – A igreja sob perseguição ora, o lugar treme e o Espírito desce; Atos 6.4 – A liderança entende que a sua maior prioridade é oração e a Palavra; Atos 9.11 – O primeiro sinal que Deus deu a Ananias sobre a conversão de Paulo é que ele estava orando; Atos 12.5 – Pedro está preso, mas há oração incessante da igreja em seu favor e ele é miraculosamente libertado; Atos 13.1-3 – A igreja de Antioquia ora e Deus abre as portas das missões mundiais; Atos 16.25 – Paulo e Silas oram na prisão e Deus abre as portas da Europa para o evangelho; Atos 20.36 – Paulo ora com os presbíteros da igreja de Éfeso na praia; Atos 28.8,9 – Paulo ora pelos enfermos da ilha de Malta e os cura.

Em terceiro lugar, *uma igreja cheia do Espírito tem uma profunda comunhão* (2.42,44-46). Em uma igreja cheia do Espírito os irmãos se amam profundamente. Na igreja de Jerusalém os irmãos gostavam de estar juntos (2.44). Eles partilhavam seus bens (2.45). Eles apreciavam estar no templo (2.46) e também nos lares (2.46b). Havia um só coração e uma só alma. Onde desce o óleo do Espírito, aí há união entre os irmãos; aí ordena o Senhor a sua bênção e a vida para sempre (Sl 133). Os crentes eram sensíveis para ajudar os necessitados (2.44,45). Eles converteram o coração e o bolso. Tinham desapego dos bens e apego às pessoas. Encarnaram a graça da contribuição. Concordo com Stott quando ele diz que a comunhão cristã e o cuidado cristão é compartilhamento cristão.[92] Justo González enfatiza que o *partir do pão* não significa apenas que eles comiam junto. Refere-se à celebração da comunhão, que desde o início e por muitos séculos, é o centro da adoração cristã.[93]

Em quarto lugar, *uma igreja cheia do Espírito adora a Deus com entusiasmo* (2.47). Uma igreja cheia do Espírito canta com fervor e louva a Deus com entusiasmo. O culto era um deleite. Eles amavam a casa de Deus. Uma igreja viva tem alegria de estar na casa de Deus para adorar. A comunhão no templo é uma das marcas da igreja ao longo dos séculos. O louvor da igreja era constante. Uma igreja alegre canta. Os muçulmanos têm mais de um bilhão de adeptos no mundo, mas eles não cantam. Uma igreja viva tem um louvor fervoroso, contagiante, restaurador, sincero, verdadeiro. O louvor que agrada a Deus tem origem no próprio Deus, tem como propósito exaltá-lo e tem como resultado quebrantamento dos corações. O culto verdadeiro produz reverência e alegria, pois, se a alegria do Senhor for obra do Espírito, o temor do Senhor também será autêntico.

Em quinto lugar, *uma igreja cheia do Espírito teme a Deus e experimenta os seus milagres* (2.43). Uma igreja cheia do Espírito é formada por um povo cheio de reverência. Ela tem compreensão da santidade de Deus. Ela se curva diante da majestade de Deus. Hoje as pessoas estão acostumadas com o sagrado. Há uma banalização do sagrado. Há saturação, comercialização e paganização das coisas de Deus. Quem conhece a santidade de Deus não brinca com as coisas de dele.

A igreja de Jerusalém era reverente e também receptiva ao agir soberano de Deus. Tinha a agenda aberta para as soberanas intervenções do Senhor. Acreditava nos milagres de Deus. A manifestação extraordinária de Deus estava presente na vida da igreja: Atos 3 – O paralítico é curado; Atos 4.31 – O lugar onde a igreja ora, treme; Atos 5.12,15 – Muitos sinais e prodígios são efetuados; Atos 8.6 – Filipe realiza sinais em Samaria; Atos 9 – A conversão de Saulo é seguida da sua cura; Atos 12 – Pedro é libertado pelo anjo do Senhor; Atos 16.26 – Ocorre um terremoto em Filipos; Atos 19.11 – Pelas mãos de Paulo, Deus fazia milagres; Atos 28.8,9 – Deus cura os enfermos de Malta pela oração de Paulo. Hoje há dois extremos na igreja: aqueles que negam os milagres e aqueles que os inventam.

Em sexto lugar, *uma igreja cheia do Espírito tem a simpatia dos homens e a bênção do crescimento numérico por parte de Deus* (2.47). Essa igreja é simpática e amável. Ela é sal e luz. É boca de Deus e monumento da graça. Essa igreja tem qualidade e também quantidade. Cresce para o alto e também para os lados. Mostra vida e também números. A igreja de Jerusalém produziu impacto na sociedade por causa de seu estilo de vida. Era uma igreja comprometida com a verdade, mas não legalista; era uma igreja santa, mas não farisaica; era uma igreja piedosa, mas não com santorronice. Os crentes eram alegres, festivos, íntegros. Eles contagiavam. O estilo de vida da igreja impactava a sociedade: melhores maridos, esposas, filhos, pais, estudantes, profissionais. O resultado da qualidade é a quantidade. Deus mesmo acrescentava a essa igreja, dia a dia, os que iam sendo salvos.

Temos hoje dois extremos: numerolatria e numerofobia. Precisamos entender que qualidade gera quantidade. A igreja crescia em números. A igreja crescia diariamente por adição de vidas salvas e por ação divina. Vejamos o crescimento da igreja:

- Atos 1.15: 120 membros;
- Atos 2.41: três 3 mil membros.
- Atos 4.4: cinco 5 mil membros.
- Atos 5.14: Uma multidão é agregada à igreja.
- Atos 6.7: O número dos discípulos é multiplicado.
- Atos 9.31: A igreja se expande para a Judeia, Galileia e Samaria.
- Atos 16.5: Igrejas são estabelecidas e fortalecidas no mundo inteiro.

NOTAS DO CAPÍTULO 3

[66] STOTT, John. *A mensagem de Atos*, p. 63.
[67] STOTT, John. *A mensagem de Atos*, p. 64.
[68] WESLEY, John. *New Testament Commentary*. Grand Rapids, MI: Baker Book House, n. d., p. *in loco*.
[69] MARSHALL, I. Howard. *Atos: introdução e comentário*. 1980, p. 69.
[70] MacDONALD, William. *Believer's Bible commentary*, p. 1582.
[71] GONZÁLEZ, Justo L. *Atos*, p. 52.

72 RIENECKER, Fritz; ROGERS, Cleon. *Chave linguística do Novo Testamento grego*. São Paulo: Vida Nova, 1985, p. 195.
73 HENRY, Matthew. *Comentário bíblico Atos-Apocalipse*, p. 13.
74 HENRY, Matthew. *Comentário bíblico Atos-Apocalipse*, p. 14.
75 HENRY, Matthew. *Comentário bíblico Atos-Apocalipse*, p. 14.
76 STOTT, John. *A mensagem de Atos* , p. 72.
77 STOTT, John. *A mensagem de Atos* , p. 69,70.
78 WIERSBE, Warren W. *Comentário bíblico expositivo*, p. 528.
79 RIENECKER, Fritz; ROGERS, Cleon. *Chave linguística do Novo Testamento grego*, p. 196.
80 STOTT, John. *A mensagem de Atos* , p. 70,71.
81 BARCLAY, William. *Hechos de los Apóstoles*, p. 27.
82 MARSHALL, I. Howard. *Atos: introdução e comentário*. 1980, p. 71.
83 RIENECKER, Fritz; ROGERS, Cleon. *Chave linguística do Novo Testamento grego*, p. 196.
84 Notas da NIV – Study Bible. Grand Rapids, MI: Zondervan, 2008, p. 1680,1681.
85 STAGG, Frank. *O livro de Atos*. Rio de Janeiro: Casa Publicadora Batista, 1958, p. 91.
86 WIERSBE, Warren W. *Comentário bíblico expositivo*, p. 529,530.
87 RIENECKER, Fritz; ROGERS, Cleon. *Chave linguística do Novo Testamento grego*, p. 197.
88 STOTT, John. *A mensagem de Atos* , p. 83.
89 MacDONALD, William. *Believer's Bible commentary*, p. 1588.
90 STOTT, John. *A mensagem de Atos* , p. 87.
91 GONZÁLEZ, Justo L. *Atos*, p. 70.
92 STOTT, John. *A mensagem de Atos* , p. 89.
93 GONZÁLEZ, Justo L. *Atos*, p. 71.

Capítulo 4

A manifestação do poder de Deus
(At 3.1-26)

Lucas faz uma transição da vida exemplar da igreja apostólica para o exemplo de Pedro e João, colunas da igreja. A igreja orava porque seus líderes eram homens de oração. A igreja experimentava as maravilhas divinas porque os apóstolos conheciam o poder do nome de Jesus. A igreja abalou o mundo porque estava cheia do Espírito Santo. E. M. Bounds, piedoso metodista do século XIX, afirma que a igreja hoje está procurando melhores métodos, enquanto Deus está procurando melhores homens. Deus não unge métodos; Deus unge homens cheios do Espírito.

O texto em apreço trata de dois temas importantes que consideramos a seguir:

um milagre portentoso (3.1-10) e uma pregação poderosa (3.11-26).

Um milagre portentoso (3.1-10)

Pedro e João não jogaram fora a tradição de orar em três turnos por dia no templo. O dia judeu começava às 6 da manhã e terminava às 6 da tarde. Para os judeus devotos, havia três turnos de oração por dia: às 9 da manhã, ao meio-dia e às 3 da tarde. Os apóstolos mantiveram este costume. Eles se dedicaram a uma nova fé, mas não a utilizaram como desculpa para violar a tradição. Sabiam que a nova fé e a velha disciplina podiam e deviam andar juntas.[94] Pedro e João eram homens de oração. Entendiam que Deus é mais importante do que a obra de Deus.

Pedro e João são vistos juntos com frequência ao longo das Escrituras. Eram sócios no negócio de pesca (Lc 5.10); prepararam a última Páscoa dos judeus para Jesus (Lc 22.8); correram para o sepulcro na manhã do primeiro domingo de Páscoa (Jo 20.3,4); e ministraram aos samaritanos que creram em Jesus Cristo (8.14). Agora, estavam indo para o templo para orar às 3 horas da tarde (3.1).

Cinco verdades podem ser destacadas com respeito a esses dois apóstolos.

Em primeiro lugar, *eles tinham uma vida comprometida com a oração* (3.1). *Pedro e João subiam ao templo para a oração da hora nona.* A oração era prioridade na vida dos apóstolos. Eles oraram para receber a promessa do Pai (1.14). Diante da ameaça do Sinédrio, oraram e pediram mais intrepidez para pregar, e o mundo foi abalado (4.31). Hoje é o mundo que abala a igreja. Os apóstolos tomaram uma importantíssima decisão: *Quanto a nós, nos consagraremos à oração e ao ministério da Palavra* (6.4).

Palavras sem oração são palavras mortas. Uma igreja que ora abre as portas para a intervenção milagrosa de Deus. Perguntaram certa feita a Charles Spurgeon qual era o segredo do sucesso de seu ministério. Ele respondeu: "Eu trabalho de joelhos. Meu lugar santo de oração vale mais do que toda a minha biblioteca". John Knox, no século XVI, mudou a realidade religiosa da Escócia. Ele era um homem que agonizava em oração. Seu clamor contínuo era: "Dá-me a Escócia para Cristo, senão eu morro".

Visitando a Coreia do Sul, onde há expressivo crescimento da fé cristã, perguntei aos pastores das maiores igrejas: "Qual é o segredo do crescimento?". A resposta unânime foi: "Oração, oração, oração". Ao longo da história, os que triunfaram nas pelejas e viram as manifestações grandiosas de Deus foram aqueles que oraram. Foi assim com os reis Josafá e Ezequias no reino de Judá. Foi assim com Neemias, Jesus e os apóstolos. Uma igreja ora, cresce e se fortalece quando seus líderes são homens de oração.

Em segundo lugar, *eles tinham uma vida respaldada pelo exemplo* (3.2-5). Lucas registra o texto como segue:

> Era levado um homem, coxo de nascença, o qual punham diariamente à porta do templo chamado Formosa, para pedir esmola aos que entravam. Vendo ele a Pedro e João, que iam entrar no templo, implorava que lhe dessem uma esmola. Pedro, fitando-o, juntamente com João, disse: Olha para nós. Ele os olhava atentamente, esperando receber alguma coisa (3.2-5).

Era estratégico colocar um mendigo na porta do templo. As pessoas que entram para adorar a Deus normalmente estão mais sensíveis à necessidade do próximo. Não é possível amar a Deus, a quem não vemos, se não amamos o próximo, a quem vemos. Eram 3 horas da tarde, prestes a começar uma reunião de oração no templo. Pedro e João estavam passando, quando o paralítico lhes pediu uma esmola. Juntamente com João, Pedro fitou o paralítico e lhe disse: *Olha para nós* (3.4). Ficamos chocados com esse relato. Dizemos: "Isso fere a nossa teologia. Nós costumamos dizer: 'Não olhe para nós; olhe para Jesus. Não olhe para os crentes, olhe para Jesus'". Jesus já havia alertado acerca da conduta dos fariseus: *Fazei e guardai, pois, tudo quanto eles vos disserem, porém não os imiteis nas suas obras; porque dizem e não fazem* (Mt 23.3).

Talvez você argumente: Como Pedro pôde cometer um erro desses? Alguns chegam até a pensar: Ah! Pedro não teve os nossos professores, não passou pelos nossos seminários. Mas Pedro aprendeu aos pés de Jesus. A Palavra de Deus diz que somos cartas de Cristo (2Co 3.2). O apóstolo Paulo diz: *Sede meus imitadores, como também eu sou de Cristo* (1Co 11.1). Pedro e João disseram ao paralítico: *Olhe para nós* (3.4). Podemos dizer ao mundo: Olhe para nós? Os pais podem dizer aos filhos: Olhem para nós? Os patrões podem dizer a seus empregados: Olhem para nós?

Stanley Jones afirma que o subcristianismo é pior do que o anticristianismo. Certa feita Mahatma Gandhi disse a alguns crentes na Índia: "No vosso Cristo eu creio, só não creio no vosso cristianismo". Hoje há um grande abismo entre o que falamos e o que fazemos, entre o discurso e a vida, entre a doutrina e a prática. Erlo Stegen, da Missão Kwasizabantu, na África do Sul, certa feita foi interrompido em sua prédica por uma jovem que orou a Deus e disse: "Oh! Deus, nós ouvimos como era a igreja primitiva. Será que não podes descer para estares entre nós, como fizeste há dois mil anos? Será que a igreja hoje não pode ser a mesma que foi em Jerusalém?" Uma semana depois, Deus fendeu os céus e desceu e houve ali um poderoso reavivamento.

Em terceiro lugar, *eles tinham uma vida com evidências de poder* (3.6-8). *Pedro, porém, lhe disse: Não possuo nem prata nem ouro, mas o que tenho, isso te dou: em nome de Jesus Cristo, o Nazareno, anda! E, tomando-o pela mão direita, o levantou; imediatamente, os seus pés e tornozelos se firmaram; de um salto se pôs em pé, passou a andar e entrou com eles no templo, saltando e louvando a Deus*. William MacDonald diz que o mendigo pediu uma esmola e recebeu novas pernas.[95] Pedro não tinha prata nem ouro, mas tinha poder; hoje, a igreja tem prata e ouro, mas não tem poder. O poder não estava em Pedro, mas no nome de Jesus, ou seja, em sua suprema autoridade.

Ralph Earle ressalta que Pedro conhecia o poder daquele Nome, e não hesitou em invocá-lo.[96] *Em nome de* designa a autoridade que está por trás do falar e do agir de pessoas frágeis. O *nome* presenteia o portador com sua magnitude e seu poder, sua força e sua importância.[97] Como afirmou Thomas Walker: "o poder era de Cristo, mas a mão era de Pedro".[98] O milagre da cura deste coxo era o cumprimento da profecia messiânica: *Os coxos saltarão como cervos* (Is 35.6).

A legendária história de Tomás de Aquino e o papa Inocêncio IV nos vem à mente em conexão com esta passagem. Aquino surpreendeu o papa ao visitá-lo no momento em que este estava contando uma grande quantidade de moedas de ouro e prata. Ao vê-lo, o papa disse: "Irmão, como você pode perceber, não posso dizer mais como Pedro disse ao paralítico: Não tenho ouro nem prata". Aquino, então, lhe respondeu: "Isso é verdade, mas também o senhor não pode mais dizer ao paralítico: Levanta e anda!".

Werner de Boor destaca o fato de que pela primeira vez o *nome de Jesus* aparece no livro em sua acepção peculiar. Na sequência tudo girará em torno desse *nome* (3.6,16; 4.7,10,12,17,18,30; 5.28,40).[99]

Jesus prometeu à igreja poder (Lc 24.49). Esse poder viria por intermédio do derramamento do Espírito Santo (1.8). A igreja orou pedindo mais desse poder (4.31). O reino de Deus não consiste em palavras, mas em poder (1Co 4.20). O evangelho é demonstração do Espírito Santo e de poder (1Co 2.4; 1Ts 1.5). O próprio Jesus não abriu mão desse poder: ao ser batizado no rio Jordão, enquanto orava, os céus se abriram e o Espírito Santo desceu sobre ele (Lc 3.21,22). Jesus, cheio do Espírito Santo, voltou do Jordão e foi, pelo mesmo Espírito, conduzido ao deserto (Lc 4.1). No poder do Espírito, regressou à Galileia (Lc 4.14). Na sinagoga de Nazaré, tomou o livro do profeta Isaías e leu: *O Espírito do Senhor Deus está sobre mim, pelo que me ungiu para evangelizar os pobres; enviou-me para proclamar libertação aos cativos e restauração da vista aos cegos, para pôr em liberdade os oprimidos, e apregoar o ano aceitável do Senhor* (Lc 4.18,19). O apóstolo Pedro testemunhou em Cesareia *como Deus ungiu a Jesus de Nazaré com o Espírito Santo e com poder, o qual andou por toda parte, fazendo o bem e curando a todos os oprimidos do diabo, porque Deus era com ele* (10.38).

Pedro disse ao paralítico: *Olha para nós* (3.4) e então completou: ... *o que tenho, isso te dou: em nome de Jesus Cristo, o Nazareno, anda!* (3.6). João não recebeu poder para curar doentes. Não sabemos de nenhum milagre que ele tenha realizado. Entretanto, João era tão cheio do Espírito como Pedro, embora seus ministérios e dons fossem diferentes. O apóstolo João não tinha o dom de curar como Pedro, mas experimentara o poder do Espírito a fim de ser exemplo para os demais homens.

A igreja hoje fala sobre poder, mas está desprovida dele. A igreja hoje tem ouro e prata, mas não tem poder. Prega aos ouvidos, mas não aos olhos. Precisamos lembrar, entretanto, que o evangelho não consiste em palavras, mas, sobretudo, em poder (1Ts 1.5).

Em quarto lugar, *eles tinham uma vida cheia de compaixão* (3.6,7). Pedro e João demonstravam compaixão, e não apenas religiosidade. Interromperam o exercício espiritual da oração das 3 da tarde para se envolverem com o paralítico à porta do templo. Não agiram como o sacerdote e o levita da parábola do bom samaritano. Alguns indivíduos fecham os olhos para os necessitados porque dão mais valor ao ritual do que às pessoas. São zelosas de suas tradições religiosas, mas indiferentes ao próximo.

Pedro e João fitam os olhos no paralítico. Muitos acham melhor doar uma mísera esmola e virar o rosto. Pedro e João olharam e encararam o mendigo de frente. Trataram-no como gente. Pedro falou diretamente com ele: *Olha para nós*. Colocou-se à disposição para ajudar, para ser referencial e modelo. Pedro compartilhou com o mendigo tudo o que possuía. Pedro tinha consciência de que havia recebido o poder do Espírito Santo e a autoridade do nome de Jesus. O poder não é usado para benefício próprio, mas para abençoar pessoas. Poder sem compaixão é autopromoção.

Em quinto lugar, *eles viram um milagre irrefutável* (3.7-10). ... *viu-o todo o povo a andar e a louvar a Deus, e reconheceram ser ele o mesmo que esmolava, assentado à Porta Formosa do templo; e se encheram de admiração e assombro por isso que lhe acontecera*. A milagrosa cura do coxo foi um fato público, verificável e irrefutável. O homem curado nasceu coxo.

Tinha mais de 40 anos. Todos os dias era colocado à porta do templo. Portanto, era conhecido de todos. Sua cura foi um testemunho irrefutável do poder de Jesus e uma prova insofismável de sua ressurreição dentre os mortos.

Três verdades podem ser aqui observadas.

1. A cura foi em nome de Jesus (3.6). Pedro disse às autoridades do povo e aos anciãos que questionavam a fonte do poder que trouxera saúde ao paralítico: *Tomai conhecimento, vós todos e todo o povo de Israel, de que, em nome de Jesus Cristo, o Nazareno [...], é que este está curado perante vós* (4.10). O poder da cura está no nome de Jesus e não em Pedro. Pedro não aceita a glória para si, mas a credita inteiramente ao nome de Jesus. O texto é claro: *À vista disto, Pedro se dirigiu ao povo, dizendo: Israelitas, por que vos maravilhais disto ou por que fitais os olhos em nós como se pelo nosso próprio poder ou piedade o tivéssemos feito andar?* (3.12).

2. A cura foi realizada mediante a fé (3.16). *Pela fé em o nome de Jesus, é que esse mesmo nome fortaleceu a este homem que agora vedes e reconheceis; sim, a fé que vem por meio de Jesus deu a este saúde perfeita na presença de todos vós*. A fé não é a causa do milagre, mas seu instrumento. Claramente foi a fé dos apóstolos o instrumento da cura do paralítico, pois ele estava totalmente passivo nesse processo.

3. A cura foi instrumentalizada por Pedro (3.6). Pedro foi o instrumento usado por Deus para, em nome de Jesus, levantar o paralítico. Pedro o tomou pela mão (3.7), levantou-o e aprumou-o (3.7), conduzindo-o ao templo, à casa de Deus (3.8). Werner de Boor diz acertadamente que, em múltiplas repetições, "ele andou, saltou, louvou".[100] Lucas descreve toda a intensidade da alegria desse homem. Seu primeiro caminho o leva com o apóstolo para dentro do templo. Sua alegria não se esgota em sua felicidade, mas o impele até Deus.

Este foi o primeiro milagre apostólico depois do Pentecostes. Abriu as portas para o testemunho do evangelho. Após a segunda pregação de Pedro, o número de convertidos subiu de três mil para quase cinco mil pessoas (4.4).

Uma pregação poderosa (3.11-26)

Ao relato do milagre, segue-se um discurso explicativo de Pedro. O ponto principal da história é que o nome de Jesus continua com poder para operar os mesmos graciosos milagres de cura que, nos Evangelhos, eram sinais da chegada do reino de Deus.[101] O apóstolo aproveitou a oportunidade para pregar. Da mesma forma que o portentoso incidente do Pentecostes serviu de tema para o seu primeiro sermão, a cura do coxo tornou-se o pretexto para o segundo.[102] No primeiro sermão, cerca de três mil pessoas foram convertidas (2.41). Neste segundo sermão, mais duas mil pessoas aceitaram a Palavra (4.4).

O crescimento da igreja está diretamente ligado à pregação fiel da Palavra. A pregação é o principal instrumento a produzir o crescimento saudável da igreja. Concordo com John Stott quando ele diz que o aspecto mais notável no segundo sermão de Pedro, tal como do primeiro, é o seu fator cristocêntrico. Ele desviou os olhos da multidão do coxo curado e dos apóstolos e os fixou em Cristo, a quem os homens haviam rejeitado, matando-o, mas a quem Deus vindicou, ressuscitando-o dentre os mortos.[103]

Destacamos aqui dez pontos importantes.

Em primeiro lugar, *um público atônito* (3.11). *Apegando--se ele a Pedro e a João, todo o povo correu atônito para junto deles no pórtico chamado de Salomão.* O pórtico de Salomão ficava do lado leste do templo e era um corredor onde Jesus havia ministrado (Jo 10.23) e a igreja se reunia para adorar (5.12).[104] A beleza desse portão contrastava com a miséria do mendigo. Sua cura foi um milagre extraordinário. O milagre, porém, não é o evangelho, mas abre portas para a pregação do evangelho. O milagre não abriu o coração do povo para aceitar a Palavra, mas ajuntou o povo, dando oportunidade a Pedro de pregar a Palavra. O povo estava atônito porque a milagrosa cura do coxo era um fato público, verificável e incontroverso.

Em segundo lugar, *um pregador fiel* (3.12). *À vista disto, Pedro se dirigiu ao povo, dizendo: Israelitas, por que vos maravilhais disto ou por que fitais os olhos em nós como se pelo nosso próprio poder ou piedade o tivéssemos feito andar?* O povo se reuniu para ver o milagre e estava inclinado a atribuir a Pedro e João os méritos daquele prodígio. Pedro corrigiu a multidão e não aceitou glória para si mesmo. Pedro era um pregador fiel. O poder para curar não estava nele, mas no nome de Jesus, o Nazareno. A glória não pertencia a Pedro e João, mas unicamente ao Senhor Jesus. Um homem como Simão de Samaria se dizia um grande milagreiro e gostava de ser chamado, *o grande poder de Deus* (8.9-11). Pedro e João, porém, rejeitaram essa atitude. Aqueles que hoje fazem propaganda de pretensos milagres, como se fossem homens poderosos, estão na contramão do ensino bíblico. Os que acendem holofotes e buscam glória para si estão em total desacordo com o ensino das Escrituras.

Em terceiro lugar, *uma conexão necessária* (3.13a). *O Deus de Abraão, de Isaque e de Jacó, o Deus de nossos pais, glorificou seu Servo Jesus...* A ação divina operada na vida daquele coxo não era algo novo, inédito, estranho ao legado que o povo já havia recebido. Não há descontinuidade entre o Antigo e o Novo Testamento. O mesmo Deus dos patriarcas que operou maravilhas no passado é quem está agindo agora, e isso por intermédio de Jesus, seu santo servo. Há profunda conexão entre o passado e o presente. O Deus que agiu antes é o mesmo que age agora. Ele é o mesmo ontem, hoje e sempre. Concordo com a declaração de Werner de Boor de que o cristianismo não é uma nova religião. A mensagem dos cristãos trata do *Deus de Abraão, de Isaque e de Jacó, o Deus dos pais*. Esse Deus dos pais é quem *glorificou a seu Servo Jesus*. Logo, a história de Jesus é a obra desse único Deus vivo, que é o Deus dos patriarcas.[105] Pedro usou vários nomes e títulos para descrever Jesus, como: Jesus Cristo, o Nazareno (3.6), o Servo de Deus (3.13), o Santo e o Justo (3.14), o Autor da vida (3.15), o profeta prometido por Moisés (3.22), a pedra rejeitada que se tornou a pedra angular (4.11).

Em quarto lugar, *uma acusação solene* (3.13b-15). ... *a quem vós traístes e negastes perante Pilatos, quando este havia decidido soltá-lo. Vós, porém, negastes o Santo e o Justo e pedistes que vos concedessem um homicida. Dessarte, matastes o Autor da vida, a quem Deus ressuscitou entre os mortos, do que nós somos testemunhas*. A mensagem de Pedro foi cortante como uma espada. Ele não pregou diante de um auditório; ele fuzilou seus ouvintes com palavras contundentes. Acusou-os de trair e negar Jesus perante o governador romano. Acusou-os de negar o Santo e o Justo e preferir Barrabás, um homicida, a Jesus, o Filho de Deus. Culpou-os de matar o Autor da vida, a quem Deus ressuscitou dentre os mortos. Werner de Boor diz que o agir de Deus e o agir de Israel se contrapõem, lance por lance: Deus glorifica a Jesus; eles o entregam. Deus coloca *o Santo e o Justo* no meio deles; eles o negam e em troca pedem a absolvição de um homicida. Deus lhes concede o *Autor da vida*; eles o matam. Eles matam a Jesus, porém Deus o ressuscita dentre os mortos. Pedro não poupa seus ouvintes; antes, mostra-lhes sua culpa extrema.[106]

Pedro não pregou para agradar a audiência, mas para levá-la ao arrependimento. Pedro não era um arauto da conveniência, mas um embaixador de Deus. Sua intenção não era arrancar aplauso dos homens, mas acicatá-los com o aguilhão da verdade.

Warren Wiersbe salienta que o calvário pode ter sido a última palavra do ser humano, mas o sepulcro vazio foi a última palavra de Deus. Ele glorificou seu Filho, ressuscitando-o dentre os mortos e levando-o de volta ao céu. O Cristo entronizado enviara seu Espírito Santo e operava no mundo por meio da igreja. O mendigo curado era uma prova de que Jesus estava vivo.[107]

Em quinto lugar, *um testemunho inequívoco* (3.16). *Pela fé em o nome de Jesus, é que esse mesmo nome fortaleceu a este homem que agora vedes e reconheceis; sim, a fé que vem por meio de Jesus deu a este saúde perfeita na presença de todos vós.* Pedro não era a fonte do poder que trouxe cura ao coxo. Ele não aceitou o louvor dos homens pelo milagre ocorrido. Tinha plena consciência que aquele milagre público e verificável fora operado por Jesus, mediante a fé. Não há homens poderosos; há homens cheios do Espírito, usados pelo Deus Todo-poderoso. O homem não é o agente da ação divina, mas apenas instrumento. O Jesus exaltado é quem realiza os milagres na vida da igreja, pelo poder do Espírito Santo, por intermédio de seus servos. Warren Wiersbe argumenta que ninguém ousaria negar o milagre, pois o mendigo estava lá, diante de todos, em *saúde perfeita* (3.16; 4.14). Se aceitassem o milagre, teriam de reconhecer que Jesus Cristo era, verdadeiramente, o Filho de Deus e que seu nome tinha poder.[108]

Em sexto lugar, *um atenuante necessário* (3.17). *E agora, irmãos, eu sei que o fizestes por ignorância, como também as vossas autoridades*. Após a penetrante acusação de assassinato (3.15), Pedro adota um tom gentil. Após a severa acusação aos judeus e suas autoridades por terem traído, negado e matado a Jesus, o Autor da vida, Pedro atenua-lhes a culpa, dizendo que o fizeram por ignorância. De igual modo, quando Jesus estava pregado no leito vertical da morte, suspenso na cruz, entre a terra e o céu, sofrendo dores alucinantes e cravejado pela zombaria da multidão sedenta de sangue, ele orou ao Pai, clamando: *...Pai, perdoa-lhes, porque não sabem o que fazem...* (Lc 23.34). Nessa mesma linha, o apóstolo Paulo escreveu: *Mas falamos a sabedoria de Deus em mistério, outrora oculta, a qual Deus preordenou desde a eternidade para a nossa glória; sabedoria essa que nenhum dos poderosos deste século conheceu; porque, se a tivessem conhecido, jamais teriam crucificado o Senhor da glória* (1Co 2.7,8). Mais tarde, o próprio Paulo dá seu testemunho: *A mim, que, noutro tempo, era blasfemo, e perseguidor, e insolente. Mas obtive misericórdia, pois o fiz na ignorância, na incredulidade* (1Tm 1.13).

Em sétimo lugar, *um propósito cumprido* (3.18). *Mas Deus, assim, cumpriu o que dantes anunciara por boca de todos os profetas: que o seu Cristo havia de padecer*. A maldade dos homens não anula os propósitos divinos nem a soberania de Deus isenta os homens de sua responsabilidade. O fato de todos os profetas terem anunciado que o Cristo de Deus haveria de padecer não inocentou os judeus de terem traído, negado e matado Jesus. Os planos de Deus não podem ser frustrados (Jó 42.2).

Em oitavo lugar, *uma exigência clara* (3.19). *Arrependei-vos, pois, e convertei-vos para serem cancelados os vossos pecados.* Pedro endereçou esse sermão a um povo religioso, não a um povo pagão; a um público que acreditava na lei de Deus e observava atentamente seus rituais sagrados. Porém, a religiosidade deles não era suficiente para salvá-los. Era preciso que se arrependessem e se convertessem. O significado de *arrependei-vos* (2.38) é esclarecido pelo acréscimo de *convertei-vos*. Marshall diz que este verbo significa o ato de voltar-se do modo de vida antigo, especialmente da adoração dos ídolos, para um novo modo de vida, baseado na fé e na obediência a Deus (9.35; 11.21; 14.15; 15.19; 26.18,20; 28.27).[109]

O cancelamento dos pecados é resultado do arrependimento e da conversão. Ninguém nasce salvo. Todos nascem filhos da ira. Todos precisam de arrependimento e conversão. Arrepender-se e viver, ou não se arrepender e morrer. Sem novo nascimento ninguém pode entrar no reino de Deus (Jo 3.3,5). Em seu sermão anterior (2.14-41), Pedro havia explicado que a cruz era o lugar da intersecção entre a soberania divina e a responsabilidade humana (2.23). Neste segundo sermão, ele repete a mesma verdade (3.17,18).[110]

O arrependimento e a conversão são temas ausentes de muitos púlpitos hoje. Muitos pregadores visam entreter o povo, em vez de levá-lo ao arrependimento. Outros anunciam salvação sem necessidade de arrependimento e conversão. A pregação apostólica é categórica: não há remissão de Deus sem arrependimento e conversão.

Em nono lugar, *uma promessa bendita* (3.20-24). O apóstolo Pedro proclama:

> *A fim de que, da presença do Senhor, venham tempos de refrigério, e que envie ele o Cristo, que já vos foi designado, Jesus, ao qual é necessário*

que o céu receba até aos tempos da restauração de todas as coisas, de que Deus falou por boca dos seus santos profetas desde a antiguidade. Disse, na verdade, Moisés: O Senhor Deus vos suscitará dentre vossos irmãos um profeta semelhante a mim; a ele ouvireis em tudo quanto vos disser. Acontecerá que toda alma que não ouvir a esse profeta será exterminada do meio do povo. E todos os profetas, a começar com Samuel, assim como todos quantos depois falaram, também anunciaram estes dias (3.20-24).

Depois de exigir arrependimento e conversão e prometer o cancelamento dos pecados, o apóstolo Pedro, fundamentado no que disseram os santos profetas de Deus, anuncia agora os tempos de refrigério e restauração de todas as coisas. Ralph Earle explica que a palavra grega que significa *refrigério* aparece somente aqui no Novo Testamento, e somente uma vez na Septuaginta (Êx 8.11)*. Ela é usada de forma figurada em referência à época messiânica. É a grande época de alegria e repouso, que seria trazida pela vinda do Messias na sua glória.[111] Essa restauração vem unicamente por meio de Jesus, o profeta semelhante a Moisés, anunciado por todos os profetas desde Samuel, o descendente de Abraão. A recusa, porém, em ouvir a Cristo redunda em condenação irremediável (Hb 2.2-4; 10.28,29).

Em décimo lugar, *uma aplicação pertinente* (3.25,26). *Vós sois os filhos dos profetas e da aliança que Deus estabeleceu com vossos pais, dizendo a Abraão: Na tua descendência, serão abençoadas todas as nações da terra. Tendo Deus ressuscitado o seu Servo, enviou-o primeiramente a vós outros para vos abençoar, no sentido de que cada um se aparte das suas perversidades.* Pedro conclui seu sermão com uma aplicação pessoal,

---

* [NR] Na Septuaginta Êxodo 8.11, na ARA (e demais) Êxodo 8.15

oportuna e poderosa, mostrando que seus ouvintes eram os filhos dos profetas e da aliança que Deus estabelecera com Abraão. Por meio de Jesus, o descendente de Abraão, todas as nações da terra seriam abençoadas. O Cristo ressurreto está agora, por meio da pregação apostólica, abrindo ao povo da aliança os portais da bênção, mas essa bênção só pode ser recebida pelo rompimento definitivo das perversidades. Não há promessa de salvação onde não há a realidade do arrependimento.

John Stott oportunamente diz que, ao revermos esse sermão de Pedro, notamos que ele apresenta Cristo à multidão *de acordo com as Escrituras*, sucessivamente como o servo sofredor (3.13,18), o profeta semelhante a Moisés (3.22,23), o rei davídico (3.24) e a semente de Abraão (3.25,26).[112]

NOTAS DO CAPÍTULO 4

[94] BARCLAY, William. *Hechos de los Apóstoles*, p. 40.
[95] MacDONALD, William. *Believer's Bible commentary*, p. 1592.
[96] EARLE, Ralph. "Livro dos Atos dos Apóstolos." In: *Comentário bíblico Beacon*. Vol. 7. Rio de Janeiro: CPAD, 2005, p. 226.

[97] DE BOOR, Werner. *Atos dos Apóstolos*, p. 66.
[98] WALKER, Thomas. *The Acts of the Apostles*. Chicago, IL: Moody Press, 1965, p. 67.
[99] DE BOOR, Werner. *Atos dos Apóstolos*, p. 66.
[100] DE BOOR, Werner. *Atos dos Apóstolos*, p. 67.
[101] MARSHALL, I. Howard. *Atos: introdução e comentário*. 1980, p. 86.
[102] STOTT, John. *A mensagem de Atos*, p. 101.
[103] STOTT, John. *A mensagem de Atos*, p. 101,102.
[104] WIERSBE, Warren W. *Comentário bíblico expositivo*, p. 533.
[105] DE BOOR, Werner. *Atos dos Apóstolos*, p. 69.
[106] DE BOOR, Werner. *Atos dos Apóstolos*, p. 69.
[107] WIERSBE, Warren W. *Comentário bíblico expositivo*, p. 533.
[108] WIERSBE, Warren W. *Comentário bíblico expositivo*, p. 534.
[109] MARSHALL, I. Howard. *Atos: introdução e comentário*. 1980, p. 93.
[110] WIERSBE, Warren W. *Comentário bíblico expositivo*, p. 534.
[111] EARLE, Ralph. "Livro dos Atos dos Apóstolos", p. 229.
[112] STOTT, John. *A mensagem de Atos*, p. 104.

Capítulo 5

As marcas de uma igreja cheia do Espírito Santo
(At 4.1-31)

O Pentecostes foi um divisor de águas na vida da igreja. Antes de receberem o Espírito Santo e dele serem cheios, os discípulos estavam trancados com medo dos judeus (Jo 20.19). Contudo, cheios do Espírito, foram trancados por falta de medo (4.3; 5.18). Antes de serem revestidos com poder, os discípulos estavam transtornados; agora transtornavam o mundo. Antes tinham o Espírito Santo; agora o Espírito Santo os tinha. Antes tinham o Espírito residente; agora, tinham o Espírito presidente. Antes o Espírito estava neles; agora, estava sobre eles.

O Espírito desceu sobre a igreja de forma audível, como um som impetuoso.

Desceu de forma visível, em colunas como de fogo. Desceu de forma soberana e misteriosa, como um vento impetuoso. As multidões se ajuntaram, Pedro pregou com autoridade e poder uma mensagem cristocêntrica e cerca de três mil pessoas foram salvas. O Pedro covarde era agora um gigante. O Pedro que negara a Jesus dava agora ousado testemunho de Jesus.

Às 3 horas da tarde, Pedro e João foram ao templo orar, e um milagre aconteceu. Um paralítico, coxo de nascença, com mais de 40 anos de idade, foi curado em nome de Jesus, o Nazareno. A multidão se ajuntou, Pedro pregou o seu segundo sermão e a igreja cresceu para cinco mil membros.

A reação do Sinédrio foi imediata. Uma igreja cheia do Espírito atrai as almas para Jesus e a oposição do mundo. As autoridades prenderam e ameaçaram os apóstolos. Contudo, longe de calarem sua voz, eles anunciaram ainda com mais intrepidez o nome de Jesus.

Ninguém pode deter os passos de uma igreja cheia do Espírito. Ninguém pode intimidar uma igreja cheia do poder do alto. Jesus falou a respeito de igrejas mornas, igrejas mortas, igrejas sem amor, igrejas tolerantes ao pecado, mas aqui há uma igreja irresistível.

Quais são as marcas de uma igreja cheia do Espírito Santo?

Uma igreja cheia do Espírito enfrenta perseguições (4.1-22)

A igreja deve esperar o poder do céu e a oposição do mundo, o revestimento de poder do Espírito e a perseguição dos homens. Uma igreja cheia do Espírito enfrentará lutas. Vejamos quais são essas lutas.

Em primeiro lugar, *a inveja dos líderes religiosos* (4.1,2). *Falavam eles ainda ao povo quando sobrevieram os sacerdotes,* o capitão do templo e os saduceus, ressentidos por ensinarem eles o povo e anunciarem, em Jesus, a ressurreição dentre os mortos. É interessante que, embora formassem o grupo que mais se opôs a Jesus durante o seu ministério, em Atos, os fariseus quase ficam amigáveis com a igreja, ao passo que os saduceus (que não figuram nos Evangelhos até os últimos dias de Jesus) se tornam os líderes da oposição.[113]

John Stott diz que Lucas deixa bem claro que duas ondas de perseguição contra a igreja foram iniciadas pelos saduceus (4.1; 5.17). Eles eram a classe governante dos aristocratas ricos. Politicamente, integraram-se ao sistema romano e adotaram uma atitude de colaboração. Teologicamente, criam que a era messiânica havia iniciado no período dos macabeus; portanto, não estavam à espera de um Messias. Também não acreditavam na doutrina da ressurreição. Assim, viram os apóstolos como hereges e agitadores. Por consequência, eles ficaram ressentidos com o que os apóstolos estavam ensinando ao povo.[114]

Os sacerdotes procediam do partido dos saduceus e tomavam conta do templo e das coisas alusivas ao culto. Eles transformaram a casa de Deus num covil de salteadores e numa praça de comércio. Já estavam estremecidos com Jesus desde que este virou as mesas dos cambistas (Mt 21.12-15). O ensino de Jesus era uma ameaça para eles. Além do mais, os saduceus eram liberais e não acreditavam em anjos, em espíritos e na doutrina da ressurreição, tema central da pregação dos apóstolos (23.8). Em decorrência, tomados de inveja, os sacerdotes se fizeram acompanhar do capitão do templo e dos saduceus para tirar satisfação com Pedro e João. O alto funcionário encarregado de preservar a ordem do templo era subordinado apenas ao próprio sumo sacerdote.[115]

Em segundo lugar, *a prisão dos apóstolos* (4.3). *E os prenderam, recolhendo-os ao cárcere até ao dia seguinte, pois já era tarde.* Werner de Boor diz que Pedro e João passaram a primeira noite numa cela de prisão. É a primeira noite de muitas que milhares de mensageiros de Jesus passarão desse modo.[116] É importante ressaltar que a milagrosa cura do coxo aconteceu às 3 horas da tarde e, quando esses xerifes da religião chegaram, o dia já declinava. Então, usando da força, encerraram prepotentemente os dois na prisão. Pensaram com isso intimidar os apóstolos, porém, o tiro saiu pela culatra. Longe de recuarem de medo, os apóstolos se tornaram mais ousados. Longe de impedir as pessoas de se agregarem à igreja, essa atitude truculenta acelerou ainda mais o seu crescimento. Como já afirmamos, nos Evangelhos encontramos os fariseus como os principais oponentes de Cristo. No entanto, quando Jesus purificou o templo, ele provocou a ira dos saduceus ao ameaçar tanto o seu prestígio quanto os seus bolsos. A partir daí, eles se tornaram os principais instigadores de sua morte.[117]

Em terceiro lugar, *o crescimento espantoso da igreja* (4.4). *Muitos, porém dos que ouviram a palavra a aceitaram, subindo o número de homens a quase cinco mil.* A perseguição nunca impediu o crescimento da igreja. Quanto mais a igreja é perseguida, mais avança no poder do Espírito. A prisão dos apóstolos não fechou a porta da igreja para a entrada de novos conversos. Nenhuma ameaça pode deter os passos de uma igreja cheia do Espírito Santo de Deus.

Em quarto lugar, *a confusão dos adversários* (4.5-7). *No dia seguinte, reuniram-se em Jerusalém as autoridades, os anciãos e os escribas com o sumo sacerdote Anás, Caifás, João, Alexandre e todos os que eram da linhagem do sumo sacerdote;*

e, pondo-se perante eles, os arguiram: Com que poder ou em nome de quem fizestes isto? Marshall diz que os três grupos mencionados são provavelmente os três componentes do Sinédrio.

Os *anciãos* eram os líderes leigos da comunidade, sem dúvida, chefes das principais famílias aristocráticas, cuja maioria delas adotava o ponto de vista dos saduceus. Os *escribas* provinham da classe dos doutores na lei, e a maioria pertencia ao partido dos fariseus. O outro grupo mencionado, as *autoridades,* deve ser identificado com o elemento sacerdotal no Sinédrio; às vezes chamados de principais sacerdotes, eram os detentores das várias posições oficiais na administração do templo. Podemos notar, de passagem, como os negócios do templo estavam firmemente nas mãos de algumas poucas famílias poderosas.[118] De acordo com Warren Wiersbe, o sistema religioso judaico se tornara tão corrupto que os cargos eram passados de um parente para outro sem nenhuma consideração pela Palavra de Deus. Quando Anás foi deposto do sacerdócio, seu genro Caifás foi indicado para tomar seu lugar. Aliás, os cinco filhos de Anás ocuparam, em algum momento, um cargo oficial. Alguém definiu "nepotismo" como "a prática de homens que são maus, mas sabem dar boas dádivas aos seus filhos".[119]

O Sinédrio judaico era composto de setenta membros mais o sumo sacerdote, que era o presidente. Os apóstolos não esperavam justiça desse tribunal, que contratou testemunhas falsas para sentenciar Jesus à morte.

A pregação dos apóstolos e a milagrosa cura do coxo perturbaram profundamente a liderança religiosa de Jerusalém. Eles se viram diante de um sério impasse. O homem coxo era assaz conhecido. De fato, era um paralítico de nascença, que há quarenta anos esmolava à porta do templo. A cura havia sido notória, pública e irrefutável. De onde, porém, vinha esse poder? Qual era a fonte de tão extraordinário milagre? Eles estavam confusos e perplexos. Sabiam que algo insólito havia acontecido, mas não tinham explicações. Anteriormente os principais sacerdotes tinham perguntado a Jesus com que *autoridade* (*exousia*) ele havia purificado o templo e ensinava o povo (Mt 21.23). Agora, porém, eles perguntaram aos apóstolos com que poder (*dynamis*) eles tinham curado o homem coxo.

Em quinto lugar, *a resposta ousada de Pedro* (4.8-12). Lucas registra a resposta de Pedro, com as seguintes palavras:

> *Então, Pedro, cheio do Espírito Santo, lhes disse: Autoridades do povo e anciãos, visto que hoje somos interrogados a propósito do benefício feito a um homem enfermo e do modo por que foi curado, tomai conhecimento, vós todos e todo o povo de Israel, de que, em nome de Jesus Cristo, o Nazareno, a quem vós crucificastes, e a quem Deus ressuscitou dentre os mortos, sim, em seu nome é que este está curado perante vós. Este Jesus é pedra rejeitada por vós, os construtores, a qual se tornou a pedra angular. E não há salvação em nenhum outro; porque abaixo do céu não existe nenhum outro nome, dado entre os homens, pelo qual importa que sejamos salvos (4.8-12).*

Os apóstolos falaram diante de uma audiência composta pelos homens mais ricos, mais intelectuais e mais poderosos do país; não obstante, Pedro, o pescador da Galileia, esteve entre eles mais como um juiz do que como réu. Pedro acusa o mesmo tribunal que meses antes havia sentenciado Jesus à morte. Os apóstolos sabiam que poderiam receber a mesma sentença. No entanto, não se intimidaram.[120] Concordo com Marshall quando diz: "A igreja não pode obedecer a ordens no sentido de renunciar a sua atividade mais característica, o testemunho do Senhor ressurreto, embora deva pagar o preço da sua recusa do silêncio".[121]

Ao serem interpelados pelas autoridades (3.7-10), Pedro não atribui o milagre ao seu próprio poder nem se preocupa com a própria pele, com ameaças ou com a morte. Ele não aproveita o momento para se promover nem para dizer que era um homem poderoso. Não atribui a si mesmo glória alguma pelo milagre, mas dá todo o crédito a Jesus Cristo, o Nazareno. Ele exalta a Jesus (4.10). O que o inimigo mais deseja é que façamos o contrário. Nas horas de sofrimento a primeira pergunta não é: O que fazer para ficar livre do sofrimento? Mas: o que fazer para que nessa situação de dor o nome do Senhor seja glorificado? O propósito último da nossa vida é glorificar a Deus!

Pedro aproveita o ensejo para acusar seus interrogadores, culpando-os de terem crucificado a Jesus, ao mesmo tempo que proclama a ação de Deus, ao ressuscitá-lo dentre os mortos. Para Werner de Boor, a defesa se transforma em anúncio direto, o réu se torna uma clara testemunha, o acusado passa a ser um acusador sério.[122] Esta é a terceira vez que Pedro usa essa fórmula vívida: *a quem vós crucificastes, e a quem Deus ressuscitou* (2.23,24; 3.15; 4.10). O apóstolo deixa claro que Jesus é a pedra angular que os judeus rejeitaram e o único Salvador debaixo do céu que pode dar ao homem a vida eterna. Justamente os "construtores", os responsáveis pela construção de Israel, haviam considerado a pedra Jesus como imprestável. Deus, porém, o transformou preciosamente em *pedra angular*. Jesus é a pedra fundamental que sustenta o edifício da igreja (Ef 2.20; 1Co 3.11). Ele é a pedra final, que dá sustentação a todo edifício. Rejeitado pelos especialistas eclesiásticos e teológicos, Jesus foi transformado por Deus em pedra angular.[123]

John Stott diz que Pedro passa da cura à salvação, do particular ao geral. Ele vê a cura física de um homem como uma ilustração da salvação que é oferecida a todos em Cristo. Os dois negativos (*nenhum outro* e *nenhum outro nome*) proclamam a singularidade positiva do nome de Jesus. A sua morte e ressurreição, a sua exaltação e autoridade fazem dele o único Salvador, já que nenhum outro possui tais qualificações.[124]

Em sexto lugar, *a constatação inevitável dos líderes* (4.13,14). *Ao verem a intrepidez de Pedro e João, sabendo que eram homens iletrados e incultos, admiraram-se; e reconheceram que haviam eles estado com Jesus. Vendo com eles o homem que fora curado, nada tinham que dizer em contrário.* O que impressionou o tribunal nas observações foi a sua intrepidez em anunciá-las. Foi esta qualidade que os discípulos posteriormente pediram em oração (4.29,31) e que caracterizou a sua maneira de falar em público (9.27,28; 13.46; 14.3; 18.26; 19.8; 26.26; Ef 6.20; 1Ts 2.2).[125]

O adjetivo inicial, *agrammatoi*, (iletrados), significa sem treinamento técnico nas escolas rabínicas profissionais; o seguinte, *idiotai*, traduzido por incultos, significa leigos, alguém sem conhecimento profissional, sem instrução, sem educação, sem estudo.[126] Pedro e João não tinham prata nem ouro, mas tinham poder. Pedro e João eram iletrados e incultos, mas tinham intrepidez. Pedro e João não tinham prestígio nas altas rodas da liderança religiosa de Israel, mas haviam estado com Jesus. Pedro e João não ocupavam cargos de liderança, mas tinham provas irrefutáveis de um ministério eficaz. Eles estavam presos, mas todos sabiam que tinham estado com Jesus, o libertador. Eles possuíam um milagre para apresentar. O maior argumento do evangelho é um homem transformado, um coxo andando, um cego vendo, um bêbado sóbrio, um drogado cheio do Espírito, um blasfemo reverente, um avarento honesto. O cristianismo é a religião dos fatos. O ateu desafiou o crente acerca de sua fé. O crente respondeu: "Traga-me um homem que foi transformado pelo ateísmo e lhe apresentarei um séquito de ladrões, prostitutas e avarentos que foram transformados por Jesus".

Em sétimo lugar, *a perplexidade dos líderes* (4.15,16). *E, mandando-os sair do Sinédrio, consultavam entre si, dizendo: Que faremos com estes homens? Pois, na verdade, é manifesto a todos os habitantes de Jerusalém que um sinal notório foi feito por eles, e não o podemos negar.* O Sinédrio estava em polvorosa. Fariam tudo para ocultar a milagrosa cura do coxo de nascença ou até mesmo negá-la, mas duas coisas eram irrefutáveis: os agentes do milagre e o beneficiado pelo milagre. Sabiam que Pedro e João haviam sido os agentes. E sabiam que o homem curado era conhecido por toda a cidade. Esses fatos eram públicos e notórios. Contra as evidências dos fatos não há argumentos.

Em oitavo lugar, *a decisão desesperada do Sinédrio* (4.17,18). *Mas, para que não haja maior divulgação entre o povo, ameacemo-los para não mais falarem neste nome a quem quer que seja. Chamando-os, ordenou-lhes que absolutamente não falassem, nem ensinassem em o nome de Jesus.* Ameaça e proibição foram as armas usadas pelos líderes do Sinédrio judaico. O Sinédrio se opõe aos pregadores e à pregação. Ameaça os pregadores e proíbe a pregação. Os membros do Sinédrio estão constrangidos com a intrepidez de Pedro e João e impotentes diante do poder do nome de Jesus.

Em nono lugar, *a resposta ousada de Pedro e João* (4.19,20). *Mas Pedro e João responderam: Julgai se é justo diante de Deus ouvir-vos antes a vós outros do que a Deus; pois nós não podemos deixar de falar das coisas que vimos e ouvimos.* A autoridade de Deus está acima da autoridade dos homens. Quando uma autoridade humana torna-se absolutista, precisamos desobedecê-la para obedecermos a Deus. As parteiras hebreias e os pais de Moisés sabiam que era errado matar os bebês hebreus. Daniel e seus amigos sabiam que era errado consumir alimentos oferecidos a ídolos ou curvar-se diante de ídolos em adoração. Pedro e João sabiam que estavam seguindo as ordens do Mestre de pregar o evangelho até aos confins da terra e que seria errado obedecer ao Sinédrio.[127] O Sinédrio queria amordaçar os apóstolos e proibir a proclamação do nome de Cristo. Mas aqueles pescadores cheios do Espírito Santo enfrentaram com coragem o Sinédrio, a despeito de todo seu vasto conhecimento e prepotência, dizendo que tinham visto e ouvido coisas que precisavam proclamar, mesmo diante de tão peremptória proibição.

Pedro e João estavam à frente dos homens que haviam matado Jesus, mas não se intimidaram. O Sinédrio possuía 70 membros, entre sacerdotes (saduceus), escribas, fariseus e anciãos.

Os dois apóstolos disseram: Nós vimos fatos! Vimos o Senhor Jesus morrer. Vimos Jesus ressuscitar. Vimos seus milagres. Vimos cegos, coxos, leprosos serem curados. Presenciamos tudo isso. Fomos transformados e conquistados por esse poder.

Diziam de John Knox: "Esse homem teme tanto a Deus, que não tem medo de homem algum".[128]

Quando o carrasco de Perpétua* a estava intimidando na arena da morte, ela disse: "Viva, eu te vencerei; na minha morte, vencer-te-ei ainda mais".

---

* [NR] Jovem cristã martirizada em Cartago, no início do século III, sob o reinado de Sétimo Severo (193-211).

Nas horas de perigo, o diabo vem negociar: "Cuidado, se você não ceder, vai se prejudicar". "Assine esse documento, e você vai se sair bem". "Faça tudo que o patrão mandar, senão você será mandado embora". "Dê propina, senão você perderá esse negócio".

Quando Pedro tentou a Jesus, buscando afastá-lo da cruz, Jesus foi enfático: *Arreda, Satanás*. Com o diabo não há negociação possível. O diabo é estelionatário. A mentira do diabo é: *Tudo te darei se, prostrado, me adorares*. Isso não é verdade. O diabo não é dono de nada. O diabo não tem nada. Não dá nada. Ele tira tudo: sua paz, sua dignidade e até sua alma. É por isso que os covardes não entrarão no reino de Deus. Não devemos temer os que matam o corpo, mas não podem matar a alma.

Devemos cantar como Lutero: "Se nos quisessem devorar demônios não contados, não nos iriam derrotar nem ver-nos assustados...".

Em décimo lugar, *a postura covarde do Sinédrio* (4.21,22). *Depois, ameaçando-os mais ainda, os soltaram, não tendo achado como os castigar, por causa do povo, porque todos glorificavam a Deus pelo que acontecera. Ora, tinha mais de quarenta anos aquele em quem operara essa cura milagrosa.* O Sinédrio se viu encurralado porque a verdade dos fatos estava contra eles. Os apóstolos incultos e iletrados não recuaram diante de suas arrogantes ameaças. O povo dava mais crédito ao que via e ouvia da parte dos apóstolos do que às suas prepotentes ameaças. O milagre irrefutável desarticulou toda a ação desses líderes insolentes.

Uma igreja cheia do Espírito triunfa nas adversidades (4.23-31)

A igreja de Cristo sempre cresceu e avançou quando as coisas estavam difíceis. Uma igreja cheia do Espírito, ao ser perseguida, triunfa sobre as adversidades. Vemos, no texto em apreço, algumas atitudes dos apóstolos Pedro e João em face da perseguição e como a igreja triunfou sobre as adversidades.

Em primeiro lugar, *uma igreja cheia do Espírito busca a companhia dos irmãos nos tempos de tribulação* (4.23). *Uma vez soltos, procuraram os irmãos e lhes contaram quantas coisas lhes haviam dito os principais sacerdotes e os anciãos.* A igreja é o recurso que Deus providenciou para nos encorajar. A igreja é a sala de emergência do Espírito Santo para incentivar e consolar as pessoas. Gente precisa de Deus, mas gente precisa de gente. Nós precisamos dos irmãos. Não é possível viver o cristianismo sem a igreja. Você precisa da igreja. Você faz parte do corpo. Até Jesus, na sua dor, chamou três dos seus discípulos para estar perto dele. A igreja não desencorajou os apóstolos. Não jogou medo no coração deles. Mas começou uma poderosa reunião de oração. Na igreja as portas do céu se abrem. Em Betel, casa de Deus, a escada liga a terra ao céu. Na sua aflição não fuja da igreja, busque a igreja. É na casa de Deus que brotam as soluções do céu para sua vida (Is 6 e Sl 73).

Em segundo lugar, *uma igreja cheia do Espírito busca o Senhor Todo-poderoso em oração* (4.24-26). Lucas faz o seguinte registro:

> *Ouvindo isto, unânimes, levantaram a voz a Deus e disseram: Tu, Soberano Senhor, que fizeste o céu, a terra, o mar e tudo o que neles há; que disseste por intermédio do Espírito Santo, por boca de Davi, nosso pai, teu servo: Por que se enfureceram os gentios, e os povos imaginaram coisas vãs? Levantaram-se os reis da terra, e as autoridades ajuntaram-se à uma contra o Senhor e contra o seu Ungido* (4.24-26).

A primeira perseguição dos apóstolos foi seguida por uma reunião de oração da igreja. O melhor método de enfrentar a oposição é sempre a oração. A ação dos discípulos não foi de ira nem de desejo de vingança. Em vez disso, eles recorreram à oração.[129] A igreja é o povo que busca a Deus em oração nas horas de dificuldades. A oração é arma de guerra. Quando nos curvamos diante de Deus, levantamo-nos diante dos homens. Quando colocamos os nossos olhos em Deus, perdemos o medo da ameaça dos homens.

Como a igreja orou? De que forma aqueles crentes ergueram unanimemente aos céus a sua oração?

1. Eles trouxeram à mente a soberania de Deus (4.24). A igreja se dirigiu a Deus como *Despotes*, Soberano Senhor, termo designado para denominar um proprietário de escravos e uma autoridade de poder inquestionável. O Sinédrio podia fazer ameaças e proibições, e tentar silenciar a igreja, mas a autoridade deles estava sujeita a uma autoridade maior. Os decretos humanos não podem passar por cima dos decretos de Deus.[130] Não era o Sinédrio judaico que estava no controle da situação, nem mesmo os césares de Roma, mas o Deus Todo-poderoso que está assentado no trono do universo. Precisamos saber que Deus está no trono. Nada acontece fora de sua vontade e de seu propósito. Às vezes, ficamos perturbados porque não paramos para meditar sobre a majestade de Deus. Concordo com Marshall quando ele diz: "É fútil para os homens urdir tramas contra o Deus que não somente criou o universo inteiro como também previu estas coisas vãs".[131]

De acordo com A. W. Tozer, o maior problema da igreja é que ela não medita o suficiente acerca da grandeza do seu Deus. Precisamos contemplar o Senhor em sua glória, majestade e poder. Qual é o tamanho do seu Deus? O profeta Isaías pensou nisso e disse que o nosso Deus é aquele que mediu as águas dos mares na concha da sua mão e pesou o pó da terra em balança de precisão. O nosso Deus é aquele que criou e chama cada estrela pelo nome e está assentado sobre a redondeza da terra (Is 40.12-26). O nosso Deus é o Criador dos céus e da terra. Ele o soberano que a tudo e a todos governa.

Às vezes, esquecemos, que Deus é Deus. Às vezes pensamos que estamos à mercê da crise internacional, que estamos nas mãos dos políticos de Brasília ou que a nossa vida depende da empresa onde trabalhamos. Nossa vida está nas mãos do Deus vivo, o mesmo que criou o céu e a terra. Devemos aquietar-nos e saber que ele é Deus.

Por isso, quando os apóstolos foram presos, não protestaram nem apelaram. Eles oraram! Podemos cantar: "Com tua mão, segura bem a minha". Certa vez o enviado papal advertiu Martinho Lutero de que ele seria severamente punido caso continuasse em seu caminho e o preveniu que ao final todos os seus seguidores o abandonariam. O emissário então perguntou-lhe: "O que você fará quando isso acontecer, Lutero?". Ele respondeu: "Então, como agora, eu estarei nas mãos de Deus".[132]

2. Eles oraram fundamentados na Palavra de Deus (4.25,26). A igreja conhecia a Palavra e citou o Salmo 2 para mostrar que a rebelião humana contra Jesus foi prevista por Deus e não colocava em risco a soberania divina. Todos os acontecimentos estavam nos planos eternos de Deus. Na hora da aflição, a igreja buscou a Palavra de Deus e descobriu que eles não estavam nas mãos do acaso ou das autoridades judaicas e romanas, mas nas mãos do Todo-poderoso, que governa a história. Werner de Boor diz com razão que os planos dos inimigos não apenas fracassaram, mas sua execução bem-sucedida somente foi capaz de realizar aquilo *que a tua mão e o teu propósito predeterminaram que aconteça*. Ver o mundo e a história mundial dessa maneira é crer.[133]

Em terceiro lugar, *uma igreja cheia do Espírito entende que a maldade humana não frustra os desígnios de Deus* (4.27,28). *Porque verdadeiramente se ajuntaram nesta cidade contra o teu santo Servo Jesus, ao qual ungiste, Herodes e Pôncio Pilatos, com gentios e gente de Israel, para fazerem tudo o que a tua mão e o teu propósito predeterminaram*. As trevas odeiam a luz. Quando se trata de combater o bem, o mal reúne todas as suas forças numa abominável coalizão. Herodes e Pilatos eram inimigos, mas se uniram contra Jesus. Judeus e gentios eram inimigos, mas uniram-se para condenar Jesus. Essa orquestração, porém, longe de frustrar os desígnios de Deus, cumpriu seu soberano propósito. A soberania de Deus não anula a responsabilidade humana, nem a maldade humana frustra os soberanos propósitos divinos.

Em quarto lugar, *uma igreja cheia do Espírito não pede a cessação do problema, mas poder para testemunhar no meio dos problemas* (4.29). *Agora, Senhor, olha para as suas ameaças e concede aos teus servos que anunciem com toda a intrepidez a tua palavra*. De acordo com Warren Wiersbe, a verdadeira oração não consiste em dizer a Deus o que fazer, mas em pedir que Deus faça sua vontade em nós e por meio de nós. É pedir que a vontade de Deus seja feita na terra, não que a vontade humana seja feita no céu.[134] Os crentes pediram que Deus olhasse para o problema. Eles não eram masoquistas. Não pediram sofrimento. Não pediram o fim das ameaças, mas poder para testemunhar. Às vezes, nossas orações apenas visam o fim do sofrimento, mas não pedimos poder. Somos humanistas. Perdemos a visão do propósito de Deus na nossa dor. Em vez de ficarem tremendo de medo, eles pediram: Jesus, mostra o teu poder (4.30). A igreja pede poder para testemunhar a Palavra de Deus com toda a intrepidez.

Hoje, muitas igrejas deixaram a Palavra e começaram a pregar as novidades do mercado da fé. Deixaram o evangelho da graça para pregar a prosperidade. Deixaram a mensagem da cruz para pregar os supostos milagres realizados por supostos homens de Deus. Deixaram de pregar o arrependimento para pregar a autoajuda. Deixaram de pregar o novo nascimento para pregar a prosperidade financeira. Deixaram de pregar o evangelho para pregar outro evangelho. A igreja anunciava com intrepidez a Palavra, não um engodo de *marketing*. Hoje, muitas igrejas buscam a psicanálise, as psicologias humanistas e as pesquisas de mercado para saber o que o povo quer ouvir. Precisamos pregar a palavra com ousadia. A igreja precisa voltar à Palavra. Carecemos de uma nova reforma na igreja.

Em quinto lugar, *uma igreja cheia do Espírito tem expectativa da ação milagrosa de Deus em seu meio* (4.30). *Enquanto estendes a mão para fazer curas, sinais e prodígios por intermédio do nome do teu santo Servo Jesus*. A igreja não pedia milagres de vingança ou destruição, como fogo dos céus, mas, sim, milagres de misericórdia.[135]

A igreja tinha a agenda aberta para as intervenções portentosas de Deus. Orava pela manifestação do poder de Deus. Tinha convicção do poder de Jesus para curar e fazer sinais e prodígios. Hoje, muitas igrejas parecem ortodoxas, mas não creem mais na intervenção de Deus na história e abandonaram a piedade. Parecem bíblicas, mas não conhecem o poder. Uma igreja cheia do Espírito está aberta para ver os prodígios realizados por Jesus. Hoje, tentamos justificar nossa aridez espiritual, criando mecanismos teológicos que dizem que o tempo dos milagres acabou. Os discípulos pedem poder para pregar. Mas o poder para fazer milagres não é administrado por eles. É Jesus quem faz milagres. É Jesus quem realiza maravilhas. Aquela igreja estava aberta para o extraordinário e o extraordinário aconteceu (5.12-16). Temos nós orado pelos enfermos? Temos crido na conversão daqueles que alguns julgam impossível serem salvos?

Em sexto lugar, *uma igreja cheia do Espírito é revestida com poder para pregar a Palavra com autoridade* (4.31). *Tendo eles orado, tremeu o lugar onde estavam reunidos; todos ficaram cheios do Espírito Santo e, com intrepidez, anunciavam a palavra de Deus*. Em resposta a essa oração sincera e unânime, a casa onde estavam reunidos tremeu e os discípulos tornaram-se mais inabaláveis, pois ficaram cheios do Espírito Santo e, com intrepidez, anunciavam a palavra de Deus. Marshall diz que o aposento em que estavam os discípulos tremeu como se houvesse um terremoto. Este era um dos sinais que indicavam uma teofania no Antigo Testamento (Êx 19.18; Is 6.4), e teria sido considerado um indício da resposta divina à oração. O sentido, portanto, é que Deus mostrou que estava presente e responderia à oração. Mais uma vez, o Espírito Santo veio sobre os discípulos, e estes receberam a confiança que pediram, para falarem bem a palavra de Deus.[136]

Werner de Boor argumenta que o Espírito Santo não é um "fluido" que continua mecanicamente igual após derramado, mas é uma pessoa viva, que, conforme a situação e a atitude dos fiéis, torna sua presença eficaz de forma nova e especial, "plenificando" os que creem. Esse "plenificar" torna-se eficaz no anúncio intrépido da palavra de Deus. Sob a oração com fé, a proibição de falar transforma-se no irrompimento de uma nova e larga torrente de proclamação.[137]

Não há evangelização eficaz sem o poder do Espírito Santo. Charles Spurgeon subia as escadas do púlpito da igreja do Tabernáculo, em Londres, dizendo: "Eu creio no Espírito Santo, eu dependo do Espírito Santo". Sem o Espírito Santo nem uma alma pode ser convertida. É mais fácil um leão tornar-se vegetariano do que uma pessoa converter-se a Cristo sem a obra do Espírito Santo. Fazer a obra de Deus sem o poder do Espírito é o mesmo que tentar cortar lenha com o cabo do machado. Precisamos ser continuamente cheios do Espírito. O enchimento de ontem não serve mais para hoje (2.4; 4.8; 4.31).

Concluo este capítulo com o solene alerta de John Stott: "Não temos a liberdade de ditar a Deus o que ele pode ou não fazer. E se hesitarmos diante de algumas evidências de 'sinais e prodígios' hoje em dia, precisamos conferir se não confinamos Deus e a nós mesmos na prisão da descrença racionalista ocidental".[138]

Notas do capítulo 5

[113] MARSHALL, I. Howard. *Atos: introdução e comentário*. 1982, p. 97.
[114] STOTT, John. *A mensagem de Atos* , p. 105.
[115] EARLE, Ralph. "Livro dos Atos dos Apóstolos", p. 231.
[116] DE BOOR, Werner. *Atos dos Apóstolos*, p. 76.
[117] EARLE, Ralph. "Livro dos Atos dos Apóstolos", p. 231.
[118] MARSHALL, I. Howard. *Atos: introdução e comentário*. 2002, p. 98.
[119] WIERSBE, Warren W. *Comentário bíblico expositivo*, p. 538.
[120] BARCLAY, William. *Hechos de los Apóstoles*, p. 47.
[121] MARSHALL, I. Howard. *Atos: introdução e comentário*. 1982, p. 96.
[122] DE BOOR, Werner. *Atos dos Apóstolos*, p. 78.
[123] DE BOOR, Werner. *Atos dos Apóstolos*, p. 78.
[124] STOTT, John. *A mensagem de Atos* , p. 107.
[125] MARSHALL, I. Howard. *Atos: introdução e comentário*. 1982, p. 100.
[126] EARLE, Ralph. "Livro dos Atos dos Apóstolos", p. 233,234; STOTT, John. *A mensagem de Atos,* p. 107.
[127] WIERSBE, Warren W. *Comentário bíblico expositivo*, p. 540.
[128] BARCLAY, William. *Hechos de los Apóstoles*, p. 49.
[129] EARLE, Ralph. "Livro dos Atos dos Apóstolos", p. 235.
[130] STOTT, John. *A mensagem de Atos* , p. 109.
[131] MARSHALL, I. Howard. *Atos: introdução e comentário*. 1982, p. 104.
[132] BARCLAY, William. *Hechos de los Apóstoles*, p. 50.
[133] DE BOOR, Werner. *Atos dos Apóstolos*, p. 83.
[134] WIERSBE, Warren W. *Comentário bíblico expositivo*, p. 541.
[135] STOTT, John. *A mensagem de Atos* , p. 110.
[136] MARSHALL, I. Howard. *Atos: introdução e comentário*. 1982, p. 106.
[137] DE BOOR, Werner. *Atos dos Apóstolos*, p. 84.
[138] STOTT, John. *A mensagem de Atos* , p. 111.

Capítulo 6

A igreja sob ataque
(At 4.32—5.42)

A igreja recebe o poder do Espírito Santo e ao mesmo tempo provoca a fúria de Satanás. Ganha o favor de Deus e ao mesmo tempo a oposição do mundo. Três foram as tentativas de paralisar a igreja. A primeira foi a perseguição (At 4), o ataque de fora para dentro. A segunda foi a infiltração (At 5), o ataque de dentro para fora. A terceira foi a distração (At 6), a perda das prioridades. Os apóstolos enfrentaram esses três ataques com oração e intrépido testemunho da Palavra.

O texto em apreço nos oferece um profundo contraste entre a atitude de Barnabé e a conduta de Ananias e Safira. Todos eram membros da igreja. Todos venderam uma propriedade, levaram os valores e depositaram aos pés dos apóstolos. A diferença entre eles era a motivação. Barnabé foi inspirado pelo amor; Ananias e Safira, pelo egoísmo. Barnabé ofertou para a glória de Deus; Ananias e Safira, para sua própria glória. Barnabé foi inspirado pelo Espírito Santo; Ananias e Safira, por Satanás.

Vamos analisar o texto e extrair algumas preciosas lições.

O testemunho altruísta da igreja (4.32-37)

A plenitude do Espírito (4.31) manifesta-se através da unidade espiritual e do amor solidário. John Stott diz que a plenitude do Espírito se evidencia tanto nos atos como nas palavras, tanto no serviço como no testemunho, tanto no amor pela família como na proclamação ao mundo.[139] O fato de Pedro e João terem sido presos, interrogados e ameaçados não afetou, de maneira alguma, a vida espiritual da igreja, pois ela continuava unida (4.32), com grande poder (4.33) e multiplicando-se (4.32).[140]

Destacamos aqui três verdades preciosas.

Em primeiro lugar, *o amor traduzido em ação* (4.32, 34,35). Lucas relata esse fato, como segue:

> Da multidão dos que creram era um o coração e a alma. Ninguém considerava exclusivamente sua nem uma das coisas que possuía; tudo, porém, lhes era comum [...]. Pois nenhum necessitado havia entre eles, porquanto os que possuíam terras ou casas, vendendo-as, traziam os valores correspondentes e depositavam aos pés dos apóstolos; então, se distribuía a qualquer um à medida que alguém tinha necessidade (4.32,34,35).

Crentes cheios do Espírito têm o coração aberto e o bolso também. O amor não consiste naquilo que falamos, mas no que fazemos. A comunhão passa pelo compartilhar. A unidade da igreja transformou-se em solidariedade. Pessoas eram mais importantes do que coisas, pois os crentes adoravam a Deus, amavam as pessoas e usavam as coisas.

John Stott destaca que a venda de propriedades era voluntária e esporádica, à medida que surgia a necessidade de dinheiro.[141] Adolf Pohl diz que aqui não se ensaiava um novo modelo social nem se definia um novo "conceito de propriedade".[142] William Barclay é claro nesse ponto: "A sociedade chega a ser verdadeiramente cristã não quando a lei nos obriga a repartir, mas quando o coração nos move a fazê-lo".[143]

O reformador João Calvino, já no século XVI, ao analisar o texto em questão, escreve de forma vívida:

> Seria preciso que tivéssemos corações mais duros do que o aço para não sermos tocados pela leitura desta narrativa. Naqueles dias os crentes davam abundantemente daquilo que era deles; hoje, não nos contentamos em guardar egoisticamente aquilo que é nosso, mas, insensíveis, queremos roubar os outros. Eles vendiam os seus próprios bens naqueles dias; hoje, é o desejo de possuir que reina supremo. Naquele tempo, o amor fez com que a propriedade de cada homem se tornasse a propriedade comum para todos os necessitados; hoje, a desumanidade de muitos é tão grande que de má vontade concedem que o pobre more nesta terra e desfrute a água, o ar e o céu juntamente com eles.*

Em segundo lugar, *a pregação revestida de poder* (4.33). *Com grande poder, os apóstolos davam testemunho da ressurreição do Senhor Jesus, e em todos eles havia abundante graça.* A igreja pediu poder para anunciar a palavra com intrepidez (4.31) e Deus respondeu à oração, pois os apóstolos, com grande poder, dão testemunho da ressurreição (4.33). Não

---

* [NE] CALVIN, John. *Calvin's Commentaries*. Baker Books, Grand Rapids, MI. Vol. XVIII. 2009: Vol. p. 192,193.

há pregação eficaz sem poder. Martyn Lloyd-Jones diz que pregação é lógica em fogo. O apóstolo Paulo instrui que a pregação deve ser feita no poder e na demonstração do Espírito (1Co 2.4; 1Ts 1.5).

Em terceiro lugar, *o altruísmo exemplificado* (4.36,37). *José, a quem os apóstolos deram o sobrenome de Barnabé, que quer dizer filho de exortação, levita, natural de Chipre, como tivesse um campo, vendendo-o, trouxe o preço e o depositou aos pés dos apóstolos.* Barnabé era um homem bom. Sempre investiu na vida das pessoas. Sempre esteve envolvido em importantes serviços para a igreja (9.27; 11.22-26,29,30; 13.1-3; 14.12,20,27,28; 15.2). Aqui ele abre mão de uma propriedade para assistir os necessitados da igreja. Mais tarde, ele investe na vida de Saulo. Depois, investe na vida de João Marcos. Sua motivação é ajudar as pessoas e demonstrar a elas o amor de Cristo. Sua fé era demonstrada por obras. Ao ver a necessidade de outros irmãos, Barnabé vende um campo e entrega o dinheiro aos apóstolos para suprir essas necessidades. Seu amor não era apenas de palavras, mas demonstrado por meio de obras.

A hipocrisia maligna na igreja (5.1-11)

O gesto de desprendimento de Barnabé despertou a admiração dos crentes. No meio daquele entusiasmo, Ananias e Safira, membros da igreja de Jerusalém, cobiçaram a mesma honra. Adolf Pohl alerta para o fato de que a invasão de Satanás no espaço da igreja acontece sempre que qualquer comunhão devota corre perigo. Ao doar, orar e jejuar, muito facilmente desviamos o olhar de Deus e focamos os aplausos das pessoas. Essa é a hipocrisia sutil que ameaça permanentemente nossa vida de fé. Em Mateus 6.1-6,16-18 Jesus mostra esse perigo. Será que essa hipocrisia, desmascarada por Jesus, dos devotos de seu povo, e explicada com a terrível metáfora dos *sepulcros caiados* (Mt 23.27), também se repetirá em sua própria igreja, infligindo-lhe uma ferida mortal? É a partir dessa questão decisiva que precisamos ler o relato sobre Ananias e Safira, compreendendo assim o juízo aterrador que Deus executou naquela ocasião.[144]

Até ali tudo tinha sido glorioso na vida da igreja, mas Satanás estava furioso e armava um estratagema. Como não conseguiu destruir a igreja de fora para dentro, por meio da perseguição, agora se infiltra na igreja para atacá-la de dentro para fora, por meio da hipocrisia. Como Satanás não conseguiu destruir o trigo, semeou o joio. O adversário que de fora combatia a igreja nascente, agora, conseguira infiltrar-se no coração de um de seus membros. Alguns estudiosos fazem um paralelo entre o pecado de Ananias e o pecado de Acã, pois em ambas as narrativas uma mentira interrompe o progresso vitorioso do povo de Deus.[145]

Destacamos aqui alguns pontos importantes.

Em primeiro lugar, *a hipocrisia disfarçada* (5.1,2). *Entretanto, certo homem, chamado Ananias, com sua mulher Safira, vendeu uma propriedade, mas, em acordo com sua mulher, reteve parte do preço e, levando o restante, depositou-o aos pés dos apóstolos.* Ananias e Safira não eram pessoas desclassificadas. Eram membros da igreja. Foram batizados. Viviam junto com os outros irmãos, cantavam e oravam. Falavam a mesma linguagem da fé. Externamente eram crentes maravilhosos. O exemplo de desprendimento de Barnabé os fascinou. Tiveram o ímpeto de imitá-lo, mas tentaram jeitosamente o meio-termo. A dádiva deles não era produzida pelo amor. O amor deles era falso. Estavam cheios de egoísmo. Buscavam louvores dos homens e reconhecimento por parte das pessoas. Ananias e Safira estavam mancomunados na mentira. Queriam glórias pessoais. Eram hipócritas e falsos filantropos.

A hipocrisia é a dissimulação deliberada, a tentativa de fazer com que as pessoas acreditem que somos mais espirituais do que na realidade somos. O nome *Ananias* significa "Deus é cheio de graça", mas Ananias descobriu que Deus também é santo. *Safira* quer dizer "bela", mas o pecado tornou seu coração repulsivo.[146]

O verbo *reteve* é idêntico àquele que se empregou para descrever a ação de Acã em reter parte dos despojos de Jericó, que deveriam ser entregues à casa do Senhor ou destruídos (Js 7.1).[147]

Em segundo lugar, *a hipocrisia desmascarada* (5.3,4). *Então, disse Pedro: Ananias, por que encheu Satanás teu coração, para que mentisses ao Espírito Santo, reservando parte do valor do campo? Conservando-o, porventura, não seria teu? E, vendido, não estaria em teu poder? Como, pois, assentaste no coração este desígnio? Não mentiste aos homens, mas a Deus.* Satanás havia derramado suas sugestões malignas no coração de Ananias e Safira. O casal, em vez de resistir ao diabo, deu guarida às suas propostas. Caíram na sua armadilha e resolveram hipocritamente mentir ao Espírito Santo e enganar a igreja. Adolf Pohl dá o seu brado de alerta: "Que fato horrível: um coração anteriormente repleto do Espírito Santo de Deus agora está cheio de Satanás! Isso é possível. Não temos direito a qualquer atitude autoconfiante".[148]

Ananias cometeu um pecado ainda mais grave do que mentir ao Espírito Santo (5.3). Literalmente este texto diz: "Ananias, como é que Satanás encheu o teu coração para *falsificar* o Espírito Santo?". O pecado dele não foi apenas mentir ao Espírito Santo, mas tentar falsificar o Espírito Santo, buscando representar sua fraudulenta ação como divinamente inspirada. Assim, ele procurou fazer com que o Espírito Santo participasse do seu horrendo crime. Ananias não teria cometido nenhum pecado se não vendesse sua propriedade; ou se vendesse e não desse nada ou só a metade. Seu pecado foi dar parte, dizendo que estava dando tudo. Seu pecado foi mentir ao Espírito e enganar a igreja. Por trás da hipocrisia de Ananias estava a atividade sutil de Satanás. O perverso inimigo que já havia atacado a igreja através da perseguição, agora a ataca sedutoramente por meio da corrupção.

Quando Pedro declarou que Ananias reteve parte do dinheiro, emprega o verbo *nosphizomai*, que significa "apropriar-se indevidamente". A mesma palavra foi usada na Septuaginta em relação ao roubo de Acã e, na única outra ocorrência no Novo Testamento (Tt 2.10), esse verbo significa "roubar". Devemos pressupor, portanto, que, antes da venda, Ananias e Safira assumiram algum tipo de compromisso no sentido de darem à igreja todo o dinheiro. Por causa disso, quando entregaram apenas parte do valor, em vez de tudo, tornaram-se culpados de apropriação indébita.[149] John Stott diz que o problema de Ananias e Safira foi falta de integridade. Eles não eram apenas avarentos, mas também ladrões e mentirosos. Queriam o crédito e o prestígio da generosidade sacrificial, sem terem de arcar com as inconveniências. Assim, a motivação do casal, ao dar, não era aliviar os pobres, mas inflar o próprio ego.[150]

Em terceiro lugar, *a hipocrisia condenada* (5.5,6). *Ouvindo estas palavras, Ananias caiu e expirou, sobrevindo grande temor a todos os ouvintes. Levantando-se os moços, cobriram-lhe o corpo e, levando-o, o sepultaram.* O pecado escondido torna-se revelado, e o pecado revelado torna-se julgado. A hipocrisia desmascarada é condenada. O pecado, embora oculto, produz derrota e gera morte. Tivesse Satanás logrado êxito e se infiltrado na igreja com o fermento da hipocrisia de Ananias, o vigor do cristianismo estaria abalado. Deus extirpou a hipocrisia da igreja e tratou de forma radical com Ananias para preservar sua igreja. Como consequência, *sobreveio grande temor a todos os ouvintes*. É para isso que servem os juízos de Deus.[151] Jesus certa feita mostrou o final trágico da hipocrisia quando condenou a figueira cheia de folhas, mas sem frutos. Jesus mostra que o fim da hipocrisia é a morte.

Warren Wiersbe destaca que o Senhor julga o pecado com severidade no início de um novo período na história da salvação. Logo depois que o tabernáculo foi erguido, Deus matou Nadabe e Abiú por tentarem apresentar *fogo estranho* ao Senhor (Lv 10). Também providenciou a execução de Acã por desobedecer a ordens depois que Israel havia entrado na Terra Prometida (Js 7). Apesar de Deus certamente não ser responsável pelos pecados dessas pessoas, usou esses julgamentos como advertência a seu povo, inclusive a nós (1Co 10.11,12).[152]

Em quarto lugar, *a hipocrisia combinada* (5.7-10). Lucas assim relata o episódio:

> Quase três horas depois, entrou a mulher de Ananias, não sabendo o que ocorrera. Então, Pedro, dirigindo-se a ela, perguntou-lhe: Dize-me, vendestes por tanto aquela terra? Ela respondeu: Sim, por tanto. Tornou-lhe Pedro: Por que entrastes em acordo para tentar o Espírito do Senhor? Eis aí à porta os pés dos que sepultaram o teu marido, e eles também te levarão. No mesmo instante, caiu ela aos pés de Pedro e expirou. Entrando os moços, acharam-na morta e, levando-a, sepultaram-na junto do marido (5.7-10).

Ananias e Safira fizeram um pacto de mentira. Entraram em comum acordo não só para mentir ao Espírito Santo (5.3), mas também para tentar o Espírito do Senhor (5.9). O pecado deles foi planejado. Eles deliberaram agir de forma hipócrita. Houve uma aliança para o mal. Por isso, o juízo de Deus se repete em Safira.

Em quinto lugar, *a hipocrisia derrotada* (5.11). *E sobreveio grande temor a toda a igreja e a todos quantos ouviram a notícia destes acontecimentos.* Ananias e Safira foram desmascarados. Eles amaram o dinheiro e o prestígio pessoal e perderam todos os seus bens e a própria vida. Com a hipocrisia desse casal, Satanás intentou destruir a igreja, mas Deus resolveu preservar a igreja e destruir os hipócritas.

É importante destacar que é nesta narrativa que a palavra *igreja* aparece pela primeira vez em Atos. Jesus prometeu edificar a sua igreja e garantiu que as portas do inferno não prevaleceriam contra ela. Na morte de Ananias e Safira há, sem dúvida, um ato de julgamento de Deus. Ananias e Safira perderam-se para sempre, ou, à semelhança do caso de Corinto, houve apenas a destruição da carne a fim de que o espírito seja salvo no dia do Senhor? Somente Deus o sabe. Entretanto, o apóstolo Paulo nos adverte: *O Senhor conhece os que lhe pertencem* e acrescenta: *Aparte-se da injustiça todo aquele que professa o nome do Senhor* (2Tm 2.19).

A manifestação do poder de Deus por meio da igreja (5.12-16)

Diante da perseguição, a igreja reunida clamou a Deus, rogando intrepidez para pregar (4.29) e a ocorrência de curas, sinais e prodígios por intermédio de Jesus (4.30). A primeira resposta foi imediata. A casa onde os crentes estavam reunidos tremeu e todos ficaram cheios do Espírito

Santo e passaram a anunciar a Palavra de Deus com intrepidez (4.31). A segunda resposta também foi prontamente atendida (5.12-16). Esse é o assunto que desenvolvemos agora.

Em primeiro lugar, *sinais e prodígios entre o povo* (5.12). *Muitos sinais e prodígios eram feitos entre o povo pelas mãos dos apóstolos. E costumavam todos reunir-se, de comum acordo, no Pórtico de Salomão.* É importante destacar que os sinais e prodígios eram credenciais do apostolado (2Co 12.12). Essas credenciais estão agora sendo usadas. Adolf Pohl diz que um *apóstolo* não é apenas um pensador ou professor e pregador, mas, sobretudo, um "embaixador", que tem de agir, com palavra e ação, conforme a incumbência de seu Senhor.[153]

Justo González acrescenta que a frequência das histórias de milagres no livro de Atos levou muitas pessoas a negar a historicidade do livro. É difícil para muitos até mesmo cogitarem a ideia de milagres devido a nossa visão de mundo moderna na qual o universo é fechado, um sistema de causas e efeitos que pode ser explicado pelos princípios mecanicistas. O universo assim concebido está fechado a qualquer intervenção divina e funciona com base em leis inalteráveis, que nunca podem ser mudadas nem estão sujeitas a outros poderes. Essa percepção do universo como sistema mecânico fechado é um aspecto fundamental da modernidade.[154] Rudolf Bultmann diz: "é impossível usar a luz elétrica e o rádio, beneficiar-nos dos remédios modernos e das descobertas cirúrgicas e, ao mesmo tempo, acreditar no mundo de espíritos e milagres do Novo Testamento*".[155] Mas Bultmann estava equivocado. O Deus que criou o universo interfere nele quando quer, onde quer,

---

* [NR] Tradução livre

conforme sua soberana vontade. Os milagres não são apenas possíveis; são também frequentes!

Warren Wiersbe diz que os milagres operados por Jesus durante seu ministério aqui na terra tinham três propósitos: a) demonstrar compaixão e suprir as necessidades humanas; b) apresentar suas credenciais como Filho de Deus; e c) transmitir verdades espirituais.[156]

Jesus é quem opera essas maravilhas por meio dos apóstolos. Os milagres não são um substituto para o evangelho, apenas abrem portas para a pregação. Os milagres não são os recursos usados por Deus para a salvação, mas apenas para demonstrar o seu poder. O meio usado por Deus para chamar os pecadores ao arrependimento e à fé salvadora é a pregação da Palavra (1Co 1.21).

Os milagres provocaram dois resultados interessantes e opostos. Num extremo, uma reserva temerosa; no outro, grandes sucessos missionários.[157] Essa é a realidade que vemos nos dois pontos seguintes.

Em segundo lugar, *temor e respeito entre o povo* (5.13). *Mas, dos restantes, ninguém ousava ajuntar-se a eles; porém o povo lhes tributava grande admiração*. A vida da igreja tinha um impacto irresistível tanto em vista dos milagres e sinais quanto pelo amor cordial e pela assistência em seu meio. Por outro lado, a igreja gerava uma reverência cheia de temor à sua volta. De acordo com Marshall, os judeus descrentes se mantiveram à distância dos cristãos, deixando-os em paz. Talvez tivessem medo de que uma lealdade apenas parcial os levasse ao julgamento. Se, porém, era o medo que os afastava, mesmo assim, não poderiam deixar de louvar os cristãos à medida que se impressionavam por aquilo que eles faziam.[158] A solenidade com que os cristãos viviam fechava as portas aos covardes e as abriam aos eleitos. Mesmo os inconversos precisam dobrar-se diante das evidências da santidade com que a igreja vive no mundo.

Em terceiro lugar, *crescimento explosivo da igreja* (5.14). *E crescia mais e mais a multidão de crentes, tanto homens como mulheres, agregados ao Senhor.* O historiador Lucas deixa de usar cifras específicas para referir-se ao crescimento da igreja (2.41; 4.4) e começa a falar de uma multidão de crentes que se agregava ao Senhor. Tanto o ataque externo (perseguição) quanto o interno (hipocrisia) foram enfrentados com firmeza, e como resultado a igreja explodiu em crescimento.

Em quarto lugar, *curas extraordinárias* (5.15,16). *A ponto de levarem os enfermos até pelas ruas e os colocarem sobre leitos e macas, para que, ao passar Pedro, ao menos a sua sombra se projetasse nalguns deles. Afluía também muita gente das cidades vizinhas a Jerusalém, levando doentes e atormentados de espíritos imundos, e todos eram curados.* A era messiânica havia chegado. O Ressuscitado e Exaltado é o mesmo Salvador dos evangelhos, dando prosseguimento à sua obra por meio de seus mensageiros.[159] Esses milagres atestavam o poder do Cristo ressurreto manifestado por intermédio dos apóstolos. Pedro é poderosamente usado por Jesus tanto para pregar com intrepidez como para realizar curas e prodígios. John Stott enfatiza que se tratava de uma notável demonstração do poder de Deus para curar e libertar seres humanos, assim como o episódio de Ananias e Safira havia sido uma demonstração de seu poder para julgá-los.[160]

A perseguição implacável à igreja (5.17-32)

O ministério de cura dos apóstolos provocou o segundo ataque por parte das autoridades, da mesma forma que a cura milagrosa do coxo provocara o primeiro.[161] O mesmo sol que amolece a cera endurece o barro. Os líderes religiosos não se dobraram diante das evidências do poder de Deus. Ao contrário, endureceram-se ainda mais e, agora, em vez de se converterem à fé cristã, queriam matar os apóstolos. Destacamos aqui alguns pontos.

Em primeiro lugar, *a prisão dos apóstolos* (5.17,18). *Levando-se, porém, o sumo sacerdote e todos os que estavam com ele, isto é, a seita dos saduceus, tomaram-se de inveja, prenderam os apóstolos e os recolheram à prisão pública.* Mais uma vez a iniciativa contra os apóstolos foi tomada pelo sumo sacerdote e pelo grupo dos saduceus dentro do Sinédrio (4.1).[162] Os fariseus sempre se posicionaram contra Jesus, porém se limitavam aos ataques de conteúdo. Os sacerdotes, do partido dos saduceus, é que lideraram a decisão de matar Jesus (Jo 11.46-53) e perseguir os apóstolos. Na primeira prisão, apenas Pedro e João foram recolhidos ao cárcere no pátio do templo (4.3). Agora, todos os apóstolos foram presos e recolhidos à prisão pública, juntamente com outros criminosos, como pessoas nocivas à sociedade (5.18). Adolf Pohl diz que desta vez a situação poderia evoluir para a pena de morte.[163] O sumo sacerdote e seus aliados, tomados de inveja, pensaram que podiam estancar o fluxo da obra de Deus com ameaças, mas não sabiam que a obra de Deus é irresistível e ninguém pode deter o braço do Senhor onipotente. Cadeias e tribulações, açoites e prisões, torturas e martírios não conseguem fazer recuar aqueles que estão cheios do Espírito Santo.

Em segundo lugar, *a intervenção do anjo* (5.19,20). *Mas, de noite, um anjo do Senhor abriu as portas do cárcere e, conduzindo-os para fora, lhes disse: Ide e, apresentando-vos no templo, dizei ao povo todas as palavras desta Vida.* Os anjos são ministros de Deus que trabalham em favor dos que herdam a salvação (Hb 1.14). O ministério deles pode ser visto tanto no Antigo (1Rs 19.5-8) quanto no Novo Testamento (5.19; 12.7; 27.23). O anjo de Deus lhes ofereceu livramento e comissionamento, ou seja, os apóstolos não foram libertados da prisão simplesmente para escapar. Incumbidos de um novo serviço no templo, eles deveriam anunciar ao povo as *palavras desta Vida*. É a mensagem da qual depende a vida e a morte, a vida eterna ou a morte eterna, das pessoas. Essas palavras precisam ser ditas sob quaisquer circunstâncias.[164]

O anjo abriu-lhes as portas da prisão, sem que os guardas percebessem, e ordenou-lhes que abrissem a boca para proclamar as boas novas do evangelho. O anjo de Deus e os apóstolos não respeitaram as ordens absolutistas e arrogantes dos líderes judaicos (4.17-21; 5.28). Não apenas anunciavam o evangelho, mas o faziam no templo, o território dos sacerdotes.

Em terceiro lugar, *a perplexidade do Sinédrio* (5.21-26). O historiador Lucas registra o episódio como segue:

> *Tendo ouvido isto, logo ao romper do dia, entraram no templo e ensinavam. Chegando, porém, o sumo sacerdote e os que com ele estavam, convocaram o Sinédrio e todo o senado dos filhos de Israel e mandaram buscá-los no cárcere. Mas os guardas, indo, não os acharam no cárcere; e, tendo voltado, relataram, dizendo: Achamos o cárcere fechado com toda a segurança e as sentinelas nos seus postos junto às portas; mas, abrindo-as, a ninguém encontramos dentro. Quando o capitão do templo e os principais sacerdotes ouviram estas informações, ficaram perplexos a respeito deles e do que viria a ser isto. Nesse ínterim, alguém chegou e lhes comunicou: Eis que os homens que recolhestes no cárcere, estão no templo ensinando o povo. Nisto, indo o capitão e os guardas, os trouxeram sem violência, porque temiam ser apedrejados pelo povo (5.21-26).*

Os saduceus, seita da qual procediam o sumo sacerdote e toda a classe sacerdotal, não acreditavam em ressurreição, tema central da pregação dos apóstolos. Os saduceus não acreditavam em anjos e, agora, o anjo de Deus abrira as portas do cárcere e soltara os apóstolos. Eles haviam ordenado que os apóstolos se calassem, e eles se colocaram no centro nevrálgico da religião judaica, o templo, ensinando a Palavra, desde o romper do dia. O Sinédrio se viu, agora, num beco sem saída. Os líderes judaicos estavam encurralados. As evidências reprovavam sua teologia, e a intrepidez dos apóstolos desafiava seu poder. Conforme enfatiza Adolf Pohl, o evangelho não deve fugir para a clandestinidade, mas ser proclamado publicamente. Não é uma questão de devoção privativa, mas de proclamação aberta de Jesus e da obra de sua vida.[165]

Em quarto lugar, *a interrogação do sumo sacerdote* (5.27,28). *Trouxeram-nos, apresentando-os ao Sinédrio. E o sumo sacerdote interrogou-os, dizendo: Expressamente vos ordenamos que não ensinásseis nesse nome, contudo, enchestes Jerusalém de vossa doutrina; e quereis lançar sobre nós o sangue desse homem*. O sumo sacerdote estava furioso com os apóstolos por dois motivos: porque uma ordem expressa do Sinédrio fora desobedecida por eles; e porque os apóstolos acusavam as autoridades judaicas e o povo de terem crucificado a Cristo. Diante de Pilatos, o povo todo, instigado pelos sacerdotes, disse: ...*Caia sobre nós o seu sangue e sobre nossos filhos* (Mt 27.25). Agora, Pedro com indômita coragem, por quatro vezes denunciou os líderes e o povo de terem matado a Jesus, o Autor da vida (2.23; 3.15; 4.8-10; 5.29,30). Torna-se especialmente explícito que está em jogo *esse nome*, está em jogo *esse homem*, está em jogo *Jesus*, unicamente ele!

Em quinto lugar, *a resposta ousada dos apóstolos* (5.29-32). Lucas registra a resposta dos apóstolos nos seguintes termos:

> *Então, Pedro e os demais apóstolos afirmaram: Antes, importa obedecer a Deus do que aos homens. O Deus de nossos pais ressuscitou a Jesus, a quem vós matastes, pendurando-o num madeiro. Deus, porém, com a sua destra, o exaltou a Príncipe e Salvador, a fim de conceder a Israel o arrependimento e a remissão de pecados. Ora, nós somos testemunhas destes fatos, e bem assim o Espírito Santo, que Deus outorgou aos que lhe obedecem* (5.29-32).

Este texto trata da questão da desobediência civil. Os apóstolos desobedeceram às autoridades constituídas. As ordens do Sinédrio, abusivas e absolutistas, pretendiam domesticar a consciência dos apóstolos. Estes afirmavam que a autoridade de Deus está acima da autoridade do Sinédrio e que, para obedecerem a Deus, estavam dispostos a desobedecer às autoridades judaicas. Concordo com Marshall quando diz que o custo de ser um cristão é estar disposto a obedecer a Deus antes do que aos homens – e suportar as consequências.[166]

Longe de se intimidarem diante das ameaças do Sinédrio, os apóstolos reafirmaram a acusação de que os líderes haviam matado e pendurado Jesus no madeiro. Mais uma vez, os apóstolos deram testemunho da ressurreição de Jesus e proclamaram o arrependimento e a remissão de pecados a Israel, bem como a concessão do Espírito Santo aos que lhe obedecem. Pedro concluiu dizendo que, quando os líderes judaicos mataram a Jesus, agiram contra o Deus a quem alegadamente adoravam.[167]

A intervenção providencial em favor da igreja (5.33-42)

O Sinédrio estava ameaçado por um grupo de homens iletrados e incultos. Os apóstolos o desafiavam, e o povo inclinava-se a seguí-los. Ao perceberem que ameaças e prisões eram medidas inócuas para acabar com a intrepidez dos apóstolos, os membros do Sinédrio partiram para uma posição mais radical. Vejamos alguns pontos importantes a respeito.

Em primeiro lugar, *o propósito do Sinédrio* (5.33). *Eles, porém, ouvindo, se enfureceram e queriam matá-los.* A pregação amolece uns e endurece outros. Aos que se arrependem, oferece vida; aos que se mantêm rebeldes, proclama condenação. A reação dos membros do Sinédrio foi de fúria e instinto assassino. Em vez de acolherem com mansidão a pregação, furiosamente deliberam matar os pregadores.

Em segundo lugar, *o argumento de Gamaliel* (5.34,35). *Mas, levantando-se no Sinédrio um fariseu, chamado Gamaliel, mestre da lei, acatado por todo o povo, mandou retirar os homens, por um pouco, e lhes disse: Israelitas, atentai bem no que ides fazer a estes homens.* Gamaliel era neto do grande rabino Hillel. Foi o ilustre mestre do jovem Saulo de Tarso (22.3). Fariseu culto e assaz respeitado pelo povo, este grande mestre da lei jogou água na fervura e chamou os saduceus enfurecidos à reflexão. A atitude de Gamaliel demoveu o Sinédrio de seu intento assassino e poupou os apóstolos da morte prematura. Como destacamos anteriormente, nos Evangelhos os fariseus aparecem como os principais opositores de Jesus (Lc 5.21,30; 7.30; 11.53; 15.2; 16.14). Agora, em Atos, é um fariseu que está salvando a pele dos apóstolos.

Em terceiro lugar, *os exemplos de Gamaliel* (5.36,37). Gamaliel argumenta com o Sinédrio, evocando o exemplo de dois homens, Teudas e Judas, o galileu, que fracassaram na tentativa de atrair seguidores. Vejamos como Lucas relata esse fato:

> *Porque, antes destes dias, se levantou Teudas, insinuando ser ele alguma coisa, ao qual se agregaram cerca de quatrocentos homens; mas ele foi morto, e todos quantos lhe prestavam obediência se dispersaram e deram em nada. Depois desse, levantou-se Judas, o galileu, nos dias do recenseamento, e levou muitos consigo; também este pereceu, e todos quantos lhe obedeciam foram dispersos (5.36,37).*

Não podemos ter plena certeza acerca da identidade dessas duas personagens. O historiador Flávio Josefo fez referência a um impostor chamado Teudas que persuadiu um grande grupo a levar consigo seus pertences e segui-lo até o rio Jordão, declarando-se profeta. Mas esse Teudas foi preso e decapitado, e seus seguidores foram dispersos. Judas, o Galileu, foi um rebelde contra a instituição de novos impostos que entraram em vigor quando Arquelau foi deposto em 6 d.C.[168] William Barclay diz que esse Judas era um fanático que assumiu a posição de que Deus era o único Rei de Israel e a ele somente se devia pagar tributo; todo outro imposto era ímpio, e pagá-lo equivalia à blasfêmia.[169]

Em quarto lugar, *o parecer de Gamaliel* (5.38,39). *Agora, vos digo: dai de mão a estes homens, deixai-os; porque, se este conselho ou esta obra vem de homens, perecerá; mas, se é de Deus, não podereis destruí-los, para que não sejais, porventura, achados lutando contra Deus. E concordaram com ele.* O conselho de Gamaliel aplacou a ira dos saduceus, abrandou o ímpeto do sumo sacerdote e arrefeceu a disposição do Sinédrio de sentenciar à morte os apóstolos, como fizera com Cristo meses antes. Obviamente, não podemos levar esse conselho ao pé da letra, pois, por permissão divina, há muitas doutrinas falsas que crescem, mesmo não sendo obra de Deus. John Stott tem razão quando diz que não nos devemos precipitar em conceder a Gamaliel o crédito de ter pronunciado um princípio absoluto. É verdade que, afinal de contas, o que vem de Deus triunfará, e o que é meramente humano (e quanto mais diabólico) perecerá. Todavia, no curto prazo, planos malignos, às vezes, obtêm sucesso, enquanto bons planos, concebidos de acordo com a vontade de Deus, às vezes, fracassam. Por isso, o conselho de Gamaliel não é princípio confiável para verificar se algo vem ou não de Deus.[170]

Warren Wiersbe tem razão quando escreve:

> Apesar de Gamaliel ter tentado usar uma lógica fria, não o calor das emoções, sua abordagem foi errada. Para começar, colocou Jesus na mesma categoria dos dois rebeldes, o que significa que já havia rejeitado as evidências. Para ele, esse *Jesus de Nazaré* era apenas mais um judeu zeloso que havia tentado libertar a nação de Roma. Para Gamaliel os agitadores vêm e vão; só é preciso ter paciência. Gamaliel partiu do pressuposto de que "a história se repete". Mais do que isso, ele tinha a ideia equivocada de que, se algo não era de Deus, não daria certo. Mas essa ideia não levava em consideração a natureza pecaminosa humana e a presença de Satanás no mundo. De acordo com Mark Twain, enquanto a verdade ainda está calçando seus sapatos, a mentira já deu uma volta ao redor do mundo. No final, a verdade de Deus será vitoriosa, mas, enquanto isso, Satanás pode se mostrar extremamente forte e influenciar multidões. Apesar do que afirma o pragmatismo, o sucesso não é prova de que algo é verdadeiro. Seitas falsas muitas vezes crescem mais rapidamente que a igreja de Deus. Sob qualquer ponto de vista, a "lógica" de Gamaliel é insensata.[171]

Gamaliel ficou em cima do muro e incentivou a ncutralidade numa hora crucial, quando uma decisão era exigida. Jesus deixou claro que é impossível permanecer neutro em relação à sua pessoa e à sua mensagem: *Quem não é por mim, é contra mim; e quem comigo não ajunta, espalha* (Mt 12.30). O profeta Elias já havia desafiado essa mesma nação: ...*Até quando coxeareis entre dois pensamentos?* (1Rs 18.21). A indecisão é uma decisão, a decisão de não decidir. Os indecisos decidem-se contra Cristo, e não a seu favor.

Em quinto lugar, *a dupla ação do Sinédrio* (5.40). *Chamando os apóstolos, açoitaram-nos e, ordenando-lhes que não falassem em o nome de Jesus, os soltaram.* A atitude do Sinédrio foi castigar os pregadores e proibir a pregação. Conforme o costume judaico, aplicaram nos apóstolos uma quarentena de açoites menos um (22.19; 2Co 11.24; Mc 13.9). Mais uma vez foram tiranos e cruéis, tentando intimidar as testemunhas de Cristo com os rigores da lei.

Em sexto lugar, *a dupla reação dos apóstolos* (5.41,42). *E eles se retiraram do Sinédrio regozijando-se por terem sido considerados dignos de sofrer afrontas por esse Nome. E todos os dias, no templo e de casa em casa, não cessavam de ensinar e de pregar Jesus, o Cristo.* Diante da dupla ação do Sinédrio, os apóstolos demonstram dupla reação: alegraram-se por serem considerados dignos de sofrer afrontas pelo nome de Cristo e continuaram todos os dias a ensinar e pregar a Cristo, no templo e de casa em casa. Não somente o castigo fracassou em causar desânimo nos cristãos, como também os encheu de júbilo.[172] Aqueles que ouviram e viram as maravilhas de Cristo não podiam calar-se. Estavam prontos para serem presos, mas não para calarem a sua voz. Estavam prontos para morrerem, mas não para deixarem de proclamar a Jesus, o Cristo. Tertuliano, falando às autoridades do império romano, exclamou: "Matem-nos, torturem-nos, condenem-nos, façam de nós pó... Quanto mais vocês nos oprimirem, tanto mais cresceremos; a semente é o sangue dos cristãos".[173] Nessa mesma linha de pensamento, John Stott é absolutamente oportuno ao afirmar que a perseguição refina a igreja, mas não a destrói. Aleluia![174]

NOTAS DO CAPÍTULO 6

[139] STOTT, John. *A mensagem de Atos*, p. 117.
[140] WIERSBE, Warren W. *Comentário bíblico expositivo*, p. 544.
[141] STOTT, John. *A mensagem de Atos*, p. 118.
[142] POHL, Adolf. *Atos dos Apóstolos*. 2002, p. 85.
[143] BARCLAY, William. *Hechos de los Apóstoles*, p. 51.
[144] POHL, Adolf. *Atos dos Apóstolos*, p. 89,90.
[145] STOTT, John. *A mensagem de Atos*, p. 120.
[146] WIERSBE, Warren W. *Comentário bíblico expositivo*, p. 546.
[147] MARSHALL, I. Howard. *Atos: introdução e comentário*. 1982, p. 109.
[148] POHL, Adolf. *Atos dos Apóstolos*. 2002, p. 90.
[149] STOTT, John. *A mensagem de Atos*, p. 121.
[150] STOTT, John. *A mensagem de Atos*, p. 121.
[151] POHL, Adolf. *Atos dos Apóstolos*. 2002, p. 91.
[152] WIERSBE, Warren W. *Comentário bíblico expositivo*, p. 546.
[153] POHL, Adolf. *Atos dos Apóstolos*. 2002, p. 92.
[154] GONZÁLEZ, Justo L. *Atos*, p. 108.
[155] BULTMANN, Rudolf. *Kerygma and Myth*. Nova York: Harper & Row, 1961, p. 5.

[156] WIERSBE, Warren W. *Comentário bíblico expositivo*, p. 548.
[157] STOTT, John. *A mensagem de Atos*, p. 124,125.
[158] MARSHALL, I. Howard. *Atos: introdução e comentário*. 1982, p. 113.
[159] POHL, Adolf. *Atos dos Apóstolos*. 2002, p. 93.
[160] STOTT, John. *A mensagem de Atos*, p. 125.
[161] STOTT, John. *A mensagem de Atos*, p. 125.
[162] MARSHALL, I. Howard. *Atos: introdução e comentário*. 1982, p. 114.
[163] POHL, Adolf. *Atos dos Apóstolos*. 2002, p. 97.
[164] POHL, Adolf. *Atos dos Apóstolos*. 2002, p. 97.
[165] POHL, Adolf. *Atos dos Apóstolos*. 2002, p. 97.
[166] MARSHALL, I. Howard. *Atos: introdução e comentário*. 1982, p. 116.
[167] MARSHALL, I. Howard. *Atos: introdução e comentário*. 1982, p. 116.
[168] MARSHALL, I. Howard. *Atos: introdução e comentário*. 1982, p. 118,119.
[169] BARCLAY, William. *Hechos de los Apóstoles*, p. 58.
[170] STOTT, John. *A mensagem de Atos*, p. 130,131.
[171] WIERSBE, Warren W. *Comentário bíblico expositivo*, p. 552.
[172] MARSHALL, I. Howard. *Atos: introdução e comentário*. 1982, p. 120.
[173] TERTULIANO, *Apologia*, cap. 50.
[174] STOTT, John. *A mensagem de Atos*, p. 132.

Capítulo 7

Transformando crises em oportunidades
(At 6.1-15)

TRÊS FORAM AS TENTATIVAS de impedir o avanço da igreja primitiva. Já vimos as duas primeiras: perseguição (At 4) e infiltração (At 5). Agora, veremos a terceira, a distração (At 6). Já que Satanás não conseguiu derrotar a igreja de fora para dentro por meio da perseguição, nem de dentro para fora por meio da corrupção, tenta agora desviar o foco de sua liderança para o serviço das mesas. Curiosamente o que está ameaçando a igreja agora não é uma coisa ruim, mas boa, a assistência social. O problema é que os apóstolos estavam perdendo a sua prioridade, correndo de um lado para o outro, ocupados com o atendimento às pessoas necessitadas, deixando de lado a oração e o ministério da Palavra.

O texto em apreço nos enseja várias lições, que expomos a seguir.

A murmuração na igreja (6.1)

Com o colossal crescimento da igreja, alguns problemas vieram à tona. Lucas relata: *Ora, naqueles dias, multiplicando-se o número dos discípulos, houve murmuração dos helenistas contra os hebreus, porque as viúvas deles estavam sendo esquecidas na distribuição diária* (6.1). O crescimento numérico da igreja sempre trará na bagagem problemas potenciais que precisam ser enfrentados com urgência e sabedoria. As viúvas dos helenistas, aqueles convertidos que vieram da dispersão e não falavam o hebraico,[175] começaram a ser esquecidas na distribuição diária. A injusta distribuição dos recursos gerou murmuração na igreja. O som da palavra grega *murmuração* sugere o zumbir das abelhas.[176] Um tumulto no meio da comunidade cristã estava colocando em risco a comunhão da igreja. A comunhão, que fora atacada pela hipocrisia de Ananias e Safira, estava novamente sendo ameaçada pela injustiça.

William Barclay destaca o fato de que havia duas classes de judeus na igreja cristã. O primeiro grupo era composto pelos judeus que moravam em Jerusalém e Palestina e falavam o aramaico, o idioma ancestral. Esse grupo orgulhava-se de não ter assimilado nenhuma estrangeirice em sua cultura. O segundo grupo era formado pelos judeus que haviam morado fora da Palestina por muitas gerações, mas que, depois do Pentecostes, permaneceram em Jerusalém. Esses judeus haviam esquecido o hebraico e falavam o grego. Os orgulhosos judeus de fala aramaica tratavam com desprezo os judeus estrangeiros. Essa fissura no relacionamento manifestou-se na distribuição diária dos recursos.[177] A queixa acerca da ajuda aos pobres não passava de mero sintoma de um problema mais profundo, a saber: os cristãos de língua hebraica e os de língua grega estavam divididos em dois grupos separados.[178]

É muito provável que o esquecimento das viúvas helenistas não fosse proposital. A queixa acabava recaindo sobre os apóstolos, que estavam encarregados dessa distribuição (4.35,37). Uma medida imediata precisava ser tomada para corrigir o problema. Os apóstolos não foram negligentes nem remissos. Agiram com rapidez e sabedoria para estancar aquela hemorragia que colocava em risco a paz interna da igreja e o seu testemunho externo.

A decisão dos apóstolos (6.2-4)

O problema identificado (6.1) encontrou imediata solução (6.2-6), e o resultado foi o crescimento da igreja (6.7). Ralph Earle diz que temos aqui uma ajuda prática de como solucionar problemas: reconhecer o problema (6.1,2a); recusar-se a subordinar o que é essencial (6.2b); remover as causas de reclamações (6.3-6); e colher os resultados de uma solução sensata (6.7).[179]

Os apóstolos não ficaram na defensiva. Acolheram as críticas dos helenistas e tiveram coragem de fazer uma correção de rota. Alguém já disse que o sucesso é "o ninho do ano anterior, do qual os pássaros já voaram embora".[180] Aquilo que funcionou bem ontem pode não ser mais funcional nem relevante hoje. Não podemos sacralizar as estruturas. Elas são facilitadoras, e não empecilhos, para o avanço da obra. Em vez dos apóstolos se desgastarem ainda mais no trabalho do serviço às mesas, ampliaram o quadro de obreiros. É conhecido o que Dwight Moody costumava dizer: "É melhor colocar dez homens para trabalhar do que tentar fazer o trabalho de dez homens". Warren Wiersbe diz que a igreja apostólica não teve medo de fazer ajustes em sua estrutura, a fim de dar espaço para a expansão do ministério.[181] É triste quando as igrejas destroem ministérios por se recusarem a modificar suas estruturas.

Três verdades nos chamam a atenção no texto.

Em primeiro lugar, *o perigo da distração* (6.2). *Então, os doze convocaram a comunidade dos discípulos e disseram: Não é razoável que nós abandonemos a palavra de Deus para servir às mesas*. Entenda-se a expressão *servir às mesas* como uma metonímia: "garantir que as necessidades das viúvas sejam atendidas" ou "ocupar-se de questões financeiras e administrativas".[182] Concordo com John Stott em que não há aqui nenhuma sugestão de que os apóstolos vissem a obra social inferior à obra pastoral, ou a considerassem pouco digna para eles. Era apenas uma questão de chamado.[183] Aos apóstolos foram confiados os oráculos de Deus. Eles foram encarregados de ensinar a Palavra e fazer discípulos de todas as nações. Cabia a eles a diaconia da palavra, e não a diaconia das mesas. Embora fosse um trabalho justo e necessário, a assistência às viúvas pobres não era a prioridade dos apóstolos. Eles não podiam abandonar as trincheiras da oração e do ministério da palavra para focar noutra área. A distração seria uma armadilha mortal.

Servir é o verbo grego *diakoneo*. O substantivo cognato *diakonia* é traduzido como *ministério* no versículo 1. Uma vez que "diácono" vem de *diakonos*, os homens aqui escolhidos são frequentemente mencionados como "os sete diáconos", mas esta designação não lhes é dada no texto bíblico. Ralph Earle ressalta que provavelmente não havia um cargo técnico como o dos diáconos neste estágio primitivo da igreja.[184] É verdade que mais tarde havia nas igrejas neotestamentárias presbíteros e diáconos como oficiais ordenados (Fp 1.1; 1Tm 3.1-12).

Em segundo lugar, *a diaconia das mesas* (6.3). *Mas, irmãos, escolhei dentre vós sete homens de boa reputação, cheios do Espírito e de sabedoria, aos quais encarregaremos deste serviço*. Os apóstolos entenderam a legitimidade da diaconia das mesas. Eles reafirmaram a necessidade de continuar o serviço de assistência aos pobres. A evangelização não anula a ação social, nem esta dispensa aquela. A solução, porém, não era os apóstolos deixarem a oração e a Palavra para se dedicarem àquela causa urgente, mas escolherem homens com credenciais para exercer esse ministério. Sou da opinião de que começa aqui o ministério diaconal na igreja. Os diáconos foram escolhidos não pelos apóstolos, mas pela igreja. Dentre os membros da igreja, com credenciais preestabelecidas, sete homens foram eleitos para exercerem a diaconia das mesas.

Em terceiro lugar, *a diaconia da palavra* (6.4). *E, quanto a nós, nos consagraremos à oração e ao ministério da palavra*. Deus chama todo o seu povo para o ministério; ele chama pessoas diferentes para ministérios diferentes, e aqueles chamados para a *oração e o ministério da palavra* não devem desviar-se de suas prioridades.[185] Adolf Pohl diz que os apóstolos realmente honraram a Deus e confirmaram que o ser humano não vive somente de pão, mas de toda palavra que procede da boca de Deus; além disso, a mensagem que lhes foi confiada compõe-se literalmente das *palavras desta Vida* (5.20), das quais depende a vida eterna das pessoas.[186]

Desta forma, Lucas destaca dois ministérios na igreja: a diaconia das mesas (6.2,3) e a diaconia da palavra (6.4); a ação social e a pregação do evangelho. A igreja algumas vezes caiu em extremos quanto a essa matéria. O pietismo no século XVII caiu no extremo de ver o homem apenas como uma alma a ser salva, e a teologia da libertação no século XX o via apenas como um corpo a ser assistido. A salvação de Deus, porém, alcança o homem integral, alma e corpo. O ministério das mesas não substitui o ministério da palavra, nem o ministério da palavra dispensa o ministério das mesas.

John Stott enfatiza que nenhum dos dois ministérios é superior ao outro. Ambos são ministérios cristãos que visam servir a Deus e ao seu povo. Ambos exigem pessoas espirituais, *cheias do Espírito Santo*, para exercê-los. A única diferença está na forma que cada ministério assume, exigindo dons e chamados diferentes.[187] De acordo com Marshall, não se sugere aqui que *servir às mesas* está num nível inferior às orações e ao ensino; a ênfase está no fato de que a tarefa à qual os doze foram especificamente chamados era de testemunho e evangelização.[188]

Esta decisão dos apóstolos é um divisor de águas na história da igreja. Aqueles que foram chamados para pregar a palavra precisam esmerar-se no ensino e afadigar-se na Palavra, a fim de serem obreiros aprovados. Se os apóstolos tivessem abandonado a oração e o ministério da palavra para servir às mesas, a igreja teria perdido seu foco e seu poder. O crescimento da igreja vem por meio da oração e da Palavra. Esses sempre foram os dois principais instrumentos usados por Deus para levar sua igreja ao crescimento saudável. Vale a pena destacar que a oração vem antes da pregação porque, se não formos homens de oração, a palavra não terá virtude em nossa boca. Não basta proferir a palavra de Deus, precisamos ser boca de Deus como o profeta Elias (1Rs 17.24). Não basta carregar o bordão profético como Geazi, precisamos ter a virtude do Espírito Santo como Eliseu (2Rs 4.35).

A aprovação do povo (6.5)

A decisão dos apóstolos trouxe glória ao nome de Deus, paz para a igreja e solução para os problemas. Lucas registra o fato assim: *O parecer agradou a toda a comunidade e elegeram Estêvão, homem cheio de fé e do Espírito Santo, Filipe, Prócoro, Nicanor, Timão, Pármenas e Nicolau, prosélito de Antioquia* (6.5). As decisões tomadas em conformidade com a vontade de Deus agradam a igreja de Deus. Quando a igreja age em obediência à Palavra, reina paz em seu meio. Quando os líderes da igreja são governados pelos princípios de Deus, o trabalho é dividido e não há sobrecarga. Quando a igreja escolhe sua liderança sob a égide dos preceitos divinos, as tensões são resolvidas, as necessidades são supridas e a igreja cresce com mais ousadia (6.7).

Adolf Pohl diz que os nomes dos eleitos têm uma entonação grega. Devem ter sido nomeados justamente *helenistas* porque a negligência em relação às viúvas dessa origem havia sido a causa de toda essa ação. Nicolau é chamado expressamente de *prosélito de Antioquia*. Pela primeira vez, aparece um grego de nascença, um gentio no contexto da igreja de Jesus, ainda que pela via do ingresso na cidadania israelita. Pela primeira vez soa também o nome *Antioquia*, que mais tarde se torna tão importante em Atos dos Apóstolos. Sendo o próprio Lucas originário de Antioquia, ele dispunha de conhecimentos especialmente precisos. Em contrapartida, uma pessoa como Filipe, apesar do nome grego, dificilmente seria um helenista. Mais tarde, ele atuou intensamente em Samaria, ou seja, numa área de língua aramaica.[189]

A ordenação dos diáconos (6.6)

Os primeiros diáconos foram escolhidos por ordem apostólica entre os membros da igreja para atender uma necessidade específica (6.3). A seleção se deu a partir de três critérios específicos: deveriam ser homens de boa reputação, cheios do Espírito e de sabedoria (6.3). Foram ordenados com imposição de mãos dos apóstolos (6.6). Doravante, o diaconato passou a ser um ofício na igreja (1Tm 3.8-13).

O crescimento da igreja (6.7)

O resultado da medida tomada pelos apóstolos serenou os ânimos dos helenistas, estancou a murmuração, trouxe contentamento para a igreja, distribuiu o trabalho e liberou os apóstolos para focarem no ministério que lhes havia sido confiado. O resultado foi a propagação da palavra de Deus, a multiplicação do número de discípulos e a conversão de muitíssimos sacerdotes. Este é o relato de Lucas: *Crescia a palavra de Deus, e, em Jerusalém, se multiplicava o número dos discípulos; também muitíssimos sacerdotes obedeciam à fé* (6.7). Os dois verbos *crescia* e *multiplicava* estão no tempo imperfeito, indicando que a propagação da palavra e a multiplicação da igreja eram contínuos (6.7; 9.31; 12.24; 16.5; 19.20; 28.30,31).[190] Supõe-se que naquele tempo existiam cerca de dezoito mil sacerdotes e levitas ligados ao serviço do templo. Muitos deles estavam sendo convertidos a Cristo. Adolf Pohl diz que a Palavra de Deus é tão poderosa que invade até as fileiras dos adversários, pois muitíssimos sacerdotes obedeciam à fé evangélica.[191]

Se os apóstolos tivessem perdido o foco para se dedicarem à diaconia das mesas, a palavra não teria sido espalhada e, como consequência, não haveria um crescimento numérico saudável da igreja. Quanto maior o alcance da palavra, maior o crescimento da igreja. A palavra é o principal instrumento usado por Deus para levar sua igreja ao crescimento espiritual e numérico. Sempre que a palavra de Deus foi proclamada com fidelidade e poder, integridade e relevância, a igreja cresceu. Sempre que a palavra de Deus foi negligenciada, a igreja perdeu o seu vigor e se corrompeu.

O crescimento da igreja agora atinge também muitíssimos sacerdotes, do partido dos saduceus, a classe religiosa que liderava a perseguição à igreja. Lucas faz questão de relatar o espantoso crescimento da igreja, oferecendo-nos estatísticas assaz otimistas:

- Atos 1.15: 120 pessoas.
- Atos 2.41: Quase três mil pessoas.
- Atos 4.4: Quase cinco mil pessoas.
- Atos 5.14: E crescia mais e mais a multidão de crentes.
- Atos 6.1: Multiplica-se o número dos discípulos.
- Atos 6.7: *Crescia a palavra de Deus, e, em Jerusalém, se multiplicava o número dos discípulos; também muitíssimos sacerdotes obedeciam à fé.*
- Atos 9.31: A igreja crescia em número.
- Atos 16.5: As igrejas aumentavam em número.

O exemplo de Estêvão (6.8-15)

O historiador Lucas destaca, dentre os sete diáconos, o primeiro da lista, Estêvão. Ele foi fiel tanto em sua vida quanto em sua morte. Viveu de forma superlativa e morreu de modo exemplar. Coroa é o significado do nome de

Estêvão, o diácono que se tornou o protomártir do cristianismo. Assentou-lhe bem o nome porque foi o primeiro a receber a coroa do martírio na igreja.[192]

Estêvão não limitou seu ministério a servir às mesas; também ganhou almas para Cristo e operou milagres.[193] Marshall diz que Estêvão levou a efeito um ministério apostólico de pregação e cura. Enfrentou oposição da parte de membros das sinagogas de língua grega, que por fim apelaram ao método de inventar acusações contra ele. Tais acusações enfureceram os judeus de língua grega e também os líderes judeus de língua hebraica, os quais faziam parte do concílio que ouvia as acusações contra Estêvão.[194] O tratamento dado a Estêvão foi semelhante à maneira como os líderes judeus trataram Jesus: a) contrataram testemunhas para depor contra ele; b) instigaram o povo que, por sua vez, o acusou de atacar a lei de Moisés e o templo; e c) por fim, depois de ouvirem seu testemunho, o executaram.[195]

Quatro foram as marcas de Estêvão, esse gigante de Deus.

Em primeiro lugar, *sua vida era irrepreensível* (6.3). ... *homens de boa reputação, cheios do Espírito e de sabedoria...* Estêvão (como os demais diáconos) era homem de boa reputação, cheio do Espírito e de sabedoria. Sua vida era a vida do seu ministério. Seu caráter era o alicerce de seu trabalho. Não havia um abismo entre sua vida e seu trabalho, suas palavras e suas obras, seu caráter e seu desempenho. É lamentável que tantos líderes hoje estejam em descrédito, porque, embora ocupem lugares de honra, vivem de forma desprezível.

Se existe uma palavra que caracteriza a vida de Estêvão é *cheio*. Ele era um homem cheio de Deus. Sua vida não era apenas irrepreensível, mas também plena. Destacamos aqui alguns aspectos dessa plenitude.

1. *Estêvão era cheio do Espírito Santo* (6.3,5). Todo homem está cheio de alguma coisa. Está cheio do Espírito ou de si mesmo. Está cheio de Deus ou de pecado.

2. *Estêvão era cheio de fé* (6.5). Estêvão fora salvo pela fé, vivia pela fé, vencia o mundo pela fé e era cheio de fé.

3. *Estêvão era cheio de sabedoria* (6.3). Sabedoria é mais do que conhecimento; é o uso correto do conhecimento. É olhar para a vida com os olhos de Deus.

4. *Estêvão era cheio de graça* (6.8). Havia em Estêvão abundante graça. Sua vida era uma fonte de bênção. Seu coração era generoso, suas mãos eram dadivosas, e sua vida, um vaso transbordante de graça. Estêvão era um homem cheio de doçura.

5. *Estêvão era cheio de poder* (6.8). Estêvão era um homem revestido com o poder de Deus para fazer milagres e muitos sinais entre o povo. Ele falava e fazia; pregava e demonstrava. Suas palavras eram irresistíveis, e suas obras, irrefutáveis. Até o momento, Lucas creditara prodígios e sinais apenas a Jesus (2.22) e aos apóstolos (2.43; 5.12); agora, pela primeira vez, diz que outros os realizam (6.8; 8.6).[196] Adolf Pohl declara que *graça* e *poder* formam uma unidade. De nada adianta graça impotente, e poder sem graça é terrível. Porém, por ser cheio de graça e de poder, Estêvão fez grandes prodígios e sinais entre o povo.[197]

Em segundo lugar, *suas obras eram irrefutáveis* (6.8,9). *Estêvão, cheio de graça e poder, fazia prodígios e grandes sinais entre o povo. Levantaram-se, porém, alguns dos que eram da sinagoga chamada dos Libertos, dos cireneus, dos alexandrinos e dos da Cilícia e Ásia, e discutiam com Estêvão.* Para David Stern, aqueles que possuem histórico cultural e social semelhante, em geral, preferem adorar juntos. Os escravos libertos provavelmente eram judeus de Cirene e de Alexandria, da Cilícia e da província da Ásia, que haviam sido capturados e escravizados pelos romanos. O general Pompeu, que capturou Jerusalém em 63 a.C., fez prisioneiros diversos judeus e os libertou mais tarde em Roma. Entretanto, talvez alguns fossem gentios que se converteram ao judaísmo.[198]

É nesse contexto de oposição que Estêvão, cheio de graça e poder, fazia prodígios e grandes sinais entre o povo. Estêvão não tinha apenas uma vida irrepreensível, mas também obras irrefutáveis. Suas obras referendavam sua vida. Falava e fazia. Pregava aos ouvidos e aos olhos. Ninguém podia contestar sua vida nem negar os milagres que Deus operava por seu intermédio. No entanto, apesar de todas as qualidades extraordinárias de Estêvão, o seu ministério provocou um antagonismo feroz.[199] Três foram os estágios desse antagonismo: discussão (6.9b,10); difamação (6.11,12a); e condenação (6.12b—7.60).

Em terceiro lugar, *suas palavras eram irresistíveis* (6.10-14). Um homem cheio do Espírito, de fé, sabedoria, graça e poder é amado pelo céu e odiado pelo inferno; faz maravilhas entre os homens e ganha a oposição dos inimigos da cruz. Não foi diferente com Estêvão. Eis o relato de Lucas:

> *E não podiam resistir à sabedoria e ao Espírito, pelo qual ele falava. Então, subornaram homens que dissessem: Temos ouvido este homem proferir blasfêmias contra Moisés e contra Deus. Sublevaram o povo, os anciãos e os escribas e, investindo, o arrebataram, levando-o ao Sinédrio. Apresentaram testemunhas falsas, que depuseram: Este homem não cessa de falar contra o lugar santo e contra a lei; porque o temos ouvido dizer que esse Jesus, o Nazareno, destruirá este lugar e mudará os costumes que Moisés nos deu (6.10-14).*

Os adversários de Estêvão não podiam resistir à sabedoria e ao Espírito pelo qual ele falava. Suas palavras eram irresistíveis. Havia virtude de Deus em seus lábios. Então, não podendo suplantá-lo na argumentação, tramaram contra ele, como fizeram com Jesus, e subornaram homens covardes, que o acusaram de blasfêmia. A acusação contra Estêvão foi leviana, mas acabou sendo acolhida pelos membros do Sinédrio. Mário Neves diz que os antagonistas de Estêvão, não podendo vencê-lo pela razão, recorreram à mentira, à calúnia e ao suborno, conseguindo assim amotinar o povo, os anciãos e os escribas.[200]

A acusação contra Estêvão era dupla. Acusavam-no de blasfêmia contra Moisés e contra Deus; contra o templo e contra a lei (6.11). Perante o magno pretório judaico, as testemunhas subornadas pelos líderes religiosos assacaram contra Estêvão pesadas acusações: ...*Este homem não cessa de falar contra o lugar sagrado e contra a lei* (6.13). William Barclay realça duas coisas especialmente preciosas para os judeus: o templo e a lei. Eles entendiam que só no templo podiam oferecer sacrifícios e só ali podiam adorar verdadeiramente a Deus. A lei jamais poderia ser mudada, mas eles acusavam Estêvão de dizer que o templo desapareceria e a lei nada mais era do que um passo para o evangelho.[201]

Essas acusações eram gravíssimas, uma vez que o templo era o lugar santo, símbolo da presença de Deus entre o povo, e a lei era a revelação da vontade de Deus. Falar contra a casa de Deus e contra a Palavra de Deus era blasfêmia, um pecado sentenciado com a morte. Marshall destaca que foi a mesma preocupação zelosa com o templo, da parte dos judeus da Dispersão, que justificou prisão posterior de Paulo (21.28).[202]

É importante ressaltar que essas mesmas acusações foram feitas contra Jesus, usando-se também o artifício das falsas testemunhas. Jesus foi condenado pelo pecado de blasfêmia por esse mesmo Sinédrio. Eles haviam interpretado de forma errada as palavras de Jesus tanto sobre o templo quanto sobre a lei. Quando Jesus disse: *Eu destruirei este santuário edificado por mãos humanas e em três dias construirei outro, não por mãos humanas* (Mc 14.58), eles julgaram que Jesus estivesse conspirando contra o templo para substituí-lo. No entanto, Jesus estava falando do santuário do seu corpo (Jo 2.21). Jesus é maior do que o templo e, de fato, é o novo templo de Deus, que substituiria o antigo (Mt 12.6). Mais tarde, no seu sermão profético, Jesus profetizou a destruição do templo (Lc 21.5,6).

De acordo com Marshall, ao criticar o templo e ao ensinar a sua substituição, Jesus se referiu à sua própria Pessoa. Ele mesmo representava a nova dimensão da comunhão com Deus que haveria de ultrapassar o culto antigo. No seu aspecto negativo, tratava-se de uma aguda crítica contra o templo propriamente dito e o seu culto; no seu aspecto positivo, significava uma nova comunhão com Deus, centralizada no próprio Jesus, que tomava o lugar do templo.[203]

Os judeus acusaram Jesus, de igual forma, de desrespeitar a lei. Os escribas e fariseus, com muita frequência, acusaram Jesus de violar o sábado. Na verdade, Jesus não foi um transgressor da lei. Ele veio não para violar a lei, mas para cumpri-la. Jesus afirmou: *Não penseis que vim revogar a Lei e os Profetas: não vim para revogar, vim para cumprir* (Mt 5.17). Jesus é o fim da lei (Rm 10.4). Ele cumpriu a lei por nós e morreu por nós. Tornou-se o sacerdote e o sacrifício. Nele somos aceitos por Deus. Sendo assim, Jesus é o substituto do templo e o cumprimento da lei. Para Jesus apontava tanto o templo como a lei. John Stott assevera: "Afirmar que o templo e a lei apontavam para Cristo e que estão agora cumpridos nele é aumentar sua importância, não negá-la".[204]

Estêvão não blasfemava contra o templo nem contra a lei. Ao contrário, estava alinhado com a mesma interpretação de Jesus (Jo 2.19; Mc 14.58; 15.29). Porém, a luz da verdade cegou os olhos dos membros do Sinédrio em vez de lhes clarear a mente. A oposição desceu da teologia para a violência. Essa mesma ordem de acontecimentos repetiu-se muitas vezes. No início, há um sério debate teológico. Quando isso fracassa, as pessoas iniciam uma campanha pessoal de mentiras. Finalmente, recorrem a ações legais ou quase legais numa tentativa de se livrarem do adversário pela força.[205] Em vez de acolher a mensagem da verdade com humildade, o Sinédrio preferiu sentenciar à morte o mensageiro.

Em quarto lugar, *sua paz era inexplicável* (6.15). *Todos os que estavam assentados... viram o seu rosto como se fosse rosto de anjo*. A serenidade de Estêvão reprova a fúria dos acusadores. A paz de Estêvão denuncia o ódio dos membros do Sinédrio. Tratava-se da descrição de uma pessoa que fica perto de Deus e reflete algo da sua glória, como resultado de estar na sua presença.[206]

John Stott afirma ser significativo que o conselho, olhando para o prisioneiro no banco dos réus, visse seu rosto brilhando como se fosse de um anjo, pois foi exatamente isso o que ocorreu ao rosto de Moisés quando ele desceu do monte Sinai com a lei (Êx 34.29). Não terá sido propósito deliberado de Deus dar a Estêvão, acusado de se opor à lei, o mesmo rosto radiante dado a Moisés quando este recebeu a lei? Dessa forma, Deus estava mostrando que tanto o ministério da lei de Moisés quanto a interpretação de Estêvão tinham sua aprovação.[207] Era como se Deus estivesse dizendo: "Este homem não é contra Moisés; ele é como Moisés!".[208] Assim como o rosto de Jesus se transfigurou no monte, também o semblante de Estêvão iluminou-se com a glória do outro mundo. Esta cena retrata vividamente a diferença entre um judaísmo decadente e um cristianismo cheio do Espírito.[209]

Notas do capítulo 7

[175] GONZÁLEZ, Justo L. *Atos*, p. 115.
[176] EARLE, Ralph. "Livro dos Atos dos Apóstolos", p. 247.
[177] BARCLAY, William. *Hechos de los Apóstoles*, p. 60.
[178] MARSHALL, I. Howard. *Atos: introdução e comentário*. 1982, p. 122.
[179] EARLE, Ralph. "Livro dos Atos dos Apóstolos", p. 250.
[180] WIERSBE, Warren W. *Comentário bíblico expositivo*, p. 556.
[181] WIERSBE, Warren W. *Comentário bíblico expositivo*, p. 556,557.
[182] STERN, David H. *Comentário judaico do Novo Testamento*, p. 268.
[183] STOTT, John. *A mensagem de Atos*, p. 134.
[184] EARLE, Ralph. "Livro dos Atos dos Apóstolos", p. 248.
[185] STOTT, John. *A mensagem de Atos*, p. 135.

[186] POHL, Adolf. *Atos dos Apóstolos*. 2002, p. 104,105.
[187] STOTT, John. *A mensagem de Atos* , p. 135.
[188] MARSHALL, I. Howard. *Atos: introdução e comentário*. 1982, p. 123.
[189] POHL, Adolf. *Atos dos Apóstolos*. 2002, p. 106.
[190] STOTT, John. *A mensagem de Atos* , p. 136.
[191] POHL, Adolf. *Atos dos Apóstolos*. 2002, p. 108.
[192] NEVES, Mário. *Atos dos Apóstolos*. 1971, p. 96,97.
[193] WIERSBE, Warren W. *Comentário bíblico expositivo*, p. 557.
[194] MARSHALL, I. Howard. *Atos: introdução e comentário*. 1982, p. 124,125.
[195] WIERSBE, Warren W. *Comentário bíblico expositivo*, p. 557.
[196] STOTT, John. *A mensagem de Atos* , p. 140.
[197] POHL, Adolf. *Atos dos Apóstolos*. 2002, p. 109.
[198] STERN, David H. *Comentário judaico do Novo Testamento*, p. 269.
[199] STOTT, John. *A mensagem de Atos* , p. 140.
[200] NEVES, Mário. *Atos dos Apóstolos*. 1971, p. 98.
[201] BARCLAY, William. *Hechos de los Apóstoles*, p. 61.
[202] MARSHALL, I. Howard. *Atos: introdução e comentário*. 1982, p. 125.
[203] MARSHALL, I. Howard. *Atos: introdução e comentário*. 1982, p. 127.
[204] STOTT, John. *A mensagem de Atos* , p. 143.
[205] STOTT, John. *A mensagem de Atos* , p. 141.
[206] MARSHALL, I. Howard. *Atos: introdução e comentário*. 1982, p. 127.
[207] STOTT, John. *A mensagem de Atos* , p. 143.
[208] WIERSBE, Warren W. *Comentário bíblico expositivo*, p. 558.
[209] EARLE, Ralph. "Livro dos Atos dos Apóstolos", p. 252.

Capítulo 8

A defesa e o martírio de Estêvão
(At 7.1-60)

Estêvão foi o protomártir do cristianismo. Viveu de forma excelente e morreu de maneira exemplar. Foi apedrejado por uma multidão ensandecida e morreu ajoelhado na terra, mas Jesus ficou de pé para recebê-lo no céu. Sua vida foi irrepreensível; suas obras, irrefutáveis; e suas palavras, irresistíveis. Estêvão foi um homem cheio de fé, de sabedoria e do Espírito Santo. Foi um homem cheio de graça e poder. Embora tenha sido eleito para a diaconia das mesas, operou milagres e pregou com autoridade, exercendo também a diaconia da palavra.

Vimos no capítulo anterior como alguns membros da sinagoga dos libertos discutiram com ele (6.9). E como, por não poderem resistir à sabedoria com que falava, subornaram testemunhas para difamá-lo (6.10,11). Assacaram contra Estêvão duas graves acusações. Acusaram-no de blasfêmia contra Moisés e contra Deus. Denunciaram que Estêvão falava mal tanto da lei como do templo (6.12,13). A lei era a palavra revelada de Deus e o templo, o lugar sagrado da morada de Deus. Esse mesmo tribunal judaico condenou Jesus à morte, e isso pelas mesmas falsas acusações.

A multidão alvoroçada arrastou Estêvão até o Sinédrio. Os 71 membros desse ínclito concílio se reúnem para ouvir o réu. O sumo sacerdote, presidente do tribunal, interroga Estêvão acerca das acusações que pesavam sobre ele (7.1). Em sua defesa, Estêvão profere um longo e articulado discurso, fazendo uma retrospectiva da história da redenção e deixando claro que era inocente das acusações contra ele assacadas. Mas não foi só isso. Estêvão virou o jogo, pois, ao mesmo tempo que alinhavava sua defesa, montava também uma completa peça de acusação contra seus acusadores. Estêvão, com audácia e coragem, sai do banco dos réus e acusa os judeus de desobedecerem à lei, desonrarem o templo e matarem o Messias.

Em vez de reconhecerem seus pecados e acolherem com mansidão a verdade das Escrituras, como fizeram as quase três mil pessoas, no dia de Pentecostes, esses juízes ensandecidos e implacáveis arremeteram contra Estêvão e o apedrejaram, arrancando da terra aquele que lhes pregava a verdade. Estava confirmada a acusação de Estêvão. Eles eram da mesma estirpe de seus pais, que mataram os profetas.

O discurso de Estêvão rememora os capítulos mais importantes da história de Israel: o período patriarcal, o amargo cativeiro, o êxodo, a outorga da lei, a monarquia, a construção do templo e a vinda do Messias. Algumas personagens ganharam atenção especial, como Abraão, José, Moisés, Davi e Salomão, culminando no Messias. A característica comum a esses períodos (patriarcal, exílio, êxodo e monarquia) é que em nenhum deles a presença de Deus esteve limitada a um lugar específico. Pelo contrário, o Deus do Antigo Testamento era o Deus vivo, o Deus em movimento, em marcha, que sempre chamava o seu povo para novas aventuras, e sempre o acompanhava e o guiava em sua caminhada.[210]

Os judeus haviam interpretado erradamente a Palavra de Deus, julgando que a presença de Deus estava limitada e circunscrita a Israel e a seu templo. Estêvão mostra que as grandes aparições e intervenções de Deus aconteceram fora de Israel e fora do templo. Deus apareceu a Abraão na Mesopotâmia. Manifestou-se a José no Egito. Chamou Moisés do deserto de Midiã. O trono de Deus está no céu, e não numa casa feita por mãos humanas.

A defesa de Estêvão pode ser dividida em cinco pontos, conforme explana Thomas Whitelaw.[211]

Em primeiro lugar, *a quem foi dirigida a sua defesa?* Estêvão se dirige ao Sinédrio judaico, ao povo judeu em geral e a todos os que em épocas posteriores possam estar sob as mesmas circunstâncias.

Em segundo lugar, *em que espírito foi proferida a sua defesa?* Duas atitudes governaram as palavras de Estêvão: afeição e reverência. Estêvão chamou-os de *irmãos* e *pais* (7.2).

Em terceiro lugar, *de que declarações foi composta a sua defesa?* Estêvão faz um relato histórico e depois uma aplicação prática. Traz à lume o tempo dos patriarcas, de Moisés e dos profetas, ou seja, o tempo da construção do templo (7.2-53).

Da mesma forma que José foi vendido pelos irmãos por inveja, mas Deus o livrou e o levantou como preservador, Cristo foi rejeitado e entregue à morte pelos judeus, mas Deus o ressuscitou, o exaltou e o colocou como Salvador, para dar arrependimento a Israel e remissão de seus pecados. Da mesma forma que Moisés foi rejeitado por seu povo como libertador, Deus o levantou como aquele que libertaria seu povo do amargo cativeiro. Da mesma forma que os homens de Israel no deserto preferiram o tabernáculo de Moloque ao que Deus havia ordenado construir e do mesmo modo que o povo profanou o templo, fazendo orgias na casa de Deus em vez de adorarem o verdadeiro Deus, assim também os judeus rejeitaram a Cristo e agarraram-se apenas ao templo e a rituais vazios e sem vida.

Em quarto lugar, *com que argumentos sua defesa foi feita?* Os judeus diziam que a verdadeira adoração a Deus deveria estar atrelada à lei de Moisés. Mas isso não era possível, porque o Deus da glória havia aparecido ao pai da nação na Mesopotâmia muito antes da lei de Moisés. Logo, a verdadeira adoração teve sua origem não no Sinai, mas em Ur dos caldeus; não com Moisés, mas com Abraão. Ainda mais, a promessa do Messias, que era o cerne do mosaísmo, foi dada a Abraão antes que ele tivesse descendente ou que alguém pudesse deleitar-se na lei. De igual forma, o pacto da circuncisão, na qual todo judeu se gloriava como sendo a essência da lei, não havia começado com Moisés, mas com Abraão. Finalmente, a presença de Deus para proteger e libertar seu povo não começou no Sinai, mas com José no Egito (7.10,14,15).

Os judeus também estavam dizendo que a verdadeira adoração deveria estar atrelada ao templo. Mas também isso era impossível, porque o tabernáculo no deserto, que era uma sombra do templo, foi profanado pelos judeus, uma vez que eles não ofereceram os sacrifícios prescritos por Deus, mas sacrificaram a Moloque e a Renfã (7.42,43). Quando o templo foi edificado, os judeus passaram a adorar o templo em vez de adorar a Deus no templo. Mas o profeta Isaías diz: *O céu é o meu trono* (7.46-50). A existência do templo não impediu que os judeus resistissem ao Espírito Santo, matassem os profetas de Deus, traíssem e assassinassem o Messias (7.51,52).

Em quinto lugar, *que resultados a defesa de Estêvão produziu?* Em relação aos ouvintes, gerou fúria e destempero. Em relação a Estêvão, provocou seu martírio. Foi uma eterna recompensa para um breve serviço, uma curta vergonha seguida por uma longa fama; uma pequena perda diante de ganho eterno.

Esse longo discurso de Estêvão é considerado "uma proclamação sutil e inteligente do evangelho".[212] John Stott diz que a preocupação de Estêvão era demonstrar que sua posição, longe de ser uma blasfêmia por desrespeito à Palavra de Deus, a honrava e glorificava. Isso porque o Antigo Testamento confirmava o seu ensino sobre o templo e a lei, especialmente ao profetizar sobre o Messias. Portanto, eram eles, e não Estêvão, que estavam negando a lei.[213]

Vamos agora examinar as principais personagens mencionadas por Estêvão e extrair algumas lições importantes e oportunas.

Abraão, o pai da nação (7.1-7)

Estêvão começou com Abraão, porque, para os judeus, a história começa com ele. Em Abraão, Estêvão vê três características.

Primeiro, *Abraão foi um homem obediente ao chamado divino*. Deus o chamou quando este ainda vivia em Ur dos caldeus, na Mesopotâmia (Gn 11.28). Nesse tempo, tanto Abraão como sua família eram adoradores de outros deuses (Gn 15.7; Js 24.2,3; Ne 9.7). Abraão não questionou, não duvidou nem postergou sua saída; antes, *saiu sem saber aonde ia* (Hb 11.8).

Segundo, *Abraão foi um homem de fé*. Mesmo não sabendo aonde ia, cria que sob a direção de Deus encontraria algo melhor. Mesmo não tendo filhos, cria que a promessa se tornaria realidade.

Terceiro, *Abraão foi um homem de esperança*. Apesar de nunca ter visto plenamente a promessa realizada, jamais duvidou de que ela se cumpriria. A atitude de Abraão de sair de sua terra em obediência ao chamado divino reprovava os judeus que acusavam Estêvão.[214]

Mesmo quando os descendentes de Abraão amargaram um longo cativeiro no Egito, Deus não se esqueceu deles; pelo contrário, julgou a nação que os oprimia e providenciou-lhes um libertador (7.7). Para John Stott, não podemos deixar de ver a ênfase que Estêvão coloca na iniciativa divina. Foi Deus quem apareceu, falou, enviou, prometeu, julgou e libertou. De Ur a Harã, de Harã a Canaã, de Canaã ao Egito, do Egito de volta a Canaã, Deus estava dirigindo cada etapa da peregrinação do seu povo. Isso porque Deus lhes dera a aliança da circuncisão. Assim, muito antes de existir um lugar santo, existia um povo santo, com o qual Deus havia se comprometido.[215]

Thomas Whitelaw sintetiza a experiência de Abraão em seis pontos distintos, como segue: uma gloriosa visão: ... *o Deus da glória apareceu a Abraão* (7.2); uma pesada ordenança: ... *Sai da tua terra e da tua parentela* (7.3); uma magnificente promessa: ... *prometeu dar-lhe a posse da terra e, depois dele, à sua descendência* (7.5b); uma esplêndida fé: *Então, ele saiu da terra dos caldeus...* (7.4); um doloroso desapontamento: *Na terra, não lhe deu herança, nem sequer o espaço de um pé...* (7.5a); e uma suficiente consolação: ... *julgarei a nação da qual forem escravos; e, depois disto, sairão daí e me servirão neste lugar. Então, lhe deu a aliança da circuncisão...* (7.7,8).[216]

José, o salvador do seu povo (7.8-16)

Estêvão faz a transição de Abraão para José. Notamos imediatamente que, se a Mesopotâmia foi o contexto surpreendente no qual Deus apareceu a Abraão, o Egito foi o cenário igualmente surpreendente em que Deus lidou com José. Apesar de José ser estrangeiro e escravo no Egito, Deus estava com ele para livrá-lo de todas as suas aflições. José deixou a cadeia para ser governador do Egito. Deus estava não apenas com José, mas também com toda a sua família, pois ele os salvou da morte durante a grande fome (7.2-11). O cenário dessa libertação divina também foi o Egito e não Canaã.[217] Estêvão colocou mais uma pedra no alicerce de sua argumentação, derrubando a falácia das infundadas teses de seus juízes.

A chave da vida de José pode ser encontrada em suas próprias palavras: *Vós, na verdade, intentastes o mal contra mim; porém Deus o tornou em bem, para fazer, como vedes agora, que se conserve muita gente em vida* (Gn 50.20). José foi um homem para quem o desastre se converteu em triunfo: odiado por seus irmãos, vendido aos estrangeiros como mercadoria barata, escravo traído por sua patroa, encarcerado injustamente, esquecido por aquele a quem havia ajudado porém, no tempo oportuno de Deus, saiu da prisão e tornou-se governador do Egito.²¹⁸ Estêvão resume as características de José, dizendo que *Deus lhe deu graça e sabedoria*. William Barclay salienta que uma vez mais se vê o contraste: os judeus estavam perdidos na contemplação de seu passado e engessados nos labirintos de sua própria lei, enquanto José cumpria a agenda de Deus, ainda que em terra estranha e de forma inusitada.²¹⁹

O nosso Deus ainda continua transformando vales em mananciais, desertos em pomares, noites escuras em manhãs cheias de luz, vidas esmagadas pelo sofrimento em troféus da sua graça. É como dizem os poetas: "Os cisnes cantam mais docemente quando sofrem". No meio dessa saga dolorosa, José é o mais próximo tipo de Cristo que encontramos na Bíblia: amado pelo pai e invejado pelos irmãos; vendido por vinte moedas de prata; desceu ao Egito em tempos de prova; perseguido injustamente; abandonado pelo amigo; exaltado depois da aflição; salvador do seu povo.

Três verdades gloriosas podem ser vistas na experiência de José.

Primeiro, *a presença de Deus em nós. Os patriarcas, invejosos de José, venderam-no para o Egito; mas Deus estava com ele* (7.9). Deus não nos livra dos problemas, mas está conosco nos problemas.

Segundo, *a intervenção de Deus por nós. E livrou-o de todas as suas aflições, concedendo-lhe também graça e sabedoria perante Faraó, rei do Egito, que o constituiu governador daquela nação e de toda a casa real* (7.10). Deus não nos livra de sermos humilhados, mas nos exalta em tempo oportuno.

Terceiro, *a graça de Deus através de nós* (7.11-16). Deus não nos poupa de sofrermos injustiças, mas nos dá poder para triunfar sobre elas através do perdão.

Analisando o texto em apreço, Thomas Whitelaw aponta que José foi vítima de um terrível crime perpetrado por seus irmãos, instigado pelo ciúme fraternal e seguido por imerecida aflição. Contudo, José foi também alvo de uma maravilhosa intervenção divina, pois Deus o consolou *em* seus problemas, libertou-o deles e depois o promoveu. Finalmente, José foi instrumento de uma providencial libertação. Seus irmãos inconscientemente o mandaram para o Egito como escravo, e José conscientemente os levou ao Egito para desfrutarem de plena liberdade.[220]

Moisés, o libertador do seu povo (7.17-36)

O próximo a aparecer na cena é Moisés. Aqui, possivelmente, Estêvão se alongou um pouco mais, porque foi acusado de falar contra Moisés (6.11). Estêvão, portanto, não deixa seus juízes em dúvida quanto ao imenso respeito pela liderança de Moisés e sua lei.[221] A vida de Moisés pode ser dividida em três períodos de quarenta anos cada.

No primeiro período (0-40 anos) Moisés pensa que é forte. Ele nasceu num tempo perigoso, pois foi exposto a um cruel destino; contudo, nesse cenário foi resgatado por uma extraordinária providência para ser educado na corte de Faraó. Moisés torna-se um homem douto em toda ciência do Egito, reconhecido como um indivíduo poderoso em palavras e obras. É na sua força que tenta ser o libertador do seu povo, mas seus irmãos o rejeitam como tal (7.23-28).

No segundo período (40-80 anos), Moisés reconhece que é fraco. Ao ser rejeitado como libertador do seu povo, foge para a terra de Midiã, onde se estabelece como peregrino, casa-se e tem filhos. Troca o trono do Egito pelo deserto, as carruagens pelo cajado e o conforto na corte pelo calor tórrido do deserto. É nesse deserto que Deus lhe aparece e lhe convoca para ser o libertador de Israel. O mesmo Moisés rejeitado pelos israelitas como autoridade e juiz é agora escolhido por Deus como chefe e libertador do seu povo, com a assistência do Anjo que lhe aparece na sarça (7.29-35).

No terceiro período (80-120), Moisés aprende que Deus é tudo. Já octogenário, Moisés vai ao Egito, libertando o povo de Israel da amarga escravidão. Deus manifesta na terra dos faraós o seu poder, através de portentosos milagres, triunfando sobre Faraó e o panteão de deuses adorados naquela terra (7.36)

Para os judeus, Moisés estava acima de todos os homens que haviam obedecido ao mandato de Deus. Era literalmente o homem que havia deixado um reino para responder ao chamado de Deus para conduzir seu povo. William Barclay corretamente destaca: "O homem de grandeza não é aquele que, como os judeus, está atado a seu passado e apegado aos seus privilégios; o homem verdadeiramente grande é aquele que está pronto a responder ao chamado: sai e deixa para trás toda a comodidade e tranquilidade que tinha*".[222]

Israel, o povo rebelde contra Deus (7.37-43)

Foi Moisés, continuou Estêvão, quem predisse a vinda do Messias, um profeta semelhante a ele (7.37; Dt 18.15). Porém, assim como o povo rejeitou a liderança de Moisés, também seus ouvintes rejeitaram o Profeta apontado por Moisés; assim como seus pais mataram os profetas, também eles crucificaram a Jesus.

Estêvão até então reprovara seus ouvintes por inferência; agora, fere-os com a espada da verdade de forma direta. Seu discurso não é mais uma acusação velada e implícita, mas

---

* [NR] Tradução livre

um libelo acusatório explícito e contundente contra seus ouvintes. Estêvão, como um perito tribuno, trouxe a luz do passado para reprovar as trevas do presente, mostrando que seus ouvintes, embora fossem zelosos, estavam desprovidos de entendimento. Ao empregarem ensandecida violência contra ele, estavam agindo da mesma forma que seus pais no deserto. Nos dias de Moisés, o povo se rebelou, fabricando e adorando um bezerro de ouro, e nos tempos de Amós os corações se inclinaram a Moloque e outras divindades pagãs (7.42,43).

De acordo com John Stott, é assim que Estêvão termina de esboçar a vida e o ministério de Moisés no Egito, em Midiã e no deserto, mostrando que Deus estava com ele em cada período e lugar. Portanto, a lição que devemos aprender a partir da experiência de Moisés é que Deus está presente em todos os lugares e a terra santa está em qualquer lugar onde Deus está.

Davi e Salomão, os construtores do templo (7.44-50)

Estêvão passa a descrever o período de colonização da terra prometida e o estabelecimento da monarquia. É nesse tempo que uma estrutura religiosa é mencionada pela primeira vez. Ao referir-se ao tabernáculo e ao templo, Estêvão não deprecia nenhum dos dois. Ao contrário, afirma que o tabernáculo foi construído de acordo com a determinação divina e que Josué e os pais o levaram para a terra que tomaram das nações. Desde a conquista da terra até os dias do rei Davi, o tabernáculo era o centro da vida nacional. Foi então que Davi encontrou graça diante de Deus e pediu permissão para edificar uma casa mais sólida e permanente ao Senhor. Seu pedido foi recusado e coube a Salomão, seu filho, edificar o templo (7.44-47).

O argumento de Estêvão é que o tabernáculo e o templo não foram edificados com o propósito de confinar Deus a um espaço geográfico, porque ...*não habita o Altíssimo em casas feitas por mãos humanas...* (7.48). Mais tarde, Paulo reafirma essa mesma verdade em Atenas (17.24). O próprio rei Salomão, na dedicação do templo, compreendeu essa verdade incontroversa: *Mas, de fato habitaria Deus na terra? Eis que os céus, e até os céus dos céus, não te podem conter, quanto menos esta casa que eu edifiquei* (1Rs 8.27). Estêvão, entretanto, deixa essa afirmação de Salomão para citar o profeta Isaías 66.1,2, onde Deus diz: *O céu é o meu trono, e a terra o estrado dos meus pés; que casa me edificareis, diz o Senhor, ou qual é o lugar do meu repouso? Não foi, porventura, a minha mão que fez todas estas coisas?* (7.49,50).

John Stott, de forma brilhante, resume a tese usada por Estêvão em sua defesa:

> Um único fio percorre toda a primeira parte de sua defesa: o Deus de Israel é o Deus peregrino, que não se restringe a um lugar. As principais afirmações desse discurso são: O Deus da glória apareceu a Abraão enquanto esse ainda estava na Mesopotâmia pagã (7.2); Deus estava com José mesmo quando ele ainda era escravo no Egito (7.9); Deus foi ao encontro de Moisés no deserto de Midiã, e assim transformou aquele lugar em *terra santa* (7.30,33); apesar de no deserto Deus ter andado de *tenda em tenda* (1Cr 17.5), não habita o Altíssimo em casas feitas por mãos humanas (7.48). É, portanto, evidente, com base nas próprias Escrituras, que a presença de Deus não pode ser restrita a um local, e que nenhum edifício pode confiná-lo ou inibir sua atividade. Se ele possui uma casa aqui na terra, então ela está no povo no qual vive. Ele se comprometeu a ser o Deus deles através de uma aliança solene. E, de acordo com essa promessa da aliança, onde quer que seu povo esteja, ali também ele está.[223]

Estêvão acusa Israel de ter limitado a Deus equivocadamente. O templo que foi dado para ser uma bênção tornou-se uma maldição. Em vez de ser um meio, tornou-se um fim. O povo de Israel passou a adorar o templo no lugar de adorar a Deus. Pensaram que Deus fosse uma divindade tribal que vivia em Jerusalém confinado no templo e não perceberam que Deus é transcendente e nem os céus dos céus podem contê-lo.

Jesus, o Justo anunciado por todos os profetas (7.51-53)

Estêvão acusa os judeus de terem perseguido continuamente os profetas. Chega agora ao ponto máximo de seu argumento, quando maneja a espada da verdade e acusa seus ouvintes de serem homens de dura cerviz, a mesma acusação outrora feita a seus pais por Moisés e pelos profetas (Êx 32.9; 33.3,5; 34.9; Dt 9.6,13; 10.16; 31.27; Jr 17.23), e também de serem incircuncisos de coração e de ouvidos, acusação igualmente feita por Moisés e pelos profetas a Israel (Lv 26.41; Dt 10.16; 30.6; Jr 6.10; 9.26; Ez 44.7). Para John Stott, essa acusação de Estêvão equivalia a chamar seus juízes de "pagãos de coração e surdos à verdade".[224]

Estêvão denuncia seus ouvintes e os acusa de serem culpados de pecarem contra o Espírito Santo, contra o Messias e contra a lei. Primeiro, Estêvão proclama: *Vós sempre resistis ao Espírito Santo* rejeitando seus apelos (7.51). Segundo, Estêvão denuncia: Seus pais perseguiram todos os profetas e até mataram os que anteriormente anunciaram a vinda do Justo. Os judeus que estão diante de Estêvão são ainda piores, pois se tornaram traidores e assassinos daquele que fora anunciado pelos profetas (7.52). Terceiro, apesar de serem especialmente privilegiados pelo fato de terem recebido a lei por intermédio de anjos, os judeus não têm obedecido a essa lei (7.53).[225]

William Barclay destaca o fato de que Estêvão não atenua a culpa dos judeus nesse crime horrendo, como fez Pedro (3.17). Em outras palavras, o que levou os judeus a cometerem esse crime não foi a ignorância, mas a desobediência rebelde.[226]

Estêvão, o protomártir do cristianismo (7.54-60)

Estêvão confronta com grande vigor os homens que haviam matado a Jesus. A consciência deles ainda está cauterizada. Em vez de demonstrarem arrependimento, rilham os dentes e apanham pedras para cometerem outro crime horrendo. A morte de Estêvão possivelmente não foi um juízo, mas um linchamento, uma vez que o Sinédrio não tinha competência para aplicar a pena capital a ninguém. O que matou Estêvão foi uma explosão de ira cega e incontrolada.[227]

Encontramos no texto em questão o último olhar de Estêvão para o céu (7.55); o último testemunho de Estêvão por Cristo (7.56); a última súplica de Estêvão por si mesmo (7.59); e a última oração de Estêvão pelos seus inimigos (7.60).[228]

William Barclay destaca três pontos importantes acerca de Estêvão neste texto:

1. O segredo do seu valor. O primeiro diácono da igreja viu o martírio como sua entrada à presença de Cristo.

2. O protomártir do cristianismo seguiu o exemplo de Cristo em sua vida e também em sua morte. Assim como Jesus orou pelo perdão daqueles que o executavam (Lc 23.34), também o fez Estêvão.

3. Para Estêvão, o terrível tumulto terminou em uma estranha paz. Ele dormiu na terra e logo foi recebido no céu pelo próprio Senhor Jesus.[229]

Notas do capítulo 8

210 STOTT, John. *A mensagem de Atos*, p. 145.
211 WHITELAW, Thomas. *The preacher's complete homiletic commentary on the Acts of the Apostles*. Vol. 25. Grand Rapids, MI: Baker Books, 1996, p. 150-152.
212 STOTT, John. *A mensagem de Atos*, p. 144.
213 STOTT, John. *A mensagem de Atos*, p. 144.
214 BARCLAY, William. *Hechos de los Apóstoles*, p. 63,64.
215 STOTT, John. *A mensagem de Atos*, p. 146,147.
216 WHITELAW, Thomas. *The preacher's complete homiletic commentary on the Acts of the Apostles*, p. 156,157.
217 STOTT, John. *A mensagem de Atos*, p. 147,148.
218 BARCLAY, William. *Hechos de los Apóstoles*, p. 64.
219 BARCLAY, William. *Hechos de los Apóstoles*, p. 65.
220 WHITELAW, Thomas. *The preacher's complete homiletic commentary on the Acts of the Apostles*, p. 157.
221 STOTT, John. *A mensagem de Atos*, p. 149.
222 BARCLAY, William. *Hechos de los Apóstoles*, p. 67.
223 STOTT, John. *A mensagem de Atos*, p. 154.
224 STOTT, John. *A mensagem de Atos*, p. 155.
225 STOTT, John. *A mensagem de Atos*, p. 155,156.
226 BARCLAY, William. *Hechos de los Apóstoles*, p. 69.
227 BARCLAY, William. *Hechos de los Apóstoles*, p. 70.
228 WHITELAW, Thomas. *The preacher's complete homiletic commentary on the Acts of the Apostles*, p. 169,170.
229 BARCLAY, William. *Hechos de los Apóstoles*, p. 70.

Capítulo 9

Evangelização que transpõe fronteiras
(At 8.1-40)

HÁ UMA COISA MAIS FORTE que todos os exércitos do mundo, escreveu Vitor Hugo, "uma ideia cuja hora é chegada". O evangelho de Jesus Cristo é muito mais do que uma ideia. É o poder de Deus para a salvação de todo o que crê. É a dinamite de Deus para derrubar as barreiras do pecado. Sua hora havia chegado, e a igreja estava em movimento.[230]

Em Atos 1.8 Jesus diz que a igreja precisa testemunhar além-fronteiras. Até o capítulo 7 de Atos, a igreja é judaica. O capítulo 8 é uma dobradiça: o evangelho alcança Samaria, povo meio judaico, meio gentílico. No capítulo 9, a igreja é gentílica.

Neste texto aprendemos algumas lições.

A perseguição promove a evangelização (8.1-4)

A perseguição é o vento que atiça o fogo do Espírito; em vez de destruir a igreja, promove-a. O martírio de Estêvão provocou a perseguição; a perseguição desembocou na dispersão; e a dispersão redundou em evangelização.[231] De acordo com Simon Kistemaker, os profetas do Antigo Testamento ensinavam que, quando um judeu vivia na dispersão, estava recebendo o justo castigo de Deus por desobediências anteriores. Por outro lado, a igreja do Novo Testamento considerava a dispersão dos judeus o meio divino preparado com a finalidade de providenciar a cabeça de ponte para a expansão do evangelho em território estrangeiro.[232]

Destacamos aqui esses três pontos.

Em primeiro lugar, *a morte de Estêvão provocou grande perseguição sobre a igreja* (8.1-3). Do ponto de vista humano, aquele foi um dia tenebroso para os crentes, mas do ponto de vista de Deus foi o começo de uma grande revolução espiritual, quando a igreja alargou suas fronteiras em direção aos confins da terra.[233] Com a morte de Estêvão um vento forte de perseguição soprou sobre a igreja. Mas a perseguição é como o vento em relação à semente: apenas a espalha. Enquanto os crentes foram espalhados pela perseguição, os apóstolos permaneceram em Jerusalém (8.1). Concordo com a observação de Calvino de que os apóstolos não fugiram de Jerusalém, porque é dever de um bom pastor dar a própria vida em defesa das ovelhas quando elas são atacadas por um lobo.[234]

Lucas registra que Saulo assolava a igreja (8.3). O mesmo Saulo que guardou as vestes dos que apedrejaram Estêvão

(7.58) e consentiu na sua morte (8.1), agora, assola a igreja (8.3). O verbo "assolar" descreve um animal selvagem despedaçando a vítima.[235] O verbo *lumaino* expressa "uma crueldade sádica e violenta".[236] Segundo William Barclay, a palavra utilizada no grego se aplica a um javali que entra numa vinha para destroçá-la ou uma fera selvagem que salta sobre uma presa para devorá-la.[237] Fritz Rienecker diz ainda que essa palavra era usada para injúria física, particularmente, a causada por animais selvagens.[238]

Saulo não poupava nem mesmo as mulheres. Também as lançava nas prisões. Ele buscava a prisão e a morte de suas vítimas em Jerusalém e fora dela. Devastava e assolava a igreja (8.3; Gl 1.13), exterminando os que invocavam o nome de Jesus (9.21). Além de castigar muitos crentes nas sinagogas, forçando-os a blasfemar por meio de tortura, encerrava-os nas prisões e dava o seu voto quando os matavam (26.9-11). Calvino diz que os ímpios são como feras selvagens que, ao sentirem o gosto de sangue, tornam-se ainda mais violentas e cruéis.[239]

Em segundo lugar, *a perseguição acarretou grande dispersão* (8.4). A comissão foi cumprida através da perseguição. A perseguição não é um acidente de percurso, mas uma agenda. Mesmo quando a igreja é perseguida, Deus continua no controle. A perseguição nunca destruiu a igreja; ao contrário, alargou suas fronteiras. Uma igreja que se espalha para além de sua zona de conforto impacta o mundo. Calvino diz corretamente que, pela maravilhosa providência de Deus, a dispersão dos fiéis levou muitos à unidade da fé. Assim, o Senhor trouxe luz das trevas e vida da morte.[240]

A palavra traduzida por *dispersos* é o termo usado para indicar "sementeira, semeadura, espalhar sementes*". Warren Wiersbe acrescenta que a perseguição faz com a igreja aquilo que o vento faz com a semente, espalhando-a e aumentando a colheita. Os cristãos em Jerusalém eram as sementes de Deus, e a perseguição foi usada por Deus para plantá-los em novo solo, a fim de que dessem frutos.[241] Daí nasceu o provérbio: "O sangue dos mártires é a sementeira da igreja".[242]

Em terceiro lugar, *a dispersão produziu poderosa evangelização* (8.4). Bengel afirmou que o vento aumenta a chama. A perseguição não labora contra a igreja, mas a seu favor. Deus transforma o agente da perseguição em parceiro da missão. Para Marshall, a dispersão levou ao mais significativo avanço na missão da igreja. Pode-se dizer que a perseguição foi necessária para levá-los a cumprir o mandamento dado em Atos 1.8.[243]

O Sinédrio tentou prender os apóstolos, porém a igreja se tornou mais intrépida. Paulo prendia os crentes, porém a igreja continuou crescendo com mais ousadia. Os imperadores romanos tentaram deter a igreja queimando os crentes e jogando-os nas arenas, porém a igreja se multiplicou ainda mais. Em 1553, a rainha Maria Tudor mandou queimar em praça pública os líderes da igreja e promoveu um verdadeiro banho de sangue, porém com sua morte precoce em 1558, a igreja da Inglaterra floresceu com mais vigor e surgiu um dos mais poderosos movimentos de reforma e reavivamento na Inglaterra, o puritanismo.

As perseguições japonesas e comunistas na Coreia do Sul não conseguiram destruir a igreja. Ao contrário, a igreja sul-coreana é uma das mais robustas e crescentes do mundo. Em 1949 o governo chinês foi derrotado pelos comunistas e nessa época 637 missionários da Missão para o Interior da China foram obrigados a deixar o país. Anos depois, os cristãos na China eram quarenta vezes mais numerosos.[244] Ninguém pode deter os passos da igreja. Ninguém pode calar sua voz. Prisões e fogueiras não podem impedir seu avanço. Conforme proclama um cântico pentecostal: "Ninguém detém, é obra santa!".

A força leiga amplia a evangelização (8.4,5)

A evangelização alcança o mundo quando é uma grande força leiga. A perseguição dispersou os crentes, que saíram pregando a Palavra. Como já afirmamos, a perseguição faz com a igreja aquilo que o vento faz com a semente, espalhando-a e aumentando a colheita. Os cristãos de Jerusalém eram as sementes de Deus, e a perseguição foi usada por Deus para plantá-los em novo solo, a fim de que dessem frutos.[245]

A evangelização não é um programa, mas um estilo de vida. O projeto de Deus é o evangelho *todo*, por *toda* a igreja, a *todo* o mundo, a *cada* criatura, em *cada* geração. Os apóstolos sozinhos não podiam ganhar o mundo. Cada crente, porém, tornou-se um missionário. Lucas relata: *Entrementes, os que foram dispersos iam por toda parte pregando a Palavra* (8.4).

Dos sete homens nomeados pelos apóstolos para ministrarem às viúvas em Jerusalém, Estêvão e Filipe são os únicos cujas atividades foram registradas por Lucas. Ambos eram judeus de língua grega e pregaram o evangelho de Cristo ao povo judeu que não era de língua aramaica. Estêvão se dedicou aos judeus helenistas em Jerusalém (6.9,10); Filipe foi a Samaria.[246] Filipe não era apóstolo; era diácono, mas um ganhador de almas. Ele foi a Samaria e impactou a cidade com o evangelho. Era um homem cheio do Espírito Santo, de fé e sabedoria. Filipe tinha vida e testemunho. Pregava aos ouvidos e aos olhos. Investiu sua vida na mais nobre causa, a proclamação do evangelho. A evangelização exige investimento de dinheiro, tempo e vida. O grande esportista londrino Carlos Studd disse: "Se Jesus Cristo é Deus e ele deu sua vida por mim, nada é sacrificial demais que eu possa fazer por ele".

Quem não é um agente missionário é um campo missionário. A igreja que não evangeliza precisa ser evangelizada. Precisamos entender que o evangelho é o poder de Deus para a salvação de todo aquele que crê, e a igreja é a única agência do reino de Deus responsável por levar essa mensagem até aos confins da terra. John Stott declara: "Não pode haver evangelização sem evangelho uma vez que a evangelização cristã pressupõe as boas novas de Jesus Cristo. A evangelização eficaz se torna possível apenas quando a igreja recupera o evangelho bíblico e a confiança em sua verdade, relevância e poder".[247]

A pregação aos ouvidos e aos olhos dá credibilidade à evangelização (8.5-8)

Thomas Whitelaw destaca quatro pontos importantes aqui: o pregador; a audiência; a mensagem; o resultado.[248] Se o diácono Filipe é o pregador, os samaritanos são a sua audiência; Cristo é o conteúdo da mensagem, e o resultado foi a grande alegria e muitas vidas entregues ao Senhor.

A evangelização alcança o mundo quando a mensagem é pregada aos ouvidos e aos olhos. Três verdades devem ser então destacadas.

Em primeiro lugar, *o evangelho rompeu a barreira do preconceito* (8.5). Os samaritanos eram um povo mestiço, meio judeu e meio gentio. Produto de uma miscigenação com os povos pagãos, começaram a falar uma língua misturada. Eles se opuseram à reconstrução do templo em Jerusalém no século VI a.C. Mais tarde, no século IV a. C., o cisma samaritano se consolidou com a construção de um templo rival no monte Gerizim. Os samaritanos instituíram novos sacerdotes e rejeitaram o Antigo Testamento, exceto o Pentateuco. Não se davam com os judeus, pois estes os desprezavam como um povo híbrido, tanto na raça como na religião. Para os judeus, os samaritanos eram hereges e cismáticos.[249] Mas o evangelho rompe barreiras e desfaz mágoas.

Em segundo lugar, *a pregação foi endereçada aos ouvidos e aos olhos* (8.6). As pessoas não só ouviam, mas também viam as coisas que Filipe fazia. Esse também foi o método de Jesus. Jesus mandou dizer a João Batista na prisão o que ele estava falando e fazendo. Filipe aprendeu com Jesus que a pregação não consiste apenas em palavras, mas deve ser uma demonstração do Espírito e de poder. A pregação é lógica em fogo. É a proclamação do evangelho, e o evangelho é o poder de Deus para a salvação de todo aquele que crê. Filipe pregava aos ouvidos e aos olhos. As pessoas não apenas ouviam dele belas palavras, mas também viam por intermédio dele grandes obras. Hoje há gigantes do saber nos púlpitos, mas anões na demonstração de poder. Os samaritanos foram libertados de aflições físicas, controle demoníaco e, sobretudo, de seus pecados. O evangelho produziu salvação, libertação e alegria.

Em terceiro lugar, *houve impacto, prodígios e alegria* (8.7). As pessoas ouviam e viam. Hoje as pessoas escutam belos sermões, mas não veem vida. A igreja é mais conhecida pelos seus escândalos do que pelos seus milagres. A igreja divorciou a pregação da vida. Antônio Vieira pergunta: Se a boa semente produz a trinta, sessenta e cem por um, por que hoje a semente não produz nem a um por cento? É que hoje a igreja prega apenas aos ouvidos, mas não aos olhos! Vale destacar que os diáconos Estêvão e Filipe operaram milagres, mostrando que a rigor, as Escrituras não restringem rigidamente os milagres aos apóstolos.[250] Warren Wiersbe diz com razão que os samaritanos que ouviram o evangelho e creram foram libertados de suas aflições físicas, da possessão demoníaca e, acima de tudo, de seus pecados.[251]

Para Simon Kistemaker, quando Jesus começou seu ministério, Satanás lhe lançou oposição, fazendo habitar em inúmeras pessoas seus espíritos malignos. Alguns desses demônios se encontravam nos cultos das sinagogas e identificaram Jesus como o Santo de Deus (Mc 1.23-26). Nos tempos apostólicos, a possessão demoníaca não diminuiu. Pedro expulsava demônios das pessoas que vinham até ele de cidades circunvizinhas a Jerusalém (5.16). Paulo exorcizou o espírito de uma moça escrava em Filipos (16.16-18) e expulsou demônios quando ensinava e pregava em Éfeso (19.12). Do mesmo modo, Filipe expulsou demônios dos samaritanos. Em sua luta para alcançar judeus e gentios, Pedro, Paulo e Filipe sabiam que confrontavam a oposição de Satanás a Jesus Cristo.[252]

A evangelização desmascara o misticismo (8.9-25)

Simon Kistemaker diz que, em Jerusalém, a oposição de Satanás veio na forma da traição de Ananias e Safira (5.1-11), do aprisionamento dos apóstolos (4.3; 5.18), da morte de Estêvão (7.60) e da grande perseguição (8.1b). Em Samaria, Satanás empregou métodos diferentes para impedir o crescimento da igreja. Usou um homem chamado Simão, conhecido como o mágico.[253]

Onde o evangelho prevalece, o misticismo é desmascarado. Satanás agora tentava atacar a igreja não pela perseguição, mas por dissimulação, falsas conversões e falsos obreiros. Em tempos de despertamento, onde quer que Deus semeie a verdadeira semente, o diabo semeia o seu joio. Em todo lugar que Deus semeia cristãos verdadeiros, Satanás semeia suas falsificações.[254] Simão era popular, mas não convertido. Era um *showman*, mas não um cristão verdadeiro. Era extraordinário, mas não autêntico. Amava os holofotes, mas não a verdade. Concordo com Warren Wiersbe quando escreve: "O poder das mágicas de Simão vinha de Satanás e era usado para engrandecimento próprio, enquanto o poder dos milagres de Filipe vinha de Deus e era usado para glorificar a Cristo".[255]

Hoje, infelizmente, o evangelho dá as mãos ao misticismo. Vende-se a fé e comercializa-se o sagrado. Pregadores inescrupulosos desengavetam as indulgências da Idade Média e transformam o evangelho num produto, o púlpito num balcão, o templo numa praça de negócios, e os crentes em consumidores. Hoje, os próprios pregadores, chamados evangélicos, fazem malabarismos em nome de Deus para ganharem dinheiro.

Simon Kistemaker, faz um solene alerta: Em nossos dias, são comuns as práticas de ocultismo que vão desde a leitura das mãos até o horóscopo, a leitura da sorte, o espiritismo e a magia. É certo que essas práticas datam do início da história da humanidade, mas nos últimos anos o público em geral as tem aceitado como parte da vida. As pessoas que lidam com o ocultismo desejam comunicar-se com o sobrenatural ou com os poderes demoníacos; e esforçam-se para adquirir tal poder a fim de que outros se tornem seus servos.[256]

Vemos neste texto alguns fatos a respeito de Simão.

Em primeiro lugar, *o orgulho de Simão* (8.9). Ele alega ser grande. Marshall faz um apanhado da trajetória de Simão, evidenciando que ele não abandonou suas vãs pretensões de ser grande. Justino Mártir, nativo de Samaria, testifica que Simão morava em Samaria e mais tarde se mudou para Roma, onde continuou seus atos enganadores. As lendas posteriores retratam Simão como opositor persistente do cristianismo e arqui-herege. Há até mesmo uma crença de que ele tenha sido enterrado vivo na pretensão de ressuscitar dos mortos. Simão disse que, se fosse enterrado vivo, ressuscitaria ao terceiro dia. Tendo mandado cavar uma sepultura, ordenou que seus discípulos empilhassem terra sobre ele. Fizeram como mandara, mas ele permanece ali até hoje.[257]

Em segundo lugar, *a popularidade de Simão* (8.10,11). Várias pessoas criam nele. Grandes e pequenos, ricos e pobres, davam ouvidos a Simão. O mágico não apenas se julgava um grande vulto (8.9), mas também o povo todo o considerava o Grande Poder (8.10), aderindo a ele, iludidos por suas mágicas.

Em terceiro lugar, *a dissimulação de Simão* (8.12,13). Filipe evangelizava a respeito do reino de Deus e do nome de Jesus Cristo. O senhorio de Deus intervém salvando, ajudando e curando dos poderes da desgraça e da morte neste mundo. Esse é o traço escatológico básico de todas as afirmações bíblicas. Porém, esse tempo escatológico já começou. O reino de Deus é futuro e, não obstante, já não é apenas futuro. Chegou o Messias, o Rei da salvação. Ele se chama Jesus. Por isso, o nome Jesus está repleto do poder da ajuda poderosa (4.10-12).[258] Simão ouve e vê essas coisas, torna-se membro da igreja e é batizado. A mesma tentativa de infiltração de Ananias e Safira na igreja de Jerusalém ameaça novamente a igreja em Samaria. Lá, foi o pecado da avareza hipócrita; aqui, o misticismo idolátrico. Adolf Pohl destaca que, desde o início, o evangelho se encontra numa situação de luta. Em Jerusalém foi necessário lutar contra o orgulho do relacionamento legalista com Deus; depois que ultrapassou os limites do judaísmo, o evangelho enfrenta uma religiosidade carregada de misticismo.[259]

Em quarto lugar, *a comissão dos apóstolos* (8.14-17). É muito apropriado que um dos apóstolos comissionados seja João, que em certa ocasião queria que caísse fogo do céu para consumir uma cidade samaritana (Lc 9.54). Agora o seu desejo é ver os samaritanos salvos, e não destruídos.[260] O mesmo Espírito derramado em Jerusalém, no Pentecostes, é agora derramado sobre os crentes samaritanos. Há quatro derramamentos do Espírito registrados no livro de Atos dos Apóstolos: o primeiro, sobre os judeus, em Jerusalém (At 2); o segundo, sobre os samaritanos (At 8); o terceiro, sobre os prosélitos, gentios convertidos aos judaísmo (At 10); e o quarto, sobre os gentios em Éfeso (At 19). As pessoas eram assim classificadas: judeus, samaritanos, tementes a Deus ou prosélitos e gentios. Sobre esses quatro grupos o Espírito foi derramado, mostrando a universalidade do evangelho. Vejamos como Simon Kistemaker nos apresenta essa mesma verdade:

> O que o Novo Testamento nos ensina acerca da recepção do Espírito Santo? O derramamento do Espírito ocorreu em Jerusalém (2.1-4) e foi repetido quando à igreja acrescentavam-se novos grupos: os samaritanos (8.11-17), os gentios (10.44-47) e os discípulos de João Batista (19.1-7). Mas afora essas manifestações especiais, o Novo Testamento é desprovido de referências a judeus e gentios recebendo o Espírito Santo por meio da imposição de mãos apostólicas. Em

virtude do Pentecostes, o Espírito Santo permanece com a igreja e vive no coração de todos os crentes verdadeiros (Rm 5.5; 8.9-11; Ef 1.13; 4.30). Paulo revela que o corpo do crente é templo do Espírito Santo (1Co 3.16; 6.19). Portanto, a partir dessas passagens do Novo Testamento, aprendemos que, os que creem e são batizados têm também o Espírito de Deus.[261]

Em quinto lugar, *a perversão de Simão* (8.18,19). Ele tenta comprar o poder do Espírito Santo e, desde aquele dia, a tentativa de transformar o espiritual em comércio, de negociar as coisas de Deus e, especialmente, de comprar o ministério eclesiástico é denominado pecado de simonia.[262] Warren Wiersbe explica que é desta passagem que vem o termo *simonia*, que significa "comprar e vender cargos e privilégios eclesiásticos".[263]

Em sexto lugar, *a punição de Simão* (8.20-23). Pedro desmascara Simão e diz que ele está sendo inspirado por Satanás. O termo *intento* em Atos 8.22 significa "intriga ou trama" e é usado com conotação negativa.[264] É a segunda vez que o pecado tenta entrar na igreja por meio do dinheiro. Ananias tentou comprar reconhecimento, e Simão tentou comprar poder. A igreja de Deus precisa ter discernimento para não receber qualquer tipo de oferta. Se a motivação do ofertante não for pura diante de Deus, sua oferta torna-se maldição, e não bênção, para a igreja.

Em sétimo lugar, *a súplica de Simão* (8.22-24). Ele não demonstra sincero arrependimento. Quer livrar-se das consequências do seu pecado, e não do pecado propriamente dito. John Stott diz que o que realmente o preocupava não era o perdão de Deus, mas apenas escapar do juízo de Deus (8.24).[265] Concordo com Warren Wiersbe quando diz que Simão ouviu o evangelho, viu os milagres, professou sua fé em Cristo e foi batizado, no entanto, nunca chegou a nascer de novo. Era uma das falsificações engenhosas de Satanás.[266]Citando Calvino, Simon Kistemaker faz três observações a respeito: Primeiro, Filipe é incapaz de julgar o coração de Simão, e assim aceita seu testemunho de fé em Cristo. Segundo, o relato do batismo de Simão constitui prova adequada de que o batismo não é um ato que afeta a salvação. Terceiro, Simão foi batizado junto com os samaritanos para não ofender o povo com quem vivia e trabalhava.[267]

Em oitavo lugar, *a ação dos apóstolos* (8.25). Pedro e João não se intimidaram com a onda de perseguição. Aproveitaram todas as oportunidades e, ao voltarem para Jerusalém, pregaram o evangelho em muitas aldeias dos samaritanos.

A evangelização precisa ser dirigida pelo Espírito Santo (8.26-40)

O Espírito de Deus dirige os passos de Filipe para o deserto. Por lá, viajava um eunuco da Etiópia, que precisava de esclarecimento espiritual. Simon Kistemaker diz que, se compreendermos a palavra *eunuco* literalmente, veremos o cristianismo removendo barreiras erigidas pelo judaísmo. Um estrangeiro poderia converter-se ao judaísmo, mas o etíope, que era eunuco, não podia participar plenamente da adoração no templo (Dt 23.1). Apesar de ter viajado a Jerusalém para adorar, ainda era considerado um semiprosélito. Mesmo assim, o Antigo Testamento predisse o dia em que os estrangeiros e os eunucos não seriam mais excluídos da comunhão do povo de Deus (Is 56.3-7). Observamos dessa forma que Filipe inicialmente leva para o seio da igreja os samaritanos, que estavam entre os judeus e os gentios. Agora leva o etíope, que era um meio convertido ao judaísmo, para a assembleia do Senhor.[268]

Cinco verdades devem ser aqui observadas.

Em primeiro lugar, *é preciso saber que uma vida vale todo o investimento do mundo* (8.26-30). Filipe sai de um avivamento na cidade de Samaria e vai para o deserto por orientação divina. Mário Neves diz acertadamente que, quando o homem se interessa por Deus, logo descobre que Deus também por ele se interessa.[269] Porque o eunuco estava lendo as Escrituras, Deus lhe enviou um intérprete das Escrituras. Deus tira Filipe da multidão e o envia para evangelizar uma única pessoa no deserto. Para Deus uma vida vale todo o investimento. No filme *A lista de Schindler*, o protagonista declara: "Quem salva uma vida, salva o mundo inteiro". Aquele etíope foi missionário em sua pátria, o primeiro africano a ser salvo e enviado como embaixador de Cristo. Você precisa estar disposto a pregar para uma multidão e também para uma única pessoa. Esse eunuco era um alto oficial da rainha de Candace. John Stott diz que "Candace" não era um nome pessoal e, sim, um título dinástico da rainha-mãe que exercia certas funções em nome do rei. Esse oficial era uma espécie de tesoureiro ou ministro das finanças.[270]

Em segundo lugar, *é preciso ir lá fora onde os pecadores estão para levá-los a Jesus* (8.26-30). Filipe obedeceu prontamente (8.26). Aproxima-te desse carro significa ação fora do santuário, lá fora, onde está o movimento, nas estradas e alamedas da humanidade. Lá fora nos lugares públicos. Trata-se de colocar o evangelho sobre rodas, em prática – ligando-o ao sistema de transportes, dando-lhe velocidade, tecnologia moderna, na imprensa com folhetos policromados, nos rolos e bobinas, vídeos e projetores cinematográficos. Trata-se de colocar o evangelho ao alcance das massas, de modo que pobres e ricos possam ouvi-lo.

Ligue o testemunho a todo veículo. Vá lá fora e testemunhe! Corra! (8.29,30). As missões são obra urgente!

Hudson Taylor começou o seu ministério em 1857 em Ningpo, na China, e levou a Cristo o sr. Nyi. Certo dia, este perguntou a Taylor: "Há quanto tempo vocês conhecem o evangelho na Inglaterra?". Taylor respondeu: "Há muitos anos". Com profundo sentimento, Ningpo redarguiu: "Meu pai morreu sem conhecer o evangelho. Por que vocês não vieram antes?".

Em terceiro lugar, *é preciso explicar as Escrituras e levar as pessoas a Cristo* (8.30-35). O evangelista é também um mestre. A palavra de Deus precisa ser lida, explicada e aplicada. Hoje vemos muitos pregadores substituindo a exposição das Escrituras pela experiência. Vemos muitos pregadores falando sobre seus feitos poderosos em vez de anunciar o Cristo crucificado. Filipe explica as Escrituras. Apresenta Jesus, não a religião, o rito ou a cultura religiosa.

Em quarto lugar, *é preciso receber as pessoas que creem em Cristo pelo batismo* (8.36-38). O eunuco perguntou a Filipe: *Que me impede?* Filipe podia ter respondido com uma longa preleção teológica sobre o que a lei dizia sobre eunucos. Podia ter dito que a liderança "hebraica" da igreja não autorizava o batismo de gentios, muito menos de eunucos. Mas sua resposta foi simplesmente que nada o impedia de ser batizado se ele cresse em Cristo Jesus. Hoje, novas gerações e novas circunstâncias perguntam repetidamente: *Que me impede?* Qual será a nossa resposta?[271]

Filipe batiza o eunuco. O batismo não é precipitado nem demorado. Não batiza o inconverso nem adia o batismo do salvo. Uma única condição é exigida: crer de todo o coração. Werner de Boor destaca acertadamente que o cristianismo não é um complexo sistema de ideias que é preciso aprender mediante penoso esforço, mas a ligação renovadora da vida com Jesus, que é concedida ao surgir a fé.[272]

John Stott diz que a água era um sinal visível da purificação dos pecados e do batismo com o Espírito Santo. A propósito, as palavras *desceram à água* não afirmam nada sobre sua extensão ou profundidade. Pode estar implícita uma imersão total, mas nesse caso o batizador e o batizando seriam submersos juntos, pois a afirmação se refere aos dois. Por isso a expressão deve significar, como sugerem as primeiras pinturas, que eles entraram na água até a cintura, e que Filipe então derramou água sobre o etíope.[273] Um argumento que fortalece essa tese é que, na Septuaginta, a expressão *desceram à água* só aparece mais uma vez na Bíblia, em Juízes 7.5, e, nesse caso, os homens que desceram às águas não foram submersos. Comentando o texto, Justo González acrescenta que, no grego, as formas gramaticais empregadas aqui indicam que eles realmente entraram na água e foi em pé na água que o batismo aconteceu.[274]

A referência mais antiga ao batismo por meio do derramamento de água sobre a cabeça está no *Didaquê*, documento cristão escrito entre os anos 70 e 120: "Se não tiver água corrente, batiza em outra água; se não puder fazer isso em água fria, faça em água quente. Se você não tiver os dois, derrame água sobre a cabeça três vezes em nome do Pai, do Filho e do Espírito".[275] Marshall dá o seu conselho: "Não há evidência suficiente para indicar se o batismo foi pela imersão do eunuco ou mediante o derramar de água sobre ele enquanto ficava em pé nas águas rasas; se o Novo Testamento deixa obscuro o modo preciso do batismo, talvez não devamos insistir nalgum tipo específico de praxe".[276]

Em quinto lugar, *é preciso estar sempre aberto à nova direção do Espírito* (8.39,40). A tradição diz que este eunuco voltou à sua terra e evangelizou a Etiópia. Aquele que saíra do deserto cheio de alegria não podia guardá-la para si mesmo.[277] Quanto a Filipe, foi dirigido pelo Espírito para novos horizontes. Filipe podia pensar: Agora serei o evangelista do deserto, da estrada. Ele não engessou o método, mas se abriu para a nova agenda do Espírito. O que Deus quer que eu faça agora? Às vezes, fazemos a mesma coisa na igreja há décadas, quando o vento do Espírito nos conduz a outros campos, outras áreas, outras frentes e novos horizontes. Vinte anos depois, encontramos Filipe vivendo em Cesareia e ainda servindo a Deus como evangelista (21.8ss).

O método da igreja não era apenas levar pessoas ao templo para evangelizá-las, mas ir lá fora e ganhar os pecadores onde eles estivessem. O método missionário é ir além das nossas fronteiras. Temos de ser luz nas nações e investir nosso tempo, nosso dinheiro e nossa vida na obra. O missionário escocês Alexandre Duff, depois de investir longos anos de sua vida na evangelização da Índia, voltou à Escócia, sua pátria, para cuidar de sua saúde e despertar novos obreiros. Numa seleta assembleia de jovens, pregou um sermão com senso de urgência e fez um apelo veemente para que os jovens se levantassem como missionários. Nenhum moço atendeu. Duff ficou tão abatido que teve uma parada cardíaca no púlpito. Correram com ele para uma sala contígua ao templo e lhe massagearam o peito para trazê-lo de volta ao pleno vigor. Ao recobrar suas forças, rogou aos médicos que o levassem de volta ao púlpito. Com voz embargada pela emoção, dirigiu-se aos jovens novamente: Se a rainha da Escócia vos convocasse para ir a qualquer lugar do mundo numa missão diplomática, iríeis com orgulho. O Rei dos reis, aquele que deu sua vida por vós, vos convoca para atenderes seu chamado, e não quereis ir. Pois irei eu, já velho e doente. Não poderei fazer muita coisa, mas pelo menos morrerei às margens do rio Ganges e os indianos saberão que alguém os amou e se dispôs a levar--lhes as boas novas do evangelho. Nesse momento, dezenas de jovens, tocados pelo poder da Palavra, levantaram-se e atenderam ao chamado de Deus e foram para a Índia como missionários.

Concluindo esta exposição, destacamos que Filipe usou a mesma mensagem tanto no evangelismo de massa em Samaria como no evangelismo pessoal com o eunuco no deserto (8.12,35). Em ambos os casos, vemos semelhante resposta: creram e foram batizados (8.12,36-38) e houve a mesma alegria (8.8,39).[278]

As pessoas eram diferentes em raça, posição social e religião. Os samaritanos formavam uma raça mista composta por cidadãos comuns que reverenciavam Moisés, mas rejeitavam os profetas. Tinham sido iludidos por um mágico. O etíope era um africano, rico e prosélito que lia os profetas rejeitados pelos samaritanos. Apesar das diferenças, Filipe apresentou a ambos a mesma mensagem. Mas a mensagem foi a mesma, assim como o resultado.[279]

Notas do capítulo 9

[230] WIERSBE, Warren W. *Comentário bíblico expositivo*, p. 562.
[231] STOTT, John. *A mensagem de Atos* , p. 163.
[232] KISTEMAKER, Simon. *Atos*. Vol. 1. São Paulo: Cultura Cristã, 2006, p. 381.
[233] MacDONALD, William. *Believer's Bible commentary*, p. 1605.
[234] CALVIN, John. "Commentary upon the Acts of the Apostles", p. 324.
[235] WIERSBE, Warren W. *Comentário bíblico expositivo*, p. 562.
[236] STOTT, John. *A mensagem de Atos* , p. 162.
[237] BARCLAY, William. *Hechos de los Apóstoles*, p. 72.
[238] RIENECKER, Fritz; ROGERS, Cleon. *Chave linguística do Novo Testamento grego*, p. 205.
[239] CALVIN, John. "Commentary upon the Acts of the Apostles", p. 322.
[240] CALVIN, John. "Commentary upon the Acts of the Apostles", p. 328.
[241] WIERSBE, Warren W. *Comentário bíblico expositivo*, p. 562.
[242] STAGG, Frank. *O livro de Atos*, p. 149.
[243] MARSHALL, I. Howard. *Atos: introdução e comentário*. 1982, p. 147,148.
[244] STOTT, John. *A mensagem de Atos* , p. 163.
[245] WIERSBE, Warren W. *Comentário bíblico expositivo*, p. 562.
[246] KISTEMAKER, Simon. *Atos*. Vol. 1, p. 385.
[247] STOTT, John. *A mensagem de Atos* , p. 161.
[248] WHITELAW, Thomas. *The preacher's complete homiletic commentary on the Acts of the Apostles*, p. 181,182.
[249] STOTT, John. *A mensagem de Atos* , p. 165.
[250] STOTT, John. *A mensagem de Atos* , p. 166.
[251] WIERSBE, Warren W. *Comentário bíblico expositivo*, p. 563.
[252] KISTEMAKER, Simon. *Atos*. Vol. 1, p. 387.
[253] KISTEMAKER, Simon. *Atos*. Vol. 1, p. 389.
[254] WIERSBE, Warren W. *Comentário bíblico expositivo*, p. 563.
[255] WIERSBE, Warren W. *Comentário bíblico expositivo*, p. 564.
[256] KISTEMAKER, Simon. *Atos*. Vol. 1, p. 394.
[257] MARSHALL, I. Howard. *Atos: introdução e comentário*. 1982, p. 150,155.
[258] DE BOOR, Werner. *Atos dos Apóstolos*, p. 127.
[259] DE BOOR, Werner. *Atos dos Apóstolos*, p. 128.

[260] STOTT, John. *A mensagem de Atos*, p. 167.
[261] KISTEMAKER, Simon. *Atos*. Vol. 1, p. 399.
[262] STOTT, John. *A mensagem de Atos*, p. 168,169.
[263] WIERSBE, Warren W. *Comentário bíblico expositivo*, p. 564.
[264] WIERSBE, Warren W. *Comentário bíblico expositivo*, p. 565.
[265] STOTT, John. *A mensagem de Atos*, p. 169.
[266] WIERSBE, Warren W. *Comentário bíblico expositivo*, p. 565.
[267] KISTEMAKER, Simon. *Atos*. Vol. 1, p. 393.
[268] KISTEMAKER, Simon. *Atos*. Vol. 1, p. 412.
[269] NEVES, Mário. *Atos dos Apóstolos*. 1957, p. 120.
[270] STOTT, John. *A mensagem de Atos*, p. 178.
[271] GONZÁLEZ, Justo L. *Atos*, p. 149.
[272] DE BOOR, Werner. *Atos dos Apóstolos*, p. 136.
[273] STOTT, John. *A mensagem de Atos*, p. 180.
[274] GONZÁLEZ, Justo L. *Atos*, p. 145.
[275] *Didaquê* 7.2,3.
[276] MARSHALL, I. Howard. *Atos: introdução e comentário*. 1982, p. 160.
[277] BARCLAY, William. *Hechos de los Apóstoles*, p. 78.
[278] STOTT, John. *A mensagem de Atos*, p. 181.
[279] STOTT, John. *A mensagem de Atos*, p. 182.

Capítulo 10

A conversão mais importante da história
(At 9.1-31)

A conversão de Paulo foi a mais importante da história.[280] Talvez nenhum fato seja mais marcante na história da igreja depois do Pentecostes. Nenhum homem exerceu tanta influência no cristianismo. Lucas ficou tão impressionado com a importância da conversão de Paulo, que a relata três vezes em Atos (9, 22, 26).[281] Matthew Henry observa que a conversão de Paulo foi uma das maravilhas da igreja.[282]

Paulo tinha um berço religioso de gloriosa e exaltada tradição: *Circuncidado ao oitavo dia, da linhagem de Israel, da tribo de Benjamim, hebreu de hebreus; quanto à lei fariseu* (Fp 3.5). Nasceu em Tarso, capital da Cilícia e importante centro cultural do Império, uma pequena Atenas para a aprendizagem. Lá Paulo se familiarizou com a filosofia e a poesia dos gregos.[283] Por direito de nascimento, Paulo era cidadão romano. Foi educado aos pés do mestre Gamaliel em Jerusalém, onde recebeu a mais refinada educação cultural e religiosa (22.3). Era adepto da ala mais radical do judaísmo, a seita dos fariseus (22.3). Warren Wiersbe afirma que, apesar de sua grande erudição (26.24), Paulo estava espiritualmente cego (2Co 3.12-18) e não compreendia o que o Antigo Testamento ensinava de fato sobre o Messias. Ele dependia da própria justificação, não da justificação de Deus (Rm 9.30—10.13; Fp 3.1-10).[284] Paulo foi a maior expressão do judaísmo antes da sua conversão e tornou-se a maior expressão da igreja cristã após a sua conversão.

Vamos examinar a vida desse homem e a história da sua conversão. Usamos o seu nome latino *Paulo*, em vez do seu nome judaico *Saulo*, apenas por uma questão didática. Werner de Boor esclarece que até Atos 13.9 o apóstolo Paulo é designado unicamente com seu nome hebraico, *Saulo*. Como Paulo possuía cidadania romana por nascimento (22.28), desde o início também deve ter usado o nome romano, *Paulo* (= pequeno), junto com seu nome judaico *Saulo*.[285]

Paulo, o perseguidor (9.1,2)

A conversão de Paulo é uma evidência insofismável da graça soberana de Cristo. Ele não se decidiu por Cristo; estava perseguindo a Cristo. Foi Cristo quem se decidiu por ele.[286] Na verdade, tudo o que Paulo pensa, diz e faz é dominado pelo seu desejo de aniquilar os seguidores de Jesus.[287] Munido de cartas do sumo sacerdote, ruma para Damasco, respirando ameaças e morte, com o objetivo de prender homens e mulheres cristãos, levando-os manietados a Jerusalém. Vale destacar que no momento de sua conversão Paulo não estava no templo, nem na sinagoga, nem em uma região de cristãos. Ao contrário, estava no caminho, com a intenção de prender os cristãos. Matthew Henry diz que às vezes a graça de Deus opera nos pecadores quando eles estão fervorosamente empenhados em seus mais desesperados interesses pecaminosos.[288]

O sumo sacerdote era o cabeça do Sinédrio, o qual, como corpo judiciário, possuía jurisdição sobre os judeus residentes em Jerusalém, na Palestina e na dispersão. Assim, tinha o poder de expedir mandados para as sinagogas de Damasco, a fim de prender os cristãos judeus que ali residiam.[289] Damasco era residência de um grande número de judeus. No tempo da guerra dos judeus contra Roma (66 d.C.), foram mortos em Damasco não menos de dez mil judeus. A cidade era um centro comercial para onde convergiam caravanas de todas as direções do mundo antigo e onde a fé cristã começou a florescer. Paulo percebeu que, de Damasco, o evangelho de Cristo se espalharia por todo o mundo.[290]

Encontramos várias descrições de Paulo como implacável perseguidor da igreja. Elencamos algumas delas a seguir.

Em primeiro lugar, *Paulo, uma fera selvagem* (9.1; 22.20; 26.11). Paulo era um perseguidor implacável. Estava determinado a banir da terra o cristianismo. Não aceitava que um nazareno, crucificado como um criminoso, pudesse ser o Messias prometido por Deus. Não aceitava que os cristãos anunciassem a ressurreição daquele que havia sido dependurado numa cruz. Não acreditava que uma pessoa pregada na cruz, considerada maldita, pudesse ser o Salvador do mundo.

Paulo mesmo dá esse testemunho perante o rei Agripa: *Muitas vezes, os castiguei por todas as sinagogas, obrigando-os até a blasfemar. E, demasiadamente enfurecido contra eles, mesmo por cidades estranhas os perseguia* (26.11).

Paulo estava por trás do apedrejamento de Estevão (8.1). Ele mesmo testemunha: *Quando se derramava o sangue de Estêvão, tua testemunha, eu também estava presente, consentia nisso e até guardei as vestes dos que o matavam* (22.20).

A igreja em Jerusalém foi duramente perseguida (8.3), e muitos cristãos fugiram, pregando o evangelho (8.4). Alguns deles, escapando da implacável perseguição, foram para Damasco, onde havia muitas sinagogas. E agora, munido de cartas de autorização do sumo sacerdote, ou seja, de ordens de extradição,[291] Paulo, ainda respirando ameaças e morte contra os discípulos do Senhor, dispõe-se a ir a Damasco para manietar, prender e arrastar presos para Jerusalém aqueles que confessavam o nome de Cristo (9.1,2).

Entre Jerusalém e Damasco havia por volta de 230 km. A viagem levava quase uma semana. Os únicos companheiros de Paulo na viagem a Damasco, uma das mais antigas cidades do mundo, eram os oficiais do Sinédrio, uma espécie de força policial.[292] Paulo queria destruir os crentes em Jerusalém, por isso os caçava por toda parte para levá-los de volta a Jerusalém e ali exterminá-los (9.21).

Paulo perseguia os discípulos de Cristo do mesmo modo que uma fera selvagem caça a sua presa. Na linguagem dos crentes de Damasco, Paulo era um exterminador (9.21). Era um monstro celerado, um carrasco impiedoso, um perseguidor truculento, um tormento na vida dos cristãos primitivos.

A expressão *...respirando ameaças e morte* (9.1) faz "alusão ao arfar e ao bufar dos animais selvagens". Paulo parecia mais um animal selvagem do que um homem. Em suas próprias palavras, ele estava *demasiadamente enfurecido* (26.11). O verbo grego *lymainomai*, cuja única ocorrência no Novo Testamento se encontra em Atos 8.3, em referencia à "destruição" que Paulo causou à igreja, é empregado no Salmo 80.13 (LXX), em relação a animais selvagens destruindo uma vinha; o seu sentido específico é "destruição de um corpo por um animal selvagem".[293]

Em segundo lugar, *Paulo, um caçador implacável* (9.2; 22.5; 26.9). Paulo não se contentou apenas em perseguir os cristãos em Jerusalém. Também os procurava por todas as cidades estranhas (26.11). Agora, escoltado por uma soldadesca do Sinédrio, marcha para Damasco, capital da Síria, para prender os cristãos e levá-los manietados para Jerusalém (9.2), a fim de puni-los, exatamente no local onde eles afirmavam que Jesus havia ressuscitado (22.5). Damasco possuía uma grande população de judeus, e acredita-se que houvesse de trinta a quarenta sinagogas na cidade.[294]

Seu ódio, na verdade, não era propriamente contra os cristãos, mas contra Cristo. Paulo testemunha ao rei Agripa: *Na verdade, a mim me parecia que muitas cousas devia eu praticar contra o nome de Jesus, o Nazareno* (26.9). Escrevendo a seu filho Timóteo, Paulo confessa: *a mim, que, noutro tempo, era blasfemo, e perseguidor, e insolente...* (1Tm 1.13). Seu coração estava cheio de ódio e sua mente estava envenenada por preconceitos. Em suas próprias palavras, ele estava *demasiadamente enfurecido* (26.11).[295]

Ao perseguir a igreja, Paulo estava perseguindo o próprio Cristo. Por isso, ao aparecer a ele no caminho para Damasco, Jesus pergunta: *...Saulo, Saulo, por que me persegues?* (9.4). Ele, então, retruca: *Quem és tu, Senhor?* E obtém a resposta:

Eu sou Jesus, o Nazareno a quem tu persegues (9.5; 22.8). Diante do Sinédrio, Paulo disse: *Persegui este Caminho até à morte, prendendo e metendo em cárceres homens e mulheres* (22.4). Ao ouvir a pregação de Paulo, logo depois da sua conversão, o povo de Damasco reafirma como Paulo perseguiu implacavelmente os crentes: *...Não é este o que exterminava em Jerusalém aos que invocavam o nome de Jesus, e para aqui veio precisamente com o fim de os levar amarrados aos principais sacerdotes?* (9.21).

Em terceiro lugar, *Paulo, um malfeitor impiedoso* (9.13; 22.19). O zelo sem entendimento pode levar um homem a fazer loucuras. Paulo atacou furiosamente os cristãos. Ananias disse ao Senhor acerca dele: *Senhor, de muitos tenho ouvido a respeito desse homem, quantos males tem feito aos teus santos em Jerusalém; e para aqui trouxe autorização dos principais sacerdotes para prender a todos os que invocam o teu nome* (9.13,14).

O próprio Paulo testemunhou ao Sinédrio sua truculência contra os cristãos: *Senhor [...] eu encerrava em prisão, e nas sinagogas, açoitava os que criam em ti* (22.19). Escrevendo aos Gálatas, Paulo relata seu procedimento no judaísmo: *... sobremaneira perseguia eu a igreja de Deus e a devastava* (Gl 1.13).

Em quarto lugar, *Paulo, um torturador desumano* (26.11). O ódio de Paulo contra Cristo e os cristãos era tão impetuoso que ele não se satisfazia apenas em manietar e encerrar em prisões aqueles que confessavam o nome de Cristo, mas ele também os castigava por todas as sinagogas, obrigando-os a blasfemar (26.11). A única maneira de forçar uma pessoa a blasfemar seria por meio de tortura. Paulo era um carrasco selvagem. Sua fúria lhe incendiava o coração e fazia dele um monstro celerado, um pesadelo para os cristãos.

Em quinto lugar, *Paulo, um assassino truculento* (9.21; 26.10). Paulo perseguia, açoitava, prendia, obrigava as pessoas a blasfemar, e dava seu voto para matar os cristãos. Ele consentiu na morte de Estêvão (8.1) e testemunhou diante do rei Agripa: *Na verdade, a mim me parecia que muitas cousas devia eu praticar contra o nome de Jesus, o Nazareno; e assim procedi em Jerusalém. Havendo eu recebido autorização dos principais sacerdotes, encerrei muitos dos santos nas prisões; e contra estes dava o meu voto, quando os matavam* (26.9,10).

Paulo, o convertido

Destacamos alguns pontos importantes para o entendimento desse magno assunto.

Em primeiro lugar, *Paulo não se converteu, ele foi convertido* (9.3-6). A causa da conversão de Paulo foi a graça soberana de Deus. O apóstolo não se decidiu por Cristo; ele estava perseguindo a Cristo. Na verdade foi Cristo quem se decidiu por ele.

Paulo estava caçando os cristãos para prendê-los, e Cristo estava caçando Paulo para salvá-lo. Não era Paulo quem estava buscando a Jesus, era Jesus quem estava buscando a Paulo. A salvação de Paulo não foi iniciativa dele; foi iniciativa de Jesus. Não foi Paulo quem clamou por Jesus; foi Jesus quem chamou pelo nome de Paulo. A salvação é obra exclusiva de Deus. Não é o homem que se reconcilia com Deus; é Deus quem está em Cristo reconciliando consigo o mundo (2Co 5.18).

Paulo não é salvo por seus méritos; ele era uma fera selvagem, um perseguidor implacável, um assassino insensível. Seus predicados religiosos, nos quais confiava (circuncidado, fariseu, hebreu de hebreus, da tribo de Benjamim), ele considerou esterco (Fp 3.8,9). Aos olhos de Deus, a nossa justiça não passa de trapo de imundícia (Is 64.6).

Em segundo lugar, *Paulo era um touro bravo que resistiu os aguilhões* (26.14). A conversão de Paulo não foi, de maneira alguma, repentina. De acordo com a própria narrativa de Paulo, Jesus lhe disse: *Dura coisa é recalcitrares contra os aguilhões* (26.14).

Deus já estava trabalhando na vida de Paulo antes dele se render no caminho de Damasco. Paulo era como um touro bravo que recalcitrava contra os aguilhões (26.14). Jesus já estava ferroando sua consciência quando Paulo viu Estêvão ser apedrejado e, com rosto de anjo, pedir a Jesus para perdoar seus algozes. A oração de Estêvão ainda latejava na alma de Paulo.

Jesus estava ferroando a consciência de Paulo quando ele prendia os cristãos, dava seu voto para matá-los e eles morriam glorificando a Cristo. Mas, como esse boi selvagem não amansou com as ferroadas, Jesus apareceu a ele, derrubou-o ao chão e o subjugou totalmente no caminho de Damasco. O touro furioso se tornara um cordeiro dócil. Isso nos prova que a eleição de Deus é incondicional, que a graça de Deus é irresistível, e que o chamado de Deus é irrecusável. Paulo precisou ser jogado ao chão e ficar cego para se converter. Nabucodonosor precisou ir para o campo comer capim com os animais para se dobrar. Até quando você resistirá à voz do Espírito de Deus?

A conversão de Paulo no caminho de Damasco foi o clímax repentino de um longo processo em que o "caçador dos céus" estivera em seu encalço. Curvou-se a dura cerviz autossuficiente. O touro estava domado! William Barclay destaca que não se trata de uma conversão repentina, mas de uma rendição repentina.[296] Até esse momento Paulo fazia o que ele mesmo queria, o que considerava certo e o que sua vontade determinava. Mas, desse momento em diante, passou a fazer apenas o que Cristo determinou que ele fizesse.[297]

Em terceiro lugar, *Paulo era um intelectual que resistiu à lógica divina* (9.4-8). Se a conversão de Paulo não foi repentina, também não foi compulsiva. Cristo falou com ele, em vez de esmagá-lo. Cristo o jogou ao chão, mas não violentou sua personalidade. Sua conversão não foi um transe hipnótico. Jesus apelou para sua razão e para o seu entendimento.

Jesus perguntou: *Saulo, Saulo, por que me persegues?* Paulo respondeu: *Quem és tu, Senhor?* Jesus respondeu: *Eu sou Jesus, a quem tu persegues.* Jesus ordenou: *Mas levanta-te* e Paulo prontamente obedeceu! A resposta e a obediência de Paulo foram racionais, conscientes e livres. De acordo com Simon Kistemaker: Estêvão martirizado, os cristãos perseguidos e expulsos de Jerusalém, os crentes aprisionados por Paulo – toda essa gente é representada por Jesus Cristo. Desse modo, Paulo estivera lutando contra Jesus e perdeu a batalha.[298]

A soberania de Deus não anula a responsabilidade humana. Jesus tocou a mente e a consciência de Paulo com os seus aguilhões. Jesus se revelou a Paulo pela luz e pela voz, não para esmagá-lo, mas para salvá-lo. A graça de Deus não aprisiona; é o pecado que prende. A graça liberta!

O Paulo que desejava lançar por terra os crentes está deitado com o rosto no chão. Ele, que desejava escolher prisioneiros amarrados de Damasco a Jerusalém, agora é levado para Damasco prisioneiro da cegueira. Ele, que agira sob a autoridade do sumo sacerdote, rompe agora seus laços com a hierarquia de Jerusalém. Ele, que veio para triunfar sobre a fé cristã, se submete agora ao Capitão dessa mesma fé.[299]

Em quarto lugar, *Paulo, um homem completamente transformado* (9.3-20). Destacamos três fatos benditos sobre a súbita conversão de Paulo.

Uma gloriosa manifestação de Jesus (9.3-6). Três coisas aconteceram a Paulo: ele viu uma luz, caiu ao chão e ouviu uma voz.

1. Paulo viu uma luz (22.6,11). Subitamente uma grande luz do céu brilhou ao seu redor. Não foi uma miragem, um êxtase, uma visão subjetiva. Foi uma grande luz do céu, tão forte que lhe abriu os olhos da alma e lhe tirou a visão física. Ele ficou cego por causa do fulgor daquela luz (22.11). Os olhos espirituais de Paulo foram abertos, mas seus olhos físicos foram fechados. Não foi apenas uma luz que apareceu a Paulo, mas o próprio Jesus (9.17). Aquela luz era a glória do próprio Filho de Deus ressurreto.[300]

2. Paulo caiu por terra (22.7). O touro furioso, selvagem e indomável estava subjugado. Aquele que prendia, estava preso. Aquele encerrava em prisão, estava dominado. Aquele que se achava detentor de todo o poder para perseguir, estava prostrado ao chão impotente. O Senhor quebrou todas as suas resistências. John Stott diz que Jesus comparou Paulo a um touro jovem, forte e obstinado, e ele mesmo a um fazendeiro que usa aguilhões para domá-lo. A implicação disso é que Jesus estava perseguindo Paulo, usando esporas e chicotes, e era "duro" (doloroso, até mesmo fútil) resistir.[301] John Stott ainda diz que a conversão de Paulo na estrada de Damasco era, portanto, o clímax repentino de um longo processo em que o "caçador dos céus" permanecera em seu encalço. Curvou-se a dura cerviz autossuficiente. O touro estava domado.[302]

3. Paulo ouviu uma voz (22.7). O mesmo Jesus que ferroara sua consciência com aguilhões, agora, troveja aos seus ouvidos, desde o céu: ...*Saulo, Saulo, por que me persegues? Dura cousa te é recalcitrares contra os aguilhões* (26.14). Justo González diz que essa frase é um provérbio grego clássico, em geral aplicado a todo esforço inútil.[303] A voz do Senhor é poderosa. Ela despede chamas de fogo. Faz tremer o deserto. É irresistível. Paulo, então, pergunta: *Quem és tu, Senhor? Ao que me respondeu: Eu sou Jesus, o Nazareno, a quem tu persegues* (22.8). O mesmo Paulo que perseguia a Jesus (26.9), agora, chama Jesus de Senhor. Ele se curva. Ele se prostra. O boi selvagem foi subjugado! Não há salvação sem que o pecador se renda aos pés do Senhor Jesus.

Uma humilde entrega de Paulo (22.8,10). Três pontos devem ser destacados.

1. Paulo reconhece que Jesus é o Senhor (22.8). Aquele a quem ele resistira e perseguira é de fato o Senhor. Verdadeiramente ressuscitou dentre os mortos. Verdadeiramente é o Messias, o Filho de Deus. Aquela luz brilhou na sua alma, iluminou seu coração e tirou as escamas dos seus olhos espirituais (2Co 3.16).

2. Paulo reconhece que é pecador (22.8). Paulo toma conhecimento de que seu zelo religioso não agradava a Deus. Ele na verdade estava perseguindo o próprio Filho de Deus. Reconhece que é o maior de todos os pecadores, está perdido e precisa da salvação. Concordo com John Stott quando diz que não podemos fazer outra coisa, senão engrandecer a graça de Deus que teve misericórdia de um fanático enfurecido como Saulo de Tarso, e de criaturas tão orgulhosas, rebeldes e obstinadas como nós.[304]

3. Paulo reconhece que precisa ser guiado pelo Senhor (22.10). A autossuficiência de Paulo acaba no caminho de Damasco. Ele agora pergunta: *Que farei, Senhor?* Agora Paulo quer ser guiado! Está pronto a obedecer. Ele, que esperava entrar em Damasco na plenitude de seu orgulho e bravura, como um autoconfiante adversário de Cristo, agora estava sendo guiado por outros, humilhado e cego, capturado pelo Cristo a quem se opunha. O Senhor ressurreto aparecera a ele. A luz que Paulo viu era a glória de Cristo, e a voz que ele ouviu era a voz de Cristo. Cristo o capturou antes que ele pudesse capturar qualquer crente em Damasco.[305]

Uma evidência incontestável da conversão de Paulo (9.9-20). Três verdades nos provam essa tese.

1. Paulo evidencia sua conversão pela vida de oração (9.9,11). A prova que Deus deu a Ananias de que Paulo agora era um irmão, e não um perseguidor, é que Paulo estava orando. Quem nasce de novo tem prazer de clamar: *Aba Pai*. Quem é salvo tem prazer na comunhão com o Pai. Paulo é convertido e logo começa a orar. John Stott destaca o fato de que a mesma boca que havia respirado ameaças de morte contra os discípulos do Senhor (9.1) agora respirava louvores e preces a Deus. O rugido do leão foi transformado no balido de um cordeiro.[306] Matthew Henry acrescenta que é mais fácil encontrar um homem vivo sem respirar do que um cristão vivo sem orar. Se não respira, está morto. Se não ora, não tem a graça.[307]

2. Paulo evidencia sua conversão pelo recebimento do Espírito Santo (9.17). Ananias impõe as mãos sobre Paulo, que fica cheio do Espírito Santo. Charles Spurgeon disse que é mais fácil convencer um leão a ser vegetariano do que uma pessoa ser convertida sem a ação do Espírito Santo.

3. Paulo evidencia sua conversão pelo recebimento do batismo (9.18). Não é o batismo que salva, mas o salvo deve ser batizado. O batismo é um testemunho da salvação. Uma pessoa que crê precisa ser batizada e integrada à igreja. Ananias chamou Paulo de irmão. Ele entrou para a família de Deus. Ananias teve um papel muito importante na vida de Paulo. Graças a Deus por Ananias, que apresentou Saulo à comunidade em Damasco, e a Barnabé, que fez o mesmo em Jerusalém. Sem eles, e a recepção assegurada a Saulo, toda a história da igreja teria sido diferente. Existe uma necessidade urgente de Ananias e Barnabés modernos que vençam seus escrúpulos e suas hesitações e tomem a iniciativa de ajudar os recém-chegados.[308]

Em 21 de abril de 1855, Edward Kimball levou um de seus alunos da escola dominical a Cristo. Naquele momento, não fazia ideia de que Dwight L. Moody, um dia, seria um dos maiores evangelistas do mundo. O ministério de Norman B. Harrison num pequeno congresso bíblico foi usado por Deus para levar a Cristo Theodore Epp, a quem Deus usou para construir o ministério *Back to the Bible*, de alcance mundial. Cabe a nós levar homens e mulheres a Cristo; cabe a Deus usá-los para sua glória.[309]

Paulo, o missionário

Destacamos quatro verdades sobre esse assunto.

Em primeiro lugar, *de perseguidor a perseguido* (9.16). A história da conversão de Saulo em Atos 9 começa com sua partida de Jerusalém com um mandato oficial do sumo sacerdote para prender cristãos fugitivos, e termina com sua partida de Jerusalém como fugitivo cristão. Saulo, o perseguidor, tornou-se Paulo, o perseguido.[310] De Damasco, Paulo foi para a Arábia e depois retornou a Damasco. Ele não se apressou a ir a Jerusalém para encontrar-se com os apóstolos, porque o próprio Jesus, e não os apóstolos, o havia designado para o apostolado.[311] Sua trajetória da conversão até o momento em que é chamado para Antioquia da Síria, onde sairá como missionário, pode ser traçada assim: conversão no caminho de Damasco (9.1-19a); breve estada em Damasco (9.19b-22); isolamento na Arábia (Gl 1.17); retorno a Damasco por algum tempo (9.23); fuga para Jerusalém (9.23-26; 2Co 11.32,33); encontro com os apóstolos (9.27,28; Gl 1.18,19); partida para a Síria e Cilícia (9.30; Gl 1.21).[312]

Depois da sua conversão, Paulo enfrentou muitas perseguições: foi perseguido em Damasco, rejeitado em Jerusalém, esquecido em Tarso, apedrejado em Listra, preso e açoitado em Filipos, escorraçado de Tessalônica e Bereia, chamado de tagarela em Atenas e de impostor em Corinto. Ele enfrentou feras em Éfeso, foi preso em Jerusalém e acusado em Cesareia, enfrentou um naufrágio no caminho para Roma e foi picado por uma víbora em Malta. Chegou a Roma preso e mais tarde foi decapitado pela guilhotina romana.

Esse homem trouxe no corpo as marcas de Jesus. Mas em momento algum perdeu a alegria, o entusiasmo e a esperança. Disse que *...a nossa leve e momentânea tribulação produz para nós eterno peso de glória* (2Co 4.17).

Em segundo lugar, *de agente de morte a pregador do evangelho* (9.20-22). Paulo tornou-se embaixador de Cristo e pregador do evangelho, imediatamente após sua conversão (9.20-22). O testemunho de Paulo foi cristocêntrico. Ele pregou nas sinagogas de Damasco afirmando que Jesus é o Filho de Deus (9.20) e, mais tarde, demonstrando que Jesus é o Cristo (9.22).

Matthew Henry diz que Paulo se tornou notável não só no púlpito, mas também nas escolas, e se mostrou sobrenaturalmente habilitado para pregar, manter e defender a verdade quando a pregava.[313] Concordo com John Stott quando ele diz que testemunho não é sinônimo de autobiografia. Testemunhar é falar de Cristo. A nossa experiência pode ilustrar, mas nunca deve dominar o nosso testemunho.[314] Deus mesmo escolheu Paulo para levar o evangelho aos gentios e reis, bem como perante os filhos de Israel (9.15). De acordo com Justo González, todas as grandes figuras da história da igreja receberam chamados específicos de Deus e responderam: Saulo, a caminho de Damasco; Agostinho, no jardim de Milão; Lutero, estudando a epístola aos Romanos; Wesley, em Aldersgate.[315]

Paulo pregou a tempo e a fora de tempo. Em prisão e em liberdade. Com saúde ou doente. Pregou nos lares, nas sinagogas, no templo, nas ruas, nas praças, na praia, no navio, nos salões dos governos, nas escolas. Pregou com senso de urgência, com lágrimas e no poder do Espírito Santo.

Aonde Paulo chegava, os corações eram impactados com o evangelho. Ele pregava usando não apenas palavras de sabedoria, mas com demonstração do Espírito e de poder (1Co 2.4; 1Ts 1.5).

Em terceiro lugar, *de devastador da igreja a plantador de igrejas* (9.15). Paulo foi o maior evangelista, missionário, pastor, pregador, teólogo e plantador de igrejas da história do cristianismo. Ele iniciou igrejas na região da Galácia, na Europa e também na Ásia. Não apenas fundou igrejas, mas as pastorceou com intenso zelo, profundo amor e grave senso de responsabilidade. Pesava sobre ele a preocupação com todas as igrejas (2Co 11.28).

Em quarto lugar, *de recebedor de cartas para prender e matar a escritor de cartas para abençoar* (9.2). Como perseguidor e exterminador dos cristãos, Paulo pedia cartas para prender, amarrar e matar os crentes. Mas, depois de convertido, ele escreveu cartas para abençoar. Paulo foi o maior escritor do Novo Testamento. Redigiu treze epístolas. Suas cartas são conhecidas mundialmente e têm sido alimento diário para milhões de crentes em todos os tempos. São luzeiros que brilham, são pão que alimenta, são água que mata a sede, são verdades inspiradas pelo Espírito Santo, que ensinam, exortam e levam pessoas a Cristo todos os dias!

Paulo, o perseguido

Após sua conversão no caminho de Damasco, aprouve a Deus revelar Jesus a Paulo. Em vez de rumar a Jerusalém para estar com os apóstolos e aprender deles, Paulo partiu para a região da Arábia, onde ficou por cerca de três anos, fazendo um seminário intensivo com Jesus (Gl 1.15-18). Nesse tempo, Jesus se revelou a ele e nele, de tal forma que Paulo não aprendeu o conteúdo do seu evangelho como aprendeu as doutrinas do judaísmo aos pés de Gamaliel, mas o recebeu como revelação direta do Senhor Jesus.

Nos três anos que Paulo passou na Arábia, certamente releu o Antigo Testamento e percebeu que o Jesus a quem perseguia, de fato, era o Cristo, o Messias. Então, voltou a Damasco e passou a demonstrar que Jesus é o Cristo (9.22). Os judeus que moravam em Damasco resolveram matá-lo, e Paulo precisou fugir à noite, muralha abaixo, dentro de um cesto (9.23-25).

Paulo, então, sobe a Jerusalém para buscar abrigo na igreja, mas os discípulos não acreditam em sua conversão. Pensavam que ele estava apenas querendo infiltrar-se na igreja para sabotar a fé cristã (9.26). Barnabé, porém, investe em sua vida, leva-o aos apóstolos e conta-lhes a experiência no caminho de Damasco. Só então Paulo tem acolhida na igreja de Jerusalém (9.27). Imediatamente Paulo passa a pregar e a discutir com os helenistas (judeus nascidos fora de Israel), mas estes resolvem matá-lo (9.28-30). Os discípulos se reúnem e dizem a Paulo que ele precisa ir embora. Na verdade, os discípulos o levam para Cesareia e dali o enviam de volta à sua terra, em Tarso (9.30). Depois que Paulo partiu, a igreja passou a ter paz e a crescer (9.31). Esse homem, com tantos projetos e sonhos, precisa agora passar mais de dez anos em Tarso, longe dos holofotes. Nesse tempo, Deus trabalhou nele para depois trabalhar por intermédio dele.

Notas do capítulo 10

[280] BARCLAY, William. *Hechos de los Apóstoles*, p. 79.
[281] STOTT, John. *A mensagem de Atos*, p. 185.
[282] HENRY, Matthew. *Comentário bíblico Atos-Apocalipse*, p. 92.
[283] HENRY, Matthew. *Comentário bíblico Atos-Apocalipse*, p. 91.
[284] WIERSBE, Warren W. *Comentário bíblico expositivo*, p. 568.

285 DE BOOR, Werner. *Atos dos Apóstolos*, p. 140.
286 STOTT, John. *A mensagem de Atos* , p. 188.
287 KISTEMAKER, Simon. *Atos.* Vol. 1, p. 431.
288 HENRY, Matthew. *Comentário bíblico Atos-Apocalipse*, p. 92.
289 KISTEMAKER, Simon. *Atos.* Vol. 1, p. 431.
290 KISTEMAKER, Simon. *Atos.* Vol. 1, p. 432,433.
291 STOTT, John. *A mensagem de Atos* , p. 188.
292 BARCLAY, William. *Hechos de los Apóstoles*, p. 79.
293 STOTT, John. *A mensagem de Atos* , p. 189.
294 WIERSBE, Warren W. *Comentário bíblico expositivo*, p. 568.
295 STOTT, John. *A mensagem de Atos* , p. 189.
296 BARCLAY, William. *Hechos de los Apóstoles*, p. 79.
297 BARCLAY, William. *Hechos de los Apóstoles*, p. 80.
298 KISTEMAKER, Simon. *Atos.* Vol. 1, p. 435,436.
299 KISTEMAKER, Simon. *Atos.* Vol. 1, p. 439.
300 MARSHALL, I. Howard. *Atos: introdução e comentário*. 1982, p. 164.
301 STOTT, John. *A mensagem de Atos* , p. 191.
302 STOTT, John. *A mensagem de Atos* , p. 193.
303 GONZÁLEZ, Justo L. *Atos*, p. 151.
304 STOTT, John. *A mensagem de Atos* , p. 193.
305 STOTT, John. *A mensagem de Atos* , p. 190.
306 STOTT, John. *A mensagem de Atos* , p. 195.
307 HENRY, Matthew. *Comentário bíblico Atos-Apocalipse*, p. 96.
308 STOTT, John. *A mensagem de Atos* , p. 198,199.
309 WIERSBE, Warren W. *Comentário bíblico expositivo*, p. 571.
310 STOTT, John. *A mensagem de Atos,* p. 200.
311 KISTEMAKER, Simon. *Atos.* Vol. 1, p. 453.
312 KISTEMAKER, Simon. *Atos.* Vol. 1, p. 454.
313 HENRY, Matthew. *Comentário bíblico Atos-Apocalipse*, p. 99.
314 STOTT, John. *A mensagem de Atos* , p. 199.
315 GONZÁLEZ, Justo L. *Atos*, p. 159.

Capítulo 11

A conversão de Cornélio, um soldado graduado
(At 9.32—10.48)

Após relatar a conversão de Paulo, Lucas volta sua atenção para Pedro. No começo da perseguição da igreja, os apóstolos julgaram prudente permanecer em Jerusalém (8.1b), mas, agora, com a igreja desfrutando um tempo de paz (9.31), sentiram-se livres para deixar a cidade. É dessa forma que Pedro inicia seu ministério itinerante (9.32a): pregando o evangelho e visitando os santos (9.32b).[316]

No texto em apreço vemos Pedro participando de três milagres: a cura de Eneias (9.32-35), a ressurreição de Dorcas (9.36-43) e a proclamação da mensagem de salvação a Cornélio e sua casa (10.1-48).[317]

A cura de Eneias, paralítico que havia oito anos jazia de cama, foi algo maravilhoso. Pedro lhe disse: *Eneias, Jesus Cristo te cura! Levanta-te e arruma o teu leito. Ele, imediatamente, se levantou* (9.34). De maneira ainda mais nítida que na cura do mendigo aleijado em Atos 3, Jesus é aqui imediatamente destacado como o verdadeiro e único doador da cura.[318] Pela autoridade do seu nome, o Cristo ressurreto restabeleceu Eneias completamente. A cura foi instantânea, e o homem conseguiu levantar e arrumar sua cama (9.34). Tornou-se um milagre ambulante, pois todos aqueles que viram esse fato extraordinário em Lida e Sarona converteram-se ao Senhor (9.35).[319]

O trecho de Atos 9.36-43 registra outro milagre extraordinário, a ressurreição de Dorcas (Tabita = gazela), mulher notável pela prática de boas obras e oferta de esmolas. Integralmente dedicada à beneficência e à ajuda ao próximo, ela cuidava especialmente das viúvas.[320] Essa notável serva do Senhor adoeceu e morreu, e os irmãos colocaram seu corpo no cenáculo. Até então, não havia registro de que os apóstolos tivessem sido usados por Deus para a ressurreição de mortos. Isso mostra a fé e a confiança dos crentes de Jope em mandar buscar Pedro em Lida. Pedro chegou e ordenou que as pessoas que estavam chorando e lamentando saíssem do quarto, pois o milagre que estava prestes a acontecer não era um espetáculo.[321] Colocando-se de joelhos, Pedro orou; e, voltando-se para o corpo, disse: *...Tabita, levanta-te! Ela abriu os olhos e, vendo a Pedro, sentou-se. Ele, dando-lhe a mão, levantou-a; e, chamando os santos, especialmente as viúvas, apresentou-a viva* (9.40,41). Que diferença fundamental em relação às práticas feiticeiras e milagreiras de cunho ocultista! Aqui não são sussurradas fórmulas mágicas, não se cita nenhum nome misterioso, nem se realizam estranhas benzeduras. Emite-se uma ordem cordial e espera-se com fé que essa ordem, possível como tal, seja cumprida pela ação de Deus.[322]

Assim como a cura de Eneias, a ressurreição de Dorcas atraiu a atenção do povo, e muitos creram em Jesus Cristo (9.42). Pedro permaneceu vários dias em Jope, em casa de um curtidor chamado Simão (9.43). Essa cidade, séculos antes, foi a primeira parada do profeta Jonas. Foi também em Jope que Deus constrangeu Pedro a ir à casa do gentio Cornélio para pregar-lhe o evangelho. Nessa mesma linha de pensamento, Justo González afirma que o fato da visão de Pedro acontecer em Jope é relevante e significativo, pois foi ali que Jonas, chamado por Deus para ir a Nínive, tomou um navio para a direção oposta, Társis (Jn 1.3). O verdadeiro nome de Pedro é Simão, filho de Jonas (Mt 16.17). Agora, esse Simão, filho de Jonas, como o Jonas anterior e na mesma cidade de Jope, ouve o chamado para avançar além dos limites do povo de Israel.[323]

O capítulo 10 de Atos trata de uma das mais importantes conversões da história. No capítulo 9, vimos a conversão de um perseguidor implacável. No capítulo 10 vemos a conversão de um homem piedoso. Essas foram as duas mais importantes conversões retratadas no livro de Atos. Entre elas vemos dois milagres, a cura do paralítico Eneias e a ressurreição de Dorcas. Ambos os milagres se operaram pelo poder de Jesus, foram sinais da salvação de Jesus e resultaram na glória de Jesus.[324]

No capítulo de Atos 9 vimos o grande milagre de um paralítico andar, e um milagre ainda maior, o de uma morta ressuscitar, mas no capítulo 10 vemos o maior de todos os milagres: a conversão de um homem a Jesus.

O Pedro que havia respondido ousadamente aos desafios da doença e da morte titubeia diante do desafio da discriminação racial e religiosa. Porém, à vista das evidências inconfundíveis, Pedro entra na casa de um gentio e compartilha com todos o evangelho. Concordo com Warren Wiersbe quando diz que o capítulo 10 é crucial para o livro de Atos, pois relata a salvação dos gentios. Vemos Pedro usando as *chaves do reino* pela terceira e última vez. Ele havia aberto a porta para a fé dos judeus (At 2) e também dos samaritanos (At 8), e Deus o estava usando para conduzir os gentios à comunhão cristão (Gl 3.27,28; Ef 2.11-22).[325]

Destaques sobre a vida de Cornélio (Atos 10)

Destacamos aqui sete fatos importantes acerca de Cornélio.

Em primeiro lugar, *quanto à sua profissão, um soldado graduado* (10.1). Cornélio era um centurião romano, destacado em Cesareia, cidade edificada por Herodes o Grande, às margens do mar Mediterrâneo. Ali se encontrava o quartel-general do governo romano na Palestina, ou seja, o centro governamental para a administração romana na Judeia.[326] Simon Kistemaker observa que Cesareia era conhecida originalmente como Torre de Estrato, que César Augusto deu a Herodes o Grande, em 30 a.C. Por seu turno, Herodes quis agradar a César Augusto e deu à cidade o seu nome. Reconstruiu Cesareia para fazer dela uma vitrine do Oriente. Num período de 12 anos (22 a 10 a.C.), Herodes construiu um teatro, um anfiteatro, prédios públicos, uma pista de corridas, um palácio, um aqueduto e um magnífico porto.[327]

Na organização militar a *legião* ocupava o primeiro lugar. Tratava de uma força composta de 6 mil soldados. Em cada legião havia 10 coortes. Portanto, cada coorte tinha 600 homens e podia comparar-se a um batalhão. A coorte estava dividida em *centúrias*, composta por 100 soldados cada, sobre as quais mandava um *centurião*. Os centuriões eram a espinha dorsal do exército romano.[328]

Deus recruta pessoas para o seu reino de todos os lugares. Cornélio era um soldado romano, mas foi alistado na família de Deus para ser um soldado de Cristo.

Em segundo lugar, *quanto à sua relação com o próximo, um homem generoso* (10.2,3). A piedade não pode ser separada da caridade. Cornélio não se endureceu no exercício do seu trabalho; antes, era um homem de coração generoso. Dava muitas esmolas ao povo, praticava obras que abençoavam as pessoas (10.2) e até chegavam diante de Deus no céu (10.4). Cornélio tinha o coração, as mãos e o bolso abertos para ajudar os necessitados. Seu amor não era apenas de palavras, mas de fato e de verdade. Ele não dava esmolas esporádicas para aliviar sua consciência, mas efetivamente socorria os necessitados no meio do povo. Mesmo sendo um gentio e vivendo em terras palestinas, era generoso em dar, em vez de explorar o povo.

Em terceiro lugar, *quanto à sua relação com Deus, um homem piedoso e temente* (10.2). Deus sempre busca aqueles que o buscam. Cornélio era um homem piedoso e temente a Deus. Abandonara a religião ancestral dos romanos com seus muitos deuses e ídolos. Cansara do politeísmo e da idolatria do seu povo. Deixara os muitos deuses romanos e se voltara para o Deus vivo.

Cornélio era um prosélito. Abraçara a fé judaica e passara a acreditar em Deus. Rompera com sua religião, com seus deuses, com seus cultos. Sua teologia havia mudado, e sua vida exterior também.

Em quarto lugar, *quanto à sua vida devocional, um homem de oração* (10.2,4). Cornélio era um homem que tinha uma vida intensa de oração. De contínuo orava a Deus (10.2). Suas orações subiram ao Senhor (10.4). Cornélio era um homem conhecido na terra e conhecido no céu. Não só tinha abandonado seus deuses, mas tinha agora necessidade de ter comunhão com o Deus vivo. Sua vida de oração era abundante. Ele falava com Deus continuamente e tinha fome de Deus. Foi na hora nona de oração que o Senhor lhe enviou um anjo (10.30).

Em quinto lugar, *quanto à sua família, um líder exemplar* (10.2). Cornélio não era um líder eficaz apenas fora de casa, mas também e, sobretudo, dentro de casa. Possuía autoridade com seus soldados e também com seus familiares. Era um homem íntegro e de vida exemplar dentro do seu lar. Liderou sua casa para buscar a Deus e ser uma família piedosa e temente a Deus. Era o sacerdote do seu lar.

Muitos homens têm medalhas fora dos portões, mas fracassam dentro do lar. Cornélio era um líder dentro e fora de casa. Sua vida era bela por fora e por dentro. Ele não vivia de aparências. Era um homem coerente e íntegro.

Em sexto lugar, *quanto ao seu testemunho, um homem de influência* (10.2,7,22). Cornélio liderou espiritualmente sua família (10.2). Também influenciou espiritualmente alguns dos soldados que estavam sob a sua autoridade (10.7). Tinha bom testemunho de toda a nação judaica (10.22). Exercia sua influência dentro de casa (10.2), no trabalho (10.7) e na sociedade (10.22). Cornélio deixava sua marca por onde passava.

Em sétimo lugar, *quanto à sua disposição de agradar a Deus, um homem pronto* (10.4,5,8,33). Alguns fatos sobre Cornélio são dignos de nota. Ele possuía um conhecimento limitado, a ponto de se prostrar diante de Pedro e adorá-lo (10.25,26). Confundiu a criatura com o Criador e o evangelista com o evangelho. Pedro, porém, o corrigiu ordenando-lhe adorar a Deus. Não obstante as limitações de Cornélio, destacamos três pontos importantes sobre ele:

1. Cornélio estava acostumado a dar ordens a seus subordinados e a receber ordens de seus superiores. Ele tinha cem homens sob as suas ordens, mas, quando recebeu uma visão do anjo, perguntou: *Que é, Senhor?* Quando Deus lhe enviou uma visão, ele prontamente obedeceu. Quando Deus lhe falou, ele prontamente buscou compreender a vontade do Senhor. Enviou seus servos e um soldado piedoso ao encontro de Pedro.

2. Cornélio era sedento para ouvir a Palavra de Deus (10.24,33). Cornélio tinha pressa e disposição de ouvir a Palavra de Deus. Estava esperando pela chegada de Pedro (10.24). Preparou-se para receber a Palavra, pois almejava saber o que Deus reservara para sua vida.

3. Cornélio ansiava levar outras pessoas a conhecer a Deus como ele (10.24,33). Cornélio reuniu seus parentes e amigos íntimos. Queria compartilhar com sua família e seus amigos a mensagem a ser recebida. Possuía um espírito evangelístico antes mesmo de sua conversão.

Verdades sobre a conversão de Cornélio (Atos 10)

Cornélio era um homem com muitas virtudes. Soldado graduado, chefe de família exemplar, cidadão abençoado e abençoador, tinha sede de Deus e era temente ao Senhor, mas ainda não estava salvo. Algumas verdades essenciais precisam ser destacadas aqui.

Em primeiro lugar, *ser religiosamente sincero não é suficiente para alguém ser salvo* (10.4). Cornélio era piedoso, temente a Deus, dava esmolas ao povo, orava de contínuo a Deus, era um sacerdote do lar, um influenciador no seu trabalho e gozava de bom testemunho em toda a nação. Era um homem conhecido na terra e no céu, porém ainda não conhecia o evangelho e o anjo lhe ordenou que chamasse Pedro para que este lhe pregasse o evangelho da paz (10.36).

A sinceridade não é suficiente para levar as pessoas ao céu. A teoria de que toda a religião é boa e de que todos os caminhos levam a Deus está em total desacordo com essa passagem bíblica. Cornélio era um homem sincero e virtuoso. Possuía um testemunho exemplar dentro e fora de casa, mas ainda não estava salvo. Orava, dava esmolas e era respeitado por toda a nação, mas não estava salvo. Citando Lenski, John Stott pergunta: "Se suas sinceras convicções pagãs fossem suficientes para sua salvação, por que procuraria a sinagoga? Se a sinagoga fosse suficiente, por que Pedro estava ali em sua casa?".[329] Pedro logo lhe ensinaria que é necessário ter fé para ser salvo (10.43).

Em segundo lugar, *aonde o evangelho da paz chega, os preconceitos caem por terra* (10.34,35). Deus estava preparando o caminho do evangelho para os gentios, ao colocar Pedro na casa de Simão, o curtidor. Esse homem lidava com peles de animais. E todo indivíduo que tocava em um animal morto ficava impuro. Um judeu jamais aceitaria ficar na casa de um curtidor. Deus já estava levando Pedro a quebrar seus preconceitos e tabus.

Mesmo assim, Pedro resistiu à visão recebida. Ele se contradiz no versículo 14 ao responder: *De modo nenhum, Senhor*! A resistência não foi de Cornélio em ouvir o evangelho, mas de Pedro em ir à casa de um gentio pregar o evangelho. É possível dizer "não" e é possível dizer

"Senhor", mas não se pode dizer "não, Senhor". Se Jesus é verdadeiramente Senhor, só podemos dizer "sim" e obedecer às suas ordens.[330]

O evangelho da paz não faz distinção entre judeu e gentio, homem e mulher, doutor e analfabeto, religioso e ateu. O evangelho quebra muralhas, despedaça grilhões, rompe tabus, quebra preconceitos e torna a igreja um único povo, um único rebanho, uma única família. Não importa a cor da sua pele, a sua tradição religiosa, o sobrenome da sua família; o evangelho se destina a todos.

Para Simon Kistemaker, a lição que Deus ensina a Pedro nessa visão dos animais limpos e impuros é que ele removeu as barreiras antes erigidas para separar seu povo das nações circunvizinhas. A barreira entre o judeu cristão e o samaritano cristão havia sido retirada quando Pedro e João se dirigiram a Samaria para aceitar os crentes samaritanos como membros plenos da igreja. Agora era chegada a hora de estender o mesmo privilégio aos crentes gentios. Não foi o homem, mas Deus, quem removeu a barreira que separava o judeu do gentio. Deus instrui Pedro a aceitar os crentes gentios no seio da igreja cristã. Deus, e não Pedro, abre as portas do céu aos gentios. O próprio Deus inaugura para Pedro uma nova fase do ministério do evangelho (11.18).[331]

Em terceiro lugar, *a evangelização é uma tarefa humana, e não dos anjos* (10.4,5). Um anjo do Senhor falou do céu a Cornélio e lhe deu ordens da parte de Deus, mas não lhe pregou o evangelho. Cornélio precisou enviar mensageiros ao apóstolo Pedro, na cidade de Jope, a 50 km de Cesareia, para que viesse pregar o evangelho a ele e sua família.

O método de Deus é a igreja. Se a igreja falhar, Deus não tem outro método. Conta-se que, quando Jesus retornou ao céu, após a ressurreição, um anjo lhe perguntou: "Senhor, tu completaste a tua obra na terra, morrendo na cruz e ressuscitando dentre os mortos, mas quem contará essa boa notícia ao mundo?". Jesus então respondeu: "Eu deixei na terra doze homens preparados para essa tarefa". O anjo redarguiu: "Mas, Senhor, e se eles falharem?". Jesus prontamente respondeu: "Se eles falharem, eu não tenho outro método". O método de Deus para alcançar o mundo com o evangelho é a igreja.

Em quarto lugar, *o evangelho está centrado na pessoa e na obra de Cristo Jesus* (10.36-43). Pedro vai à casa de Cornélio e prega o evangelho da paz para ele e sua família. O conteúdo do evangelho pregado por Cornélio apresenta alguns pontos de destaque.

1. O evangelho está centrado na vida e nas obras portentosas de Cristo (10.38). Deus ungiu Jesus de Nazaré com o Espírito Santo e poder para fazer o bem e curar todos os oprimidos do diabo. Jesus libertou os cativos, curou os enfermos e libertou os atormentados. Perdoou pecados, curou os cegos, limpou os leprosos e ressuscitou os mortos. Aonde Jesus chegava, chegavam a esperança e a vida. Onde Jesus está, reina a vida e não a morte. Onde Jesus está, os grilhões são despedaçados.

2. O evangelho está centrado na morte de Cristo (10.39). A morte de Cristo é a nossa carta de alforria. Ele morreu não como um mártir, mas como nosso substituto. Sua morte foi em nosso lugar e em nosso favor. Ele morreu para que pudéssemos viver. Temos vida pela sua morte.

3. O evangelho está centrado na ressurreição de Cristo (10.40,41). Deus ressuscitou Jesus dentro os mortos. Ele rompeu as cadeias da morte. Abriu o túmulo de dentro para fora. Venceu o pecado, a morte e o diabo. Agora, tem as chaves da morte e do inferno. Ele tirou o aguilhão da morte, que não tem mais a última palavra.

4. *O evangelho está centrado no senhorio de Cristo* (10.36,42). Jesus é o Senhor de todos (10.36) e o Juiz de vivos e de mortos (10.42). Todos comparecerão perante ele para prestar contas da sua vida. Todo joelho se dobrará e toda língua confessará que Jesus Cristo é Senhor para a glória de Deus Pai.

5. *O evangelho oferece remissão de pecados para todo aquele que crê* (10.43). A remissão e o perdão dos pecados, a salvação e a vida eterna não são alcançados pelas obras nem pela religião, mas pela fé em Cristo. Quem crê tem a vida eterna (Jo 6.47). O que nele crê não perece, mas tem a vida eterna (Jo 3.16). Matthew Henry diz que Deus nunca justificou e salvou nem justificará e salvará um judeu ímpio que viveu e morreu impenitente, mesmo que pertencesse à descendência de Abraão (Rm 9.7), fosse hebreu de hebreus (Fp 3.5) e tivesse todos os privilégios e as vantagens pertinentes à circuncisão. Ele retribuirá indignação e ira, tribulação e angústia, sobre toda alma que faz o mal, primeiramente do judeu, cujos privilégios e religião, em vez de protegê-lo do juízo de Deus, agravam-lhe a culpa e a condenação (Rm 2,3,8,9,16).[332] Ao mesmo tempo, Deus nunca rejeitou ou recusou nem nunca rejeitará ou recusará um gentio justo, que, mesmo não tendo os privilégios e as vantagens de que os judeus dispõem, como Cornélio, teme a Deus, adora-o e faz o que é justo (10.35). Deus julga os homens pelo coração, não por sua nacionalidade ou ascendência.[333]

Em quinto lugar, *aqueles que recebem o evangelho, esses recebem o Espírito Santo e devem ser integrados na igreja*

(10.44-48). Os gentios creram e foram batizados com o Espírito Santo, e imediatamente foram também batizados com água e integrados à igreja. Todo aquele que crê deve integrar-se à igreja de Deus por meio da pública profissão de fé e do batismo. Jesus disse: *Quem crer e for batizado será salvo* (Mc 16.16). O batismo é o selo de que alguém pertence à igreja de Cristo Jesus. Todos na casa de Cornélio ansiavam de coração por esse lacre evidente e público. O batismo é ao mesmo tempo ação do próprio Jesus, por meio da qual ele acolhe pessoas como sua propriedade, documentando que participam de sua morte e ressurreição. Por meio do batismo, os crentes passam a pertencer a Jesus, e Jesus passa a pertencer a eles.[334] A água do batismo é um símbolo do Espírito Santo. Não se pode negar o sinal aos que receberam a coisa significada. Esses a quem Deus concedeu graciosamente o concerto têm o direito claro aos selos do concerto.[335]

Cornélio e toda a sua casa foram convertidos e batizados com o Espírito Santo, e receberam também o batismo com água. Werner de Boor destaca a liberdade de ação da parte de Deus com respeito a esse magno assunto. Nos dias de Pentecostes, a conversão e o batismo conduziram diretamente ao recebimento do Espírito. Em Samaria a conversão e o batismo ainda não trazem o Espírito Santo; ele é dado somente por oração e imposição das mãos. E, aqui na casa de Cornélio, Deus concede o Espírito mediante manifestação de poder antes mesmo do batismo e sem uma "conversão" expressa! Nós substituímos o agir soberano de Deus por um sistema teológico rígido que tem de funcionar por si mesmo e de forma alguma pode funcionar de modo diferente![336]

E você, já creu em Jesus? Já recebeu o Espírito Santo? Já decidiu tornar-se membro da igreja de Deus, fazendo sua profissão de fé e sendo batizado?

Notas do capítulo 11

316 STOTT, John. *A mensagem de Atos* , p. 204.
317 WIERSBE, Warren W. *Comentário bíblico expositivo*, p. 574.
318 DE BOOR, Werner. *Atos dos Apóstolos*, p. 152.
319 WIERSBE, Warren W. *Comentário bíblico expositivo*, p. 574.
320 DE BOOR, Werner. *Atos dos Apóstolos*, p. 153.
321 GONZÁLEZ, Justo L. *Atos*, p. 160.
322 DE BOOR, Werner. *Atos dos Apóstolos*, p. 153,154.
323 GONZÁLEZ, Justo L. *Atos*, p. 163.
324 STOTT, John. *A mensagem de Atos* , p. 205,206.
325 WIERSBE, Warren W. *Comentário bíblico expositivo*, p. 576.
326 MARSHALL, I. Howard. *Atos: introdução e comentário*. 1982, p. 175.
327 KISTEMAKER, Simon. *Atos.* Vol. 1, p. 484.
328 BARCLAY, William. *Hechos de los Apóstoles*, p. 88.
329 STOTT, John. *A mensagem de Atos* , p. 213.
330 WIERSBE, Warren W. *Comentário bíblico expositivo*, p. 577.
331 KISTEMAKER, Simon. *Atos.* Vol. 1, p. 495.
332 HENRY, Matthew. *Comentário bíblico Atos-Apocalipse*, p. 112.
333 HENRY, Matthew. *Comentário bíblico Atos-Apocalipse*, p. 112.
334 DE BOOR, Werner. *Atos dos Apóstolos*, p. 164,165.
335 HENRY, Matthew. *Comentário bíblico Atos-Apocalipse*, p. 115.
336 DE BOOR, Werner. *Atos dos Apóstolos*, p. 165.

Capítulo 12

A igreja alarga suas fronteiras
(At 11.1-30)

AS REVERBERAÇÕES DO MINISTÉRIO DE PEDRO em Cesareia chegaram a Jerusalém. A notícia da conversão dos gentios mexeu com a igreja judaica. Tanto os apóstolos como os demais irmãos em Jerusalém foram impactados por essa informação. Logo que Pedro retornou à sua base, em Jerusalém, os membros da igreja que eram do grupo da circuncisão o interpelaram. O problema deles não era tanto o evangelho, mas a cultura. Não estavam chocados pelo fato de Cornélio e sua casa receberem a Palavra de Deus, nem mesmo pelo fato de terem recebido o Espírito Santo, mas pelo fato de Pedro ter entrado na casa de um gentio e ter comido com ele. As barreiras culturais estavam ainda muito firmes na mente desses crentes judeus. Um judeu conservador não podia conversar com um gentio. Apenas se concebia que um judeu entrasse na casa de um gentio por algum motivo prático, mas era totalmente inaceitável que se sentasse para comer com ele.[337]

Examinemos agora a expansão da igreja rumo aos gentios, destacando quatro ministérios importantes.

O ministério de Pedro (11.1-18)

Pedro foi o instrumento usado por Deus para abrir a porta do evangelho tanto para os judeus como para os gentios. Destacamos aqui alguns pontos importantes.

Em primeiro lugar, *uma notícia alvissareira* (11.1). A notícia da conversão dos gentios sai de Cesareia e chega a Jerusalém. Os apóstolos e irmãos da igreja-mãe são informados de como Cornélio e sua casa aceitaram a Palavra de Deus. Nessa informação, certamente há um misto de alegria e também de preocupação, pois é a primeira vez que um grupo de gentios é salvo e recebe o Espírito Santo.

Em segundo lugar, *um interrogatório minucioso* (11.2,3). Alguns da igreja de Jerusalém, membros do partido da circuncisão, arguiram Pedro acerca de sua entrada na casa de um gentio para cear com ele. Esses judeus não ficaram escandalizados com o fato de Pedro ter pregado o evangelho aos gentios nem mesmo de tê-los recebido à fé cristã, mas ficaram perplexos pelo fato de Pedro ter mantido comunhão com eles, a ponto de entrar e comer na casa deles. A barreira cultural erguia-se como uma muralha intransponível na mente desses judeus crentes.

Em terceiro lugar, *uma exposição detalhada* (11.4-17). Diante do interrogatório dos membros do partido da circuncisão, Pedro faz uma exposição detalhada de sua experiência. Warren Wiersbe diz que, ao se defender em Atos 11, Pedro apresentou três evidências: a visão de Deus (11.5-11), o testemunho do Espírito (11.12-15,17) e o testemunho da Palavra (11.16).[338]

Ressaltamos aqui as intervenções de Deus para vencer os escrúpulos cerimoniais de Pedro e quebrar a barreira cultural em seu coração. John Stott afirma que Pedro precisou de quatro bordoadas de revelação divina antes que seu preconceito racial e religioso fosse vencido: a visão divina, a ordem divina, a preparação divina e a ação divina.[339]

1. A visão divina (11.5-10). Deus já estava preparando Pedro para romper seus preconceitos e escrúpulos judaicos. Em Jope, hospedou-se na casa de Simão, o curtidor (9.43). Uma pessoa que trabalhava com couro e lidava com animais mortos era considerada impura e, a rigor, Pedro não poderia ficar em sua casa. Ainda mais, foi no alpendre dessa casa que Pedro teve a visão do lençol que desce do céu com animais imundos. A visão tinha como propósito desarmar Pedro de seus escrúpulos judaicos, ou seja, quebrar a barreira cultural. O evangelho rompe barreiras e preconceitos. Por meio da visão, Deus falou com Pedro três vezes e ordenou-lhe expressamente não considerar imundo o que Deus havia purificado. Pedro, então, entendeu que os animais puros e imundos (uma distinção abolida por Jesus) simbolizavam pessoas puras e impuras, circuncisas e incircuncisas. O lençol é a igreja, que conterá todas as raças e classes sem distinção alguma.[340]

2. A ordem divina (11.11,12). Deus mesmo, que trabalhou no coração de Cornélio em Cesareia, estava trabalhando no coração de Pedro em Jope. Quando Pedro acabou de ter a visão, os mensageiros de Cornélio já estavam à porta da casa onde ele estava hospedado. Nesse momento, o Espírito Santo ordenou que Pedro fosse com eles à casa de Cornélio sem hesitação ou distinção. Pedro não podia mais resistir. A pregação do evangelho aos gentios era uma ordenança divina. A ordem não devia ser questionada ou adiada, mas obedecida imediatamente. Pedro ainda toma o cuidado de levar seis judeus que estavam com ele em Jope para testemunhar os acontecimentos na casa de Cornélio. Isso é significativo, porque segundo o costume da época eram necessárias sete pessoas para provar completamente um fato, e na lei romana eram necessários sete selos para autenticar um documento realmente importante, como um testamento.[341]

3. A preparação divina (11.13,14). O Senhor ordenou a Cornélio em Cesareia que mandasse buscar Pedro em Jope; e ordenou a Pedro em Jope que se dirigisse à casa de Cornélio em Cesareia, sincronizando perfeitamente os dois acontecimentos.[342] Ao chegarem a Cesareia, Pedro e seus companheiros souberam como o anjo aparecera a Cornélio e lhe ordenara enviar emissários a Jope com o propósito de trazer Pedro para pregar-lhes palavras mediante as quais ele e sua família seriam salvos. Vale ressaltar que as virtudes de Cornélio, embora fossem vistas na terra e no céu, reconhecidas pelos homens e por Deus, não eram suficientes para sua salvação. Também é importante destacar que o anjo de Deus falou com Cornélio, mas não lhe pregou o evangelho. Essa sublime tarefa foi confiada à igreja, e não aos anjos. É da mais alta importância pontuar que a salvação vem por meio da pregação do evangelho. A mensagem que Pedro pregou na casa de Cornélio apontava para a morte, a ressurreição, a ascensão e o senhorio de Cristo. O evangelho da salvação é cristocêntrico.

4. A ação divina (11.15-17). Pedro ainda estava pregando na casa de Cornélio quando o Espírito Santo caiu sobre eles. A mesma experiência vivida no Pentecostes, em Jerusalém, agora se repetia em Cesareia na casa de Cornélio. John Stott diz que esse foi o Pentecostes gentio em Cesareia, que correspondia ao Pentecostes judaico em Jerusalém.³⁴³ O que acontecera aos judeus, agora, também acontecia aos gentios. O batismo do Espírito Santo aqui é simultâneo com a salvação de Cornélio e sua família, e não uma bênção posterior. A salvação dos gentios, evidenciada pelo derramamento do Espírito, era uma obra vinda do céu, e Pedro não podia mais resistir a Deus. Estava provado que Deus havia recebido gentios convertidos em sua família, em igualdade de condições com os convertidos judeus. John Stott corretamente afirma:

> O batismo na água não podia ser negado àqueles convertidos gentios, pois Deus não podia ser proibido de fazer o que fez, isto é, batizá-los no Espírito. O argumento era irrefutável. Pedro fora confrontado com um fato divino consumado. Certamente, conceder o batismo cristão a um gentio incircunciso era um passo ousado e inovador, mas recusá-lo seria obstruir o caminho de Deus.³⁴⁴

Howard Marshall, sobre o mesmo texto, comenta: Pedro ressalta que a experiência dos convertidos gentios fora a mesma que a daqueles que receberam originalmente o Espírito no princípio, isto é, no dia de Pentecostes. Nada há que possa sugerir uma posição de "cidadãos de segunda classe" para os gentios. Pedro toma por certo que o Espírito Santo é dado àqueles que creem no Senhor Jesus Cristo; o batismo com água é dado como resposta à confissão de fé.³⁴⁵

Em quarto lugar, *um resultado glorioso* (11.18). Não apenas Pedro, mas também a igreja de Jerusalém foi convencida pelas evidências irrefutáveis. Eles pararam de criticar e passaram a louvar.³⁴⁶ O relato de Pedro trouxe paz à igreja e glória ao nome do Senhor. Os crentes judeus reconheceram que aos gentios fora dado por Deus o arrependimento para vida. A salvação é endereçada a todos os povos, e o evangelho deve ser compartilhado com judeus e gentios.

John Stott, de forma lúcida e oportuna, salienta que esse incidente lança luz sobre algumas verdades axiais do cristianismo, como a igreja, o Espírito Santo, as religiões não cristãs e o evangelho. Vejamos esses pontos.

1. A unidade da igreja. A igreja de Deus é multirracial e multicultural. Não podemos fazer distinção entre raças e culturas se Deus acolhe em sua igreja pessoas de todas as origens. Esse problema, entretanto, não foi facilmente resolvido na igreja do primeiro século. O próprio Pedro, mais tarde, claudicou nessa questão em Antioquia e precisou ser corrigido pelo apóstolo Paulo (Gl 2.11-21). Foi preciso um concílio em Jerusalém para tratar dessa matéria, visto que os judaizantes estavam pervertendo o evangelho e perturbando a igreja, ao exigir dos crentes gentios a prática da circuncisão para serem salvos (15.1,5). Não podemos aceitar na igreja de Deus nenhum tipo de discriminação, pois Deus não faz acepção de pessoas.

2. A dádiva do Espírito Santo. O Espírito é concedido àqueles que se arrependem. Essa experiência foi denominada batismo com o Espírito Santo (11.16). Trata-se de um evento salvador. Pedro pregou o evangelho a Cornélio e ele se arrependeu (11.18) e creu (15.7,9). Cornélio recebeu o dom do Espírito Santo (10.45,47; 11.17), como aconteceu no Pentecostes (2.38).

3. *O status das religiões não-cristãs.* Cornélio era um homem religioso, piedoso e temente a Deus. Fazia orações de contínuo a Deus e dava muitas esmolas. Tinha bom testemunho em casa, no trabalho e em toda a nação. Mas isso não foi suficiente para sua salvação. Ele precisou ouvir o evangelho, arrepender-se (11.18) e crer em Jesus (15.7). Somente então Deus o salvou (11.14; 15.11) em sua graça (15.11), deu-lhe o perdão dos seus pecados (10.43), a dádiva do Espírito Santo (10.45; 15.8) e da vida (11.18), e purificou o seu coração pela fé (15.9). E mais: apenas então ele foi batizado e, assim, recebido de forma visível e pública na comunidade cristã.[347]

4. *O poder do evangelho.* Se compararmos a conversão de Saulo com a conversão de Cornélio, veremos que um era judeu e o outro gentio; quanto à cultura, Saulo era um erudito, e Cornélio, um soldado; quanto à religião, Saulo era um fariseu fanático, e Cornélio, um simpatizante. Mas ambos foram salvos pela graciosa iniciativa de Deus; ambos receberam o perdão de seus pecados e a dádiva do Espírito Santo; ambos foram batizados e recebidos na família cristã em igualdade de condições. Esse é um testemunho do poder e da imparcialidade do evangelho.[348]

O ministério dos evangelistas anônimos (11.19-21)

A perseguição que explodiu na cidade de Jerusalém em virtude da morte de Estêvão não fez a igreja retroceder. Ao contrário, como um vento impetuoso espalha as sementes, a perseguição espalhou os discípulos e, ao serem dispersos, eles não se acovardaram, mas saíram pregando a Palavra de Deus (8.4; 11.19). Esses evangelistas anônimos, em função da diáspora, avançaram até a Fenícia, Chipre e Antioquia.

A Fenícia (o moderno Líbano) era a área que se estendia ao longo do litoral, numa faixa estreita desde o monte Carmelo, por uma distância de aproximadamente 242 km. Suas cidades principais eram Ptolemaida, Tiro, Sarepta e Sidom.

Chipre era o domicílio de Barnabé (4.36), um lugar que possuía um elemento judaico na sua população pelo menos desde o século II a.C. Foi o primeiro lugar a ser evangelizado por Barnabé e Paulo.

Antioquia, a capital da província romana da Síria, foi fundada por Selêuco Nicátor, chamado de Selêuco I por volta do ano 300 a.C., e recebeu o nome de Antioquia em homenagem ao seu pai, Antíoco. Ali havia uma grande população judaica.[349]

Com cerca de meio milhão de habitantes, Antioquia era a terceira maior cidade do império romano, depois de Roma e Alexandria. Situada próximo da desembocadura do rio Orontes, a uns 24 km do mar Mediterrâneo, era uma cidade bela e cosmopolita, mas também sinônimo de imoralidade e luxúria, infestada de clubes noturnos. Era, outrossim, famosa pelo culto a Dafne, cujo templo estava a uns 8 km da cidade.[350] Suas construções grandiosas contribuíram para que fosse chamada de "Antioquia, a Cidade Dourada, Rainha do Oriente". Justo González diz que Antioquia era um centro para troca de ideias, culturas, costumes e religiões.[351] Sua rua principal tinha mais de 7 km de extensão; era calçada de mármore e ladeada de colunas desse mesmo material. Naquela época, era a única cidade do mundo antigo com iluminação noturna. Porto movimentado e centro de luxo e cultura, Antioquia oferecia à igreja oportunidades extraordinárias de evangelismo.[352]

Destacamos aqui três pontos importantes sobre a pregação dos missionários anônimos após a dispersão.

Em primeiro lugar, *a pregação aos judeus fora do território de Israel* (11.19). Os crentes judeus que foram dispersos saíram pregando o evangelho, mas não aos gentios, apenas aos judeus. Alargaram as fronteiras geográficas, mas não o campo étnico. Esses missionários anônimos pregaram na Fenícia, que corresponde ao Líbano de hoje. Também pregaram em Chipre, a terra natal de Barnabé, chegando até Antioquia, imponente cidade do império romano.

Em segundo lugar, *o começo da pregação aos gentios* (11.20). Judeus helenistas convertidos a Cristo, que residiam em Chipre e Cirene, indo até Antioquia, começaram a pregar o evangelho do Senhor Jesus também aos gregos, dando início, assim, ao trabalho de evangelização entre os gentios. John Stott realça que, culturalmente, a missão passou dos judeus para os gentios.[353] Antioquia era uma belíssima cidade, com edifícios refinados de mármore branco e um requintado *boulervard*. Tornou-se a capital da província da Síria e a terceira maior cidade do império romano, superada apenas por Roma e Alexandria. Foi aí que nasceu uma igreja multicultural e multirracial para liderar a obra missionária no mundo.

Em terceiro lugar, *o resultado promissor da evangelização aos gentios* (11.21). Rompida a barreira cultural e vencidos os escrúpulos dos judeus crentes em relação aos gentios, dois fatos maravilhosos se seguiram à pregação do evangelho aos gentios: primeiro, a aprovação de Deus, pois a mão do Senhor estava com eles; segundo, a conversão dos gentios, pois muitos, crendo, se converteram ao Senhor. A conversão foi o resultado da fé em Cristo, e não à parte de Cristo.

O ministério de Barnabé (11.22-26)

Mais uma vez as notícias alvissareiras da obra de Deus entre os gentios chegam a Jerusalém (11.1,22). A atitude da igreja não é interrogar esses agentes anônimos do reino, mas enviar a esse campo, que se abre para o evangelho, um obreiro experiente. É aqui que se inicia o decisivo ministério de Barnabé, a respeito do qual comentamos cinco pontos.

Em primeiro lugar, *uma decisão sábia* (11.22). A igreja de Jerusalém enviou a Antioquia não um apóstolo, mas Barnabé, o seu melhor pastor, um homem de alma generosa, um líder experiente, um judeu helenista com o melhor perfil e visão para alavancar a obra missionária entre os gentios.

Em segundo lugar, *uma atitude importante* (11.23). Barnabé não criou obstáculos para receber os gentios na comunhão da igreja nem ergueu muros de preconceito por causa de escrúpulos judaicos. Ao contrário, alegrou-se ao ver a graça de Deus prosperando e agindo na vida dos gentios e exortou todos a permanecerem firmes no Senhor. Barnabé era um líder entusiasmado com a obra de Deus.

Em terceiro lugar, *uma vida atraente* (11.24). A vida de Barnabé era a base de sustentação do seu ministério. Ele estava sempre investindo na vida das pessoas. Era um homem bom. Estava vazio de si mesmo e cheio do Espírito. Caminhava não segundo seu entendimento, mas pela fé. O resultado é que muita gente se uniu ao Senhor. O evangelho, quando adornado pelo exemplo, produz resultados excelentes. A ortodoxia precisa ser revestida de piedade. John Stott diz que o verbo grego *prostithemi*, traduzido por *se uniu* no versículo 24, tornou-se uma palavra quase técnica para Lucas descrever o crescimento da igreja (2.41; 2.47; 5.14; 11.24).[354]

Em quarto lugar, *um gesto humilde* (11.25). Barnabé não apenas construiu a ponte de contato entre a igreja gentílica e a igreja judaica, mas também buscou em Tarso o homem que se tornaria o maior bandeirante do cristianismo. Barnabé já havia investido em Paulo quando todos o desprezaram em Jerusalém. Sabia do seu chamado aos gentios. Abriu mão de sua primazia na obra missionária entre os gentios e buscou alguém mais capacitado do que ele para assumir essa liderança. Barnabé não hesitou em procurar Paulo e colocá-lo no centro do palco da obra missionária. Essa experiência nos remete ao que aconteceu com Guilherme Farel e João Calvino em Genebra. Farel convidou Calvino para permanecer em Genebra e ajudá-lo na obra de evangelização. Calvino recusou a princípio, mas depois aquiesceu, e ali ambos realizaram um grande trabalho, que se tornou modelo para o mundo inteiro. Farel abriu mão de sua primazia, e Calvino tornou-se o grande líder da reforma naqueles tempos.

Em quinto lugar, *um resultado extraordinário* (11.26). Barnabé encontrou Paulo, levou-o consigo para Antioquia e naquela igreja ensinaram uma multidão imensa durante todo um ano. Como resultado, os crentes gentios passaram a imitar de tal forma a Jesus que foram apelidados de *cristãos*, gente parecida com Cristo. Até agora, Lucas se referia a eles como *discípulos* (6.1), *santos* (9.13), *irmãos* (1.16; 9.30), *fiéis* (10.45), os que estavam *sendo salvos* (2.47) e os seguidores *do Caminho* (9.2). Agora, Lucas passa a chamá-los de *cristãos* (11.26).[355]

O ministério de Ágabo (11.27-30)

Na igreja primitiva havia profetas e mestres. Naqueles dias, alguns profetas desceram de Jerusalém a Antioquia e entregaram uma importante mensagem ao povo. Destacamos aqui três pontos dessa mensagem.

Em primeiro lugar, *uma profecia urgente* (11.27,28). Movido pelo Espírito Santo, Ágabo profetizou um período de grande fome por todo o mundo, a qual sobreveio nos dias do imperador Cláudio, que reinou de 41 a 54 d.C. Esse fato foi amplamente documentado pelos historiadores. Uma das regiões mais atingidas por essa fome foi a Judeia, especialmente porque, no tempo de Cláudio, todos os judeus foram expulsos de Roma (18.2) e retornaram à Judeia sem suas casas, suas terras e seus bens. Essa fome atingiu de cheio a igreja de Deus na região da Judeia. Conforme Warren Wiersbe, os escritores da Antiguidade citam pelo menos quatro grandes fomes: duas em Roma, uma na Grécia e outra na Judeia. A escassez de alimentos na Judeia foi especialmente grave e, de acordo com o historiador judeu Flávio Josefo, muitas pessoas morreram por falta de recursos para comprar a pouca comida que havia disponível.[356]

Em segundo lugar, *uma generosidade concreta* (11.29). Os crentes gentios nem mesmo esperaram o cumprimento da profecia e, conforme suas posses, levantaram uma oferta para socorrer os irmãos que moravam na Judeia. Eles ajudaram pessoas que não conheciam pessoalmente. A fé cristã não abre apenas nosso coração para crer, mas também nosso bolso para contribuir. Recebemos não apenas a graça da salvação, mas também a graça da contribuição. A generosidade não é causa da salvação, mas sua consequência. A igreja de Jerusalém enviara Barnabé a Antioquia; agora, a igreja de Antioquia envia Barnabé, com Paulo, de volta a Jerusalém. Paulo destacará a importância desse gesto ao escrever: *Isto lhes pareceu bem, e mesmo lhes são devedores;*

porque, se os gentios têm sido participantes dos valores espirituais dos judeus, devem também servi-los com bens materiais (Rm 15.27).

Em terceiro lugar, *uma atitude sensata* (11.30). Os crentes gentios enviaram socorro aos crentes judeus, mas esses recursos foram endereçados aos líderes da igreja de Jerusalém, os presbíteros, e levados pelos líderes que trabalhavam entre eles, Barnabé e Saulo. Em outras palavras, houve transparência no trato da matéria. Eles lidaram com a questão das ofertas com absoluta lisura e honestidade.

NOTAS DO CAPÍTULO 12

[337] BARCLAY, William. *Hechos de los Apóstoles*, p. 96.
[338] WIERSBE, Warren W. *Comentário bíblico expositivo*, p. 580.
[339] STOTT, John. *A mensagem de Atos* , p. 217,218.
[340] STOTT, John. *A mensagem de Atos* , p. 217.
[341] STOTT, John. *A mensagem de Atos* , p. 218.
[342] STOTT, John. *A mensagem de Atos* , p. 218.
[343] STOTT, John. *A mensagem de Atos* , p. 219.
[344] STOTT, John. *A mensagem de Atos* , p. 219.
[345] MARSHALL, I. Howard. *Atos: introdução e comentário*. 1982, p. 189,190.

346 STOTT, John. *A mensagem de Atos*, p. 219.
347 STOTT, John. *A mensagem de Atos*, p. 222.
348 STOTT, John. *A mensagem de Atos*, p. 223.
349 MARSHALL, I. Howard. *Atos: introdução e comentário*. 1982, p. 191.
350 BARCLAY, William. *Hechos de los Apóstoles*, p. 98,99.
351 GONZÁLEZ, Justo L. *Atos*, p. 169.
352 WIERSBE, Warren W. *Comentário bíblico expositivo*, p. 581.
353 STOTT, John. *A mensagem de Atos*, p. 226.
354 STOTT, John. *A mensagem de Atos*, p. 229.
355 STOTT, John. *A mensagem de Atos*, p. 230.
356 WIERSBE, Warren W. *Comentário bíblico expositivo*, p. 583.

Capítulo 13

Quando tudo parece perdido, Deus reverte a situação
(At 12.1-25)

O LIVRO DE ATOS é o relato das intervenções milagrosas de Deus na vida da igreja primitiva. O médico e historiador Lucas vem relatando uma conversão maravilhosa após a outra: os três mil no dia de Pentecostes, os samaritanos, o eunuco etíope, Saulo de Tarso, o centurião gentio Cornélio e a multidão heterogênea em Antioquia. A Palavra de Deus se espalhava em círculos concêntricos. Lucas está prestes a descrever aquele grande salto que chamamos de primeira viagem missionária. Antes disso, contudo, precisa relatar um sério revés, a morte de Tiago e a prisão de Pedro, ambos apóstolos e líderes da igreja em Jerusalém.

Os tempos de angústia haviam chegado. Uma grande fome assolaria o mundo inteiro nos dias do imperador Cláudio (11.28). Nesse tempo, os judeus foram expulsos de Roma (18.2). Em Jerusalém, desde o martírio de Estêvão, os cristãos estavam sob forte tensão. Na sua providência misteriosa, Deus permite que o poder do mal atinja seus filhos. Na sua bondade, Deus fortalece seus filhos no vale da dor. Por seu poder, Deus livra seus filhos nas horas de extrema urgência. Deus jamais perde o controle da situação, nem permite que seus filhos sejam provados sem tirar resultados desses fatos gloriosos. William Cowper disse que "por trás de toda providência carrancuda esconde-se uma face sorridente". Este é o terceiro ataque contra a novel igreja. O primeiro foi dos saduceus; o segundo, dos fariseus. Este terceiro vem dos romanos.

De acordo com Warren Wiersbe, este texto pode ser sintetizado em três pontos essenciais: a) Deus vê nossas provações (12.1-4); b) Deus ouve nossas orações (12.5-17); e c) Deus lida com os nossos inimigos (12.18-25).[357]

Agora, a perseguição mostrava toda a sua crueldade. Essa perseguição tinha duas frentes.

Em primeiro lugar, *a perseguição religiosa* (12.3). Os judeus foram os principais inimigos no início do cristianismo. Perseguiram Cristo e o levaram a cruz. Doravante, queriam matar os seus seguidores. Já haviam apedrejado Estêvão e encerrado os apóstolos em prisão duas vezes. E agora, rendidos à bajulação, incentivavam Herodes a agir com mão de ferro para matar os líderes da igreja. Werner de Boor comenta essa situação nos seguintes termos:

> A situação da igreja sofreu uma séria mudança. No ano 41 d.C., o imperador Cláudio declarou Herodes Agripa rei de Jerusalém em gratidão por méritos políticos – ele fora mediador entre o Senado

e o novo imperador proclamado pelas tropas. Consequentemente, Agripa dominava todo o reino de seu avô, Herodes, o Grande. Por isso a primeira igreja não vivia mais sob um governador romano, do qual sempre se podia esperar uma certa proteção legal, mas sob um déspota oriental, a cuja arbitrariedade estava exposta. Ao mesmo tempo, porém, mudou também a atitude dos judeus frente à igreja. No início Lucas afirmava: *Contava com a simpatia de todo o povo* (2.47). Mesmo na época subsequente, o Sinédrio tinha de levar o ânimo do povo, que era favorável aos apóstolos, em conta (4.21; 5.26). Contudo, isso mudou após o tumulto do episódio de Estêvão. Agora, o rei encontra até entre os judeus uma viva simpatia quando toma medidas contra os apóstolos.[358]

Em segundo lugar, *a perseguição política* (12.1-3). Herodes Agripa I já havia prendido alguns cristãos para maltratá-los, já havia passado ao fio da espada Tiago, irmão de João, e, agora, encerrara Pedro na prisão até o fim da Festa da Páscoa para, então, sentenciá-lo à morte.

Este Herodes era neto de Herodes, o Grande, o perverso rei que mandou matar as crianças de Belém, e sobrinho de Herodes Antipas, aquele que matou João Batista e zombou de Jesus. Herodes Agripa I fora criado em Roma, na sociedade imperial. Ajudou Calígula (37-41 d.C.) a tornar-se imperador, dada a morte de Tibério; e Calígula o recompensara com o título de rei e a tetrarquia de Filipe, acrescentando-lhe logo depois a Galileia e a Pereia. Quando assassinaram Calígula, Herodes Agripa I ajudou Cláudio (41-54) a ganhar a aprovação do senado romano; e o novo imperador adicionou a Judeia e a Samaria ao seu reinado.

Nessa mesma linha de pensamento, Simon Kistemaker descreve com dados ainda mais claros traços da vida de Herodes Agripa I:

Herodes Agripa I, nascido em 10 a.C., era neto de Herodes, o Grande, e de Mariane, uma judia. Ele era filho de Aristóbulo, que morreu em 7 a.C. Sua mãe o mandou para Roma, onde Herodes Agripa foi educado e fez amizade com Gaio (Calígula), que se tornou imperador em 37 d.C. Este imperador proclamou Herodes Agripa rei sobre a Itureia, Traconites e Abilene (Lc 3.1), tetrarquias do leste da Galileia. Em 39 d.C., Herodes Antipas, tio de Herodes Agripa, pediu ao imperador, assim como fizera seu sobrinho, que lhe concedesse um título real. Antipas havia governado a tetrarquia de Galileia e Pereia desde a morte de seu pai em 4 a.C. Entretanto, em lugar de receber o cobiçado título, Antipas foi deposto e exilado, e Herodes Agripa, que obviamente havia influenciado o imperador, obteve a tetrarquia de Antipas. Depois da morte de Calígula em 41 d.C., Herodes Agripa apelou ao imperador Cláudio e recebeu dele a Judeia e Samaria. Assim, naquele tempo, o rei Herodes Agripa governava sobre territórios que se igualavam aos de seu avô Herodes, o Grande.[359]

Desde a morte de Herodes, o Grande, até o momento, Israel nunca fora governado por um único rei. Durante um período de 35 anos, a Judeia fora governada por sete diferentes procuradores (governadores romanos), dos quais o mais conhecido foi Pôncio Pilatos (26-36 d.C.). Finalmente, por apenas três anos (41-44 d.C.), toda a Palestina foi governada por Herodes Agripa I; o país estava unido pela primeira vez desde a morte de Herodes, o Grande, em 4 a.C.

Por intermédio de sua avó Mariane, Herodes Agripa I poderia alegar ascendência judaica. Ele observava escrupulosamente a lei e a tradição judaicas. Oferecia diariamente sacrifícios no templo. Durante a Festa dos Tabernáculos, as autoridades judaicas lhe concediam a honra de ler, em público, uma passagem da lei. Em suma, os judeus aceitavam o rei como um dos seus.[360] Herodes Agripa I estava decidido a permanecer nas boas graças dos súditos judeus – fato que o levou a perseguir os cristãos. Justo González destaca que, enquanto Herodes, o Grande, viva constantemente em conflito com os judeus, Herodes Agripa I sabia como obter o favor dos líderes e dos principais sacerdotes e, por essa razão, contava com a colaboração deles.[361]

A dramática prisão de Pedro (12.1-5)

Tiago, irmão de João, e Pedro faziam parte do núcleo mais íntimo dos discípulos de Jesus. Eram líderes influentes na igreja. Herodes mata um e prende outro. Não temos explicação sobre por que Deus permitiu que Tiago morresse, enquanto enviou seu anjo para libertar Pedro. Afinal, ambos eram homens dedicados a Deus e necessários à igreja. A única resposta é a soberana vontade de Deus (4.24-30).

Certamente precisamos dizer como Paulo: *Por que, se vivemos, para o Senhor vivemos, se morremos, para o Senhor morremos. Quer, pois, vivamos ou morramos, somos do Senhor (Rm 14.8)*. A uns, Deus livra *da* morte; a outros, Deus livra *na* morte. Na galeria da fé, em Hebreus 11, uns foram libertos do fogo e da boca de leões pela fé; outros, pela fé, foram mortos e serrados ao meio. Uns são libertos pela fé; outros morrem pela fé. Uns seguem lutando na terra, outros permanecem celebrando no céu.

Deus é Deus quando nos livra da morte e quando nos leva para sua presença. Ele é Deus quando atende a nossa oração curando e libertando e quando chama os seus filhos para voltarem para casa e tomarem posse do reino. O mesmo salmista que glorifica a Deus pelo livramento da morte diz que: *Preciosa é aos olhos do Senhor a morte dos seus santos:* (Sl 116.15). Justo González com razão diz que essa ideia – de que, se Deus não nos dá o que pedimos, é porque nos falta fé – pode provocar consequências desastrosas. Imagine, por exemplo, uma menina paralítica de 7 anos de idade, a quem é dito que, se ela tiver fé, andará. As pessoas ao redor oram e até clamam em voz alta, mas ela não é curada. No fim do culto, a menina que entrou com uma séria deficiência física sai agora também ferida espiritual e mentalmente, pois, depois desse culto, acredita que não pode andar por sua própria culpa, pois lhe falta fé. Assim, a garota deve carregar o fardo não só de um corpo que não obedece a seus comandos, mas também o de uma alma que aparentemente também não lhe obedece, pois ela realmente quer ter fé. Talvez as palavras de Jesus se apliquem aos que pregam esse tipo de *evangelho*: *Melhor fora que se lhe pendurasse ao pescoço uma pedra de moinho, e fosse atirado no mar, do que fazer tropeçar a um destes pequeninos* (Lc 17.2).[362]

Vejamos alguns aspectos da prisão de Pedro, dos quais destacamos três pontos.

Em primeiro lugar, *a intenção de prender Pedro era obter dividendos políticos* (12.3). Herodes prendeu Pedro com o propósito de matá-lo após os sete dias da Festa da Páscoa, com o único propósito de agradar os judeus. A intenção desse julgamento era buscar popularidade e não justiça.[363] Durante os sete dias da Festa dos Pães Asmos não se podia julgar nem executar ninguém, e essa foi a razão pela qual Herodes resolveu postergar a execução de Pedro. O principal vetor dessa perseguição era a ambição política de Herodes em obter o favor dos judeus ortodoxos. Esses judeus desprezavam Herodes tanto por sua educação romana quanto por seus ancestrais edomitas. Herodes não via Pedro como um ser humano, mas apenas como um objeto descartável que poderia ser usado para seus interesses nefastos.

Em segundo lugar, *a intenção de matar Pedro após a Páscoa era evitar tumultos* (12.4). Herodes sabia que Pedro era o grande líder da igreja cristã naquele momento. Foi Pedro quem liderou a igreja na escolha de Matias. Foi Pedro quem pregou no Pentecostes levando a igreja saltar de 120 para três mil pessoas. Foi Pedro quem curou o paralítico na porta do templo. Foi Pedro quem fez o segundo sermão, levando a igreja a saltar de três mil para cinco mil pessoas. Foi Pedro quem desmascarou Ananias e Safira. Foi Pedro quem ressuscitou Dorcas e abriu a porta do evangelho para os gentios, pregando a Cornélio. Nos capítulos 1—12 de Atos, Pedro é a figura principal, da mesma forma que nos capítulos 13—28 Paulo é a figura central.

Herodes Agripa I queria dar um golpe mortal na igreja matando seus principais líderes. Pensou que poderia desarticular a religião do Caminho e matar, no nascedouro, a igreja cristã. Embora Herodes não respeitasse a lei judaica, sabia que pelas leis judaicas nenhum prisioneiro podia ser julgado ou condenado durante os dias da Festa da Páscoa.

Em terceiro lugar, *a intenção de colocar Pedro na prisão de segurança máxima era evitar sua fuga* (12.4). Todas as precauções foram tomadas para que Pedro não escapasse da prisão. Por isso, ele foi lançado no cárcere, algemado a dois soldados, um de cada lado, e guardado por quatro escoltas, de quatro soldados cada uma. Havia dezesseis soldados tomando conta de Pedro dia e noite. Na mente de Herodes era impossível Pedro fugir daquela prisão. Herodes sabia que Pedro já havia escapado duas vezes da prisão do Sinédrio (4.3; 5.18). E sabia o que Pedro e João disseram acerca dele depois de terem saído da segunda prisão (4.23-28). Sabia ainda que Pedro fora libertado da segunda prisão por um anjo de Deus (5.19). Agora, queria certificar-se de que isso não iria repetir-se.

A oração da igreja em favor de Pedro (12.5)

A situação mostrava-se desoladora, sem esperança. Parecia que Pedro não tinha como escapar. O que a pequena e pouca influente comunidade de Jesus poderia fazer contra o poder armado de Roma?

Os crentes não foram para as ruas organizar uma revolta popular. Não fizeram um abaixo-assinado reivindicando seus direitos, nem apelaram para as autoridades para pedir a soltura de Pedro. Os crentes se reuniram para orar em favor de Pedro. Buscaram o soberano Senhor do universo, pois acreditavam no poder da oração. Warren Wiersbe diz corretamente que não devemos jamais subestimar o poder de uma igreja que ora.[364] É conhecida a palavra de Thomas Watson, ilustre puritano: "O anjo chamou Pedro na prisão, mas foi a oração que foi buscar o anjo". Matthew Henry afirma que orações e lágrimas são os braços da igreja. É com isso que ela luta contra os inimigos e a favor dos amigos.[365]

Quatro coisas nos chamam a atenção em relação a essa reunião de oração.

Em primeiro lugar, *a quem dirigiram a oração* (12.5). Os crentes dirigiram seu clamor a Deus, o soberano Senhor. Orar é falar com aquele que está no trono, que tem poder, autoridade e controle sobre todas as coisas. Orar é associar-se ao mais forte. É conectar o altar ao trono. É conspirar contra os poderes das trevas, posicionar-se acima dos poderes terrenos e buscar socorro naquele que tem seu trono nos céus.

Em segundo lugar, *quem são aqueles que oram* (12.5). A igreja estava reunida para orar. Havia um grupo de irmãos na casa da mãe de João Marcos clamando a Deus em favor de Pedro. As circunstâncias eram humanamente irreversíveis, mas eles oraram. O problema era insolúvel para os homens, mas eles oraram. Eles não podiam fazer nada na terra, mas buscaram o auxílio do céu. Uma igreja unida em oração pode mover os céus, abalar o inferno e provocar grandes mudanças na terra. Uma vez que nada é impossível para Deus, nada é impossível para a igreja quando ela se reúne para orar. Não há na terra nenhum poder mais revolucionário do que o poder da oração. Orar é unir-se ao onipotente!

Em terceiro lugar, *por quem eles oram* (12.5). Os crentes oram por Pedro, seu líder. Oram quando ele já está sentenciado à morte. Oram quando os recursos da terra já se acabaram. Oram quando todos se desesperam. Oram quando, do ponto de vista humano, só um milagre pode livrar o apóstolo da morte. Devemos orar pelas causas perdidas. Devemos orar pelas causas insolúveis. Devemos orar pelas intervenções milagrosas. Não há causa perdida quando colocada diante de Deus em oração. Deus pode tudo quando ele quer. Para ele, não há impossíveis. Ele é o Deus que fez, faz e fará maravilhas, quando quiser, onde quiser, com quem quiser, para o louvor de sua glória.

Em quarto lugar, *como eles oram* (12.5). Os crentes oram de forma incessante. Eles não desistem, não duvidam, não se cansam, nem se fatigam. Permanecem bombardeando os céus, agarrados a Deus como Jacó. É com esse senso de urgência e perseverança que devemos orar. Pedro estava preso, mas a igreja orava por ele incessantemente! Tanto a prisão de Pedro quanto as orações da igreja duraram vários dias. A palavra usada em Atos 12.5 é *ektenos*, que significa "incessante, com fervor". É a mesma palavra usada para descrever a agonia de Jesus no Getsêmani (Lc 22.44).

Havia naquele momento duas comunidades, o mundo e a igreja, postas uma contra a outra, cada uma fazendo uso de suas armas. De um lado estava a autoridade de Herodes, o poder da espada e da prisão. Do outro, a igreja em oração. A oração é a única arma dos que não têm poder na terra, mas são filhos e filhas daquele que tem todo poder e autoridade no céu e na terra.

O livramento milagroso de Pedro (12.6-17)

Pedro já estava na prisão havia sete dias. Eram os dias da Festa da Páscoa. Durante todo esse tempo a igreja permaneceu em oração, e Pedro permaneceu sereno, exatamente naquela que seria a última noite da sua vida. Ele sabia que seria sentenciado à morte no dia seguinte. Mas Pedro não se desesperou. Não tentou subornar os guardas. Apenas dormiu. Descansou na soberana providência de Deus. Isso levou Crisóstomo, ilustre Pai da Igreja, a comentar: "É lindo o fato de Paulo cantar hinos, enquanto Pedro, aqui, dorme". Pedro e Paulo revelaram-se corajosos diante da morte.

O livramento de Pedro enseja-nos algumas lições.

Em primeiro lugar, *seu livramento foi na última hora* (12.6). Deus poderia ter evitado que Pedro fosse preso. Deus poderia ter fulminado Herodes no primeiro dia em que Pedro foi para a cadeia, libertando seu servo das grades. Deus poderia ter arrancado Pedro da prisão no começo da festa. Mas aprouve a Deus livrá-lo na última hora. Aprouve a Deus enviar o seu anjo na última vigília da noite. Pedro estava preparado para morrer, mas Deus, na última hora, estende seu braço forte, envia seu anjo e tira Pedro do cárcere. Às vezes, o livramento de Deus só vem na última hora, na quarta vigília da noite, quando as circunstâncias parecem irremediáveis!

Em segundo lugar, *seu livramento foi resultado da interação da providência natural e sobrenatural de Deus*. A igreja ora e o anjo age. As ações da terra movem as intervenções do céu. Há uma conexão entre o mundo material e o mundo espiritual. Há uma ligação entre os joelhos dobrados e o braço de Deus estendido. A igreja nunca é tão influente na terra como quando ela está de joelhos diante de Deus. Pedro foi libertado pelo anjo de Deus, mas em resposta às orações da igreja.

Em terceiro lugar, *seu livramento foi um milagre extraordinário de Deus* (12.7-11). Deus enviou um anjo à prisão de Pedro. Mais uma vez encontramos em Atos o ministério dos anjos (5.19; 8.26; 10.3,7). O mesmo anjo que despertou Pedro anestesiou os guardas. O que Pedro podia fazer, o anjo não fez por ele. Pedro devia levantar-se, apressar-se, colocar suas sandálias, sua túnica e sair. Assim que Pedro estava livre, o anjo o deixou. Agora, Pedro poderia tomar suas próprias decisões! O que Pedro não podia fazer, o anjo fez por ele. Somente Deus pode fazer o extraordinário, mas seu povo deve fazer o ordinário. O anjo abriu suas algemas, tapou os olhos dos guardas, guiou-o por entre as quatro escoltas sem ser visto e abriu automaticamente o portão de ferro que dava para a rua. Deus liberta os encarcerados. Deus faz o impossível. Quebra as cadeias e despedaça o jugo. Confunde o inimigo e liberta seus filhos das tramas do mal. A Festa da Páscoa marcou o livramento do povo do cativeiro do Egito (7.34). A palavra usada por Pedro em Atos 12.11 é a mesma usada para descrever o Êxodo. Pedro experimentou um novo êxodo em sua vida em resposta às orações do povo de Deus.

John Stott argumenta que talvez a afirmação mais importante de toda a narrativa da libertação de Pedro esteja no versículo 17: *O Senhor o tirara da prisão*. Todos os detalhes dramáticos incluídos por Lucas parecem enfatizar a intervenção de Deus e a passividade de Pedro. Ele estava dormindo, e o anjo teve de acordá-lo. As cadeias caíram das suas mãos. A ordem para se vestir foi como que em etapas: Levanta-te; cinge-te e calça as tuas sandálias; põe a tua roupa, e segue-me. Eles passaram pelos guardas no corredor, e o portão externo da prisão abriu-se automaticamente. O próprio Pedro não sabia se aquilo tudo era fato ou imaginação, realidade ou sonho.

Em quarto lugar, *seu livramento foi uma surpresa para a igreja* (12.12-17). Pedro sabia que a igreja estava orando em seu favor e foi para lá imediatamente. Foi para encorajá-los. Foi para mostrar-lhes como Deus ouve o clamor do seu povo. A resposta às orações, porém, foi tão rápida e tão eficaz, que a igreja quase não acreditou no milagre operado por Deus. Enquanto esperavam que a batida na porta fosse da polícia de Herodes, Deus os surpreendeu com a presença de Pedro. Deus sempre nos surpreende. Ele faz mais do que pedimos. Ele é *poderoso para fazer infinitamente mais do que tudo quanto pedimos ou pensamos, conforme o seu poder que opera em nós* (Ef 3.21). É irônico que o povo que estava orando com fervor e persistência pela libertação de Pedro pudesse considerar louca a pessoa que lhes informava que suas orações haviam sido respondidas. A alegria simples de Rode, entretanto, brilha fortemente contra a escura incredulidade da igreja.

Em quinto lugar, *seu livramento ampliou os horizontes do ministério* (12.17). Depois desse livramento, Pedro retirou-se para outro lugar. Não sabemos para onde ele foi. Mas temos informações de que Pedro evangelizou em vários pontos fora da Palestina. Com exceção de uma breve aparição no Concílio de Jerusalém (At 15), Pedro fica completamente ausente do relato do livro de Atos daqui para frente. Mais tarde, ele se encontra em Antioquia (Gl 2.11-14). Paulo indica que Pedro passou algum tempo em Corinto (1Co 1.12; 3.22). Em 1Coríntios 9.5 o apóstolo Paulo diz que Pedro viajou pregando a palavra com sua esposa. O sofrimento, longe de confiná-lo, abriu-lhe novas portas. Longe de fazê-lo recuar, ampliou seus horizontes. A perseguição em vez de destruir a igreja, promove-a e pavimenta seu caminho para novos campos de evangelização. A perseguição foi o principal fator de expansão da igreja primitiva. Com o martírio de Estêvão, todos os crentes, exceto os apóstolos, foram dispersos e por onde iam, seguiam pregando a Palavra de Deus (8.1-4).

A derrota fragorosa dos inimigos de Deus (12.18-23)

O apóstolo Pedro, anos mais tarde, escreveu sua primeira carta e, possivelmente, relembrando essa experiência vivida na prisão, registrou: *Porque os olhos do Senhor repousam sobre os justos, e os seus ouvidos estão abertos às suas súplicas, mas o rosto do Senhor está contra aqueles que praticam males* (1Pe 3.12).

Lutar contra Deus e contra sua igreja é a mais consumada loucura. Ninguém jamais lutou contra o Altíssimo e prevaleceu. Ninguém jamais perseguiu a igreja de Deus e logrou êxito duradouro. Os inimigos de Deus podem parecer fortes, insolentes e vitoriosos, mas eles cairão. Tornar-se-ão pó e serão reduzidos a nada.

Três verdades devem ser aqui destacadas.

Em primeiro lugar, *Deus deixa o inimigo confuso e envergonhado* (12.18,19). Como responsáveis pela segurança de

Pedro, os soldados ficaram alvoroçados. A lei romana era clara: o soldado que deixasse um prisioneiro escapar em seu turno de trabalho deveria sofrer a pena no lugar do prisioneiro. Por isso, os soldados que tomavam conta de Pedro foram justiçados, ou seja, foram mortos. Por isso, o carcereiro de Filipos puxou a espada para suicidar-se naquele terremoto que abriu as portas da prisão (16.27). A Bíblia diz: *O justo é libertado da angústia, e o perverso a recebe em seu lugar* (Pv 11.8). Herodes, envergonhado da situação, deixa Jerusalém e vai para o seu quartel-general, na cidade de Cesareia.

Em segundo lugar, *a soberba é a porta de entrada para a ruína* (12.20-22). Herodes cultivava raiva do povo de Tiro e Sidom havia algum tempo. Os habitantes dessas duas cidades portuárias da Fenícia eram rivais da Cesareia no comércio, mas dependiam das colheitas de grãos de Israel para se alimentarem. Pressupomos que Herodes negou aos fenícios o acesso aos mercados de grãos de Israel, tornando assim a vida deles bastante difícil. Em suma, Herodes mantinha uma guerra econômica com os fenícios, que, durante séculos, haviam sido parceiros comerciais de Israel. Para alcançar a paz com o rei Herodes, os cidadãos de Tiro e Sidom, por meio de uma delegação, persuadem Blasto, que era o principal oficial de Herodes, a pedir-lhe para suspender o embargo de grãos e estabelecer relações normais entre Israel e Fenícia.[366]

Com a paz restabelecida, Herodes subiu ao trono com seus trajes belíssimos e resplandecentes. Josefo diz que as vestes de Herodes eram feitas de fios de prata e resplandeciam como o sol. A cena ocorreu durante uma festa em homenagem ao imperador Cláudio.[367] A festa consistia em jogos que ocorriam a cada cinco anos, presumivelmente marcados para o início de agosto, a fim de coincidir com o aniversário do imperador. Essa festa acontecia também logo depois do término da colheita de grãos e, dessa forma, os mercadores aproveitaram o momento para fazer suas compras de trigo.

Foi no segundo dia desses jogos que Herodes entrou na arena ao romper do dia. Quando os primeiros raios de sol tocaram seu manto, ele foi iluminado pelo reflexo da luz solar.[368] Assentado em seu trono, Herodes começou a fazer um discurso público. Seus bajuladores o exaltaram, afirmando que ele era mais do que um homem; era a própria divindade. A medida da iniquidade de Herodes se encheu pelo orgulho quando, ao mesmo tempo que recebia os aplausos do povo, adorava sua própria sombra. Matthew Henry diz que os tolos avaliam os homens por sua aparência exterior. E não são melhores os que se avaliam pela estima dos tais, que a cortejam e a ela se recomendam.[369]

Howard Marshall, citando Josefo, diz que foram essas as palavras do povo: "Que sejas propício conosco, e se até agora te tememos como homem, doravante concordamos que és mais do que mortal na tua existência".[370] Herodes não os repreendeu nem rejeitou esta bajulação herética, antes, a acolheu, exaltando-se a si mesmo, deixando de dar a devida glória a Deus. No mesmo instante da sua maior exaltação, Deus o derrubou do trono. Nesse momento que os bajuladores afirmavam que ele era imortal, Deus cortou o seu fôlego de vida. No mesmo instante que os homens o exaltavam, os vermes o devoraram. O fim de Herodes foi extremamente doloroso e totalmente desprezível. Calvino diz que seu corpo passou a cheirar mal por causa da podridão, de modo que ele era nada além de uma carcaça viva.[371] Matthew Henry afirma que aquele homem, que já era podre moralmente, torna-se podre fisicamente, tal qual uma madeira podre. O corpo na sepultura é comido por vermes, mas o corpo de Herodes se tornou podre enquanto ele ainda estava vivo, criando vermes que imediatamente passaram a se alimentar dele.[372]

Herodes assassinara Tiago e tentara matar Pedro. A retribuição divina para isso e a aceitação da adoração blasfema decretaram sua morte. Em vez de Pedro ser morto por Herodes, Herodes é que foi morto pelo Deus de Pedro!

Em terceiro lugar, *o anjo de Deus enviado para libertar Pedro é enviado para matar Herodes* (12.7,23). Deus envia um anjo para livrar Pedro da morte e outro anjo para precipitar Herodes na morte. O orgulho de Herodes terminou com a ira de Deus. O Senhor envia um anjo na prisão para quebrar as cadeias de Pedro e envia um anjo para aprisionar Herodes em cadeias de morte. Deus manda um anjo para dar vida a Pedro e outro anjo para aplicar a morte em Herodes. Os anjos de Deus são agentes tanto da bondade como do juízo de Deus. Herodes expirou devorado por vermes, e Pedro continuou seu ministério glorioso. O forte tornou-se fraco, e o fraco tornou-se forte. O que estava sentenciado à morte viveu, e morreu o que o sentenciou à morte. Os destinos da vida não estão nas mãos dos homens, mas nas mãos de Deus!

O crescimento e a multiplicação da Palavra de Deus (12.24,25)

No início de Atos 12, Herodes parecia estar no controle, enquanto a igreja parecia estar perdendo a batalha. Mas, ao final do capítulo, Herodes está morto, e a igreja segue muito viva e crescendo rapidamente![373]

Sempre que o mundo tenta destruir a igreja, Deus a promove. Quando anda na presença de Deus, a igreja é indestrutível. As prisões não a abalaram. As arenas com leões esfaimados não a destruíram. As fogueiras não acabaram com ela. Os massacres em massa não a dizimaram. O sangue dos mártires é a sementeira do evangelho. Herodes morreu, os judeus foram envergonhados, mas a Palavra de Deus cresceu e se multiplicou em Jerusalém! Apesar de todos os esforços de Satanás para impedir o trabalho da igreja, a Palavra de Deus crescia e se multiplicava (12.24). Este é o terceiro progresso desse tipo registrado no livro de Atos (6.7; 9.31; 12.24). Apesar da oposição, a obra avançava!

Dois pontos nos chamam a atenção aqui.

Em primeiro lugar, *após a provação, a igreja torna-se mais ousada na pregação da Palavra* (12.24). A morte de Tiago e a prisão de Pedro, em vez de intimidar a igreja e calar sua voz, tornou-a ainda mais ousada na pregação. O sofrimento não destrói a igreja. A perseguição não fecha as portas da igreja. Antes, uma igreja provada é uma igreja ousada, forte, e poderosa no testemunho. Depois dessas dolorosas experiências, não foram os inimigos que se multiplicaram e cresceram, mas a Palavra de Deus (12.24). A obra de Deus prosseguia a despeito da morte de Tiago e da ausência de Pedro.

Em segundo lugar, *após a provação, a igreja amplia a sua visão missionária* (12.25). Foi depois do livramento de Pedro que Paulo e Barnabé retornaram a Antioquia e dali foram chamados por Deus para as missões mundiais. A partir de então, um movimento missionário foi levantado e o mundo inteiro foi alcançado pelo evangelho nas três viagens missionárias de Paulo.

Na Inglaterra, com a perseguição de Maria Tudor, aconteceu o mesmo. Em 1553 essa ímpia mulher assumiu o trono da Inglaterra, após a morte precoce de Eduardo VI.

Perseguiu com fúria assassina os servos de Deus. Queimou em praça pública os principais líderes da igreja, como Latimer, Ridley e Cramner. Patrocinou um verdadeiro banho de sangue. Milhares de crentes foram mortos e outros precisaram fugir para o continente. Aqueles que fugiram, entretanto, tiveram contato com as doutrinas da Reforma em Genebra, na Alemanha e na Holanda. Mais tarde, com a morte de Maria Tudor, sua irmã Elisabete assume o governo em 1558 e reina até 1603, e determina a volta dos crentes foragidos. Quando retornam à Inglaterra, exigem uma igreja pura na doutrina, na liturgia, no sistema de governo e na vida. Por essa razão, desencadeou-se naquele país um dos mais importantes movimentos de reforma e reavivamento da história, conhecido como puritanismo. Maria Tudor pensava que estava destruindo a igreja na Inglaterra, mas estava apenas promovendo-a.

Foi assim também na China com Mao Tse Tung. Esse truculento ditador foi responsável pela morte de sessenta milhões de pessoas na China. Perseguiu de forma impiedosa e implacável os cristãos. Mas, em vez de devastar e destruir a igreja, apenas acelerou seu crescimento. Ninguém pode deter os passos da igreja de Deus. Ela é invencível!

O capítulo 12 de Atos começa com a morte de Tiago, a prisão de Pedro e Herodes triunfante, mas encerra com a morte de Herodes, a libertação de Pedro e a Palavra de Deus triunfante. Este é o poder de Deus para acabar com planos humanos hostis e estabelecer os seus próprios planos no lugar. Deus pode permitir que os tiranos se orgulhem e se enfureçam por um tempo, oprimindo a igreja e impedindo a expansão do evangelho, mas eles não vencem. No final, terão o império derrotado e o orgulho quebrado, enquanto a igreja, sobranceira, segue a sua marcha triunfal!

Notas do capítulo 13

[357] WIERSBE, Warren W. *Comentário bíblico expositivo*, p. 586-590.
[358] DE BOOR, Werner. *Atos dos Apóstolos*, p. 178.
[359] KISTEMAKER, Simon. *Atos.* Vol. 1, p. 567.
[360] KISTEMAKER, Simon. *Atos.* Vol. 1, p. 567.
[361] GONZÁLEZ, Justo L. *Atos*, p. 177.
[362] GONZÁLEZ, Justo L. *Atos*, p. 182,183.
[363] GONZÁLEZ, Justo L. *Atos*, p. 178.
[364] WIERSBE, Warren W. *Comentário bíblico expositivo*, p. 587.
[365] HENRY, Matthew. *Comentário bíblico Atos-Apocalipse*, p. 125.
[366] KISTEMAKER, Simon. *Atos.* Vol. 1, p. 584,585.
[367] WIERSBE, Warren W. *Comentário bíblico expositivo*, p. 589.
[368] KISTEMAKER, Simon. *Atos.* Vol. 1, p. 585.
[369] HENRY, Matthew. *Comentário bíblico Atos-Apocalipse*, p. 131.
[370] MARSHALL, I. Howard. *Atos: introdução e comentário.* 1982, p. 202.
[371] CALVIN, John. "Commentary upon the Acts of the Apostles", p. 493.
[372] HENRY, Matthew. *Comentário bíblico Atos-Apocalipse*, p. 132.
[373] WIERSBE, Warren W. *Comentário bíblico expositivo*, p. 590.

Capítulo 14

Semeando com lágrimas, colhendo com júbilo
(At 13—14)

A PRIMEIRA VIAGEM MISSIONÁRIA de Paulo foi marcada por muitos incidentes e acidentes. Enfrentou oposição, perseguição e até apedrejamento.

Essa viagem missionária contém o relato do primeiro período de atividade missionária de Paulo e Barnabé. É a que mais tem direito de ser chamada de "viagem missionária", pois nas outras duas seguintes Paulo se deteve por longo tempo em cidades estratégicas como Corinto e Éfeso. Howard Marshall afirma que era costume de Paulo permanecer numa só localidade até estabelecer os alicerces firmes de uma comunidade cristã, ou até ser forçado a ir embora por circunstâncias fora do seu controle (13.50; 14.3-7,20).[374]

A primeira viagem missionária descreve o primeiro ato planejado de "missão estrangeira" por representantes de uma igreja específica, e não por indivíduos isolados. E se iniciou por uma decisão deliberada da igreja, inspirada pelo Espírito Santo, e não tanto por causa da perseguição aos cristãos.[375]

A direção do Espírito na obra missionária (13.1-4)

A igreja de Antioquia era *aberta às pessoas*. Os cinco líderes mencionados (Barnabé, Simeão por sobrenome Níger, Lúcio de Cirene, Manaém e Saulo) simbolizam a diversidade étnica e cultural de Antioquia.[376] Barnabé era um judeu natural da ilha de Chipre. Simeão era africano, uma vez que a palavra *Níger* significa "de compleição escura".[377] Alguns sugerem que esse Simeão é o mesmo homem de Cirene que levou a cruz de Cristo (Lc 23.26). William Barclay observa que seria um fato maravilhoso que o homem cujo primeiro contato com Jesus foi levar-lhe a cruz – uma tarefa que lhe deve ter molestado amargamente – agora seja um dos principais responsáveis por levar diretamente a história da cruz a todo o mundo.[378] Lúcio era de Cirene, ou seja, do norte da África. Manaém tinha conexões com a aristocracia e a corte[379], pois era irmão de leite de Herodes Antipas, o rei que mandou matar João Batista e escarneceu de Jesus em seu julgamento. Saulo era judeu, nascido em Tarso da Cilícia, e também cidadão romano. Vale destacar que entre os cinco veteranos em Antioquia, com admirável modéstia, Saulo estava contente com a posição mais inferior.[380]

A igreja de Antioquia era também *aberta a Deus*. A igreja estuda a Palavra de Deus (13.1), busca a face de Deus em oração (13.3) e obedece a Deus (13.3); tem profetas e mestres, ou seja, prega e ensina a Palavra (At 13.1), mas quem a dirige na obra missionária é o Espírito Santo (At 13.2). O Espírito Santo é livre e soberano na condução dos destinos da igreja. A orientação do Espírito é segundo a Palavra, e não à parte dela. O Espírito se manifesta a uma igreja centralizada na Palavra e a uma igreja que ora e jejua (At 13.2,3). Concordo com Howard Marshall quando ele diz que o Espírito fala por intermédio de homens (4.25), e deve-se supor que um dos profetas da igreja de Antioquia recebeu a mensagem que os conclamou a separar dois dos seus líderes para a tarefa por Deus conferida.[381]

O Espírito Santo não age à parte da igreja, mas em sintonia com ela. É a igreja que jejua e ora. É a igreja que impõe as mãos e despede, mas é o Espírito quem envia os missionários. Assim, os missionários exercem seu ministério pelo Espírito Santo. Foi o próprio Espírito que enviou os missionários para o campo de trabalho (At 13.3,4). Simon Kistemaker tem razão, porém, em apontar que o culto de ordenação mostra claramente que os missionários e a igreja estão unidos na obra de missões.[382] John Stott reforça essa verdade nos seguintes termos:

> Não seria certo dizer que o Espírito enviou, instruindo a igreja a fazê-lo, e que a igreja os enviou, por ter recebido instruções do Espírito? Esse equilíbrio é sadio e evita ambos os extremos. O primeiro é a tendência para o individualismo, pelo qual uma pessoa alega direção pessoal e direta do Espírito, sem nenhuma referência à igreja. O segundo é a tendência para o institucionalismo, pelo qual todas as decisões são tomadas pela igreja sem nenhuma referência ao Espírito. Apesar de não podermos negar a validade da escolha pessoal, ela só é sadia e segura quando vinculada ao Espírito e à igreja.[383]

Não podemos fazer a obra de Deus sem a direção do Espírito Santo. Ele nos foi enviado para estar para sempre conosco. Ele nos guia a toda a verdade. Precisamos do Espírito Santo. Dependemos do Espírito Santo. A igreja não pode conseguir uma única conversão sem a obra do Espírito Santo. Os pregadores não terão virtude e poder para pregar sem a ação do Espírito Santo. Howard Marshall nos lembra acertadamente que a principal lição de Lucas é que a missão é inaugurada pelo próprio Deus.[384]

Lucas relata que *eles desceram para Selêucia* (13.4). Essa cidade estava localizada às margens do rio Orontes e próxima à costa do Mediterrâneo. Selêucia servia como porto marítimo para a cidade de Antioquia.

O historiador continua, registrando que *dali navegaram para Chipre* (13.4). Kistemaker diz que, em dia limpo de nuvens em Selêucia, os apóstolos podiam enxergar a linha costeira e o complexo montanhoso de Chipre. A viagem de travessia das águas levava menos de um dia. Chipre era a terra natal de Barnabé (4.36), que portanto conhecia intimamente os habitantes, as sinagogas judaicas e a cultura.[385] Chipre era uma grande ilha, de 223 km de comprimento e 96 km de largura. Sua importância econômica se devia às minas de cobre, e agora, ao fato de ser uma província senatorial.[386]

Lucas assinala também que, *quando chegaram em Salamina, eles começaram a proclamar a palavra de Deus nas sinagogas dos judeus* (13.5). Salamina era uma cidade portuária da costa leste de Chipre, situada próxima ao norte da moderna cidade de Famagusta. Era um centro comercial onde mercadores da Cilícia, Síria, Fenícia e do Egito negociavam azeite de oliva, vinho e grãos.[387]

Usando pontes de contato (13.5)

Paulo anunciava a Palavra de Deus (13.4,5) empregando os meios mais adequados (13.5). Não ousava mudar a mensagem, mas era sempre audacioso ao escolher os melhores métodos. Em Salamina, os líderes anunciam a Palavra de Deus nas sinagogas judaicas (13.5), onde judeus e gentios prosélitos se reuniam para estudar a lei. Ali havia pessoas tementes a Deus e piedosas. Elas já estavam preparadas para receber a revelação de Deus por meio do evangelho. Barnabé e Paulo foram consistentes com esse método de pregar nas sinagogas; este padrão seria seguido frequentemente (13.14,43; 14.1; 16.13; 17.1,10; 18.4,19; 19.8; 28.17). Paulo não somente seguia o princípio de *primeiro ao judeu*, mas também dava sentido prático ao estabelecer um ponto de contato para o evangelho.[388]

Precisamos de pontos de contato para atingir com eficácia as pessoas. Precisamos compreender a Bíblia e o povo. Precisamos conhecer o texto e o contexto. Precisamos ler as Escrituras e também a cultura. Aproveitar as portas abertas da cultura religiosa para anunciar o evangelho é gesto de sabedoria.

Onde alguém se abre para o evangelho, o diabo cria resistência (13.6-12)

A ilha de Chipre havia sido conquistada pelos romanos e elevada a província imperial, estando agora sob a jurisdição do senado romano. Para evitar as áreas montanhosas do interior da ilha, os missionários viajaram 160 km, da costa leste até a costa oeste, em direção a Pafos. Essa cidade era famosa por suas lindas edificações e um templo dedicado à deusa Afrodite. A cidade era o centro administrativo e religioso da ilha, bem como a residência do procônsul romano. Esse tinha autoridade militar e judicial absoluta (18.12; 19.38).[389] William Barclay lembra que Pafos era uma cidade infame em virtude do culto à Afrodite (Vênus), a deusa do amor. Também era sinônimo de imoralidade e luxúria.[390]

Aquela época era marcada por grande superstição. A superstição sempre foi um sinal da decadência de uma cultura. A maioria dos grandes homens tinha magos próprios, que dominavam os encantamentos e magias. Barjesus ou Elimas era o mágico particular do procônsul Sérgio Paulo.[391]

Quando os missionários Barnabé e Paulo chegaram a Pafos, o procônsul Sérgio Paulo, homem inteligente, demonstrou interesse em ouvir a Palavra de Deus. Mas, imediatamente, certo judeu, mágico, falso profeta, de nome Barjesus, opôs-se a eles. Esse mensageiro do diabo envidou todos os esforços para afastar da fé o procônsul. É nesse momento que Paulo assume o comando da obra missionária e repreende com autoridade o instrumento do engano com as seguintes palavras:

> *Ó filho do diabo, cheio de todo o engano e de toda a malícia, inimigo de toda a justiça, não cessarás de perverter os retos caminhos do Senhor? Pois, agora, eis aí está sobre ti a mão do Senhor, e ficarás cego, não vendo o sol por algum tempo. No mesmo instante, caiu sobre ele névoa e escuridade, e, andando à roda, procurava quem o guiasse pela mão (13.10,11).*

John Stott diz que Deus aplicou ao mágico um castigo sob medida. Isso porque aqueles que apresentam a escuridão como luz e luz como escuridão não têm direito à luz que originalmente receberam.[392] O resultado foi que, ao ver o ocorrido, o procônsul creu, maravilhado com a doutrina do Senhor (13.12). O que deixou o procônsul atônito foi a combinação entre a palavra e o sinal, o ensino do apóstolo e a derrota do feiticeiro.[393]

A pregação do evangelho produziu resultados opostos em Pafos. Enquanto o procônsul Sérgio Paulo demonstrava interesse em ouvir a Palavra, o mágico Elimas oferecia resistência aos missionários. Elimas se dá conta de que, se o procônsul se convertesse ao cristianismo, seus serviços não seriam mais necessários e ele perderia a sua fonte de renda. Ao mágico Elimas, cujo nome judaico *Barjesus* significava "filho de Jesus", Paulo chama de *filho do diabo*. Paulo estava cheio do Espírito Santo, mas Elimas estava cheio de engano e malícia. Paulo representava Jesus Cristo, e Elimas representava o diabo.[394]

Esse episódio marca a mudança do nome judaico *Saulo* para o nome grego *Paulo* e o início da liderança de Paulo na obra missionária da igreja. A partir desse momento, Paulo não é mais a pessoa que acompanha a Barnabé, mas desponta como o maior líder do cristianismo.

Desistência no meio do caminho (13.13)

Ao saírem de Pafos para Perge da Panfília, o jovem João Marcos desiste da viagem missionária e retorna a sua casa em Jerusalém (13.13). Longe de representar esse fato um desestímulo aos dois veteranos da caravana, Paulo e Barnabé prosseguiram rumo a Antioquia da Pisídia, onde encontraram uma larga porta aberta para o evangelho.

Por que João Marcos desistiu dessa primeira viagem missionária? O texto não nos responde. Temos, porém, pelo menos três sugestões.

A primeira razão é que João Marcos era primo de Barnabé e, quando eles saíram de Antioquia da Síria, Barnabé era o líder da caravana, porém a partir de Pafos Paulo assumiu o comando. Possivelmente, isso trouxe constrangimento e até insegurança ao jovem.

A segunda razão é que a viagem missionária tomou um rumo inesperado ao dirigir-se às regiões continentais, pelas montanhas da Panfília e Pisídia, em vez de ficar apenas nas cidades costeiras. Isso implicava maiores riscos e dificuldades no caso de uma retirada. O jovem João Marcos possivelmente julgou um preço alto demais a pagar e, inexplicavelmente, desistiu da viagem.

A terceira razão é que João Marcos, sendo judeu, ficou constrangido com o fato do trabalho missionário ter-se inclinado para os gentios e, devido a seus escrúpulos religiosos, opôs-se à missão. Simon Kistemaker é de opinião que o rompimento das relações entre Paulo e Barnabé (15.37-39) pode ser mais bem explicado se a desistência de Marcos tiver sido causada pela oposição a que se pregasse aos gentios.[395] Mais tarde, João Marcos se recuperou e voltou a ser útil para o ministério de Paulo (2Tm 4.11).

Uma porta aberta para o testemunho (13.14-41)

Os missionários continuaram sua jornada de Perge até Antioquia da Pisídia. Tiveram de viajar por muitos dias, seguindo o rio Cestro, e subir a uma altitude de 1.100 metros. Além disso, a rota era perigosa porque bandidos locais atacavam os viajantes nas passagens estreitas das montanhas (2Co 11.26). Os missionários entraram num território que os romanos chamavam de Província da Galácia. Ali ficava a cidade de Antioquia da Pisídia. Localizada à margem direita do rio Antios, ocupava a parte centro-noroeste da Ásia Menor (hoje Turquia). A cidade era lar para numerosos gregos, frígios, romanos e judeus. A população judaica tinha construído uma sinagoga e familiarizado os gregos com os ensinamentos do Antigo Testamento.[396]

A pergunta que muitos fazem é: Por que eles deixaram a região costeira sem ter proclamado a palavra e partiram por um caminho tão difícil e perigoso? Não muito tempo depois, Paulo escreveu aos crentes de Antioquia da Pisídia, Icônio, Listra e Derbe a epístola aos Gálatas, posto que todas estas cidades pertenciam à província romana da Galácia. Nessa carta Paulo conta que foi por causa de uma enfermidade que ele lhes pregou o evangelho pela primeira vez: *E vós sabeis que vos preguei o evangelho a primeira vez por causa de uma enfermidade física* (Gl 4.13). Que enfermidade era essa, que mais tarde foi chamada pelo próprio Paulo de um espinho em sua carne? (2Co 12.7,8).

A tradição mais antiga ensina que Paulo sofria de terríveis enxaquecas, resultado de uma febre malária virulenta que contraíra na região pantanosa da Ásia Menor. Então, foi um homem enfermo que enfrentou a viagem pelas montanhas. Ainda quando seu corpo estava dolorido, não deixou de seguir adiante nessas heroicas aventuras por Cristo.[397] Essa espécie de malária provocava "paroxismos muito doloridos e extenuantes, juntamente com dores de cabeça lancinantes como ferro em brasa varando a cabeça".[398]

Em Antioquia da Pisídia os missionários foram convidados a dar uma palavra de exortação ao povo reunido na sinagoga (13.15). Havia fome de Deus naquela cidade. Paulo e Barnabé aproveitaram a oportunidade. John Stott diz que nesta breve recapitulação da história de Israel, dos patriarcas à monarquia, Paulo enfatiza a iniciativa da graça de Deus, pois ele é o sujeito de quase todos os verbos.[399]

O sermão de Paulo na sinagoga de Antioquia da Pisídia é uma extraordinária síntese da história de Israel (13.16-41). Paulo se dirige aos israelitas e aos prosélitos tementes a Deus (13.16), começando sua narrativa com a chamada dos patriarcas, o cativeiro no Egito e a peregrinação pelo deserto. Nesse tempo, Deus suportou os maus costumes do povo israelita durante quarenta anos no deserto. De forma miraculosa, Deus destruiu sete nações poderosas que ali habitavam e deu essa terra a Israel por herança. Depois de ali instalá-los, deu-lhes juízes para liderá-los, mas o povo, desejando imitar as nações pagãs ao redor, queria um rei. Então, Saul lhes foi dado. Como Saul não era reto diante de Deus, o Senhor levantou Davi, homem segundo o seu coração (13.22). Da descendência de Davi, Deus trouxe a Israel o Salvador do mundo, que é Jesus de Nazaré (13.23-26).

Paulo se dirige aos judeus e prosélitos da sinagoga, fazendo uma poderosa aplicação da sua mensagem ao mostrar que o povo de Jerusalém e as autoridades judaicas não reconheceram Jesus nem entenderam a mensagem dos profetas, que era lida todos os sábados em suas sinagogas, pois condenaram o Messias que lhes fora prometido. Entretanto, ao fazer isso, cumpriram tudo aquilo que estava escrito acerca de Jesus. Paulo foca sua mensagem na morte (13.27-29) e ressurreição de Cristo (13.30-37), ressaltando que esse era o núcleo do evangelho que ele lhes anunciava. Paulo ainda afirma que é por meio de Jesus, e não mediante a lei de Moisés, que eles teriam a remissão de pecados e a justificação (13.38-41). O apóstolo termina sua exposição alertando para o perigo de desprezar essa mensagem salvadora (13.42,43).

John Stott chama a atenção para o fato de que Paulo está dirigindo-se aos gálatas. Apenas alguns meses depois ele escreverá sua carta aos Gálatas. É surpreendente, portanto, que ele junte aqui, na conclusão de seu sermão, as cinco grandes palavras que serão as pedras fundamentais do evangelho exposto em sua carta. Referindo-se à morte de

Jesus no madeiro (13.29), ele fala sobre o pecado (13.38), a fé, a justificação, a lei (13.39) e a graça (13.43).[400]

Simon Kistemaker tem razão ao dizer que, em muitos aspectos, o sermão de Paulo em Antioquia da Pisídia se parece com o que Pedro pregou no Pentecostes (2.14-36) e no Pórtico de Salomão (3.12-26) e com o que Estêvão pregou perante o Sinédrio (7.2-53). O sermão de Paulo em Antioquia da Pisídia consiste em três partes: a) um apanhado da história de Israel; b) a vida, a morte e a ressurreição de Jesus; e c) a aplicação da mensagem do evangelho.[401]

De igual forma, John Stott observa que a estrutura do sermão de Paulo foi muito semelhante também ao sermão de Pedro no Pentecostes: os acontecimentos do evangelho (a cruz e a ressurreição), as testemunhas do evangelho (os profetas do Antigo Testamento e os apóstolos do Novo Testamento), as promessas do evangelho (a nova vida em Cristo por meio do Espírito) e as condições do evangelho (arrependimento e fé).[402]

Um poderoso despertamento e uma cruel perseguição (13.42-52)

A mensagem de Paulo na sinagoga de Antioquia da Pisídia foi tão impactante que surtiu imediatamente dois efeitos. O primeiro é que os líderes da sinagoga pediram uma repetição da mesma mensagem no sábado seguinte (13.42). O segundo é que muitos dos judeus e prosélitos piedosos seguiram Paulo e Barnabé, e foram persuadidos a perseverar na graça de Deus (13.43).

Durante aquela semana, algo extraordinário aconteceu na cidade. O evangelho produziu tal impacto nas pessoas que elas mal podiam esperar o sábado seguinte para encontrarem os homens de Deus na sinagoga. As consequências da pregação de Paulo foram esmagadoras. O historiador Lucas relata que, *no sábado seguinte, afluiu quase toda a cidade para ouvir a Palavra de Deus* (13.44). Chamamos isso de avivamento! Nenhum milagre é relatado na cidade, mas a Palavra de Deus foi pregada com fidelidade e poder, e uma cidade inteira foi despertada a ouvir a mensagem do evangelho.

O evangelho tem sempre duplo efeito sobre o povo que o ouve (2Co 2.14-16). Em alguns gera quebrantamento; em outros, endurecimento. O despertamento espiritual foi imediatamente seguido de implacável e cruel perseguição. Tomados de inveja, os judeus com blasfêmia contradiziam o que Paulo falava. Nesse momento, Paulo e Barnabé, com toda ousadia, ao verem os judeus rejeitando a vida eterna, se voltam para os gentios (13.46,47). Os gentios muito se alegram e glorificam a Palavra do Senhor. E Lucas relata: *... e creram todos os que haviam sido destinados para a vida eterna* (13.48). Mesmo onde se manifestou rejeição, os eleitos creram e foram salvos. Enquanto os ramos naturais da oliveira foram quebrados, os ramos da oliveira brava foram enxertados na oliveira cultivada (Rm 11.17-21).

Sem dar o braço a torcer, os judeus manipularam as mulheres piedosas da alta sociedade e as autoridades locais e, perseguindo a Paulo e Barnabé, os expulsaram do seu território. Os missionários sacudiram o pó de seus pés e foram adiante rumo a Icônio, mas os discípulos de Cristo que permaneceram na cidade transbordavam de alegria e do Espírito Santo (13.50-52). Kistemaker oportunamente observa que poderíamos esperar que esses crentes novatos ficassem desalentados com a partida de Paulo e Barnabé. Em vez disso, eles se encheram de alegria e do Espírito Santo. Deus preenche o vácuo criado pela súbita saída dos mestres, dando aos discípulos o dom da alegria, que é um fruto do Espírito Santo. A presença do Espírito no coração dos crentes constitui, em si, uma alegria indescritível.[403]

Pregando aos ouvidos e aos olhos (14.1-3)

Os missionários deixaram Antioquia e rumaram para Icônio. Essa cidade ficava na estrada romana cerca de 145 km ao leste de Antioquia, na mesma área da província da Galácia. Situada num planalto, Icônio era cercada por campos férteis que recebiam água de fontes que fluíam das montanhas próximas. Era um centro comercial que servia às comunidades agrícolas da área. Tornou-se uma importante cidade às margens de uma rodovia principal e, desse centro, saíam pelo menos cinco estradas que rumavam para o interior nos territórios vizinhos.[404]

Paulo e Barnabé chegam a Icônio e ali demoram muito tempo, mesmo debaixo de tensão e perseguição. Na sinagoga de Icônio, Paulo e Barnabé falam com tal poder que grande multidão, composta por judeus e gregos, crê no Senhor (14.1).

Os missionários não pregaram apenas aos ouvidos, mas também aos olhos. Não apenas falaram, mas também demonstraram. Somos informados de que eles falavam com ousadia no Senhor, *o qual confirmava a palavra da sua graça, concedendo que, por mãos deles, se fizessem sinais e prodígios (14.3)*.

Os milagres não são o evangelho, mas abrem portas para ele. Os milagres não são realizados pelos missionários, mas por Deus por intermédio dos missionários. A pregação do evangelho precisa ser em demonstração do Espírito e de poder. Precisamos pregar não apenas aos ouvidos, mas também aos olhos.

Uma orquestração contra os obreiros de Deus (14.4-20)

Se em Antioquia da Pisídia os judeus lideraram a perseguição contra Paulo (13.50), em Icônio os judeus incrédulos incitaram e irritaram os ânimos dos gentios contra Paulo e Barnabé, bem como contra os novos convertidos (14.2). A sanha dos adversários foi tão virulenta que o povo da cidade se dividiu, uns se posicionando a favor dos judeus e outros se colocando ao lado dos apóstolos (14.4). Vendo que a cidade estava dividida, os adversários usaram a arma do tumulto, e, assim, judeus e gentios, associando-se às autoridades, planejaram ultrajar e apedrejar Paulo e Barnabé (14.5,6). Destacamos aqui algumas lições.

Em primeiro lugar, *a confiança em Deus não dispensa a prudência* (14.6,7). Ao saber da trama armada contra eles, Paulo e Barnabé fogem para Listra e Derbe, onde anunciam o evangelho (14.6,7). Eles não ignoraram os perigos. Não desafiaram a fúria e a astúcia dos adversários. Não nutriram uma confiança irresponsável, ignorando os perigos. Não enfrentaram de peito aberto as ameaças. Antes, fugiram para outras cidades. Prosseguiram fiéis ao mesmo ideal e labutaram na mesma obra. Continuaram pregando o evangelho, mas mudaram de rota. Isso é prudência!

A confiança em Deus não dispensa a prudência e o cuidado. Deus age por meio do bom senso. Agir de modo contrário seria tentar a Deus. O Senhor nos deu entendimento e sabedoria para serem usados. Esses recursos são dádivas de Deus e devem ser usados em favor da obra, e não contra ela. Se Paulo e Silas tivessem teimado em permanecer naquela região, poderiam ter sido silenciados precocemente, com severas consequências para a obra de Deus.

Em segundo lugar, *quando o céu se manifesta, o inferno se enfurece* (14.8-18). Um milagre logo aconteceu quando

Paulo e Barnabé chegaram a Listra. Um homem aleijado, paralítico desde o nascimento ao ouvir a mensagem de Paulo, tendo fé, foi imediatamente curado. O homem, cujos ossos e músculos deviam estar atrofiados, começa a saltar e andar (14.8-10). A falta de discernimento espiritual dos licaônios os levou a pensar que Paulo e Silas eram deuses; e, imediatamente, começaram a gritar e sacrificar animais a eles como se fossem divindades (14.11-13).

Uma lenda sobre Júpiter e Mercúrio terem visitado esta região está preservada num poema em latim escrito por Ovídio: um casal de velhos, Filemom e Bauquis, deu hospitalidade às duas divindades, sem ter consciência da identidade dos hóspedes.[405] Conta a lenda que os deuses destruíram toda a população, exceto o casal hospedeiro, constituindo-o como guardião de um templo esplêndido. Ao morrer, marido e mulher se converteram em duas grandes árvores.[406] Talvez essa lenda tenha inspirado o populacho a sacrificar a esses dois missionários, pensando serem eles deuses vindos à terra.

Os embaixadores de Deus, então, rasgaram as roupas e saltaram no meio da multidão idólatra, fazendo-os cessar tais sacrifícios e asseverando que eram homens semelhantes a eles. Em vez de aceitarem a exaltação pagã, Paulo e Barnabé aproveitam o ensejo para lhes anunciar o evangelho, exortando-os a abandonarem suas crenças vãs para colocarem sua confiança no Deus Criador do céu, da terra e do mar, o Deus da providência (14.14-18).

É assaz oportuno destacar que o mesmo evangelho pregado aos judeus em Antioquia da Pisídia é pregado aos pagãos gentios em Listra, mas com outro enfoque. Paulo não muda a mensagem, mas muda a abordagem. O contexto em que ele pregou aos judeus em Antioquia foi o Antigo

Testamento, sua história, suas profecias e sua lei. Mas, com os pagãos de Listra, Paulo não se concentrou em Escrituras que eles não conheciam, mas no mundo natural ao redor, que eles conheciam e podiam ver. Paulo implorou que eles se voltassem do culto idólatra e vazio, para o Deus vivo e verdadeiro. Ele falou sobre o Deus vivo como o Criador do céu, da terra e do mar, e de tudo o que há neles (14.15). Precisamos aprender com a flexibilidade de Paulo. Precisamos começar onde o povo está para encontrarmos um ponto de contato e assim anunciarmos Jesus Cristo, o único que pode satisfazer todas as aspirações humanas.[407]

Se o milagre do paralítico foi obra do céu, o alvoroço idólatra foi ação do inferno. Onde Deus realiza um prodígio, o diabo causa um tumulto. Onde o poder de Deus se manifesta, a fúria do inferno se faz sentir. Aquela bajulação pagã era uma tentativa de desviar o foco da multidão de Listra: da mensagem do evangelho para os obreiros do evangelho. Sempre que o vaso chama mais atenção do que o tesouro que nele está, algo está errado. Os obreiros que gostam da bajulação da multidão roubam a glória que só pertence a Deus.

Em terceiro lugar, *os milagres abrem portas para o evangelho e também atraem perseguição* (14.19,20). A cura do paralítico em Listra abriu portas para o testemunho do evangelho naquela cidade pagã, mas também despertou ferrenha oposição dos judeus de Antioquia e Icônio. Não se contentando apenas em expulsar Paulo e Barnabé de suas cidades, eles os perseguiram até Listra. Tomados de inveja e zelo sem entendimento, instigaram a multidão e arremeteram contra Paulo para apedrejá-lo. O mesmo milagre que abriu portas ao testemunho do evangelho trouxe ao apóstolo o duro golpe do apedrejamento. Os sofrimentos de ordem emocional agora se transformaram em agonias físicas. O apedrejamento de Paulo não foi uma execução judicial, mas um linchamento. Talvez Paulo sentisse no corpo o que infligiu a Estêvão, o protomártir do cristianismo. Talvez começasse a sentir na pele o que Deus havia dito em Damasco há mais de dez anos: *Pois eu lhe mostrarei o quanto lhe importa sofrer pelo meu nome* (9.16). Por providência divina, Paulo se recuperou das feridas e, longe de reclamar ou queixar-se contra Deus, partiu com Barnabé para Derbe, onde anunciou o evangelho e fez muitos discípulos (14.19-21).

Coragem e zelo pela igreja (14.21-23)

Depois de anunciarem o evangelho em Derbe, Paulo e Barnabé tomam a decisão de voltar para o seu quartel-general em Antioquia da Síria. Nessa volta eles não se afastam dos redutos de tensão. Ao contrário, passam pelas mesmas cidades onde foram perseguidos – Listra, Icônio e Antioquia da Pisídia – e fazem isso por quatro razões.

Em primeiro lugar, *para fortalecer a alma dos discípulos* (14.22). Paulo e Barnabé não eram apenas missionários itinerantes, mas também pastores do rebanho. Não apenas geravam filhos espirituais, mas também cuidavam desses neófitos. Sabiam que aqueles novos convertidos precisavam de encorajamento para viver a vida cristã numa sociedade pagã e hostil.

Em segundo lugar, *para exortar os discípulos a permanecerem firmes na fé* (14.22). Se os novos convertidos não forem ensinados e exortados, podem ser facilmente enganados pelos falsos mestres ou desanimar diante das provações. Paulo tinha plena consciência da imperiosa necessidade do discipulado. Diante das lutas, perseguições e ataques do adversário, precisamos ser exortados a permanecermos firmes na fé. Muitos se enfraquecem ao lidar com a fúria ou a sedução do mundo.

Em terceiro lugar, *para mostrar que a vida cristã não é uma colônia de férias* (14.22). A vida cristã não é ausência de luta. Somos salvos não *da* tribulação, mas *na* tribulação. Importa-nos entrar no reino de Deus por meio de muitas tribulações. Não há amenidades no cristianismo. A vida cristã não é uma redoma de vidro. Estamos expostos à fraqueza da nossa natureza caída, a este mundo tenebroso e à fúria de Satanás. As tribulações, porém, não nos podem destruir nem nos afastar do amor de Deus. Não são castigo de Deus, mas instrumentos para o nosso aperfeiçoamento.

Em quarto lugar, *para fazer a eleição de presbíteros nas igrejas* (14.23). Paulo entendia que a igreja é um organismo e também uma organização. Toda comunidade precisa de uma liderança. Essa liderança é coletiva. Paulo promovia a eleição de presbíteros em cada igreja, e não a nomeação de um chefe. Os presbíteros deveriam pastorear o rebanho de Deus. Eram pastores que deviam ensinar a verdade e proteger o rebanho dos lobos vorazes. A eleição não deveria ser feita sem oração e jejum. Os líderes da igreja devem ser escolhidos na total dependência de Deus. É Deus quem dá pastores à igreja. É o Espírito quem constitui bispos para apascentar a igreja de Deus, que ele comprou com o seu próprio sangue.

Conta as muitas bênçãos, dize quantas são! (14.24-28)

É hora de voltar para casa. É hora de recarregar as baterias. É hora de testemunhar os grandes feitos de Deus na obra missionária. Paulo e Barnabé voltam para Antioquia da Síria, a igreja que os tinha enviado e recomendado à obra missionária (14.24-26). Esses bravos missionários fizeram três coisas importantes ao retornarem à igreja que os encaminhara à obra missionária.

Em primeiro lugar, *eles relataram as intervenções extraordinárias de Deus na vida deles* (14.27). Paulo e Barnabé deixaram igrejas organizadas atrás de si. Em pouco mais de dez anos, Paulo estabeleceu igrejas em quatro províncias do Império: Galácia, Macedônia, Acaia e Ásia Menor. Antes de 47 d.C. não havia igrejas nessas províncias; em 57 d.C., Paulo podia dizer que sua obra estava completa naquele lugar.[408]

O testemunho é algo legítimo e necessário para encorajar a igreja. A igreja estava reunida para ouvir as notícias desse primeiro avanço missionário. Paulo e Barnabé relatam cuidadosamente não o que fizeram por Deus, mas o que Deus fez com eles e por eles. Não testemunharam para exaltarem a si mesmos. Não testemunharam para se colocarem debaixo dos holofotes nem buscaram glórias para si mesmos. A ênfase deles estava nos feitos de Deus, e não nas suas realizações.

Em segundo lugar, *eles relataram como Deus abriu aos gentios a porta da fé* (14.27). O sucesso da obra missionária não foi devido ao poder inerente dos missionários nem a seus métodos. Foi Deus quem abriu aos gentios a porta do evangelho. Foi Deus quem abriu o coração dos pagãos para a verdade. Foi Deus quem invadiu as trevas do paganismo com a luz da verdade. A obra de Deus é feita por Deus por intermédio de instrumentos humanos. É Deus quem opera nos evangelistas e também naqueles que recebem o evangelho.

Em terceiro lugar, *eles permaneceram muito tempo com os discípulos* (14.28). Não há trabalho missionário desconectado da igreja local. Não há ministério itinerante sem a ligação com a igreja. Paulo e Barnabé precisam da igreja, e a igreja precisa dos missionários. Eles se abastecem na comunhão da igreja e também encorajam a igreja a estar ainda mais comprometida com a obra missionária.

Notas do capítulo 14

[374] MARSHALL, I. Howard. *Atos: introdução e comentário*. 1982, p. 204.
[375] MARSHALL, I. Howard. *Atos: introdução e comentário*. 1982, p. 204.
[376] STOTT, John. *A mensagem de Atos* , p. 242.
[377] MARSHALL, I. Howard. *Atos: introdução e comentário*. 1982, p. 205.
[378] BARCLAY, William. *Hechos de los Apóstoles*, p. 108.
[379] BARCLAY, William. *Hechos de los Apóstoles*, p. 108.
[380] KISTEMAKER, Simon. *Atos* Vol. 1, p. 595.
[381] MARSHALL, I. Howard. *Atos: introdução e comentário*. 1982, p. 206.
[382] KISTEMAKER, Simon. *Atos* Vol. 1, p. 597.
[383] STOTT, John. *A mensagem de Atos* , p. 244.
[384] MARSHALL, I. Howard. *Atos: introdução e comentário*. 1982, p. 206.
[385] KISTEMAKER, Simon. *Atos* Vol. 1, p. 601,602.
[386] MARSHALL, I. Howard. *Atos: introdução e comentário*. 1982, p. 207.

[387] KISTEMAKER, Simon. *Atos* Vol. 1, p. 602.
[388] MARSHALL, I. Howard. *Atos: introdução e comentário.* 1982, p. 207.
[389] KISTEMAKER, Simon. *Atos* Vol. 1, p. 603.
[390] BARCLAY, William. *Hechos de los Apóstoles*, p. 109.
[391] BARCLAY, William. *Hechos de los Apóstoles*, p. 109.
[392] STOTT, John. *A mensagem de Atos* , p. 246.
[393] STOTT, John. *A mensagem de Atos* , p. 246.
[394] KISTEMAKER, Simon. *Atos* Vol. 1, p. 606.
[395] KISTEMAKER, Simon. *Atos* Vol. 1, p. 611.
[396] KISTEMAKER, Simon. *Atos* Vol. 1, p. 611.
[397] BARCLAY, William. *Hechos de los Apóstoles*, p. 112.
[398] STOTT, John. *A mensagem de Atos* , p. 248.
[399] STOTT, John. *A mensagem de Atos* , p. 249.
[400] STOTT, John. *A mensagem de Atos* , p. 252.
[401] KISTEMAKER, Simon. *Atos* Vol. 1, p. 614.
[402] STOTT, John. *A mensagem de Atos* , p. 253.
[403] KISTEMAKER, Simon. *Atos* Vol. 1, p. 653.
[404] KISTEMAKER, Simon. *Atos* Vol. 1, p. 653.
[405] MARSHALL, I. Howard. *Atos: introdução e comentário.* 1982, p. 224.
[406] BARCLAY, William. *Hechos de los Apóstoles*, p. 119.
[407] STOTT, John. *A mensagem de Atos* , p. 259,260.
[408] STOTT, John. *A mensagem de Atos* , p. 263.

Capítulo 15

O Concílio de Jerusalém, um divisor de águas na história da igreja
(At 15.1-35)

PASSOS RESOLUTOS FORAM DADOS pela igreja no sentido de alcançar os gentios para Cristo por intermédio da pregação do evangelho. O primeiro passo na direção dos gentios começou em Cesareia, com a conversão do prosélito Cornélio e sua casa. Quando a igreja de Jerusalém ouviu o relato de Pedro acerca dessa conversão, trocaram a murmuração pela adoração (11.18). O segundo passo na direção dos gentios aconteceu quando crentes anônimos evangelizaram os gregos em Antioquia (11.20) e a igreja de Jerusalém enviou Barnabé a essa terceira maior cidade do império romano. Este, *vendo a graça de Deus, alegrou-se* (11.23). O terceiro passo é a primeira viagem missionária realizada por Paulo e Barnabé, quando eles se voltam para os gentios (13.46). Em cada cidade visitada, levavam Cristo a judeus e gentios (14.1, 27). John Stott é categórico em afirmar: "A missão entre os gentios estava ganhando ímpeto. As conversões dos gentios, que antes pareciam gotas, estavam se transformando rapidamente em correnteza".[409]

Os gentios convertidos eram recebidos na igreja pelo batismo, e não pela circuncisão. Estavam tornando-se cristãos sem se tornarem judeus. É nesse ponto que surge grande tensão na igreja. Uma coisa era ratificar a conversão dos gentios, mas será que eles poderiam ratificar a conversão sem circuncisão? A fé em Jesus sem as obras da lei? O compromisso com o Messias sem a inclusão no judaísmo? Será que sua visão era ampla o suficiente para ver o evangelho de Cristo não como um movimento reformador dentro do judaísmo, mas como as boas novas para todo o mundo, e a igreja de Cristo não como uma seita judaica, mas como a família internacional de Deus?[410]

Essa resposta é encontrada em Atos 15, capítulo essencial para o cristianismo. É um divisor de águas na história da igreja. De acordo com John Stott, a decisão tomada nesse concílio liberou o evangelho de suas incômodas vestimentas judaicas para se tornar a mensagem de Deus a toda a humanidade, dando à igreja judaico-gentílica uma identidade autoconsciente como povo reconciliado de Deus, o único corpo de Cristo.[411]

O avanço missionário da igreja enfrentou lutas externas e internas, perseguição física e também doutrinária. Depois que Paulo e Barnabé retornaram da primeira viagem missionária e relataram à igreja de Antioquia como Deus abrira aos gentios a porta da fé, uma nova onda de perseguição surgiu, movida pela inveja de alguns membros da seita dos fariseus (15.1,5). Esses embaixadores do judaísmo desceram de Jerusalém, sem autorização dos apóstolos ou representação da igreja (15.24), e começaram a perturbar os irmãos de Antioquia e perverter o evangelho, afirmando que os gentios precisavam ser circuncidados para serem salvos.

William Barclay comenta que, se houvesse prevalecido essa atitude, inevitavelmente o cristianismo não teria sido mais do que outra seita judaica.[412] Concordo com Kistemaker no sentido de que a presença desses judaizantes na congregação de Antioquia não tem a finalidade de expandir a igreja por intermédio do evangelismo; tampouco estão ali para animar os crentes em sua fé. Seu propósito é colocar sobre os ombros dos irmãos uma rígida demanda, especificando se eles podem ou não ser salvos e insistindo que o rito judaico da circuncisão é necessário para a salvação dos gentios cristãos.[413]

Warren Wiersbe afirma que o progresso do evangelho muitas vezes tem sido obstruído por pessoas com a mente fechada, que se colocam à frente de portas abertas e impedem outros de passar. Em 1786, quando William Carey colocou a responsabilidade com missões mundiais em pauta numa reunião de obreiros em Northampton, Inglaterra, o eminente dr. Ryland lhe disse: "Rapaz, sente-se! Quando aprouver a Deus converter os pagãos, ele o fará sem a nossa ajuda!".[414]

Vale destacar que os mestres judeus legalistas eram da congregação de Jerusalém, mas não foram enviados por ela nem autorizados pelos apóstolos (15.24). Identificados com os fariseus (15.5), receberam de Paulo a alcunha de *falsos irmãos* (Gl 2.4), cujo propósito era privar os crentes de sua liberdade em Cristo (Gl 2.1-10; 5.1-12).

Concordo com Stott ao observar que a carta aos Gálatas precede o Concílio de Jerusalém. Durante o período que permaneceu em Antioquia ou mesmo a caminho de Jerusalém, Paulo escreveu esta epístola para combater exatamente a influência perniciosa desses falsos mestres judaizantes que perturbavam a igreja com a pregação de *outro* evangelho, que de fato não era evangelho (Gl 1.6-9). A influência desses falsos "irmãos" que desceram de Jerusalém, alegando enganosamente que estavam representando Tiago, foi tão forte que até mesmo Pedro e Barnabé foram afetados por eles (Gl 2.11-14). Contudo, diante da repreensão de Paulo, ambos voltaram à sensatez, e se uniram a Paulo no Concílio de Jerusalém, em defesa do evangelho de Cristo e rejeição às ideias dos judaizantes (15.7-12).

Destacamos aqui alguns pontos para a nossa reflexão.

A discussão (15.1-5)

Os indivíduos que desceram de Jerusalém para Antioquia, do grupo dos fariseus, não são mencionados por nome. Eles não desceram para se alegrarem com a igreja pelas boas novas dos campos missionários. Ao contrário, o intuito era jogar um balde de água fria na fervura e dizer que os gentios não poderiam ser salvos a menos que se circuncidassem (15.1) e observassem a lei de Moisés (15.5). Vejamos alguns detalhes dessa discussão.

Em primeiro lugar, *um ataque frontal ao evangelho é feito* (15.1). Esses falsos mestres ensinavam que a fé em Cristo não era suficiente para a salvação. Pregavam que, sem a circuncisão, os gentios não poderiam ser salvos. Segundo esses mestres, os gentios precisavam primeiro se converter em judeus, para depois se tornarem cristãos.

Mas a grande questão é: Pode o homem ganhar o favor de Deus? Pode justificar a si mesmo por seus próprios esforços? Pode chegar a ser considerado justo diante de Deus por si mesmo e pela obediência da lei? A resposta a estas perguntas é um retumbante não. Ninguém será justificado diante de Deus por obras da lei (Gl 3.11). Nenhum ritual sagrado pode tornar o homem aceitável diante de Deus. A circuncisão da carne não pode purificar o homem. A salvação é exclusivamente pela fé e não pela fé mais as obras. Não é Cristo mais a circuncisão, mas unicamente Cristo.

Por que esses legalistas eram tão perigosos? Warren Wiersbe responde que eles tentavam misturar a lei e a graça e colocar vinho novo em odres velhos e frágeis (Lc 5.36-39). Costuravam o véu rasgado do santuário (Lc 23.45) e colocavam obstáculos no caminho novo e vivo para Deus, aberto por Jesus através de sua morte na cruz (Hb 10.19-25). Reconstruíram o muro de separação entre judeus e gentios que Jesus derrubou no Calvário (Ef 2.14-16). Colocavam o jugo pesado do judaísmo sobre os ombros dos gentios (15.10; Gl 5.1) e pediam que a igreja saísse da luz e fosse para as sombras (Cl 2.16,17; Hb 10.1). Argumentavam: "Antes de se tornar um cristão, o gentio precisa tornar-se judeu! Não basta simplesmente crer em Jesus Cristo. Também é preciso obedecer à lei de Moisés!".[415] O lema desses mestres judaizantes era "Jesus e circuncisão".[416]

Em segundo lugar, *um debate caloroso é travado* (15.2). Werner de Boor mostra que Lucas emprega o termo grego *stasis,* ou "sedição", para descrever a ferrenha controvérsia. Essa contenda se torna exacerbada justamente porque cada um acredita ter a favor de si a límpida palavra bíblica.[417] Paulo e Barnabé enfrentam esses falsos mestres. Não aceitam essa imposição herética e defendem a verdade com todo o vigor.

O que estava em jogo não era uma questão lateral e secundária, mas a própria essência do cristianismo. Esses fariseus, chamados por Paulo de *falsos irmãos* (Gl 2.4), estavam fazendo da circuncisão uma condição necessária para a salvação. Diziam aos convertidos gentios que a fé em Cristo não era suficiente para a salvação. Os crentes gentios deviam acrescentar a circuncisão e a observância da lei à fé. Em outras palavras, precisavam permitir que Moisés completasse o que Jesus havia começado, e permitir que a lei completasse o evangelho. O caminho da salvação estava em jogo. O evangelho estava sendo questionado. Os fundamentos básicos da fé cristã estavam sendo minados.[418] Para John Stott, não eram algumas práticas cultuais judaicas que estavam em jogo, mas sim a verdade do evangelho e o futuro da igreja.[419]

Além de serem *falsos irmãos*, esses fariseus eram também mentirosos, pois afirmaram ter ido a Antioquia enviados por Tiago (Gl 2.12). No Concílio de Jerusalém, entretanto, fica claro que esses embaixadores do judaísmo foram a Antioquia por conta própria, sem nenhuma autorização por parte da igreja (15.24).

Em terceiro lugar, *um relato minucioso é apresentado* (15.3,4). Paulo e Barnabé viajam para Jerusalém e, ao longo do caminho, passando pelas províncias da Fenícia (hoje Líbano) e Samaria, vão relatando a conversão dos gentios. O resultado desse testemunho eloquente é uma imensa alegria no coração dos crentes. Justo González acrescenta que Paulo e Barnabé, em relação à admissão de gentios, tinham amplo apoio não só em Antioquia, mas também na Fenícia e Samaria, onde eles não haviam trabalhado.[420]

Ao chegarem da evangelização entre os gentios, os dois pioneiros foram recebidos, com alegria, pelos apóstolos, presbíteros e por toda a comunidade cristã de Jerusalém. E aproveitaram para relatar tudo o que Deus fizera com eles.

Em quarto lugar, *um conflito imediato é instalado* (15.5). Alguns membros do partido dos fariseus se opuseram imediatamente aos apóstolos e bateram o pé, declarando que era necessário para a salvação que os gentios se circuncidassem e cumprissem a lei de Moisés. Negavam, assim, a obra suficiente de Cristo para a salvação.

A defesa de Pedro recapitulando o passado (15.6-11)

Diante do impasse levantado por alguns membros da seita dos fariseus, perturbando a igreja e pervertendo o evangelho, instala-se o concílio formado pelos apóstolos e presbíteros (15.6). Segue-se o debate sobre o assunto em pauta. Seria necessário mesmo que os gentios se submetessem aos ritos judaicos para serem salvos? Seria o judaísmo um complemento do cristianismo? Seriam as obras da lei uma necessidade complementar à fé? Seria o sacrifício de Cristo insuficiente para salvar o pecador?

John Stott está coberto de razão quando escreve: "A convocação de um concílio pode ser extremamente valiosa, se o seu propósito é esclarecer alguma doutrina, acabar com controvérsias e promover a paz". Tudo indica que o concílio se reuniu durante vários dias para discutir o assunto e chegar a uma resolução que mantivesse a unidade e a unanimidade na igreja. Podemos discernir pelo menos três reuniões distintas: a) uma sessão geral durante a qual Paulo, Barnabé e outros delegados de Antioquia são recebidos, ocasião em que os missionários também apresentam seu relatório (15.4,5); b) uma reunião separada dos apóstolos e presbíteros com Paulo e Barnabé (15.6-11); c) o plenário todo reunido para ouvir os missionários e Tiago, quando são formulados e aprovados os quatro requisitos para os cristãos gentios.[421]

Vejamos como se desenrola a defesa da verdade evangélica nesse concílio.

Em primeiro lugar, *a defesa de Pedro* (15.7-10). O apóstolo Pedro foi uma peça fundamental no esclarecimento da verdade. Era um líder na igreja. Sua palavra tinha muito peso. Pedro já enfrentara um sério problema em Antioquia, quando deixou de ter comunhão com os crentes gentios e foi duramente exortado por Paulo (Gl 2.11-14). Agora, revelando humildade, posiciona-se firmemente contra a bandeira levantada pelos fariseus. Werner de Boor argumenta que o discurso de Pedro tem o mesmo efeito que sua palavra tivera no passado, após os acontecimentos na casa de Cornélio. Naquela ocasião, *apaziguaram-se* (11.18). Agora *toda a multidão silenciou* (15.12).[422] Marshall complementa dizendo que os comentários de Pedro ressaltam uma só lição basicamente singela. Ele apelou à experiência.[423]

Na defesa de Pedro, quatro verdades são proclamadas:

1. *Deus escolheu Pedro para abrir a porta da fé aos gentios* (15.7). O Senhor Jesus colocou nas mãos de Pedro as chaves do reino (Mt 16.19) e ele as usou para abrir a porta da fé aos judeus (2.14-36), aos samaritanos (8.14-17) e aos gentios (10.1-48). Em outras palavras, Pedro pregou aos judeus no Pentecostes, aos samaritanos em Samaria e ao gentio Cornélio em Cesareia. Não foi nomeado a pregar a fé mais as obras, porém a fé em Cristo como a única

condição para a salvação. Os apóstolos e irmãos da Judeia o censuraram por visitar gentios e comer com eles, mas Pedro apresentou diante deles uma defesa satisfatória (11.1-18).[424] Kistemaker ressalta que, apesar de Paulo ser conhecido como o apóstolo dos gentios e Pedro como o apóstolo dos judeus, essas designações não devem ser tomadas de forma restrita (Gl 2.7-9). Pelas palavras de despedida de Paulo aos presbíteros efésios, sabemos que ele pregou o evangelho tanto a judeus quanto a gregos (20.21). Por semelhante modo, Pedro não restringiu seu ministério aos judeus. Ele viajou de maneira extensiva até Corinto, Ásia Menor e Roma, encontrando igualmente judeus e gentios, conforme atestam suas epístolas e também as de Paulo.[425]

2. *Deus enviou o Espírito Santo aos gentios* (15.8). Quando os gentios creram em Cristo, Deus confirmou a legitimidade dessa experiência, enviando-lhes o Espírito. O Espírito não foi dado aos gentios pela observância da lei, mas pelo exercício da fé (10.43-46; Gl 3.2).

3. *Deus eliminou uma diferença* (15.9). Deus não faz diferença entre judeus e gentios. A salvação é concedida não como resultado das obras nem por causa da raça. Deus trata tanto judeus como gentios da mesma maneira. Ambos têm o coração purificado pela fé, e não pela prática das obras da lei. Jesus ensinou que as leis alimentares judaicas não tinham nenhuma relação com a santidade interior (Mc 7.1-23), e Pedro reaprendeu essa lição quando recebeu a visão no terraço em Jope. Deus não faz distinção alguma entre judeus e gentios no que se refere ao pecado (Rm 3.9,22) e à salvação (Rm 10.9-13).[426]

4. *Deus removeu o jugo da lei* (15.10). A declaração mais enfática de Pedro e sua exortação mais contundente foi acerca da remoção do jugo da lei. A lei pesava sobre os judeus,

mas esse jugo havia sido removido por Jesus (Mt 11.28-30; Gl 5.1-10; Cl 2.14-17). A lei não tem poder de purificar o coração do pecador (Gl 2.21), de conceder o dom do Espírito (Gl 3.2), nem de dar vida eterna (Gl 3.21). Aquilo que a lei era incapaz de fazer, Deus realizou por meio do seu próprio Filho (Rm 8.1-4). Howard Marshall explica que a lição aqui não é que a lei é um fardo opressivo, mas, sim, que os judeus eram incapazes de obter a salvação mediante a lei; daí a sua irrelevância no que dizia respeito à salvação. Pelo contrário, segundo declarou Pedro, os judeus precisam crer a fim de serem salvos mediante a graça de Deus (15.11). Se tanto os judeus quanto os gentios são salvos desta maneira, é claro que não se exige dos gentios a obediência à lei. Podemos acrescentar que nem mesmo dos judeus se exige a obediência à lei como meio de salvação (Gl 5.6).[427]

Em segundo lugar, *a conclusão de Pedro* (15.11). Pedro não sugere que o concílio deva abolir a lei. Ele faz objeção a torná-la uma pré-condição para a salvação.[428] Tanto os judeus quanto os gentios são salvos da mesma maneira. Não há dois modos de salvação. Não há um critério diferente para judeus e outro para os gentios. A salvação é pela graça, e não pelas obras; é recebida pela fé, e não por merecimento. Procede daquilo que Cristo fez por nós, e não daquilo que fazemos para ele. A salvação não é um caminho aberto da terra para o céu e do homem para Deus. Não é obra humana. É planejada, executada e consumada por Deus.

O testemunho de Paulo e Barnabé falando do presente (15.12)

O concílio como um todo se reúne após a reunião dos apóstolos e presbíteros (15.6-11). A frase *e toda a multidão silenciou* pode ser interpretada como "a reunião recomeçou". Chegou agora a parte principal das deliberações, e o concílio inteiro está pronto para ouvir o testemunho de Barnabé e Paulo.[429] A ênfase não está no que Paulo e Barnabé fizeram, mas no que Deus fez por intermédio deles. O concílio deve reconhecer que o crescimento da igreja é obra de Deus, e a admissão dos gentios no seio da igreja deve ser solucionada definitivamente por esse Concílio de Jerusalém.[430]

John Stott diz que este resumo extremamente curto feito por Barnabé e Paulo se deve ao fato dos leitores de Lucas já estarem familiarizados com os detalhes da primeira viagem missionária, após lerem os capítulos 13 e 14. E a ênfase nos sinais e prodígios provavelmente não pretende renegar a pregação da Palavra, mas confirmar e validar a pregação.[431] Esse relato de Barnabé e Paulo era uma maneira de mostrar que Deus aprovara o ministério deles entre os gentios.[432]

Um estudo da sequência dos nomes de Barnabé e Paulo revela que o nome de Barnabé sempre precede o de Paulo quando uma atividade ocorre em Jerusalém (15.25). Mas fora dali, em território gentio, a ordem é sempre inversa. Nos outros lugares, Paulo, devido à sua habilidade para falar, recebia reconhecimento cada vez maior. A exceção é Atos 14.12, onde o povo de Listra honra a Barnabé como Júpiter e a Paulo como Mercúrio, o mensageiro de Júpiter.[433]

O conselho de Tiago relacionando todas as coisas ao futuro (15.13-21)

A essa altura, Tiago era o grande líder da igreja de Jerusalém (12.17), contado até mesmo entre os apóstolos (Gl 1.19). Era irmão de Jesus e, quando o Senhor Jesus ressuscitou, apareceu-lhe pessoalmente (1Co 15.7). Tiago era uma coluna da igreja (Gl 1.19), tão constante na oração que seus joelhos eram duros como os de um camelo, de tanto ajoelhar-se para orar.[434] Tiago foi o moderador dessa assembleia, por isso, logo após o relato dos missionários tomou a palavra e pediu que os irmãos o ouvissem (15.13).

Como líder da igreja de Jerusalém e presidente do concílio, Tiago assume a tarefa de se dirigir ao plenário e formular uma decisão que contasse com a aprovação de toda a assembleia. Quando Tiago fala à assembleia, ele literalmente tem a última palavra.

Com segurança, Tiago referenda o testemunho de Pedro, Barnabé e Paulo, confirmando que a recepção dos gentios na igreja concorda com as Escrituras. Os concílios não têm autoridade na igreja a não ser que possam provar que suas conclusões estão de acordo com as Escrituras. A inclusão dos gentios não era uma ideia posterior de Deus, mas algo predito pelos profetas. As próprias Escrituras confirmavam os fatos experimentados pelos missionários. O que Deus havia feito por meio dos apóstolos conferia com o que ele havia dito por meio dos profetas. Essa concordância entre Escrituras e experiência, entre o julgamento dos profetas e o dos apóstolos, era conclusiva para Tiago.[435] Howard Marshall diz que provavelmente a reedificação do tabernáculo deve ser entendida como referência ao levantamento da igreja como novo lugar do culto divino, em substituição ao templo. É, portanto, mediante a igreja que os gentios podem achegar-se e conhecer o Senhor.[436]

Século após século os hebreus alegavam seu direito à aliança porque, dentre todas as nações da terra, somente eles eram povo de Deus. Mas agora Deus visitara os gentios e tomara dentre eles um número para ser seu povo da aliança. Deus não separou todas as nações, mas dentre elas elegeu os seus. Visto que outrora Deus escolhera um povo dentre todos os outros, agora escolhe, dentre todos os povos, um povo para si.[437]

O conselho de Tiago espelha a decisão unânime do concílio. Os gentios estavam desobrigados do rito da circuncisão como elemento necessário para a salvação. Porém, deveriam abster-se de algumas coisas para não criar barreiras no relacionamento com os crentes judeus. Os crentes gentios precisavam guardar essas regras para não ferir a comunhão com os irmãos judeus.

O que eles deveriam evitar? Deveriam abster-se das contaminações com os ídolos, das relações sexuais ilícitas, da carne de animais sufocados e do sangue (15.20). Há várias interpretações acerca desta passagem. John Stott defende que a melhor forma, porém, de interpretar essas quatro exigências é que todas elas estavam ligadas às cerimoniais estabelecidas em Levítico 17 e 18. A primeira exigência fazia menção a todos os casamentos ilícitos listados em Levítico 18, especialmente entre parentes de sangue. As três outras exigências se referiam a questões dietéticas que poderiam impedir refeições comunitárias entre judeus e gentios. A abstinência aqui recomendada deve ser entendida não como um dever cristão essencial, mas como uma concessão à consciência dos outros, isto é, dos convertidos judeus, que ainda consideravam tais alimentos ilícitos e abomináveis perante Deus.[438]

Nessa mesma linha de pensamento, Justo González ressalta que o propósito da decisão não é dizer aos cristãos que a lei só é válida nesses quatro pontos. O propósito é, mais propriamente, encontrar um meio pelo qual os cristãos gentios possam juntar-se aos judeus sem violar a consciência destes. Por isso, quando a igreja se tornou mais gentia e menos judaica em sua filiação, essa proibição perdeu importância. Por essa razão e com o mesmo espírito de 1Coríntios 8, Paulo recomenda a seus leitores que, embora em última análise comer carne de animal sacrificado a ídolos não os ajude nem os atrapalhe, se houver alguém que se escandalize com isso, eles devem abster-se de fazê-lo.[439]

A decisão (15.22-29)

A decisão foi tomada pelos apóstolos, presbíteros e toda a igreja. Houve consenso. A ideia de propor abstenção aos cristãos gentios em quatro áreas culturais parecia ser uma sábia solução para promover tolerância mútua e comunhão.[440] Alguns pontos merecem destaque.

Em primeiro lugar, *a decisão foi unânime* (15.22). A decisão foi tomada pelos líderes e pelo povo, pela cúpula e pela base. Foi uma decisão unânime dos apóstolos, dos presbíteros e do povo. Nomearam uma comissão para acompanhar Paulo e Barnabé a Antioquia.

Conforme John Stott, Lucas se deu ao trabalho de descrever como no concílio Pedro falou primeiro, seguido de Paulo e depois de Tiago; como as Escrituras e a experiência coincidiram; e como os apóstolos (Pedro, Paulo e Tiago), os presbíteros e toda a igreja chegaram a uma decisão unânime (15.22,28). Assim, a unidade do evangelho preservou a unidade da igreja. Apesar de receber uma diversidade de formulação e ênfase no Novo Testamento, há apenas um evangelho apostólico. Temos o dever de resistir aos teólogos modernos que jogam os autores do Novo Testamento uns contra os outros.[441]

Em segundo lugar, *a decisão foi escrita* (15.23). Os concílios tomam decisões e as registram por escrito. Essa atitude garantia a legitimidade e a integridade da decisão tomada. John Stott diz que uma carta pode ser impessoal; era sábio enviar pessoas que pudessem explicar sua origem, interpretar seu significado e assegurar sua aceitação.[442] A carta escrita às igrejas gentílicas tinha três pontos em destaque. Primeiro, eles negaram um envolvimento com o partido da circuncisão (15.24). Segundo, deixaram bem claro que os homens eleitos e enviados por eles tinham apoio e aprovação (15.25). Terceiro, declararam que a decisão foi unânime (15.28).[443]

Justo González evidencia que a carta, embora breve, tem a estrutura característica das cartas da época. Começa apresentando a identidade dos escritores: *Os apóstolos e os irmãos presbíteros*. Depois, nomeia os destinatários: *Aos irmãos dentre os gentios em Antioquia, Síria e Cilícia*. Depois, segue um breve cumprimento: *Saudações*, após o qual vem o corpo principal da carta. E, por fim, há uma despedida: *Saúde*.[444]

Em terceiro lugar, *os opositores não estavam autorizados* (15.24). Os fariseus que desceram à Antioquia em nome da igreja de Jerusalém não possuíam credenciais. Não tinham autoridade nem autorização. Perturbaram a igreja e transtornaram a alma do povo.

Em quarto lugar, *a comissão é enviada* (15.25-27). A comissão nomeada é enviada. Essa comissão era formada por homens íntegros e fiéis. Judas e Silas eram homens que já haviam provado seu compromisso com Deus e se arriscado pelo evangelho.

Em quinto lugar, *a decisão é detalhada* (15.28,29). O evangelho é intransigente com a verdade e sensível à cultura. Não negocia a essência, mas respeita as consciências. A salvação unicamente pela fé em Cristo era uma verdade absoluta que não podia ser negociada. Porém, a sensibilidade cultural de leis dietéticas e relacionamentos consanguíneos devia ser tratada com respeito para não criar barreiras ao evangelho.

Concordo com John Stott quando ele declara que o Concílio de Jerusalém conseguiu uma dupla vitória – uma vitória da verdade ao confirmar o evangelho da graça, e uma vitória do amor ao preservar a comunhão por meio de concessões compassivas aos escrúpulos dos judeus conscienciosos. Paulo era forte na fé e manso no amor, uma vara de cana nos assuntos não essenciais e uma coluna de ferro nas questões essenciais.[445]

A delegação (15.30-35)

A delegação nomeada pela igreja de Jerusalém é enviada, e, sem demora, desce a Antioquia para ler a resolução tomada pelos apóstolos e presbíteros. A igreja alegra-se pelo conforto recebido. Esses embaixadores continuaram por algum tempo em Antioquia fortalecendo a igreja. Dos dois enviados de Jerusalém a Antioquia com Barnabé e Paulo, um volta a Jerusalém, mas Silas permanece em Antioquia e mais tarde torna-se o companheiro de Paulo em sua segunda viagem missionária.

Notas do Capítulo 15

[409] STOTT, John. *A mensagem de Atos*, p. 270.
[410] STOTT, John. *A mensagem de Atos*, p. 271.
[411] STOTT, John. *A mensagem de Atos*, p. 271.
[412] BARCLAY, William. *Hechos de los Apóstoles*, p. 123.
[413] KISTEMAKER, Simon. *Atos Vol. 2*, p. 60.
[414] WIERSBE, Warren W. *Comentário bíblico expositivo*, p. 597.
[415] WIERSBE, Warren W. *Comentário bíblico expositivo*, p. 597.
[416] DE BOOR, Werner. *Atos dos Apóstolos*, p. 215.
[417] DE BOOR, Werner. *Atos dos Apóstolos*, p. 215.
[418] STOTT, John. *A mensagem de Atos*, p. 273.
[419] STOTT, John. *A mensagem de Atos*, p. 274.
[420] GONZÁLEZ, Justo L. *Atos,* p. 208.
[421] KISTEMAKER, Simon. *Atos Vol. 2*, p. 67.
[422] DE BOOR, Werner. *Atos dos Apóstolos*, p. 219.
[423] MARSHALL, I. Howard. *Atos: introdução e comentário.* 1982, p. 236.
[424] WIERSBE, Warren W. *Comentário bíblico expositivo*, p. 598.
[425] KISTEMAKER, Simon. *Atos Vol. 2*, p. 68.
[426] WIERSBE, Warren W. *Comentário bíblico expositivo*, p. 598.
[427] MARSHALL, I. Howard. *Atos: introdução e comentário.* 1982, p. 236,237.
[428] KISTEMAKER, Simon. *Atos Vol. 2*, p. 72.
[429] KISTEMAKER, Simon. *Atos Vol. 2*, p. 75.
[430] KISTEMAKER, Simon. *Atos Vol. 2*, p. 75.
[431] STOTT, John. *A mensagem de Atos*, p. 277.
[432] ALFORD, Henry. *Alford's Greek Testament: An exegetical and critical commentary.* Vol. 2. Grand Rapids, MI: Guardian, 1976, p. 165.
[433] KISTEMAKER, Simon. *Atos Vol. 2*, p. 74.
[434] BARCLAY, William. *Hechos de los Apóstoles*, p. 125,126.
[435] STOTT, John. *A mensagem de Atos*, p. 278.
[436] MARSHALL, I. Howard. *Atos: introdução e comentário.* 1982, p. 239.
[437] KISTEMAKER, Simon. *Atos Vol. 2*, p. 78.
[438] STOTT, John. *A mensagem de Atos*, p. 280,281.
[439] GONZÁLEZ, Justo L. *Atos*, p. 214.
[440] STOTT, John. *A mensagem de Atos*, p. 281.
[441] STOTT, John. *A mensagem de Atos*, p. 287.
[442] STOTT, John. *A mensagem de Atos*, p. 281.

443 STOTT, John. *A mensagem de Atos*, p. 282.
444 GONZÁLEZ, Justo L. *Atos*, p. 215.
445 STOTT, John. *A mensagem de Atos*, p. 288,289.

Capítulo 16

A chegada do evangelho à Europa
(At 15.36—16.40)

À GUISA DE INTRODUÇÃO, destacamos alguns fatos importantes antes de expormos a chegada do evangelho à Macedônia.

Em primeiro lugar, *uma desavença na liderança* (15.36-41). Resolvidos os problemas doutrinários que haviam perturbado a igreja, era hora de voltar para uma segunda viagem missionária. Paulo procura Barnabé e o convida a visitar novamente os irmãos por todas as cidades nas quais haviam anunciado a Palavra de Deus. É nesse momento que surge um impasse entre esses dois líderes. Barnabé queria dar uma segunda chance ao seu primo, o jovem João Marcos, que os havia abandonado desde

Perge da Panfília, na primeira viagem missionária (13.13; 15.38). Paulo endureceu, bateu o pé e disse que não achava justo levarem esse auxiliar que se afastara desde a Panfília. É nesse ponto que acontece entre Paulo e Barnabé tamanha desavença que eles não puderam mais caminhar juntos. Barnabé investiu na vida de Marcos e foi com ele para Chipre, ao passo que Paulo escolheu Silas e partiu para as bandas da Síria e Cilícia, confirmando as igrejas. Mais tarde, Paulo mudou de ideia a respeito de João Marcos, uma vez que o chama de cooperador (Fm 23,24), recomenda-o à igreja de Colossos (Cl 4.10) e roga a Timóteo o leve a Roma, quando de sua segunda prisão, pois lhe era útil para o ministério (2Tm 4.11).

Não há consenso entre os estudiosos se Paulo ou Barnabé estava com a razão em dar uma nova chance ao jovem João Marcos. O ponto é que Paulo olhava para uma pessoa e perguntava: O que ela poderia fazer para o reino de Deus? Barnabé olhava para a mesma pessoa e perguntava: O que o reino de Deus poderia fazer por ela?

Em segundo lugar, *o surgimento de uma nova liderança* (16.1-3). Paulo e Silas, acompanhados por Lucas, conforme se depreende de Atos 16.10-17, chegaram a Derbe e Listra. Ali encontraram o jovem Timóteo, filho de mãe judia e pai grego, moço de bom testemunho tanto em sua cidade, Listra, como na cidade vizinha, Icônio, e Paulo quis que ele o acompanhasse. Para não criar barreiras culturais com os judeus, já que era filho de mãe judia, Paulo instruiu que Timóteo fosse circuncidado. Na verdade Paulo não tinha problema com a circuncisão, desde que não a impusessem como elemento necessário para a salvação. Por isso, posicionou-se firmemente contra a circuncisão de Tito, que era gentio (Gl 2.3-5), mas não encontrou dificuldade na circuncisão de Timóteo, que tinha sangue judeu. Tito não foi circuncidado por razão teológica; Timóteo foi circuncidado por razão cultural.

Kistemaker acerta ao dizer que, no caso de Timóteo, ser um bom cristão não significava ser um mau judeu. Paulo o circuncidou a fim de remover qualquer impedimento para a expansão da causa de Cristo.[446] John Stott observa que mentes fechadas condenariam Paulo por incoerência. Mas havia uma profunda coerência em seu pensamento e ação. Uma vez estabelecido o princípio de que a circuncisão não era necessária para a salvação, ele estava disposto a fazer concessões em sua prática. O que era desnecessário para ser aceito por Deus, isso mesmo era recomendável para ser aceito por alguns seres humanos.[447]

Timóteo possuía grande legado espiritual. Aprendera as sagradas letras desde a infância com sua mãe Eunice e com sua avó Loide (2Tm 1.5; 3.15). Paulo o chamou de filho amado (1Co 4.17) e disse que não havia ninguém igual a ele, que cuidava dos interesses da igreja e de Cristo (Fp 2.19,20). Timóteo esteve com Paulo em sua primeira prisão em Roma (Fp 1.1; Cl 1.1; Fm 1) e foi convidado para visitá-lo em sua segunda prisão (2Tm 4.9,21). De acordo com Simon Kistemaker, Paulo adotou Timóteo como seu filho espiritual (1Co 4.17; 1Tm 1.2,18; 2Tm 1.2). O rapaz estava perfeitamente inteirado das perseguições sofridas pelo apóstolo em Antioquia da Pisídia, Icônio e Listra (2Tm 3.10,11). Talvez tenha até presenciado o apedrejamento de Paulo em Listra.[448]

Em terceiro lugar, *o fortalecimento das igrejas* (16.4,5). Ao passarem pelas cidades onde estavam as igrejas gentílicas (15.23,41), os líderes entregaram as decisões do Concílio de Jerusalém para que os crentes as observassem. O resultado da observância dessas decisões tomadas pelos apóstolos e presbíteros de Jerusalém foi extraordinário, uma vez que as igrejas foram fortalecidas e diariamente aumentavam em número.

Em quarto lugar, *a condução do programa missionário pelo céu, não pela terra* (16.6-10). O apóstolo Paulo estava a caminho da sua segunda viagem missionária, acompanhado por Silas, Timóteo e Lucas, com o propósito de abrir novos campos e plantar novas igrejas. Paulo tinha um plano ousado para evangelizar a Ásia, mas aprouve a Deus mudar o rumo da sua jornada e direcioná-lo à Europa. A agenda missionária da igreja deve ser dirigida por Deus, e não pelos obreiros, deve ser definida no céu, e não na terra. Paulo abriu mão do seu projeto e abraçou o projeto de Deus, assim o evangelho entrou na Europa. Warren Wiersbe destaca que, em sua graça soberana, Deus conduziu Paulo ao Ocidente, em direção à Europa, não para o Oriente, em direção à Ásia.[449] Paulo e seus companheiros receberam proibição e restrição de um lado e permissão e coação de outro. Uma direção lhes é proibida, a outra se lhes abre; de um lado o Espírito diz: "Não vá"; do outro chama: "Venha". Essa mesma situação é experimentada por outros missionários no decorrer da história. Livingstone tentou ir para a China, mas Deus o enviou para a África. Antes dele, William Carey planejava ir à Polinésia, nos mares do Sul, mas Deus o guiou à Índia. Judson foi primeiro para a Índia, mas depois foi levado para a Birmânia. Também nós, em nossos dias, precisamos confiar em Deus para recebermos orientação e regozijarmos igualmente em suas restrições e coações.[450]

A Macedônia do século primeiro se estendia de leste a oeste, do mar Egeu até o mar Adriático. Ao norte, encontravam-se Ilírico e Trácia; e, ao sul, a Acaia (Grécia). Governado pelos romanos, o povo da Macedônia falava grego e assim podia comunicar-se com os habitantes da Ásia Menor. Portanto, para Paulo e seus companheiros, a adaptação de um continente (Ásia) para outro (Europa) foi relativamente tranquila.[451]

Convém observar o uso da primeira pessoa do plural em Atos 16.10, pois Lucas, que escreveu o livro de Atos, juntou-se à equipe de Paulo em Trôade. Encontramos três seções de Atos narradas na primeira pessoa do plural: Atos 16.10-17; 20.5-15 e 27.1—28.16. Em Atos 17.1, Lucas muda para a terceira pessoa do plural (*eles*), indicando a possibilidade de ter ficado em Filipos, a fim de pastorear a igreja local após a partida de Paulo.[452]

Em quinto lugar, *a porta que Deus abre nem sempre nos conduz por um caminho fácil, mas sempre para um destino vitorioso* (16.16-34). Deus apontou o caminho missionário para onde os plantadores deveriam ir, deu-lhes sucesso na missão, mas não sem dor, sofrimento ou sangue. O sofrimento não é incompatível com o sucesso da obra. Muitas vezes, o solo fértil da evangelização é regado pelas lágrimas, suor e sangue daqueles que proclamam as boas novas do evangelho.

O chamado de Deus é claro, mas as providências de Deus nem sempre o são. Nem sempre é da vontade de Deus nos levar a lugares de bonança. Muitas vezes, ele nos põe no meio da tempestade. Nem sempre Deus fala conosco através do vento suave. Muitas vezes, ele faz o seu caminho na tormenta. Deus queria Paulo e Silas em Filipos. Queria plantar uma igreja em Filipos. Mas os missionários foram parar na cadeia. A cadeia não foi um acidente. A cadeia não frustrou os desígnios de Deus. A cadeia não roubou dos missionários a visão da obra nem lhes arrancou do peito o entusiasmo por fazer a vontade de Deus.

Num mundo que busca uma vida cristã apenas de prosperidade e saúde, que aplaude o conforto e busca os holofotes, que despreza as provações e anseia pelo paraíso da riqueza e do luxo na terra, precisamos aprender com este texto. Precisamos aprender com o poeta inglês William Cowper, que em um de seus poemas escreve: "Por trás de toda providência carrancuda, esconde-se uma face sorridente".

Paulo e Silas foram açoitados e presos em Filipos, mas o mesmo Deus que abriu o coração de Lídia e libertou uma jovem possessa, também abriu as portas da cadeia, libertando seus servos e salvando o carcereiro que os encerrara no tronco interior.

Filipos, a porta de entrada do evangelho na Europa

Este episódio é um divisor de águas na história mundial. É uma decisão insondável e soberana de Deus de direcionar a obra missionária para o Ocidente e não para o Oriente. A história das civilizações ocidentais foi decisivamente influenciada por esta escolha divina. Até hoje muitas nações orientais estão imersas em trevas, enquanto o Ocidente foi favorecido por esta mensagem bendita desde as priscas eras.

O desejo de Paulo era entrar na Ásia. Sua agenda missionária o levava para outras paragens. Deus, porém, o redirecionou, mudou sua agenda, sua rota, seu itinerário e, assim, a Europa, e não a Ásia, tornou-se o palco da grande empreitada evangelizadora de Paulo. Esta foi a primeira e principal penetração do evangelho em território gentio.

A importância estratégica da cidade de Filipos

Deus apontou o rumo, deu a mensagem e Paulo adotou os melhores métodos. Paulo era um homem que enxergava sobre os ombros dos gigantes. Tinha a visão do farol alto. Era um missionário estratégico. Íntegro e também relevante, jamais ousou mudar a mensagem, mas sempre teve coragem de usar os melhores métodos.

Paulo se concentrava em lugares estratégicos. Era um plantador de igrejas que tinha critérios claros para fazer investimentos. Passava batido em determinadas regiões e fixava-se em outras, mas não aleatoriamente. Ele buscava sempre alcançar cidades estratégicas que pudessem irradiar a mensagem do evangelho. A questão é: Por que Paulo escolheu Filipos? Respondemos a seguir.

Em primeiro lugar, *a localização geográfica da cidade de Filipos como ponto estratégico para a obra missionária*. Filipos era uma cidade estratégica pela sua geografia. Situada entre o Oriente e o Ocidente, era a ponte de conexão entre os dois continentes, uma espécie de encruzilhada do mundo. Alcançar a cidade de Filipos para Cristo era abrir uma importante janela para o mundo. William Barclay diz que Filipe a da Macedônia fundou a cidade que leva seu nome por uma razão muito particular. Em toda a Europa não existia lugar mais estratégico. Há ali uma cadeia montanhosa que divide Europa da Ásia, o Oriente do Ocidente. Assim, Filipos domina a rota de Ásia a Europa. Filipe fundou essa cidade para dominar a rota do Oriente ao Ocidente.[453] Alcançar Filipos era abrir caminhos para a evangelização de outras nações. A evangelização e a plantação de novas igrejas exigem cuidado, critério e planejamento. Precisamos usar de forma mais racional e inteligente os obreiros e os recursos de Deus.

A cidade de Filipos era chamada de Krenides, *fontes,* um lugar com abundantes fontes e ribeiros, cujo solo era fértil e rico em prata e ouro, explorados desde a antiga época dos fenícios. Mesmo que na época de Paulo essas minas já estivessem exauridas, isso fez da cidade um importante centro comercial do mundo antigo, atraindo pessoas de diversas partes do mundo.[454]

Em segundo lugar, *a importância histórica da cidade de Filipos.* Vários fatores históricos podem ser aqui destacados:

1. O fundador da cidade. Filipos era o cenário de importantes acontecimentos mundialmente conhecidos. A cidade foi fundada por Filipe, pai do grande imperador Alexandre Magno, de quem recebeu o nome. Filipe da Macedônia capturou a cidade dos tracianos por volta de 360 a.C.[455]

2. A batalha fundamental travada na cidade. Filipos foi palco de uma das mais importantes batalhas de toda a história do império romano, quando o exército leal ao imperador assassinado, Júlio César, lutou sob o comando de Otávio (mais tarde o imperador Augusto) e Marco Antônio e derrotou as forças rebeldes de Brutus e Cássius. Foi por causa desse auspicioso evento que a dignidade de colônia foi conferida à cidade de Filipos.[456] Os destinos do Império foram decididos nessa cidade.

3. Filipos é feita colônia romana. Filipos foi elevada à honrada posição de colônia romana. As colônias eram instituições admiráveis, com grande importância militar. Roma costumava enviar às colônias grupos de soldados veteranos que haviam cumprido seu período e mereciam a cidadania; estes eram levados a centros estratégicos de rotas importantes. As colônias eram os pontos focais dos caminhos do grande Império. Os caminhos haviam sido traçados de tal maneira que podiam ser enviados reforços com rapidez de uma colônia a outra, as quais se estabeleciam para salvaguardar a paz e dominar os centros estratégicos mais distantes do vasto império romano.[457]

Filipos tornou-se uma espécie de Roma em miniatura. Ao conferir o *ius Italicum* a Filipos, o imperador Augusto atribuiu aos seus cidadãos os mesmos privilégios daqueles que viviam na Itália, ou seja, o privilégio de propriedade, transferência de terras, pagamento de taxas, administração e lei.[458] Nessas colônias falava-se o idioma de Roma, usavam-se vestimentas romanas e se observavam os costumes romanos. Seus magistrados tinham títulos romanos e seguiam as mesmas cerimônias de Roma. Eram partes de Roma, miniaturas da cidade de Roma.[459] Além de privilégios políticos, os magistrados recebiam nessas colônias isenção fiscal. Eram recompensas por deixarem seu lar na Itália para morar em outras partes do Império.[460]

O poder do evangelho na formação da igreja de Filipos (Atos 16)

J. A. Motyer diz que a formação da igreja de Filipos mostra três questões importantes. Do ponto de vista humano, a igreja nasceu a partir da oração, pregação e compromisso sacrificial com a obra de Deus. De outro ponto de vista, a formação da igreja é uma obra de Deus. É Deus quem abre o coração, liberta o cativo e abre as portas da prisão e as recâmaras da alma. Finalmente, a formação da igreja tem a ver com batalha espiritual. É um confronto direto às forças ocultas das trevas.[461] A primeira igreja estabelecida na Europa, na colônia romana de Filipos, revela-nos o poder do evangelho em alcançar pessoas de raças diferentes, contextos sociais diferentes e experiências religiosas diferentes, dando a elas uma nova vida em Cristo. Destacamos alguns pontos aqui.

Em primeiro lugar, *o evangelho chega até às pessoas pela graça soberana de Deus*. Atos 16.10-34 fala sobre a conversão de três pessoas totalmente diferentes umas das outras, na cidade de Filipos, provendo um verdadeiro retrato da eficácia do evangelho em transformar vidas. Vejamos as peculiaridades dessas três conversões:

1. A conversão de Lídia (16.13,14). É Deus quem toma a iniciativa na conversão de Lídia e quem lhe abre o coração. Não apenas Lídia é convertida, mas toda a sua casa (16.15). E não apenas sua família é batizada, mas sua casa se transforma na sede da primeira igreja da Europa (16.40)

2. A libertação da jovem possessa (16.16-18). A jovem possuída por um espírito adivinhador era escrava tanto do diabo como dos homens gananciosos. É Deus também quem toma a iniciativa na sua libertação e conversão.

3. A conversão do carcereiro (16.27-34). Três milagres aconteceram na conversão desse oficial romano: a) um milagre físico – um terremoto; b) um milagre moral – Paulo disse ao carcereiro: *Todos nós estamos aqui*; e c) um milagre espiritual – Deus mudou a vida do carcereiro. A conversão do carcereiro desembocou na salvação de toda a sua família (16.33).

O evangelho começa não apenas alcançando pessoas, mas famílias inteiras. Concordo com Warren Wiersbe quando ele diz que a expressão *Crê no Senhor Jesus e serás salvo, tu e a tua casa* (16.31) não significa que a fé do carcereiro salvaria automaticamente toda a família. Não existe salvação por tabela. Sem novo nascimento é impossível ser salvo.[462] Marshall aponta que o Novo Testamento leva a sério a união da família e, quando a salvação é oferecida ao chefe de um lar, torna-se logicamente disponível ao restante do grupo familiar. A oferta, porém, segue as mesmas condições: eles também devem ouvir a Palavra (16.32), crer e ser batizados; a fé do carcereiro não dá cobertura a todos eles.[463]

Em segundo lugar, *o evangelho alcança todo tipo de pessoas.* Destacamos nesse sentido alguns pontos importantes:

1. Deus salva na cidade de Filipos três raças diferentes. Lídia era asiática, da cidade de Tiatira; a jovem escrava era grega; o carcereiro era cidadão romano. A igreja de Filipos era multicultural e multirracial.

2. Deus salva na cidade de Filipos três classes sociais. Na igreja de Filipos temos não apenas três diferentes nacionalidades, mas também três classes sociais diferentes: Lídia era uma bem-sucedida comerciante de púrpura, uma das mercadorias mais caras do mundo antigo. Lídia saíra de Tiatira, cruzara o mar Egeu e fixara residência em Filipos como vendedora de tecido púrpura. A tintura escarlate e violeta aplicada ao tecido fino era obtida da secreção de um molusco que habita a parte leste do mar Mediterrâneo. Já que eram necessários cerca de oito mil moluscos para produzir um grama de tintura púrpura, o tecido era extremamente caro. Os trajes púrpura eram envergados por imperadores e cidadãos comuns como símbolo de *status*. Em Roma, togas púrpuras eram atreladas às togas senatoriais. Assim, concluímos que Lídia pertencia à classe dos mercadores abastados e era proprietária de uma casa espaçosa (16.15,40).[464] A jovem possessa era uma escrava, e ante a lei não era considerada uma pessoa, mas uma ferramenta viva. O carcereiro era um cidadão romano, membro da forte classe média romana que se ocupava dos serviços civis. Nessas três pessoas estavam representadas a classe alta, a classe média e classe baixa da sociedade de Filipos. William Barclay observa que nenhum outro capítulo na Bíblia mostra tão bem o caráter universal da fé que Jesus trouxe aos homens.[465]

3. Deus salva na cidade de Filipos pessoas de culturas religiosas diferentes. Lídia era prosélita, uma gentia que vivia a cultura religiosa piedosa dos judeus. Como a congregação frequentada por Lídia era composta por mulheres, depreende-se que ali não havia uma sinagoga. Era necessário um quórum de dez homens para que uma sinagoga pudesse ser estabelecida.[466] A escrava vivia no misticismo mais tosco, cativa pelos demônios e possessa. O carcereiro acreditava que César era o Senhor.

A salvação alcança todos os tipos de gente. Deus salva pessoas de lugares diferentes, de raças diferentes, de culturas diferentes e religiões diferentes. Os muros que dividem as pessoas são quebrados. Pobres e ricos, religiosos e místicos, ateus e possessos podem ser alcançados com o evangelho. Jesus é o único Salvador.

Em terceiro lugar, *o evangelho chega às pessoas com diferentes experiências transformadoras*. Destacamos três pontos relacionados:

1. Lídia já era uma mulher piedosa. O evangelho a alcança de forma calma e serena. Enquanto ela participava de uma reunião de oração e ouvia a Palavra de Deus, o Senhor lhe abriu o coração.

2. *A jovem escrava era prisioneira de Satanás*. Literalmente essa jovem tinha "um espírito de píton", uma referência à cobra da mitologia clássica que vigiava o templo de Apolo e o oráculo de Delfos no monte Parnasso. Pensava-se que Apolo encarnava na cobra e inspirava as "pitonisas", suas devotas, dando-lhes clarividência, embora outras pessoas as considerassem ventríloquas. Lucas não se deixa levar por essas superstições, entendendo que a jovem escrava era possessa de um espírito mau.[467] O evangelho a alcançou enquanto ela estava nas garras do diabo. Capacho nas mãos dos demônios, era explorada também pelos homens. Foi uma experiência dramática e bombástica. O diabo escravizava aquela jovem. Ele é assassino, ladrão e venenoso como uma serpente, traiçoeiro como uma víbora, feroz como um leão e perigoso como um dragão. O diabo é o pai da mentira. Estelionatário, promete liberdade, mas ao fim escraviza. Promete prazer, mas só dá desgosto. Promete vida, mas paga com a morte.

O diabo possuiu essa jovem, dando-lhe a clarividência. Ela adivinhava pelo poder dos demônios. O diabo falava pela boca dela. As coisas do diabo parecem funcionar. A moça adivinhava mesmo, e seus donos ganhavam dinheiro. Muita gente teve lucro com o misticismo daquela escrava. O diabo enriquece, mas rouba a alma. O diabo oferece prazeres, mas destrói a pessoa. Quando Paulo exorcizou o espírito que dominava a jovem pitonisa, exorcizou também a fonte de renda daqueles que a exploravam.[468]

Paulo não aceitou o testemunho dos demônios nem conversou com eles; antes, repreendeu o espírito e expulsou o demônio. Conforme Justo González, isso contrasta de forma contundente com o que aconteceu na Europa quando Adolf Hitler ascendeu ao poder. O papa e a cúria receberam notícias das atrocidades cometidas contra os judeus e os inimigos do regime alemão. Porém, para não criar problemas para a igreja, já que Hitler não a estava atacando diretamente, decidiram permanecer em silêncio.[469]

Por que um demônio se engajaria na obra da evangelização? Talvez o motivo final fosse desacreditar o evangelho, associando-o ao ocultismo, nas mentes das pessoas.[470] Hoje, os demônios falam e controlam até o microfone nas igrejas. Paulo libertou aquela escrava do poder demoníaco. O diabo mantém muitos no cativeiro hoje também. Mas, quando o evangelho chega, os cativos são libertos. Concordo com John Stott quando ele diz que, apesar de Lucas não se referir explicitamente à conversão ou ao batismo da jovem, o fato de sua libertação ter acontecido entre as conversões de Lídia e do carcereiro leva o leitor a deduzir que ela também se tornou membro da igreja de Filipos.[471]

3. *O carcereiro era adepto da religião do Estado.* O evangelho o alcançou no meio de um terremoto, à beira do suicídio. Deus nos salva de formas diferentes. Por isso não podemos transformar a nossa experiência em modelo para os outros. Embora todas essas três pessoas tivessem experiências igualmente genuínas, cada uma delas vivenciou uma experiência distinta. Todas se arrependeram. Todas foram transformadas.

Em quarto lugar, *o evangelho é poderoso para salvar aqueles que se arrependem.* Jesus salvou uma mulher e um homem. Uma mulher rica e um homem de classe média. Uma mulher piedosa e um homem carrasco. Uma frequentadora da reunião de oração e um carrasco que açoitava os prisioneiros. Destacamos a seguir alguns aspectos da conversão dessas duas pessoas.

A conversão de Lídia. A conversão dessa comerciante de Tiatira nos traz três ensinos.

1. Ela era temente a Deus, uma mulher de oração, mas não era convertida. Não basta frequentar a igreja, ler a Bíblia e orar. É preciso nascer de novo.

2. Deus abriu o coração de Lídia. Ela ouviu e atendeu à Palavra. A parte de Deus é abrir o coração; a parte do ser humano é ouvir e atender!

3. A conversão de Lídia aconteceu num lugar favorável. Ela buscava a Deus; o carcereiro não. Ela estava orando; o carcereiro estava à beira do suicídio.

A conversão do carcereiro. A conversão desse funcionário público de Roma nos mostra alguns pontos importantes.

1. Há pessoas que só se convertem após um terremoto, após um abalo sísmico. Há aqueles que não ouvem a voz suave. Não buscam uma reunião de oração. Não procuram ouvir a Palavra de Deus. Para estes, Deus produz um terremoto, um acidente, uma enfermidade, algo radical!

2. O mesmo Deus que abriu o coração de Lídia, abriu as portas da prisão. O carcereiro à beira do suicídio reconhece quatro fatos: a) Ele está perdido: *Que farei para ser salvo?* Não há esperança para você a menos que reconheça que está perdido. Sem Cristo, você cambaleia sobre um abismo de trevas eternas. Se você não se converter, sua vida é vã, sua fé é vã, sua religião é vã, sua esperança é falsa. b) É preciso crer no Senhor Jesus: *Crê no Senhor Jesus e serás salvo, tu e tua casa.* Não há outro caminho. Não basta ser religioso. Não é suficiente ter pais crentes. Não importa também quão longe você esteja. Se você crer, será salvo. c) É preciso obediência: *Crê no Senhor Jesus*. Se Jesus não é o dono da sua vida, ele ainda não é o seu Salvador. Ele não nos salva *no* pecado, mas *do* pecado. Marshall escreve: "Jesus é Salvador daqueles dos quais ele é Senhor".[472] d) É preciso dar provas de transformação. A conversão implica mudança no ponto nevrálgico da nossa vida: Zaqueu, o pródigo; o carcereiro, um homem rude que deixa de ser carrasco para ser hospitaleiro. Deixar de açoitar, para lavar os vergões de Paulo. Deixa de agir com crueldade, para agir com urbanidade. A celebração realizada na casa do carcereiro foi apenas uma expressão externa da alegria interna que toda a família experimentou, por terem crido em Deus (16.34).[473] Citando Crisóstomo, John Stott aponta que o carcereiro lavou os vergões de Paulo e Silas e foi lavado. Ele lavou os vergões dos açoites e foi lavado de seus pecados.[474]

Lucas encerra sua narrativa sobre Filipos com uma referência aos *irmãos* (16.40). A comerciante rica, a escrava explorada e o carcereiro romano rude foram unidos, numa comunhão fraternal, entre si e com os outros membros da igreja.[475]

Em quinto lugar, *o evangelho é poderoso para nos sustentar nas provações mais difíceis da vida*. Paulo e Silas estavam pregando em Filipos e confrontando os poderes das trevas. O evangelho pregado por eles abalou as portas do inferno. A luz havia chegado à cidade, e as trevas não podiam mais prevalecer. Uma jovem possuída por demônios exercia a adivinhação, e muitos homens ganhavam dinheiro com essa magia. O diabo não é um mito. Não é uma lenda. Os demônios existem. Eles agem, enganam e usam as pessoas para cumprir seus propósitos nefastos.

Além de enganar o povo de Filipos, os demônios tentam enganar os obreiros de Deus (16.17). Os demônios confirmam duas verdades: a) quem é Paulo; b) o conteúdo do evangelho pregado por Paulo. Mas Deus não precisa do testemunho dos demônios. Por isso, Paulo repreende aquele espírito maligno e a jovem é libertada.

A cidade entrou em alvoroço. O apóstolo Paulo, usado por Deus, desmantelou a trama do diabo na cidade. Os romanos ficaram revoltados e levantaram três acusações contra Paulo e Silas: a) uma questão racial: Esses homens são judeus (16.20); b) uma questão de ordem: Esses homens perturbam a nossa cidade (16.20); c) uma questão religiosa: Esses homens propagam costumes que não podemos receber nem praticar porque somos romanos (16.21).

Paulo e Silas são presos, açoitados e trancados no cárcere interior. Mas não praguejam, não se desesperam, não se revoltam contra Deus. Eles têm paz no vale. Em vez de clamar por vingança, clamam pelo nome de Deus para adorá-lo. John Stott declara: "Não eram gemidos; eram hinos o que saía de suas bocas. Em vez de amaldiçoar os homens, eles louvavam a Deus. Não é de admirar que os demais companheiros de prisão estivessem escutando (16.25)".[476]

Eles fazem um culto na cadeia. Cantam e oram a despeito das circunstâncias. O evangelho que pregam aos outros funciona também na vida deles. Eles sabem que Deus está no controle da situação.

Circunstâncias da formação da igreja em Filipos
Paulo e Silas enfrentaram circunstâncias hostis e adversas na plantação da igreja em Filipos. Vejamos algumas delas.

Em primeiro lugar, *eles foram presos por terem desfeito a esperança de lucro dos que se beneficiavam com a prática da feitiçaria* (16.19). Paulo foi o instrumento de Deus para a libertação da jovem possessa. A moça foi libertada dos demônios, e Paulo foi preso pelos seus exploradores. Quando os servos de Deus são usados na terra, o inferno se agita e os agentes do diabo se enfurecem. O diabo e o mundo se opõem à obra de Deus. Não há vida cristã sem luta, sem oposição, sem confronto. Ninguém pode viver uma vida piedosa sem ser perseguido.

Paulo e Silas foram presos não por fazerem o mal, mas por fazerem o bem. Não foram presos porque oprimiram a jovem, mas porque a libertaram. Acabaram presos porque o diabo foi desmascarado e porque os homens que estavam mancomunados com as trevas perderam sua fonte de lucro.

Em segundo lugar, *eles foram acusados injustamente* (16.20,21). Paulo e Silas foram acusados de perturbar a cidade e propagar costumes contrários aos romanos. Essas acusações eram falsas. Paulo e Silas não eram perturbadores. Eram servos do Altíssimo e embaixadores de Cristo. Ministros da reconciliação e portadores de boas novas, estavam ali não para perturbar a ordem, mas para colocar as coisas em ordem.

Eles não pregavam costumes, pregavam o evangelho. Não anunciavam regras para escravizar as pessoas, anunciavam as boas novas para libertá-las. Não disseminavam os costumes de um povo, disseminavam o evangelho que é universal, para todos os povos.

Em terceiro lugar, *eles foram açoitados injusta e ilegalmente* (16.22,23,37). Paulo e Silas eram cidadãos romanos e, como tais, não podiam ser açoitados com varas sem processo formal. Esse castigo, além de ilegal, era também injusto, pois eles não praticaram o mal, mas o bem. Não cometeram nenhum crime; ao contrário, desataram o nó do diabo na vida de uma jovem presa no cipoal da feitiçaria.

O açoite com varas era o típico castigo romano. As roupas de Paulo e Silas foram rasgadas, e eles receberam muitos açoites (v. 22,23). Paulo foi fustigado com varas três vezes (2Co 11.25). Essa era uma das formas mais desumanas e brutais de castigo físico. Suas costas ficaram em carne viva. O sangue jorrava do corpo dilacerado pelos golpes violentos. Kistemaker diz que os magistrados romanos tinham a seu serviço soldados da polícia (16.35,38), que em latim era chamados de *lictores* (portadores de varas). Esses oficiais carregavam os símbolos da lei e da ordem – os *fasces*, um feixe de varas com um machado. Com essa varas eles ministravam o castigo corporal e, por vezes, a punição de morte. Obedecendo às ordens dos magistrados, os oficiais rasgaram as roupas de Paulo e Silas e os espancaram com os *fasces*.[477]

Em quarto lugar, *eles foram jogados na prisão interior de uma masmorra romana* (16.23,24). Depois de açoitados, Paulo e Silas foram entregues ao carcereiro, com a recomendação de que os guardassem com toda segurança. Por essa razão, foram levados ao cárcere interior, onde seus pés foram presos no tronco. Na parte externa da cadeia, os presos tinham liberdade de caminhar e encontrar amigos e parentes, mas a parte interna era escura e preparada para manter os presos submetidos a rígido confinamento. Ali o carcereiro meteu as pernas dos apóstolos no tronco para tornar a fuga impossível. Ser confinado ao tronco representava uma tortura, especialmente quando as pernas eram forçadas a ficar separadas ao serem colocadas em buracos afastados uns dos outros.[478]

Uma prisão romana tinha três partes distintas. Na *comuniora*, os prisioneiros tinham luz e ar fresco. Na *interiora*, que era uma prisão subterrânea, úmida, fria, não havia luz nem ar fresco. Nessa prisão fechada por fortes portões e trancas de ferro, cada cela possuía cinco buracos – dois no chão para os pés e três buracos para os braços e para a cabeça –, o prisioneiro era torturado a cada movimento que fazia,. Por fim, havia o *tullianum*, ou cela subterrânea, o lugar de execução ou o lugar de um prisioneiro condenado à morte.

Paulo e Silas estavam com seus pés presos no tronco (16.24). Submetidos a uma tortura alucinante, e isso depois de terem sido surrados com varas, eles não podiam mover-se. Ali, no frio e na escuridão da noite, com os corpos ensanguentados, latejando de dor, com os pés presos no tronco, em vez de ceder aos gemidos ou à revolta, eles oram e cantam!

Essas circunstâncias não eram favoráveis à oração e ao cântico. Mas eles oraram e cantaram, não porque as circunstâncias eram favoráveis, mas *apesar* das circunstâncias adversas. Cantaram não porque o sol já tinha raiado, mas *apesar* de ser meia-noite. Louvaram não porque o problema era pequeno, mas *apesar* de o problema ser grande. Exaltaram a Deus não porque estavam no controle da situação, mas porque o Senhor estava. Deus envia não um anjo, mas um terremoto para libertar os prisioneiros. Ele usa tanto os meios sobrenaturais como os naturais.[479] Paulo e Silas deixam o cárcere na condição de honrados cidadãos romanos respeitados pelas autoridades locais (16.40).

Lições aprendidas na formação da igreja em Filipos (16.25-34)

Desse episódio do nascimento da igreja em Filipos aprendemos várias lições importantes.

Em primeiro lugar, *no sofrimento é possível aproveitar as oportunidades para testemunhar de Cristo* (16.25). Paulo e Silas não praguejaram nem murmuraram, mas oraram e cantaram. Warren Wiersbe cita Charles Spurgeon: "Qualquer tolo é capaz de cantar durante o dia. É fácil cantar quando conseguimos ler a partitura à luz do sol; mas o cantor habilidoso consegue cantar quando não há sequer um raio de luz para iluminar a notas. Os cânticos noturnos vêm somente de Deus; não se encontram ao alcance dos homens".[480] Os prisioneiros escutam atentamente. A palavra *escutar* (16.25) indica um ouvir atento. É usada em referência ao ouvir o que dá prazer, como uma melodiosa música. Ao passar pelo sofrimento, em vez de converter-se em fonte amarga, o cristão se transforma numa fonte de vida. Em vez de murmurar na hora da dor, ele celebra. Em vez de cerrar os punhos contra Deus como fez a mulher de Jó, ele adora.

Não espere as coisas melhorarem para você testemunhar. Paulo e Silas eram missionários tanto em liberdade como na prisão, durante a vida e na hora da morte. Aquelas celas úmidas, escuras e insalubres que antes escutavam praguejamentos, palavrões e impropérios, agora escutam orações fervorosas e hinos de louvor a Deus. Quando os filhos de Deus cantam no sofrimento, na dor, na enfermidade, o nome de Deus é exaltado e os pecadores são impactados.

Em segundo lugar, *no sofrimento é possível triunfar sobre as adversidades e usá-las como incenso de adoração* (16.25). A adversidade é uma encruzilhada, na qual uns colocam o pé na estrada do fracasso e outros avançam pelo caminho da vitória. As forças adversas tornam-se aliadas da alma. Paulo passou a olhar o sofrimento pela perspectiva de Deus. Apenas suportar o sofrimento não é cristianismo, mas estoicismo e paganismo. O cristianismo transforma vales em mananciais, choro em alegria, dor em prelúdio de consolo, sofrimento em liturgia de adoração. O cristianismo gera convicção de que Deus é soberano e está no controle de toda situação. Aqueles homens sofreram como quaisquer outros. A dor era verdadeira dor para eles. A prisão era verdadeira prisão para eles. Mas eles cantavam porque sabiam que Deus tinha um plano perfeito e que Jesus estava sendo glorificado naquele sofrimento.

Em terceiro lugar, *no sofrimento é possível estar com os pés no tronco, mas ao mesmo tempo assentado com Cristo nas regiões celestes* (16.25). Paulo e Silas estão em Filipos, no cárcere interior de uma masmorra romana. Estão acorrentados com os pés no tronco e em profunda agonia. Sim, isso é verdade. Mas não é toda a verdade. A coisa mais importante não foi dita. Eles estão em Cristo. Seus pés estão no tronco, mas o coração deles está em Deus. Fisicamente estão sofrendo a maior humilhação, mas espiritualmente estão assentados com Cristo nas regiões celestes. Era meia-noite, mas eles tinham a luz do céu na prisão. A presença de Deus transformou a prisão em palácio, o tronco em paraíso, e eles ergueram ao céu, à meia-noite, orações de adoração e hinos de louvor.

Em quarto lugar, *no sofrimento aprendemos que a hora mais escura da vida é tempo de adorarmos a Deus* (16.25). Era meia-noite. Meia-noite é hora de solidão, silêncio, escuridão, medo. Mas para Paulo e Silas era tempo para adorar. O tempo fora transfigurado. Não havia tempo difícil para esses homens. Eles estão acima do tempo. Eles cantam à meia-noite. Para eles não há problema sem solução. Não há causa perdida. Não há situação fora de controle. Eles não foram chamados para escapar da dor, mas para triunfar sobre ela. Meia-noite, mesmo na prisão, mesmo com as costas ensanguentadas, era o melhor tempo para adorar a Deus e cantar louvores.

É fácil cantar na alegria. É fácil cantar no santuário. Mas Deus nos convoca a cantar na prisão, à meia-noite. É fácil ter paz na bonança, mas Deus nos convoca a experimentar paz no vale. Paulo cantou na prisão e às vezes reclamamos no conforto do nosso lar. Ele cantou ensanguentado e às vezes reclamamos cheios de saúde. Paulo cantou quando injustiçado e às vezes reclamamos mesmo quando somos honrados.

Em quinto lugar, *no sofrimento aprendemos que aqueles que cantam na prisão jamais serão realmente presos* (16.25). Era impossível prender Paulo e Silas. Eles sempre faziam da prisão uma embaixada. Paulo se considerava embaixador em cadeias. A Palavra nunca estava algemada. Paulo e Silas estavam com os pés no tronco, mas eram livres. Os pés estavam acorrentados, mas o coração deles estava no céu. Eles foram jogados no cárcere interior e trancados com ferrolhos. Tiveram o corpo surrado, mas se sentiam livres. Livres para adorar. Livres para cantar louvores. Livres para entrar na sala do trono. O corpo deles estava na prisão, mas a alma estava no santo dos santos. Eles são livres, livres! São embaixadores entre algemas. Estão algemados, mas a Palavra age livre e poderosamente neles e através deles.

Viktor Frankl disse que a liberdade interior é o único bem que os homens não podem tirar de você. A decisão é escolher o que você fará de sua liberdade.

Em sexto lugar, *no sofrimento aprendemos que aqueles que cantam na prisão jamais serão impedidos de fazer a obra de Deus* (16.25). Os romanos colocaram Paulo e Silas na prisão e os proibiram de pregar. Eles os tiraram da praça e os trancaram numa masmorra. Agora, Paulo e Silas estão cercados de trevas. Não podem ver o rosto das pessoas e não podem pregar, mas podem orar e cantar louvores, e os prisioneiros podem escutar. Um homem capaz de cantar na prisão é um homem cujo ministério não pode ser interrompido. Sua alma está livre para exaltar a Deus. Deus abre seus lábios quando o mundo quer fechá-los. As prisões e os calabouços humanos não conseguem silenciar a verdade divina.

Em sétimo lugar, *no sofrimento aprendemos que a tormenta é muitas vezes o caminho onde Deus se manifesta salvadoramente* (16.26-34). Deus age por meios estranhos. O terremoto foi o caminho de Deus. Ele faz o seu caminho na tormenta. O terremoto é o instrumento que Deus usa para abrir as portas da prisão e quebrar os ferrolhos dos corações endurecidos. O propósito de Deus no terremoto é sacudir as almas dormentes. Deus sacode o chão sob os pés daqueles que se opõem. Deus precisou mandar um terremoto para o carcereiro ser convertido. O mesmo Deus que abriu o coração de Lídia numa reunião de oração envia um terremoto para abrir o coração do carcereiro. Ele age de formas diferentes.

Em oitavo lugar, *no sofrimento aprendemos que, mesmo quando o terremoto não ocorre, devemos continuar adorando e cantando* (16.26-35). O terremoto que abriu miraculosamente as portas da cadeia e o coração do carcereiro não é o ponto principal aqui. Paulo e Silas não cantam louvores porque o terremoto ocorreu. Eles não cantam para que aconteça um terremoto. Nem sempre o terremoto se concretiza. Milhares foram deixados na prisão e lá morreram, mas cantaram à meia-noite.

Depois de várias outras prisões, Paulo, no final da vida, voltou a uma masmorra romana. Desta vez não em Filipos, mas em Roma. Nessa prisão, ele adora a Deus novamente (2Tm 4.6-8). Mesmo enfrentando solidão (2Tm 4.9,11), abandono (2Tm 4.10), privação (2Tm 4.13), traição (2Tm 4.14,15) e ingratidão (2Tm 4.16), Paulo ainda canta: *Mas o Senhor me assistiu e me revestiu de forças, para que, por meu intermédio a pregação fosse plenamente cumprida, e todos os gentios a ouvissem; e fui libertado da boca do leão. O Senhor me livrará também de toda obra maligna e me levará salvo para o seu reino celestial. A ele, glória pelos séculos dos séculos. Amém* (2Tm 4.17,18).

A canção de Filipos aconteceu antes do terremoto. Paulo não tinha ideia de que o terremoto viria. Agora ele canta não porque sabe que sairia da prisão. Ele canta porque a prisão não importa mais. Seu passaporte já está carimbado para a última viagem, e esta viagem derradeira é para o céu!!!

Notas do capítulo 16

446 KISTEMAKER, Simon. *Atos*. Vol. 2, p. 114.
447 STOTT, John. *A mensagem de Atos* , p. 285.
448 KISTEMAKER, Simon. *Atos*. Vol. 2, p. 112.
449 WIERSBE, Warren W. *Comentário bíblico expositivo*, p. 605.
450 STOTT, John. *A mensagem de Atos* , p. 294.
451 KISTEMAKER, Simon. *Atos*. Vol. 2, p. 122.
452 WIERSBE, Warren W. *Comentário bíblico expositivo*, p. 605.
453 BARCLAY, William. *Filipenses, Colosenses, I y II Tesalonicenses*. Buenos Aires: La Aurora, 1973, p. 10.
454 BARCLAY, William. *Filipenses, Colosenses, I y II Tesalonicenses*, p. 9.
455 MOTYER, J. A. *The message of Philippians*. Downers Grove, IL: InterVarsity Press, 1991, p. 15.
456 MOTYER, J. A. *The Message of Philippians*, p. 15.
457 BARCLAY, William. *Filipenses, Colosenses, I y II Tesalonicenses*, p. 10.
458 LAKE, K.; CADBURY, H. J. *The beginnings of Christianity, 4*, ed. F. J. Foakes Jackson and K. Lake. London: Macmillan, 1993, p. 190.
459 BARCLAY, William. *Filipenses, Colosenses, I y II Tesalonicenses*, p. 10.
460 WIERSBE, Warren W. *Comentário bíblico expositivo*, p. 605.
461 MOTYER, J. A. *The Message of Philippians*, p. 15,16.
462 WIERSBE, Warren W. *Comentário bíblico expositivo*, p. 607.
463 MARSHALL, I. Howard. *Atos: introdução e comentário*. 1982, p. 258.
464 KISTEMAKER, Simon. *Atos*. Vol. 2, p. 128.
465 BARCLAY, William. *Filipenses, Colosenses, I y II Tesalonicenses*, p. 11.
466 STOTT, John. *A mensagem de Atos* , p. 296.
467 STOTT, John. *A mensagem de Atos* , p. 297.
468 STOTT, John. *A mensagem de Atos* , p. 298.
469 GONZÁLEZ, Justo L. *Atos*, p. 231.
470 STOTT, John. *A mensagem de Atos* , p. 298.
471 STOTT, John. *A mensagem de Atos* , p. 298.
472 MARSHALL, I. Howard. *Atos: introdução e comentário*. 1082, p. 258.
473 STOTT, John. *A mensagem de Atos* , p. 301.
474 STOTT, John. *A mensagem de Atos* , p. 301.
475 STOTT, John. *A mensagem de Atos* , p. 304.
476 STOTT, John. *A mensagem de Atos* , p. 300.
477 KISTEMAKER, Simon. *Atos*. Vol. 2, p. 137.
478 KISTEMAKER, Simon. *Atos*. Vol. 2, p. 138.
479 KISTEMAKER, Simon. *Atos*. Vol. 2, p. 140.
480 WIERSBE, Warren W. *Comentário bíblico expositivo*, p. 606.

Capítulo 17

Igrejas estratégicas plantadas na Macedônia
(At 17.1-15)

DEPOIS DE PLANTAR UMA IGREJA em Filipos, colônia romana, regando o solo com o próprio sangue, Paulo e seus companheiros continuam sua jornada para Tessalônica e Bereia. À guisa de introdução, alguns pontos devem ser destacados.

Em primeiro lugar, *os planos de Deus devem prevalecer sobre a vontade humana*. O apóstolo Paulo queria penetrar no continente asiático em sua segunda viagem missionária, mas Deus o direcionou para a Europa. Ele queria ir para o Oriente, mas Deus o conduziu para o Ocidente. Campbell Morgan escreveu: "A invasão da Europa certamente não estava na mente de Paulo, mas é evidente que estava na mente do Espírito Santo".⁴⁸¹ Por essa razão o mundo ocidental foi alcançado pelo evangelho e as igrejas do Ocidente se tornaram a base dos grandes avanços missionários. John Stott declara: "Foi da Europa que, no seu devido tempo, o evangelho se espalhou pelos grandes continentes: África, Ásia, América do Norte, América Latina e Oceania, alcançando assim os confins do mundo".⁴⁸²

Em segundo lugar, *a perseguição humana não pode destruir a obra de Deus*. A evangelização da Europa foi o cumprimento da agenda de Deus, porém aconteceu debaixo de dura perseguição. Por onde Paulo passou na Europa, enfrentou implacável perseguição. Foi açoitado em Filipos, expulso de Tessalônica, enxotado de Bereia, chamado de tagarela em Atenas e taxado de impostor em Corinto. Isso nos mostra que a vontade de Deus não é incompatível com o sofrimento. A igreja de Tessalônica foi gerada no útero do sofrimento, nasceu no berço da perseguição e floresceu num ambiente de profunda hostilidade. Os ventos da perseguição jamais destroem a igreja; apenas aceleram o processo do seu crescimento.

Em terceiro lugar, *quando Deus se manifesta, a igreja se fortalece rapidamente*. O apóstolo pregou apenas três sábados na sinagoga de Tessalônica e esse período foi suficiente para produzir uma verdadeira revolução na cidade. O evangelho chegou ali não apenas em palavra, mas, sobretudo, em poder e demonstração do Espírito e grande convicção (1Ts 1.5). Corações foram atingidos e vidas foram transformadas. Os gentios abandonaram seus ídolos e se converteram a Cristo (1Ts 1.9), tornando-se crentes modelos para os demais (1Ts 1.7,8). Num curto espaço de tempo, tornaram-se firmes na fé, sólidos no amor e robustos na esperança (1Ts 1.3). Mesmo sob ameaça e atroz perseguição, aquela igreja plantada às pressas e debaixo de perseguição tornou-se uma agência de evangelização para as demais regiões (1Ts 1.8).

Examinamos Atos 17.1-9 em busca de algumas importantes lições.

A estratégia missiológica de Paulo (17.1)

Paulo não era apenas um pregador, era também um sábio estrategista. Na sua primeira viagem missionária, concentrou-se exclusivamente em Chipre e na Galácia; na segunda, dedicou-se à evangelização das províncias da Macedônia e Acaia. Na terceira viagem missionária, concentrou-se em Éfeso, na província da Ásia Menor. É importante ressaltar que, em todas as suas viagens, Paulo incluiu as capitais em seu trajeto: Tessalônica, capital da Macedônia; Corinto, capital da Acaia; e Éfeso, capital da Ásia. Além disso, Paulo escreveria a cada uma das igrejas nessas capitais, ou seja, aos tessalonicenses, aos coríntios e aos efésios.[483]

O apóstolo Paulo entrou na Europa por orientação do Espírito Santo, mas também tinha discernimento para fazer as melhores escolhas estratégicas na obra missionária nesse continente. Por essa razão, viajando pela grande via expressa, a Via Egnátia, uma das mais importantes estradas do império romano, passou por várias cidades macedônias como Anfípolis e Apolônia e concentrou seu trabalho em Tessalônica, capital da província, onde havia uma sinagoga judaica (At 17.1). De todas as cidades desta artéria, Tessalônica era a maior, a mais influente e também a residência do governador romano. Situada no atual Golfo de Salônica, foi edificada na forma de um anfiteatro nas colinas no fundo da baía.[484] Hoje, nas ruínas de Tessalônica se localiza a moderna cidade de Salônica.

Não que Paulo julgasse essas duas primeiras cidades indignas do evangelho, mas compreendia que, se Tessalônica fosse alcançada, o evangelho poderia irradiar-se dali para todas as outras regiões. Assim, Paulo não estava sendo preconceituoso nem fazendo acepção de pessoas, mas estava, sim, agindo de modo estratégico. William Barclay assevera que a chegada do cristianismo a Tessalônica foi um fato de suma importância. Paulo sabia que, se o cristianismo se firmasse em Tessalônica, poderia estender-se dali para o Oriente e o Ocidente, como de fato aconteceu (1Ts 1.8).[485]

Paulo sabia usar os recursos disponíveis na época para agilizar o processo de evangelização. Comentando essa viagem de Paulo a Tessalônica, Howard Marshall ressalta a importância da Via Egnátia, nos seguintes termos:

> A grande estrada romana, a Via Egnátia, começava em Neápolis e passava por Filipos, Anfípolis (At 16.12), Apolônia e Tessalônica, depois passava para o oeste, atravessando a Macedônia até a praia do mar Adriático em Dirraquio, de onde os viajantes podiam atravessar o mar para a Itália. As campanhas missionárias de Paulo foram muito facilitadas onde havia boas estradas, as "rodovias expressas" do mundo antigo, para ajudar seu progresso. Os missionários viajaram 53 km para Anfípolis, 43 km para Apolônia e então, 56 km para Tessalônica.[486]

Conforme Warren Wiersbe, Paulo costumava ministrar nas cidades maiores e transformá-las em centros de evangelismo a toda a região (At 19.10,26; 1Ts 1.8).[487] Capital da Macedônia, Tessalônica era uma cidade estratégica. Era um importante centro comercial, só comparado à cidade de Corinto. Ali se encontrava um dos mais importantes portos da época. A cidade dominava o comércio marítimo através do mar Egeu e o comércio terrestre pela Via Egnátia. Também por Tessalônica passavam diversas rotas comerciais.

William MacDonald declara que o Espírito Santo escolheu esta cidade como base a partir da qual o evangelho poderia ser irradiado para muitas outras direções.[488]

William Barclay comenta sobre a importância dessa cidade e informa que seu nome original, Thermai, significa "fontes quentes". Seiscentos anos antes, Heródoto já a descrevia como uma grande cidade. Ali, Xerxes, o persa, estabeleceu sua base naval ao invadir a Europa. Em 315 a.C., Cassandro reedificou a cidade e a batizou como Tessalônica, nome de sua mulher, filha de Filipe da Macedônia e irmã de Alexandre Magno. Como Filipos, Tessalônica era uma cidade antiga que recebeu nova vida na era helenística. Os romanos fizeram dela uma cidade livre em 42 a.C., e ela manteve direitos garantidos de governo próprio nos padrões gregos mais que nos moldes romanos.[489]

Jamais as tropas romanas cercaram essa importante cidade. Ela possuía sua própria assembleia popular e seus próprios magistrados. Sua população era estimada em duzentos mil habitantes e, durante um tempo, chegou a rivalizar-se com Constantinopla como candidata a capital do mundo. Como já dissemos, através da Via Egnátia, Tessalônica ligava o Oriente e o Ocidente, posicionando-se na entrada do império romano. Em virtude desses fatos, é impossível exagerar a importância da chegada do cristianismo a Tessalônica. Paulo sabia que, se o cristianismo ali se estabelecesse, poderia estender-se ao Oriente pela Via Egnátia até conquistar toda a Ásia, e pelo Ocidente certamente chegaria à cidade de Roma. O advento do cristianismo em Tessalônica foi um passo crucial na transformação do cristianismo em religião mundial.[490]

Tessalônica sobreviveu aos embates do tempo. Foi a segunda maior cidade nos dias do império bizantino. Em

390 d.C., tornou-se palco de um grande massacre, quando o imperador Teodósio, o Grande, mandou massacrar mais de sete mil cidadãos. A cidade desempenhou papel importante nas Cruzadas. Passou a um governo otomano no ano de 1430. Esteve sob o domínio turco de 1439 até 1912, quando foi retomada pelos gregos. Atualmente, sob o nome de Salônica, é a segunda maior cidade da Grécia, com uma população estimada em 250 mil habitantes.[491]

A ponte de contato para a pregação do evangelho (17.2)

O apóstolo Paulo escolheu Tessalônica não apenas por sua localização geográfica e importância econômica e política, mas também por sua conexão religiosa. Naquele grande centro de cultura grega e romana havia uma sinagoga de judeus. A mesma ponte de contato foi usada em Bereia (17.10).

Frank Stagg alega que não é motivo de surpresa a existência de uma sinagoga em Tessalônica, dado que seu forte comércio atrairia a colônia judaica.[492] Essa sinagoga era uma ponte de contato para a pregação do evangelho. Antes de Paulo, Jesus já usara a sinagoga como alça de acesso para o ensino das Escrituras e o testemunho do evangelho (Lc 4.16).

Paulo costumava usar as sinagogas como ponto de partida para atingir as pessoas com o evangelho (At 13.5,14,44). Em Tessalônica não foi diferente. Por três sábados, arrazoou com elas acerca das Escrituras. Paulo começa a evangelização da cidade de Tessalônica a partir da sinagoga judaica reunida aos sábados.

Na sua estratégia, Paulo usou o lugar certo e o tempo certo. Usou também o meio certo, as Escrituras. Usou a mensagem certa, ou seja, a vida, a morte e a ressurreição de Jesus, para atingir as pessoas certas, ou seja, os judeus e gentios piedosos. Jesus, Paulo e os missionários ao longo dos séculos souberam usar com sabedoria essas pontes de contato para levarem aos povos a mensagem da graça de Deus.

Ainda hoje precisamos ter discernimento ao buscar os melhores meios, os melhores recursos, os melhores métodos para anunciarmos a melhor mensagem, o evangelho de Cristo.

A essência da pregação de Paulo (17.3)

O apóstolo Paulo prega Cristo a partir das Escrituras. Ele não prega filosofia grega nem política romana. Não prega a tradição dos anciãos nem ensina os dogmas dos rabinos fariseus. Expõe as Escrituras e a partir delas apresenta Cristo. Sobre este versículo, Joseph Alexander comenta que as duas grandes doutrinas pregadas por Paulo em Tessalônica foram acerca do Messias sofredor e de sua identidade como Jesus de Nazaré.[493]

Dois pontos importantes nos chamam a atenção neste versículo.

Em primeiro lugar, *Paulo variou os métodos* (17.3). A pregação do evangelho deve ser bíblica e racional, assegura Matthew Henry.[494] Paulo não usa expedientes místicos para expor as Escrituras. Ele apela para a razão de seus ouvintes. Dirige-se à mente deles e lhes desperta o entendimento. Paulo identificou o Jesus da história com o Cristo das Escrituras, enquanto hoje alguns teólogos liberais tentam criar um abismo entre o Jesus histórico dos Evangelhos e um Cristo místico da teologia e da experiência cristã.[495]

Quatro verbos descrevem a pregação de Paulo na sinagoga de Tessalônica.

1. Ele *arrazoou* (17.2). Paulo dialogou com eles por meio de perguntas e respostas. A palavra grega aqui empregada deu origem ao termo *dialética*, que nada mais era do que ensinar discutindo por meio de perguntas e respostas.[496]

2. Ele *expôs*, ou seja, explicou-lhes o conteúdo do evangelho (17.3). Pregar é explicar e aplicar as Escrituras. O pregador não cria a mensagem, ele a transmite. A mensagem emana das Escrituras. Deus não tem nenhum compromisso com a palavra do pregador, mas com a sua própria Palavra. Esta, e não a palavra do pregador, tem a garantia de que não volta para Deus vazia. Para explicar a Palavra, é preciso ser fiel na interpretação. É preciso fazer uma exegese sadia, ou seja, tirar do texto o que está nele, em vez de impor ao texto o que ele não está afirmando.

3. Ele *demonstrou* que Jesus é, de fato, o Messias. O termo *demonstrar, paratithemi,* significa "colocar lado a lado ao apresentar evidências" (17.3). Era uma referência à exposição de Paulo que consistia em colocar o cumprimento ao lado das profecias.

4. Ele *anunciou* a morte e a ressurreição de Jesus Cristo (17.3).[497] Paulo se empenhava em anunciar Jesus. Em outras palavras, ele contou a história de Jesus de Nazaré: seu nascimento, sua vida e seu ministério, sua morte e ressurreição, sua exaltação e a dádiva do Espírito, o seu reino presente e sua volta, a oferta da salvação e o anúncio do julgamento. Não há motivo para duvidar que Paulo tenha feito um relato completo da carreira salvífica de Jesus, do início ao fim, diz John Stott.[498]

Em segundo lugar, *Paulo não mudou a mensagem* (17.3). A pregação paulina em Tessalônica foi cristocêntrica. Paulo falou sobre a morte e a ressurreição de Jesus, o Cristo, que constituem o âmago da mensagem cristã. Cristo morreu pelos nossos pecados (1Co 15.3) e ressuscitou para a nossa justificação (Rm 4.25). A mensagem pregada por Paulo na sinagoga de Tessalônica tornou-se a essência do *kerygma* apostólico, que Pedro já havia pregado no dia de Pentecostes (2.22-24) e que o próprio Paulo resumiu posteriormente (13.26-31).

Howard Marshall afirma: "Visto que Paulo faz essencialmente as mesmas declarações acerca do Messias em 1Coríntios 15.3-8, passagem esta que se baseia na tradição cristã primitiva, fica claro que não estava publicando uma linha de pensamento inventada por ele, mas simplesmente repetia aquilo que era ensinamento cristão comumente aceito".[499]

Não há evangelho onde a cruz de Cristo é banida. Não há cristianismo onde a morte expiatória de Cristo é relegada a segundo plano. Não há remissão de pecados sem o derramamento do sangue do Cordeiro de Deus. De igual forma, sem a ressurreição de Cristo, seu sacrifício não teria eficácia. A ressurreição é o estandarte da vitória, é a consumação triunfante de sua obra redentora.

Frank Stagg destaca que era bem difícil para os judeus sob opressão estrangeira aceitar o quadro de um Messias sofredor; eles esperavam um Messias que viesse acabar de vez com os sofrimentos de seu povo e inaugurar um reinado de triunfo e paz. Por isso, a cruz para eles era *escândalo*, e só o fato de Jesus ter ressuscitado poderia levar o judeu a reexaminar a cruz à luz das Escrituras (At 17.2).[500]

Thomas Whitelaw sintetiza a pregação de Paulo em Tessalônica em sete pontos:[501]

1. O lugar. Paulo pregou na sinagoga, onde se reuniam judeus, prosélitos e interessados no aprendizado da Palavra de Deus.

2. *O tempo*. Paulo pregou aos sábados, ou seja, no dia em que as pessoas se reuniam na sinagoga para estudarem a Palavra.

3. *O livro-texto*. Paulo usou as Escrituras. Ele não buscou a tradição rabínica ou qualquer outra fonte. Ele pregou a Palavra.

4. *A tese*. Paulo proclamou que Jesus de Nazaré era o Messias que tinha sido prometido aos pais.

5. *O método*. Paulo apelou para o entendimento de seus ouvintes à medida que lhes explicava as Escrituras.

6. *A prova*. Paulo mostrou que era necessário que o Messias sofresse e ressuscitasse dentre os mortos (At 2.24-31; 3.18; 13.27-37; Lc 24.44).

7. *O efeito*. Alguns judeus se converteram, assim como grande multidão de gregos prosélitos, além de várias mulheres distintas.

O impacto da pregação de Paulo (17.4)

A pregação de Paulo em Tessalônica foi eficaz (1Ts 1.5). À convicção interna seguiram-se correspondente profissão de fé externa e pública admissão na igreja.[502] Embora o número de judeus convertidos fosse pequeno, grande multidão de gregos piedosos recebeu a Cristo, bem como muitas mulheres distintas foram convencidas por Paulo e Silas. Os convertidos de Tessalônica afluíam de quatro seções da comunidade: judeus, gregos, tementes a Deus e mulheres distintas.

O evangelho causou grande impacto na vida dos gentios. Em apenas três semanas, ouvimos falar de numerosa multidão convertida. É verdade que Paulo deve ter passado mais tempo em Tessalônica. Somos informados de que a igreja de Filipos mandou ofertas para ele duas vezes enquanto estava em Tessalônica (Fp 4.15,16) e que durante esse tempo ele precisou trabalhar com as próprias mãos para complementar o seu sustento (1Ts 2.9).

Por que a pregação de Paulo teve tanto sucesso em Tessalônica? Encontramos essa resposta em sua carta aos tessalonicenses (1Ts 1.5), na qual Paulo distingue três características fundamentais de sua pregação.

Em primeiro lugar, *era uma pregação centrada na Palavra.* Paulo pregou o conteúdo do evangelho. Ele apresentou Jesus. Não pregou suas opiniões nem os arrazoados dos rabinos. Pregou sobre a vida, a morte e a ressurreição de Cristo.

Em segundo lugar, *era uma pregação revestida de poder.* O apóstolo Paulo tinha palavra e poder. Pregava aos ouvidos e também aos olhos. Falava e demonstrava. Hoje, os homens escutam belos discursos na igreja, mas não veem vida. Há trovões, mas não chuva. Há palavras, mas não demonstração do Espírito Santo.

Em terceiro lugar, *era uma pregação marcada por profunda convicção.* A pregação de Paulo era autenticada pela experiência e pela vida. Paulo não pregava banalidades. Não era um alfaiate do efêmero, mas um escultor do eterno.

As pessoas convertidas não apenas creram em Cristo, mas entraram para uma comunhão vital com seus fiéis ministros. Possivelmente, essas pessoas deixaram a sinagoga e se uniram a Paulo e Silas na casa de Jasom. Não há salvação sem integração à igreja de Deus. Os que são salvos devem ser batizados e discipulados. Não há crentes isolados. Pertencemos ao corpo de Cristo. Estamos ligados uns aos outros. Somos membros uns dos outros. Uma pessoa salva precisa unir-se à igreja e declarar publicamente a sua fé.

A resistência à pregação de Paulo (17.5,6)

Não há pregação do evangelho sem oposição. A luz incomoda as trevas. A perseguição em Tessalônica não tinha origem política, mas religiosa. A oposição não partiu da religião pagã, mas do judaísmo. A motivação para a perseguição foi gerada por sentimento, e não por entendimento. Os judeus perseguiram Paulo não por causa de sua pregação, mas por causa da inveja que por ele nutriam.

Os judeus invejosos usaram os métodos mais baixos para perturbar o trabalho evangelístico de Paulo em Tessalônica. Subornaram homens sem caráter, arrancados das fileiras da malandragem, para perturbar a ordem social e promover turbulência entre o povo, com vistas à prisão do apóstolo Paulo e de seus cooperadores.

A inveja é algo tão maligno que leva as pessoas a usar os métodos mais perversos, a se aliar às pessoas mais malignas e a tirar as conclusões mais maldosas acerca dos homens mais nobres, os obreiros de Deus. Paulo e seus companheiros não estavam transtornando o mundo; estavam transformando o mundo. A mensagem deles não provocava transtorno, mas transformação.

Havia dois cursos de ação para os acusadores: a assembleia popular, *demos,* diante da qual podiam ser levadas acusações; e os magistrados, *politarcos,* oficiais não-romanos das cidades da Macedônia.[503] Os politarcos eram uma designação dos magistrados eleitos das cidades livres, distintos dos pretores das colônias romanas.[504] As acusações chegaram a ambos os fóruns. Os missionários foram acusados diante do povo e diante das autoridades. A acusação foi pública e também privada. Foi popular e também política.

À medida que avançamos em nossa leitura de Atos, observamos que as acusações contra os cristãos se tornam cada vez mais sérias. De início, limitam-se a debates entre os judeus. Essas acusações perduram por todo o livro. Depois, em Filipos, os donos da escrava curada acusaram os missionários de ensinar costumes que a nós, romanos, não é permitido acatar nem praticar. Agora, em Tessalônica, eles são acusados de serem desleais ao imperador, proclamando outro rei.[505]

Justo González afirma que o reino de César não é o reino de Deus. Onde Deus é rei, não há outro governante absoluto. Por isso, toda afirmação absoluta é solapada. Nenhum absolutismo nacionalista, nenhum absolutismo ideológico, quer de direita quer de esquerda, nenhum absolutismo militar, nenhum absolutismo eclesiástico são compatíveis com a fé cristã. Se pregarmos fielmente a mensagem do evangelho, também seremos acusados de agir contra os decretos do mundo atual. Na verdade, a pregação plena do evangelho deve subverter a ordem existente, além de subverter a própria subversão.[506]

Acusação contra Paulo e seus cooperadores (17.7-9)

A acusação contra Paulo e Silas era muito séria: ...*Estes que têm transtornado o mundo chegaram também aqui, aos quais Jasom hospedou. Todos estes procedem contra os decretos de César, afirmando ser Jesus outro rei. Tanto a multidão, como as autoridades ficaram agitadas ao ouvirem estas palavras* (At 17.6-8).

O termo *mundo* usado pelos acusadores corresponde a *oikoumene*, que significa "a terra habitada conhecida", ou seja, o império romano. A acusação geral contra os missionários era que eles tinham causado *transtorno* (At

17.6), ou seja, uma sublevação social radical. O verbo *anastatoo*, usado nessa expressão, tem uma conotação revolucionária (At 21.23).[507]

Os judeus formalizaram uma acusação política contra Paulo e seus cooperadores. Atribuíram a Paulo os crimes de sedição, alta traição e conspiração contra o imperador.

John Stott diz que é difícil exagerar o perigo ao qual eles estavam expostos, pois uma simples sugestão de traição contra os imperadores muitas vezes era fatal para o acusado.[508] A acusação dos judeus era clara: ...*Todos estes procedem contra os decretos de César, afirmando ser Jesus outro rei* (At 17.7). O termo grego traduzido por *outro* significa "outro de tipo diferente", ou seja, um rei diferente de César. Como a ênfase de Paulo nesta carta apontava para a segunda vinda de Cristo, os judeus e os pagãos incrédulos não entenderam a pregação da segunda vinda de Cristo e concluíram que Paulo estava pregando sobre um reinado político de Cristo na terra, conspirando, assim, contra os interesses de César.

A pregação de Paulo pode ter sido interpretada como a profecia de uma mudança de imperador. Havia decretos imperiais contra tais predições. Os juramentos de lealdade a César podiam ser considerados exigências dos seus decretos, e estes seriam impostos pelos magistrados locais.[509] Assim, a acusação contra Paulo e Silas era de fato incendiária.

Por ser Tessalônica uma cidade livre, qualquer sedição deixava seus habitantes sobressaltados. Roma confiscaria esse direito se houvesse qualquer rebelião ou traição. No ano 49 d.C., o imperador Cláudio expulsara de Roma os judeus por causa de um tumulto a respeito de "Chrestus". Há dúvidas se esse "Chrestus" era uma grafia alternativa de Cristo. Se for, como muitas pessoas sustentam, constituiria forte razão para perturbar os habitantes e as autoridades de Tessalônica encontrar dentro da cidade seguidores de Cristo. A simples prédica de Jesus como o ungido de Deus era de natureza explosiva.[510]

John Stott observa que a ação dos magistrados cobrando fiança de Jasom provavelmente não se restringia à simples cobrança de uma fiança. A expressão de Lucas se refere ao oferecimento e à concessão de garantia em processos civis e criminais. Eles obtiveram de Jasom e dos outros a promessa de que Paulo e Silas sairiam da cidade e não retornariam, ameaçando-os com castigos severos se o acordo fosse quebrado. Provavelmente Paulo se referia a esta proibição legal quando escreveu que Satanás não lhe permitiu retornar a Tessalônica. O expediente engenhoso colocou um abismo intransponível entre Paulo e os tessalonicenses.[511]

A nobreza da igreja bereana (17.10-12)

Os missionários foram para Bereia, cerca de 72 km a oeste de Tessalônica. Essa era uma cidade um tanto distante das principais passagens. Afastada das principais rotas de comércio e viagem do Império, era o lugar ideal para se manter longe dos inimigos. Howard Marshall sugere que Paulo não foi mais distante porque esperava retornar dentro em breve para Tessalônica; como registrou mais tarde, porém, *Satanás nos barrou o caminho* (1Ts 2.18).[512]

Os cristãos bereanos foram mais nobres que os crentes de Tessalônica e isso por duas razões.

Em primeiro lugar, *porque receberam a Palavra com avidez* (17.10,11a). Os bereanos tinham fome da Palavra, por isso a receberam com intensidade. John Stott destaca que Lucas relata as missões em Tessalônica e Bereia com surpreendente brevidade. Porém, um ponto para o qual ele chama a atenção é a atitude adotada pelo pregador e pelos ouvintes perante as Escrituras, como demonstram os verbos empregados. Em Tessalônica, Paulo *arrazoou, expôs, demonstrou, anunciou* e *persuadiu,* enquanto que em Bereia os judeus *receberam* a mensagem com avidez, *examinando* diligentemente as Escrituras. Nem o pregador nem os ouvintes usaram as Escrituras de forma superficial; pelo contrário, Paulo expôs as Escrituras e os judeus de Bereia as examinaram.[513]

Em segundo lugar, *porque receberam a Palavra com questionamento crítico* (17.11b,12). Os bereanos estudaram a Palavra não apenas com entusiasmo, mas também com profundo cuidado, atenção e senso crítico. O verbo grego *anakrino,* "examinar", empregado aqui pelo apóstolo Paulo, é usado para investigações judiciais, quando, por exemplo, Herodes interrogou a Jesus (Lc 23.14,15), o Sinédrio a Pedro e João (4.9), e Félix a Paulo (24.8). Esse verbo implica integridade e ausência de preconceito. Desde então, o adjetivo "bereanos" tem sido aplicado a pessoas que estudam as Escrituras com imparcialidade e atenção.[514]

Os bereanos demonstraram zelo em ouvir aquilo que Paulo tinha a dizer, e, desta forma, encontraram com ele *todos os dias* (e não meramente aos sábados). Howard Marshall aponta que a resposta dos bereanos à Palavra não foi meramente emocional, mas baseada numa convicção intelectual. Como resultado, um número considerável tanto de judeus como de gregos se converteu.[515] A receptividade fervorosa da Palavra associada a um exame meticuloso redundou num crescimento explosivo da igreja em Bereia (17.12). Tanto em Tessalônica como em Bereia há destaque à receptividade das mulheres, especialmente aquelas de alta posição social (17.4,12).

A perturbação do povo e a retirada de Paulo (17.13-15)

Os judeus de Tessalônica, por inveja e envenenada amargura, foram a Bereia com o intuito de alvoroçar o povo e perseguir Paulo, da mesma forma que acontecera antes com os judeus de Antioquia da Pisídia e de Icônio, que foram a Listra agitar o povo contra o apóstolo dos gentios. Novamente Paulo tem de interromper um trabalho promissor. Por uma questão de prudência, os irmãos de Bereia agiram com rapidez, tirando o apóstolo da cidade. Os responsáveis pelo apóstolo promoveram, sem detença, a partida de Paulo para os lados do mar, que dista mais de 40 km da cidade. Ali não há propriamente um porto, mas um barco a velas certamente pôde ser encontrado para levar Paulo até Atenas, numa viagem de mais de 480 km.[516] William Barclay destaca a grande coragem do apóstolo Paulo, pois sua carreira missionária até aqui e daqui para frente seria marcada por perigos, perseguições, prisões e açoites. A maioria dos homens teria abandonado uma luta que parecia condenada a terminar em prisão e morte. Quando perguntaram a David Livingstone até onde estava disposto a ir, respondeu: "Estou disposto a ir a qualquer parte, desde que seja para frente". A Paulo, também, jamais ocorreu a ideia de voltar atrás.[517]

Notas do capítulo 17

481 MORGAN, G. Campbell. *The Acts of the Apostles.* New York: Fleming H. Revell, 1924, p. 287.
482 STOTT, John. *A mensagem de Atos* , p. 291.
483 STOTT, John. *A mensagem de Atos* , p. 291.
484 HENDRIKSEN, William. *1 e 2 Tessalonicenses.* São Paulo: Cultura Cristã, 1998, p. 11.
485 BARCLAY, William. *Hechos de los Apóstoles.* Editorial La Aurora. Buenos Aires, p. 137.
486 MARSHALL, I. Howard. *Atos: introdução e comentário.* 1980, p. 260,261.
487 WIERSBE, Warren W. *Comentário bíblico expositivo,* p. 609.
488 MacDONALD, William. *Believer's Bible commentary*, p. 1637.
489 SHERWIN-WHITE, A. N. *Roman Society and Roman Law in the New Testament.* Oxford: Clarendon Press, 1963, p. 95-98.
490 BARCLAY, William. *Filipenses, Colosenses, I y II Tesalonicenses*, p. 188.
491 HENDRIKSEN, William. *1 e 2 Tessalonicenses*, p. 12,13.
492 STAGG, Frank. *O livro de Atos*, p. 248.
493 ALEXANDER, Joseph Addison. *Commentary on the Acts of the Apostles.* Grand Rapids, MI: Zondervan, 1956, p. 598.
494 HENRY, Matthew. *Matthew Henry's commentary in one volume.* Grand Rapids, MI: Zondervan, 1961, p. 1703.
495 STOTT, John. *A mensagem de Atos* , p. 306.
496 STAGG, Frank. *O livro de Atos*, p. 248.
497 WIERSBE, Warren W. *Comentário bíblico expositivo*, p. 609.
498 STOTT, John. *A mensagem de Atos.*2005, p. 305,306.
499 MARSHALL, I. Howard. *Atos: introdução e comentário.* 1982, p. 262.
500 STAGG, Frank. *O livro de Atos*, p. 248,249.
501 WHITELAW, Thomas. *The preacher's complete homiletic commentary on the Acts of the Apostles*, p. 361.
502 ALEXANDER, Joseph Addison. *Commentary on the Acts of the Apostles*, p. 598.
503 MARSHALL, I. Howard. *Atos: introdução e comentário.* 1982, p. 263.
504 ALEXANDER, Joseph Addison. *Commentary on the Acts of the Apostles*, p. 600.
505 GONZÁLEZ, Justo L. *Atos*, p. 238.

506 GONZÁLEZ, Justo L. *Atos*, p. 239.
507 STOTT, John. *A mensagem de Atos* , p. 307.
508 STOTT, John. *A mensagem de Atos* , p. 307.
509 MARSHALL, I. Howard. *Atos: introdução e comentário*. 1982, p. 264.
510 STAGG, Frank. *O livro de Atos*, p. 250,251.
511 STOTT, John. *A mensagem de Atos* , p. 307,308.
512 MARSHALL, I. Howard. *Atos: introdução e comentário*. 1982, p. 264.
513 STOTT, John. *A mensagem de Atos* , p. 309.
514 STOTT, John. *A mensagem de Atos* , p. 308.
515 MARSHALL, I. Howard. *Atos: introdução e comentário*. 1982, p. 265.
516 STOTT, John. *A mensagem de Atos* , p. 309.
517 BARCLAY, William. *Hechos de los Apóstoles*, p. 139.

Capítulo 18

Um pregador do evangelho na terra dos deuses
(At 17.16-34)

O MAIOR BANDEIRANTE DO CRISTIANISMO acaba de chegar a Atenas, a capital intelectual do mundo, a terra dos grandes luminares do saber humano, como Sócrates, Platão, Aristóteles, Aristófanes, Eurípedes e o inigualável escultor Fídias. A Academia de Atenas, fundada por Platão, ainda era um centro intelectual com poucos rivais.[518] Simon Kistemaker diz que Atenas descansava em sua reputação de ser centro das artes, literatura, filosofia, conhecimento e habilidade oratória.[519]

Atenas foi a primeira cidade-estado da Grécia desde o século V a.C. Mesmo depois de integrada ao império romano, guardava com orgulho a sua independência intelectual e também se tornou uma cidade livre. Gabava-se de sua rica tradição filosófica, herdada de Sócrates, Platão e Aristóteles. Tinha uma reputação inigualável como a metrópole intelectual do Império.[520]

Atenas era uma cidade gloriosa. Qualquer visitante que chegasse nessa cidade nos tempos de Paulo olharia com espanto seus ricos monumentos, seus esplêndidos palácios, seus templos dedicados aos deuses e as glórias de sua tradição. Concordo com Simon Kistemaker quando ele diz: "A despeito de sua distinção por ser o centro do saber e da arte, essa cidade superava todas as outras em cegueira espiritual".[521]

Vejamos, entretanto, como Paulo reagiu na maior cidade intelectual do mundo. Examinando este texto, John Stott destaca cinco pontos que comentamos a seguir[522]:

O que Paulo viu (17.16)

O apóstolo Paulo, mesmo pressionado por circunstâncias adversas por onde passava, era um pregador atento e observador. Buscava conexões importantes para apresentar sua mensagem de forma fiel e relevante. Destacamos aqui dois pontos importantes.

Em primeiro lugar, *Paulo não encara Atenas como um turista*. Paulo poderia ter passeado pela cidade como um turista, como provavelmente a maioria de nós teria feito. Ele poderia ter conhecido a cidade de ponta a ponta para admirar seus belos prédios e monumentos, únicos em todo o mundo.

A Acrópole, antiga fortaleza da cidade, podia ser vista a quilômetros de distância. Era considerada uma ampla composição de arquitetura e escultura dedicada à glória nacional e ao culto dos deuses. O Parthenon possuía grandeza sem igual. A Ágora, com seus muitos pórticos pintados por artistas famosos, poderia ter atraído Paulo para ouvir os debates políticos e filosóficos da época, pois Atenas era muito conhecida pela sua democracia. Paulo também era um intelectual formado nas universidades de Tarso e Jerusalém. Mas o fascínio do apóstolo não foi pela discussão de causas secundárias. Ele esteve nesse local para pregar Jesus e a ressurreição.[523] Warren Wiersbe observa que, ao chegar a Atenas, o objetivo de Paulo não era ver as atrações da cidade, mas ganhar almas para Cristo.[524] Para Paulo, os artefatos da cidade não eram meros objetos artísticos, mas objetos de uma religião pagã.[525]

Em segundo lugar, *Paulo encara Atenas como um pregador que se revolta com a idolatria*. O que Paulo primeiro viu em Atenas não foi sua beleza, nem o brilhantismo da cidade, mas sua idolatria. Howard Marshall diz que é nesta cidade aspergida e bafejada pela mais refinada intelectualidade, adornada pelos mais ilustres pensadores do mundo, que Paulo encontra a mais aguda crônica de ignorância espiritual.[526] É aqui, na terra dos corifeus da filosofia, que Paulo se defronta com a mais tosca e repugnante idolatria. A palavra *kateidolos* só aparece aqui em todo o Novo Testamento. A tradução indica não apenas que a cidade estava cheia de ídolos, mas sob os ídolos. A cidade estava sufocada pelos ídolos. O que Paulo viu foi uma verdadeira floresta de imagens.[527] Na teologia paulina, os ídolos nada são, mas por trás deles estão os demônios. A idolatria produz cegueira espiritual e desordem moral.

Plínio afirmou que, ao tempo de Nero, Atenas estava ornamentada por mais de trinta mil estátuas públicas. Petrônio disse que era mais fácil encontrar um deus em Atenas do que um homem.[528] Cada templo, cada portão, cada pórtico, cada edifício tinha as suas divindades protetoras. Xenofonte, citado por Champlin, assim descreveu a cidade: "O lugar inteiro é um altar, e a cidade inteira é um sacrifício e uma oferta aos deuses".[529] Russell Champlin também diz que certa feita, Diógenes saiu às ruas de Atenas em pleno meio-dia, sol a pino, de lanternas acesas nas mãos, procurando atentamente alguma coisa. Alguém, surpreso, interpelou-o: "Diógenes, o que procuras?". Ele respondeu: "Eu procuro um homem".[530]

Havia mais deuses em Atenas do que em todo o resto do país. Eram inúmeros templos, santuários, estátuas e altares. No Parthenon encontrava-se uma imensa estátua de Atena feita de ouro e mármore. Em toda parte se viam imagens de Apolo, o padroeiro da cidade, de Júpiter, Vênus, Mercúrio, Baco, Netuno, Diana e Esculápio. Todo o panteão grego estava ali, todos os deuses do Olimpo. E as imagens eram lindas, feitas de ouro, prata, marfim e mármore, construídas pelos melhores escultores gregos.[531]

Paulo, porém, não se impressionava com belezas que não honrassem a Deus. Pelo contrário, sentiu-se oprimido pelo emprego idólatra da criatividade artística dada por Deus aos atenienses. Foi isso que Paulo viu: uma cidade submersa nos seus ídolos.

Concordo com John Stott quando ele diz que toda idolatria é indesculpável, seja antiga ou moderna, primitiva ou sofisticada, sejam suas imagens mentais ou feitas de metal, objetos de culto palpáveis ou conceitos abstratos desprezíveis. Pois a idolatria é a tentativa de confinar Deus, limitando-o a um espaço imposto por nós, quando Deus é o Criador do universo; ou de domesticá-lo, tornando-o nosso dependente, domando-o e mimando-o, quando ele é o Mantenedor da vida humana; ou de aliená-lo, culpando-o por sua distância e seu silêncio, quando ele é o Governador das nações e não está longe de nós; ou de destroná-lo, reduzindo-o a uma imagem concebida ou feita por nós mesmos, quando ele é o Pai de quem recebemos nossa existência. Em suma, toda idolatria é uma tentativa de minimizar o abismo entre o Criador e suas criaturas, para colocá-lo sob nosso controle. E, mais do que isso, ela inverte as posições entre Deus e nós, de modo que, em vez de reconhecermos humildemente que Deus nos criou e nos governa, temos a ousadia de imaginar que podemos criar e governar Deus. Não existe lógica na idolatria; ela é uma expressão perversa e confusa da nossa rebelião contra Deus.[532]

O que Paulo sentiu (17.16)

Não apenas os olhos de Paulo estavam abertos, mas também o seu coração estava disposto a auscultar a mais intelectual cidade do Império. Lucas registra: *O seu espírito se revoltava* (17.16). O verbo grego *paroxyno*, de onde vem a palavra "paroxismo", tinha conotações médicas e se referia a um ataque epilético. Também significava "irritar, provocar, causar ira". Essa palavra só ocorre novamente em 1Coríntios 13.5: *O amor não se exaspera*. O sentido aqui não é falta de controle, mas de reação progressiva e ponderada contra aquilo que Paulo viu.[533]

O verbo *paroxyno* é regularmente empregado na LXX em relação à ira de Deus contra a idolatria do povo de Israel (Dt 9.7,18,22; Sl 106.28,29; Os 8.5). Assim, Paulo foi provocado à ira pela mesma razão que provocou a ira de Deus, ou seja, a idolatria.[534] A idolatria é um pecado gravíssimo porque rouba a honra e a glória do nome de Deus. É dar a outro ser a honra e a glória que só Deus merece. Quando uma pessoa diz que adora a Deus por meio de uma imagem, está desprezando a Deus, que ordenou que não se fizesse nem se adorasse nenhuma imagem.

Às vezes, as Escrituras chamam esse sentimento de *ciúme*. Somos propriedade exclusiva de Deus e ele não nos divide com ninguém. A esposa pertence ao marido e ele não a divide com ninguém. O marido pertence à esposa e ela não o divide com ninguém. Deus disse: *Eu sou o Senhor, esse é o meu nome; a minha glória, pois, não a darei a outrem, nem a minha honra às imagens de escultura* (Is 42.8). John Stott diz que o nosso Deus tem direito exclusivo à nossa fidelidade e sente ciúmes quando transferimos para outra pessoa ou coisa nossa devoção.[535] O autor ergue seu brado de alerta quando escreve:

> Os ídolos não estão limitados às sociedades primitivas; existem muitos ídolos sofisticados. Um ídolo é um substituto de Deus; qualquer pessoa ou coisa que ocupe o lugar que Deus deveria ocupar. A avareza é idolatria. As ideologias podem ser idolatrias. Assim como a fama, a riqueza e o poder, o sexo, a comida, o álcool e outras drogas, os pais, a esposa, os filhos e os amigos, o trabalho, o lazer, a televisão e as propriedades, até a igreja, a religião e o culto cristão. Os ídolos parecem particularmente dominantes em cidades. Jesus chorou por causa da impenitência da cidade de Jerusalém. Paulo ficou profundamente indignado com a idolatria em Atenas. Será que já fomos perturbados pelas cidades idólatras do nosso mundo atual?[536]

O que Paulo fez (17.17,18)

Paulo não era um observador contemplativo. O que viu e sentiu, isso o moveu à ação. Destacamos aqui quatro pontos importantes.

Em primeiro lugar, *uma reação negativa*. A primeira reação de Paulo foi revoltar-se com a idolatria reinante na cidade. Ele tinha a capacidade de indignar-se diante da situação. Não considerava normal a idolatria. Não via a idolatria apenas pelas lentes da cultura religiosa ou beleza da arquitetura. Via a idolatria como algo que roubava a glória de Deus.

Em segundo lugar, *uma reação positiva*. A reação de Paulo contra a idolatria da cidade não foi apenas negativa (horror e desânimo), mas também positiva. Ele aproveitou o ensejo para testemunhar.[537] Não basta identificar os problemas que afligem a sociedade. Precisamos apontar a solução divina!

Paulo pegou um gancho ao ver um altar ao *deus desconhecido*. Os gregos tinham altares para todos os deuses. Seus deuses eram vingativos e, com medo de que algum deus pudesse ser esquecido, eles ergueram um altar ao deus desconhecido. Paulo, então, a partir dessa ponte, anuncia o Deus verdadeiro que eles não conheciam.

Em terceiro lugar, *os três grupos a quem Paulo testemunhou*. Paulo falou aos judeus, ao povo e aos filósofos gregos. Vejamos com mais detalhes:

1. Paulo dissertou nas sinagogas. Ali, Paulo, aos sábados, dissertava entre os judeus e tementes a Deus. O equivalente mais próximo que temos da sinagoga é a igreja, o local onde se encontram pessoas religiosas. Ainda é importante compartilhar o evangelho com pessoas que frequentam a igreja e com tementes a Deus, que talvez só participem ocasionalmente dos cultos.

2. Paulo dissertou na Ágora. A Ágora, ou praça, era o centro dos negócios e das atividades cívicas, como também da propaganda e da troca informal de ideias e novidades. Servia ainda de mercado e centro da vida social, local de reunião onde se congregava o povo para ouvir os oradores.

Paulo falava nessa praça não apenas no sábado, mas *todos os dias*. Em outras palavras, Paulo não limitou seu ensino aos judeus e tementes a Deus aos sábados na sinagoga local. Durante o restante da semana, ensinava na praça do mercado, onde as pessoas iam comprar alimentos e outras mercadorias.[538]

O equivalente à Ágora pode ser um parque, uma praça, um *shopping*, uma feira, uma sala de aula, uma cantina de escola. Há grande necessidade de evangelistas talentosos, capazes de fazer amigos e conversar sobre o evangelho em locais informais desse tipo. Paulo se misturava com o povo na praça. Não fugia das pessoas. Paulo não se encastelava numa torre de marfim. Não se empoleirava numa cátedra proclamando formulações teológicas na terra dos corifeus da filosofia. Paulo não era um teólogo de gabinete. Nivelava-se com o povo e descia até onde o povo estava. Mas também conversava com os intelectuais.

3. *Paulo começou a debater no Areópago.* Os filósofos epicureus e estoicos levaram Paulo da Ágora ao Areópago. A palavra *areópago* significa "a colina de Ares". Visto ser Ares o deus da guerra dos gregos, o deus Marte dos romanos, o local é também chamado de Colina de Marte. Esta colina dava vista para a Ágora e ficava defronte do Parthenon. Um concílio se reunia no Areópago com funções jurídicas importantes. Areópago era tanto o nome do lugar como do conspícuo tribunal que ali se reunia. Esse era muito seleto, formado por trinta membros, intervinha em casos de homicídio e tinha a supervisão da moral pública. Era o supremo tribunal de Atenas.[539] O conselho do Areópago era responsável também por supervisionar a religião e a educação na cidade, de modo que era natural investigarem a "nova doutrina" que Paulo ensinava.[540] Esse era o local onde

as causas públicas eram julgadas. O correspondente mais próximo seria a evangelização nas universidades, nos salões dos governos, nas repartições públicas. Precisamos de gente que possa evangelizar por meio de palestras com conteúdo apologético. Precisamos urgente de pensadores cristãos que se dediquem a Cristo como escritores, compositores, musicistas, jornalistas, dramaturgos, radialistas, cineastas, roteiristas e produtores para proclamar o evangelho. Cristo deseja mentes humildes, mas não reprimidas.

Vejamos agora os dois grupos de filósofos, com os quais Paulo debateu:

1. Os epicureus não acreditavam na vida após a morte nem em julgamento final. Criam que o fim principal do homem era o prazer. Pregavam o acaso, a fuga e o prazer. O lema dos epicureus era: ... *comamos e bebamos, porque amanhã morreremos* (1Co 15.32). Depois de quase dois mil anos, vivemos hoje também numa sociedade hedonista. As pessoas vivem para o prazer imediato. Não querem pensar; querem apenas sentir. Buscam emoções e vivem apenas para o hoje. Não querem pensar na eternidade, no destino da alma, no encontro inevitável que terão com Deus.

2. Os estoicos eram materialistas, panteístas, fatalistas, apáticos ao sofrimento humano e defensores da visão cíclica da história. Acreditavam no determinismo cego. Pregavam a fatalidade, a submissão ao destino irreversível e a importância de suportar a dor. Na filosofia estoica não há esperança. Não adianta lutar nem clamar. Não há para onde correr. Todos estão entrincheirados por um destino cego e implacável. Essa cosmovisão gesta o desespero e dá à luz o conformismo. Os dois primeiros líderes da escola estoica cometeram suicídio. Ainda hoje há pessoas que pensam como Gabriela Cravo e Canela: "Eu nasci assim, eu cresci assim, vou morrer assim". A Palavra de Deus nos mostra que é possível mudar. É possível recomeçar. É possível sair do cativeiro e ter uma nova vida em Cristo.

Tanto os epicureus como os estoicos estavam equivocados. Os epicureus diziam "Aproveite a vida", enquanto os estoicos diziam "Aguente a vida!".[541] A Palavra de Deus nos ensina a viver a vida na presença de Deus, mediante o poder de Deus e para a glória de Deus.

Em quarto lugar, *o preconceito dos filósofos ao ensino de Paulo*. Os filósofos epicureus e estoicos tiveram duas atitudes preconceituosas ao ensino de Paulo:

1. Chamaram-no de tagarela (17.18). A palavra grega *spermologos* era uma gíria ateniense. Literalmente, significa "um apanhador de grãos". Howard Marshall explica que a palavra se refere a um pássaro que recolhe restos de comida dos esgotos, e, daí, passou a descrever desocupados sem valor.[542] Era aplicada a vadios e mendigos que viviam de restos de alimentos encontrados nas ruas, eram verdadeiros "catadores de lixo". A palavra foi usada também para descrever um mestre que, não tendo ideias próprias, inescrupulosamente plagiava os outros, apanhando restos de conhecimento daqui e dali. Aludia àquele tipo de pessoa que fazia de seus sistemas ideológicos nada mais do que um saco de trapos, cheio de ideias e frases de outras pessoas. Era um plagiador ignorante, um charlatão, um papagaio, um tagarela intelectual.

Os atenienses pensaram que Paulo era um falso intelectual. Olharam para ele com preconceito. Viram-no apenas como um mascate de ideias estranhas, como o pássaro que vive catando sementes.

2. Disseram que Paulo parecia um pregador de estranhos deuses (17.18). Acostumados com tantos deuses, os atenienses pensaram que Paulo lhes apresentava novas divindades estrangeiras. Paulo pregava Jesus e a ressurreição. Os gregos pensaram que Paulo lhes estava pregando um novo par de divindades, um deus masculino chamado *Jesus* e sua companheira *Anástasis* (ressurreição) (17.19-21). A ignorância é sempre preconceituosa. O preconceito pode roubar de uma pessoa preciosas oportunidades. Os atenienses rejeitaram o evangelho por não estarem abertos à pregação do evangelho.

O que Paulo pregou (17.22-31)

A presença de numerosos templos, ídolos e altares em Atenas dava a Paulo um excelente ponto de contato, não obstante ele próprio se sentisse totalmente ultrajado pela idolatria dessa cidade (17.16). A partir do altar ao *deus desconhecido*, Paulo anunciou aos atenienses religiosos o Deus vivo que eles não conheciam. Paulo começou seu discurso com um elogio: ...*Senhores atenienses! Em tudo vos vejo acentuadamente religiosos* (17.22). Segundo Howard Marshall, o discurso de Paulo pode ser dividido de várias maneiras. Após uma introdução que visava atrair a atenção do auditório e declarar o tema (17.22,23), a porção principal se organiza em três partes: a) Deus é Senhor do mundo; não precisa de templo nem de ritual cúltico humano (17.24,25); b) o homem é a criação de Deus; precisa de Deus (17.26,27); c) há relacionamento entre Deus e o homem; a idolatria, portanto, é estultícia (17.28,29). Segue-se uma conclusão que conclama os homens a abandonarem suas ideias ignorantes de Deus e a se arrependerem (17.30,31).[543]

De acordo com Warren Wiersbe, Paulo compartilhou quatro mensagens fundamentais.

Em primeiro lugar, *a grandeza de Deus: ele é o Criador* (17.24). Os epicureus, que também eram ateus, afirmavam que tudo era matéria e que a matéria sempre existiu. Os estoicos, que eram panteístas, diziam que tudo era Deus, o "Espírito do Universo".[544] Os epicureus alegavam que Deus não existia, e os estoicos defendiam que tudo era Deus. Paulo, porém, pregou em Atenas tanto a transcendência como a imanência de Deus. Deus não está distante nem separado da criação; não está cativo nem preso a ela. Deus é grande demais para ser contido em templos feitos por mãos humanas (1Rs 8.27; Is 66.1,2; At 7.48-50), e ao mesmo tempo solidário o suficiente para cuidar das necessidades humanas (17.25).[545] Paulo coloca a revelação no lugar da filosofia e contrasta o monoteísmo com o panteísmo estoico.[546]

A matéria não é eterna como pensavam os gregos. O mundo não resulta de uma explosão cósmica, nem é fruto de milhões e milhões de anos de evolução. Paulo declara em Atenas, a capital intelectual do mundo, que Deus fez o mundo e tudo o que nele existe (17.24). O livro *A origem das espécies,* de Charles Darwin, publicado em 1859 em Londres, contém nada menos do que oitocentos verbos no futuro do subjuntivo: "suponhamos". A evolução é uma suposição improvável, uma teoria falaz. Tanto o macrocosmo quanto o microcosmo denunciam as incongruências da teoria da evolução.

Hoje sabemos que todo ser vivo é programado e automatizado em fitas DNA. O código da vida existe porque Deus o elaborou e o escreveu nas moléculas de DNA que controlam todas as formas de vida. Dominico Rivaldo diz que segundo o dr. Marshall W. Nirenberg, prêmio Nobel de Biologia, em cada corpo humano adulto há 60 trilhões de células vivas. Em cada célula há 1,70 metro de fita DNA, contendo a programação genética de todo nosso ser, como cor do cabelo, cor dos olhos, da cútis, tamanho, temperamento e outras características.[547] De quem derivou este fantástico projeto? Quem é o autor dessa programação e gravação biogenética? Certamente só pode ser alguém que está acima da matéria e da energia. A ciência prova que o universo foi feito de matéria e energia. Prova também que o universo é governado por leis. De igual forma, atesta que matéria e energia não criam leis. Logo, alguém acima, fora e distinto do universo as criou.

Deus criou do nada tudo o que existe. Chamou à existência as coisas que não existiam. Ele é distinto da criação, mas está presente na criação. É transcendente sem deixar de ser imanente (17.25). Criou o imensamente grande e o indescritivelmente pequeno.[548] Há mais estrelas no firmamento do que grãos de areia em todos os desertos e praias do nosso planeta. Deus criou cada uma delas, as conhece e as chama pelo nome (Is 40.26).

Tinha enorme razão o dr. Etheridge, fossiologista do afamado Museu Britânico, citado por Waldvogel, ao dizer que os evolucionistas "não se apoiam na observação, que nenhum fundamento têm para as suas teorias. Os museus estão repletos de provas da suprema falsidade de seus pontos de vista".[549] James Kennedy complementa que a enxada dos arqueólogos está trazendo à luz a confirmação de que a revelação bíblica sobre a criação é um fato incontroverso.[550]

Em segundo lugar, *a bondade de Deus: ele é o provedor* (17.25,28). Não apenas o templo é incapaz de conter Deus, como seus cultos são incapazes de acrescentar coisa alguma a ele! Deus não só criou, mas cuida da criação. Deus não está distante da criação nem se confunde com ela. Ao contrário, mesmo sendo distinto da criação, está presente e cuida dela. Com essas duas declarações sucintas, Paulo devastou todo o sistema religioso da Grécia![551]

É Deus quem dá aquilo de que precisamos: vida, respiração e tudo mais. Nós dependemos de Deus, não ele de nós. A idolatria, portanto, é irracional. Deus dá o sol e a chuva. Ele dá as estações do ano. Faz brotar a erva. Engrinalda os campos. Alimenta os animais da terra e os pássaros do céu. Dá saúde e livramento. *Nele vivemos, nos movemos e existimos* (17.28). Dependemos dele. Sem ele nada podemos.

O Deus da providência não é o deus desconhecido dos agnósticos. Ele se revelou na obra da criação, em nossa consciência, nas Escrituras e em seu Filho Jesus Cristo.

O Deus da providência não é o deus distante dos deístas. Ele está presente. É imanente sem deixar de ser transcendente. Ele se importa conosco. Ama, sofre, chora, busca, abraça, celebra e se alegra em nos conquistar com seu amor. Quando passamos pelos vales da vida, ele desce conosco. Quando os nossos pés pisam o lagar da dor, ele nos carrega no colo.

O Deus da providência não é o deus impessoal dos panteístas. É transcendente sem deixar de ser imanente. As coisas criadas não são a divindade, mas refletem a sua glória. A matéria não é eterna como queria Platão. Tudo o que existe teve um começo, e só Deus é eterno.

O Deus da providência não é o deus bonachão dos epicureus nem o deus insensível dos estoicos. É o Deus do juízo, mas também o Deus de toda a graça. O Deus da providência não é o deus mudo, surdo e sem vida das imagens de escultura.

Em terceiro lugar, *o governo de Deus: ele é soberano* (17.24,26-29). Paulo diz que o Deus que ele anuncia é o *Senhor do céu e da terra* (17.24). Nos dias de Paulo, só César era senhor, honrado como uma divindade na terra. De forma contundente, Paulo diz que Cristo está acima de toda autoridade. Cristo está acima dos deuses do Panteão. Está acima de César, acima do Estado. Diante dele todo joelho se dobrará. Jesus é o Senhor do céu e a da terra. É o Senhor da história. É o Senhor da igreja. É o Senhor do universo.

Os deuses dos gregos eram seres distantes. Mas o Deus da criação, o Senhor do céu e da terra é o Deus da história e da geografia. Deus criou a humanidade de um só homem (17.26), de modo que o pai da História não é Heródoto, nem os gregos são uma raça especial como pensavam. Não é o poder humano, mas sim a soberania divina que determina a ascensão e a queda das nações (Dn 4.35). Deus não é uma divindade distante; ele não está longe de cada um de nós (17.27).[552]

Paulo citou o poeta Epimênides: *Pois nele vivemos, e nos movemos e existimos*. Em seguida acrescentou as palavras de outros dois poetas, Arato e Cleantes: *Porque dele também somos geração*. Com isso, chegou à conclusão lógica: Deus nos fez à sua imagem, de modo que é tolice fazer deuses à nossa imagem! A religião grega não passava da criação e adoração de deuses moldados pelos seres humanos e que agiam como eles. Paulo apontou-lhes não apenas o disparate dos templos e de seus rituais, mas também a insensatez de toda a idolatria.[553] O Deus que Paulo anuncia em Atenas é o Deus que se fez carne, se esvaziou e se humilhou até a morte, e morte de cruz. Mas Deus o exaltou sobremaneira e lhe deu um nome que está acima de todo nome. Ele é o

Senhor diante de quem todo joelho se dobrará. E que toda língua confessará que ele é o Senhor.

Em quarto lugar, *a graça de Deus: ele é o Salvador e Juiz* (17.30,31). Paulo pregou em Atenas sobre Jesus e a ressurreição (17.18). Durante séculos, Deus se mostrou paciente com o pecado e a ignorância dos homens (14.16; Rm 3.25). Aquilo que os gregos imaginavam ser refinada sabedoria não passava de crassa ignorância espiritual aos olhos do apóstolo Paulo. Por isso, Deus chama a todos ao arrependimento. Em Atos 17.30, Paulo faz quatro afirmações tremendas sobre a questão do arrependimento: Deus não levou em conta os tempos da ignorância; o arrependimento é uma exigência imperativa que envolve razão, emoção e vontade; o arrependimento é para todos os seres humanos, sem exceção; e o arrependimento deve ser exercitado em todas as nações. Nessa mesma linha, John Stott acrescenta que Paulo destaca três considerações imutáveis a respeito do juízo: O juízo será universal — Deus há de julgar o mundo. Os vivos e os mortos, os grandes e os pequenos, todos serão incluídos; ninguém escapará. b) O juízo será justo: Deus há de julgar com justiça. Todos os segredos serão revelados. Não haverá possibilidade de erro judicial. c) O juízo está definido, pois o dia já foi marcado e o juiz foi escolhido: embora não saibamos o dia, já sabemos quem é o Juiz. É próprio Senhor Jesus.[554]

Deus já nomeou o Juiz e determinou o dia do julgamento (17.31). As nações serão julgadas diante dele (Mt 25.31-33). Ele julgará grandes e pequenos, reis e vassalos, religiosos e ateus, vivos e mortos. Naquele dia todos comparecerão perante o tribunal de Deus e serão julgados segundo as suas obras. Naquele dia todos os segredos dos homens serão revelados. Nesse julgamento divino não haverá erro judicial nem apelação. Todas as nações foram criadas a partir do primeiro Adão. Agora, todas serão julgadas pelo último Adão.[555]

Àqueles que acusam Paulo de não ter pregado a essência do evangelho em Atenas, John Stott responde que a palestra diante do Areópago revela a amplitude da mensagem de Paulo. O apóstolo proclamou a Deus em sua plenitude como Criador, Mantenedor, Governador, Pai e Juiz. Incluiu toda a natureza e história. Reexaminou todo o tempo, da criação à consumação. Enfatizou a grandeza de Deus, não apenas como o começo e o fim de todas as coisas, mas como aquele a quem devemos a nossa existência e a quem precisamos prestar contas. E afirmou que os seres humanos já sabem disso por revelação natural ou geral, e que a sua ignorância e sua idolatria são, portanto, indesculpáveis. Assim Paulo os repreendeu com grande solenidade, para que se arrependessem antes que fosse tarde demais.[556]

Ainda Stott é assaz oportuno quando escreve:

> Aprendemos de Paulo que não podemos pregar o evangelho de Jesus sem a doutrina de Deus, ou a cruz sem a criação, ou a salvação sem o juízo. O mundo de hoje precisa de um evangelho maior, o evangelho completo das Escrituras, que Paulo, mais tarde, falando aos presbíteros de Éfeso, chamaria de *todo o desígnio de Deus* (20.27).[557]

Como os atenienses reagiram à pregação de Paulo (17.32-34)

Quando Paulo terminou seu sermão em Atenas, seu auditório revelou três reações.

Em primeiro lugar, *uns escarneceram* (17.32). Na cidade da refinada intelectualidade humana, houve pungente zombaria quando o evangelho foi anunciado. Os gregos escarneciam da doutrina da ressurreição. Eles acreditavam na imortalidade da alma, mas não na ressurreição do corpo.

Os atenienses acreditavam no dualismo grego, da matéria má e do espírito bom. Para os gregos, o corpo era apenas o claustro da alma, um cárcere medonho do qual somos libertados pela morte. Por isso, quando ouviram Paulo falar sobre a ressurreição dos mortos, alguns escarneceram.

Hoje, muitos ainda escarnecem quando falamos sobre uma vida futura e a ressurreição dos mortos. A mensagem evangélica não é popular. Justo González alerta para o fato de que a verdadeira proclamação do evangelho não deve ser medida apenas por seus resultados, mas também, e acima de tudo, por sua fidelidade.[558] Hoje, há muita pregação bem-sucedida de um evangelho falso. De acordo com o entendimento moderno, um bom pregador é qualquer um que consegue fazer manobras para atrair multidões, independentemente do que é pregado. Aqueles, porém, que se juntam à igreja por causa do seu sucesso, e não por causa da verdade, não suportarão a perseguição nem permanecerão na igreja quando as nuvens ficarem pardacentas no horizonte. Paulo não negociou a verdade para agradar seu auditório. Foi simpático com seu público, mas colocou o dedo na ferida e conclamou-os ao arrependimento.

Em segundo lugar, *outros adiaram a decisão* (17.34a). Alguns ouvintes deixaram a resolução para depois numa polida indiferença. Adiaram a mais importante decisão da vida. Quantas oportunidades você ainda terá para acertar sua vida com Deus? Os passageiros do voo 3054 da TAM, que saíram de Porto Alegre para São Paulo no dia 17 de julho de 2007, eram, na sua maioria, jovens que tinham muitos sonhos e planos pela frente. Tocaram o solo no aeroporto de Congonhas num minuto e no outro se tornaram uma bola de fogo e mais tarde carvão. É consumada insensatez deixar para depois a mais importante decisão da sua vida. É impossível deixar de decidir. A indecisão já é uma decisão, a decisão de não decidir. Os indecisos decidem-se pela rejeição, pois Jesus disse que quem não é por ele é contra ele e quem com ele não ajunta espalha.

Em terceiro lugar, *outros creram* (17.34b). Alguns creram e foram salvos. Qual será sua escolha hoje? Ponha sua confiança em Jesus. O Deus desconhecido dos atenienses, o Deus verdadeiro, pode agora mesmo ser o Deus da sua vida, o seu Criador, Salvador, Senhor, Sustentador e Juiz.

Em 30 de junho de 1958 Charles Blondin, o maior equilibrista do mundo, prometia um espetáculo inédito. Atravessaria a tormenta das Cataratas de Niágara sobre um cabo de aço esticado entre os Estados Unidos e o Canadá. Multidões se deslocaram de Toronto, Buffalo e cidades vizinhas para ver a façanha. O cabo de aço foi esticado sobre a grande cachoeira, e o rio, com sua célere correnteza, anunciava a morte iminente e irremediável para quem caísse no precipício. As pedras pontiagudas eram sovadas pela fúria das águas que despejavam em catadupas. O cenário era de meter medo nos mais corajosos. Diante de uma multidão pasma, Blondin subiu no cabo de aço e calmamente atravessou de um lado para o outro, sob aplausos efusivos e arrebatadores dos expectadores. Após esse inédito prodígio, Blondin propôs um novo desafio. Atravessaria novamente sobre aquele grande abismo, agora levando consigo seu empresário, mr. Colcord. Parecia algo impossível. Quando estavam exatamente no meio do percurso, um espertalhão inconsequente cortou uma das cordas que sustentavam o cabo de aço. O cabo balançou e a tragédia parecia inevitável. Os expectadores, com a respiração suspensa, não acreditavam mais no sucesso da segunda empreitada. Nesse momento Blondin disse a seu empresário: "Colcord, agarre-se a mim. Eu e você somos um. Confie em mim e venceremos". Aquilo que parecia impossível aconteceu. Ambos chegaram salvos do outro lado da tormenta, sob os aplausos demorados e ruidosos de uma multidão extasiada.

Entre o céu a terra existe também um grande abismo. O inferno está com a bocarra aberta buscando tragar sua vida. Só existe uma pessoa que pode levar você em segurança ao céu. Essa pessoa é Jesus. Confie nele. Agarre-se a ele. Ponha sua fé nele e, então, ele o levará para o céu, salvo e seguro!

NOTAS DO CAPÍTULO 18

[518] GONZÁLEZ, Justo L. *Atos*, p. 241.
[519] KISTEMAKER, Simon. *Atos*. Vol. 2, p. 176.
[520] STOTT, John. *A mensagem de Atos* , p. 311.
[521] KISTEMAKER, Simon. *Atos*. Vol. 2, p. 177.
[522] STOTT, John. *A mensagem de Atos* , p. 311-327.
[523] STOTT, John. *A mensagem de Atos* , p. 312.
[524] WIERSBE, Warren W. *Comentário bíblico expositivo*, p. 611.
[525] KISTEMAKER, Simon. *Atos*. Vol. 2, p. 176.
[526] MARSHALL, I. Howard. *Atos: introdução e comentário*. 1982, p. 266.
[527] STOTT, John. *A mensagem de Atos* , p. 312.
[528] BARCLAY, William. *Hechos de los Apóstoles*, p. 140.

529 CHAMPLIN, Russell Norman. *O Novo Testamento interpretado versículo por versículo*. Vol. 3. Guaratinguetá: A Voz da Bíblia, s. d., p. 362.
530 CHAMPLIN, Russell Norman. *O Novo Testamento Interpretado Versículo por Versículo*, p. 363.
531 STOTT, John. *A mensagem de Atos* , p. 312,313.
532 STOTT, John. *A mensagem de Atos* p. 322,323.
533 STOTT, John. *A mensagem de Atos* , p. 313.
534 STOTT, John. *A mensagem de Atos* , p. 313.
535 STOTT, John. *A mensagem de Atos* , p. 314.
536 STOTT, John. *A mensagem de Atos* , p. 327.
537 STOTT, John. *A mensagem de Atos* , p. 314.
538 KISTEMAKER, Simon. *Atos*. Vol. 2, p. 178.
539 LOPES, Hernandes Dias. *O Deus Desconhecido*. Santa Bárbara D'Oeste: Z3, 2011, p. 12,13.
540 WIERSBE, Warren W. *Comentário bíblico expositivo*, p. 612.
541 WIERSBE, Warren W. *Comentário bíblico expositivo*, p. 612.
542 MARSHALL, I. Howard. *Atos: introdução e comentário*. 1982, p. 267.
543 MARSHALL, I. Howard. *Atos: introdução e comentário*. 1982, p. 266.
544 WIERSBE, Warren W. *Comentário bíblico expositivo*, p. 613.
545 WIERSBE, Warren W. *Comentário bíblico expositivo*, p. 613.
546 KISTEMAKER, Simon. *Atos*. Vol. 2, p. 187.
547 RIVALICO, Dominico E. *A Criação não é um mito.*. São Paulo: Editora Paulínia, 1977, p. 11-22, 76.
548 RIVALICO, Dominico E. *A Criação não é um mito*, p. 5,6.
549 WALDVOGEL, Luiz. *Vencedor em todas as batalhas*. São Paulo: Casa Publicadora Brasileira, n. d., p. 81.
550 KENNEDY, James. *As portas do inferno*. Rio de Janeiro: CPAD, 1998, p. 71-88.
551 WIERSBE, Warren W. *Comentário bíblico expositivo*, p. 613.
552 WIERSBE, Warren W. *Comentário bíblico expositivo*, p. 613.
553 WIERSBE, Warren W. *Comentário bíblico expositivo*, p. 614.
554 STOTT, John. *A mensagem de Atos* , p. 323,324.
555 STOTT, John. *A mensagem de Atos* , p. 324.
556 STOTT, John. *A mensagem de Atos* , p. 326.
557 STOTT, John. *A mensagem de Atos* , p. 326.
558 GONZÁLEZ, Justo L. *Atos*, p. 245.

Capítulo 19

Uma igreja em Corinto, a capital da Acaia
(At 18.1-28)

O apóstolo Paulo fundou a igreja de Corinto ao final da sua segunda viagem missionária. Ele passou um ano e seis meses pregando a Palavra de Deus naquela grande cidade (18.11) e nesse período levou aqueles crentes a Cristo (1Co 4.15). Depois, Paulo se dirigiu à cidade de Éfeso, na Ásia Menor, de onde enviou uma carta à igreja de Corinto.

Paulo adotou deliberadamente a política de evangelizar os grandes centros urbanos de seu tempo. Assim, em sua primeira viagem missionária, visitou Salamina e Pafos, no Chipre, e Antioquia da Pisídia, Icônio, Listra e Derbe, na Galácia; em sua segunda viagem, pregou em Filipos, Tessalônica e Bereia, na Macedônia, e Atenas e Corinto, na Acaia; e, durante a maior parte da terceira viagem, concentrou-se em Éfeso.[559] Howard Marshall observa que Corinto e Éfeso foram as duas cidades mais importantes que Paulo visitou no decurso da sua obra missionária.[560] Corinto era um grande centro comercial, um mercado de fama mundial, que controlava o comércio em todas as direções, não apenas de norte a sul por terra, mas também de leste a oeste por mar. Essa grande metrópole tinha dois portos. Era uma cidade de navegadores e mercadores. Suas feiras estavam repletas de produtos estrangeiros.[561] Por sua vez, Éfeso, também famosa pelo comércio, era conhecida como o mercado da Ásia. Além disso, era um dos maiores centros religiosos da época, pois o templo de Diana, uma das sete maravilhas do mundo antigo, atraía turistas e religiosos de toda a parte. Essas duas cidades eram absolutamente estratégicas, e Paulo tinha os olhos bem abertos para perceber isso.

Paulo era um missionário fiel e relevante. Selecionava as cidades para as quais se dirigia com muito critério e cuidado. Por que Paulo escolheu Corinto? Por que permaneceu dezoito meses nessa cidade? Levantamos aqui algumas razões que podem explicar essa decisão.

Em primeiro lugar, *a razão geográfica.* Embora Corinto tivesse prosperado séculos antes, em 146 a.C. a cidade foi completamente demolida pelos romanos como punição por sua resistência à ocupação romana. Em 44 a.C., Corinto foi reconstruída por ordem de Júlio César, que estabeleceu um grande número de colonos italianos ali. Graças a sua grande atividade comercial, a cidade logo atraiu milhares de habitantes cuja principal ocupação era o comércio. Em 27 a.C., César Augusto criou a província senatorial de Acaia, e Corinto passou a ser sua capital.[562]

Corinto não era apenas a capital da província da Acaia, mas também um grande centro urbano, com uma população estimada em duzentos mil habitantes.[563] Ficava bem próxima de Atenas, a grande capital da Grécia e capital intelectual do mundo. Corinto era banhada por dois mares, o Egeu e o Jônico.[564] Cerca de 3 km ao norte de Corinto, ficava o porto de Léquio, que recebia navios da Itália, da Espanha e do norte da África. O porto de Cencreia, localizado 11 km a leste de Corinto, possibilitava o tráfego marítimo nos dois sentidos para o Egito, Fenícia e Ásia Menor.[565] A cidade de Corinto recebia gente nova todos os dias e dela saía gente diariamente. Pessoas oriundas do mundo inteiro fervilhavam pelas ruas e praças. Corinto ficava no corredor do mundo. Era uma cidade cosmopolita, pois o mundo inteiro estava dentro dela.

John Stott destaca o fato de que Corinto estava localizada junto ao istmo que unia a península do Peloponeso ao continente.[566] Evangelizar Corinto, portanto, era um plano estratégico, porque a partir dessa cidade o evangelho poderia espalhar-se e alcançar o mundo inteiro.

Em segundo lugar, *a razão social*. Corinto era uma grande e riquíssima cidade, que abrigava um comércio intenso e próspero. Além do comércio robusto, era também uma cidade florescente com respeito à cultura.

Corinto atingiu seu apogeu no século VII a.C. A rivalidade entre Atenas e Corinto contribuiu para um declínio que foi acelerado pela Guerra de Peloponeso (431-404 a.C.). Quase três séculos depois, os romanos conquistaram Corinto. Quando uma revolta estourou contra Roma em 146 a.C., o general romano Lucius Mummius matou todos os homens de Corinto e vendeu suas mulheres e crianças como escravas.[567] Porém, quando Corinto se tornou a capital da província da Acaia, em 27a.C., os negócios floresceram, atraindo muitos judeus, que ali construíram uma sinagoga.[568]

Quando Paulo chegou a Corinto, a cidade era, de certa forma, nova e recentemente reconstruída. A psicologia da religião prova que uma igreja tem maior probabilidade de crescer numa cidade nova e florescente do que numa cidade antiga, onde a tradição religiosa já está arraigada. Paulo entendeu que o florescimento da cidade era um campo fértil para semear o evangelho e para plantar uma igreja estratégica.

Em terceiro lugar, *a razão cultural*. Corinto era uma das cidades mais importantes do mundo na época, em três aspectos distintos:

1. Seu comércio. Por ser uma cidade marítima e privilegiada com dois prestigiosos portos, Corinto era rota comercial importante, pois o comércio do mundo passava por ali, por isso, muitas pessoas chegavam e saíam de Corinto constantemente. Isso foi visto por Paulo como uma porta aberta para a pregação e uma oportunidade de plantar ali uma igreja, que se tornaria uma agência missionária para o mundo inteiro.

2. Sua tradição esportiva. Corinto era uma cidade elogiável também nos esportes. A prática dos jogos ístmicos de Corinto só era superada na época pelos jogos olímpicos de Atenas. A cidade atraia gente do mundo inteiro para a prática esportiva. Ali a juventude fervilhava, e a cidade pulsava vida e entusiasmo. Paulo entendeu que aquela era uma cidade que precisava ser alcançada pelo evangelho da graça de Deus.

3. Sua abertura a novas ideias. Corinto era altamente intelectual. O principal *hobby* dos habitantes era ouvir os grandes filósofos e pensadores exporem suas ideias em praça pública. A cidade transpirava cultura e conhecimento. Paulo entendia que o evangelho poderia chegar ali e mudar toda a cosmovisão da cidade.

Em quarto lugar, *a razão moral*. Embora Corinto fosse uma cidade extremamente intelectual, era também moralmente depravada. Corinto tinha recebido a alcunha de cidade mais depravada de seu tempo. Se tirarmos hoje uma radiografia da nossa sociedade, poderemos dizer: Que sociedade corrompida! Que sociedade poluída, maculada pela sensualidade, pela pornografia, pela imoralidade sexual! Mas a nova moralidade que testemunhamos hoje nada mais é do que a velha moralidade travestida com roupagem talvez um pouquinho diferente. A degradação moral de Corinto pode ser identificada pelas seguintes razões:

1. A prostituição. Em Corinto a religião se confundia com a prática sexual. Afrodite, considerada a deusa do amor, era adorada e tinha o seu templo-sede na Acrópole, a parte mais alta da cidade. Alguns estudiosos afirmam que aproximadamente dez mil mulheres trabalhavam nesse templo de Afrodite como prostitutas cultuais. No topo da mais alta montanha de Corinto, as sacerdotisas adoravam aquela divindade pagã através da prostituição. Não bastasse isso, essas prostitutas cultuais desciam durante a noite para a cidade e se entregavam aos muitos marinheiros e turistas que ali aportavam. De fato, o ambiente era profundamente marcado pela prostituição e pela impureza sexual.

2. O homossexualismo. Em Corinto ficavam os principais monumentos a Apolo, deus grego que representava a beleza do corpo masculino. A adoração a Apolo induzia a juventude, não apenas coríntia, mas a juventude grega em geral, a se entregar ao homossexualismo. Talvez Corinto fosse o centro homossexual do mundo na época. Se você quer ter uma vaga ideia do que isso significava, lembre-se de como Paulo descreveu com cores vivas esse assunto em sua carta aos Romanos (Rm 1.24-28). É provável que o apóstolo tenha escrito sua carta aos Romanos em Corinto. Podemos imaginar, então, Paulo escrevendo sobre o homossexualismo após abrir a janela da sua casa e olhar para Corinto. Era uma cidade de práticas homossexuais despudoradas. Muitos membros da igreja de Corinto tinham vivido na prática do homossexualismo antes de se converterem (1Co 6.9). Essa era a situação dessa grande cidade.

Em quinto lugar, *a razão espiritual*. Corinto tinha muitos deuses e muitos ídolos. Até hoje, quando se visita a cidade, é possível visualizar enorme gama de estátuas e monumentos dedicados aos deuses. Por isso, Paulo entende que aquela cidade precisava do Deus verdadeiro. A mente estratégica de Paulo encontra em Corinto uma sinagoga, uma ponte para o evangelho. A partir dessa ponte, Paulo leva o evangelho a toda a cidade.

Examinemos agora alguns pontos de Atos 18.1-28 que nos chamam a atenção.

Paulo chega a Corinto (18.1-4)

Paulo viaja cerca de 80 km de Atenas a Corinto, importante cidade grega, centro comercial e ponto de parada de viajantes. Dinheiro e depravação, filosofias estranhas e novas religiões – tudo era bem recebido ali.

Paulo chega a essa grande cidade, de muitos deuses e muita corrupção moral, para pregar a cruz de Cristo no poder do Espírito Santo (1Co 2.4). De acordo com William MacDonald, alguns escritores acreditam que Paulo partiu de Atenas em virtude dos pífios resultados de sua pregação naquela metrópole. Preferimos crer que ele foi conduzido pelo Espírito Santo em sua jornada até Corinto, a capital da Acaia.[569]

Como já citado, no ano 49 d.C., um ano antes de Paulo chegar a Corinto, o imperador Cláudio havia expulsado de Roma todos os judeus. Por essa causa, Priscila e Áquila deixaram a Itália e foram morar em Corinto. Esse casal era colaborador do ministério de Paulo e exercia o mesmo ofício do apóstolo, a fabricação de tendas. Em Corinto, Paulo foi morar com eles, trabalhando com as mãos para seu sustento (2Co 11.7-9). Paulo jamais deixou de pregar o evangelho por falta de sustento das igrejas. Nessas circunstâncias trabalhava para sua própria sobrevivência. Esse não era o ideal de Deus, pois o princípio divino é: *...Aos que pregam o evangelho que vivam do evangelho* (1Co 9.14). Porém, para evitar qualquer obstáculo à pregação do evangelho, Paulo se abstinha de receber o sustento material (1Co 9.12b).

Aos sábados, Paulo ia à sinagoga persuadir tanto os judeus como os gregos prosélitos acerca da fé em Cristo. Priscila e Áquila formavam um casal dedicado, que servia fielmente a Deus e arriscou a própria vida por Paulo (Rm 16.3,4). Ajudaram-no em Corinto (18.2,3) e em Éfeso (18.18-28), onde a igreja se reunia em sua casa (1Co 16.19). O versículo 2 é o único trecho em todo o Novo Testamento em que Áquila é mencionado antes de Priscila (18.18,26; Rm 16.3; 2Tm 4.19). Justo González acredita que o fato de Priscila aparecer primeiro parece indicar que ela era mais importante na vida da igreja do que seu marido.[570]

Tanto em Corinto como em Éfeso, as maiores cidades da Acaia e Ásia Menor respectivamente, Paulo adotou praticamente a mesma metodologia: a) começou a falar na sinagoga na tentativa de "persuadir" os ouvintes judeus de que Jesus era o Cristo (18.4,5; 19.8); b) à rejeição dos judeus, deixando a sinagoga e passando a evangelizar os gentios (18.6,7; 19.9); c) a ousadia de Paulo foi recompensada por muitas pessoas que ouviram o evangelho e creram (18.8; 19.10); d) Jesus confirmou a sua palavra e encorajou o seu apóstolo – em Corinto através de uma visão e em Éfeso através de milagres extraordinários (18.9,10; 19.11,12); e e) as autoridades romanas rejeitaram a oposição e declararam a legitimidade do evangelho – em Corinto através do procônsul Gálio, e em Éfeso através do escrivão da cidade (18.12-17; 19.35-40).[571]

Paulo prega em Corinto (18.5)

Paulo precisou exercer o ministério de tempo parcial até a chegada de Silas e Timóteo em Corinto (17.14,15; 18.5). Esses obreiros trouxeram ofertas das igrejas macedônias a Paulo (2Co 11.8,9; Fp 4.15) e, com isso, o apóstolo deixou seu trabalho secular e dedicou-se exclusivamente à pregação do evangelho. O cerne de sua mensagem consistia em provar que o Jesus histórico era o Messias esperado pelos judeus. Na cidade de tantas ideias e tantas filosofias, Paulo pregou Cristo e este crucificado, escândalo para os judeus e loucura para os gentios; para os salvos, porém, sabedoria de Deus (1Co 1.23-25).

Além de absolutamente cristocêntrica, a mensagem de Paulo era uma demonstração do Espírito e de poder (1Co

2.4,5). O apóstolo não se fiava em sabedoria humana nem se estribava no poder da eloquência, mas pregava no poder do Espírito Santo.

Paulo enfrenta oposição em Corinto (18.6)

A pregação da cruz de Cristo em Corinto tornou-se escândalo para os judeus e loucura para os gentios (1Co 1.23). Os judeus aguardavam um Messias vencedor, não o Messias sofredor. Queriam um Messias conquistador, não o Messias que verteu seu sangue no Calvário. A palavra da cruz foi e continua sendo loucura para os que se perdem (1Co 1.18).

Em virtude da ferrenha oposição dos judeus ao apóstolo e à sua mensagem, Paulo sacudiu as vestes e tomou a decisão de concentrar seu ministério nos gentios (18.6). Warren Wiersbe explica que *sacudir as vestes* era um gesto de julgamento que significava: "Você teve sua oportunidade, mas a desperdiçou".[572] Jesus havia instruído seus discípulos a sacudir o pó dos pés quando percebessem que seus ouvintes não queriam aceitar a mensagem do evangelho (Mt 10.14; At 13.51). Paulo aludia à palavra de Deus dita a Ezequiel com respeito ao vigia que tocava a trombeta para avisar o povo de perigo iminente. Se alguém deixasse de ouvir e fosse morto à espada, seu sangue seria sobre sua própria cabeça e o vigia não seria considerado culpado (Ez 33.4). Paulo declarou que havia cumprido seu dever e dali em diante os judeus assumiriam toda a responsabilidade por sua recusa em aceitar o evangelho. Ele se considerava livre de culpa e absolvido do julgamento de Deus que um dia cairia sobre os judeus (20.26).[573]

Sempre que Deus abençoa um ministério, podemos esperar não apenas mais oportunidades, como também mais oposição.⁵⁷⁴ O próprio Paulo escreveu: *Porque uma porta grande e oportuna para o evangelho se me abriu; e há muitos adversários* (1Co 16.9).

Paulo testemunha muitas conversões em Corinto (18.7,8)

A decisão de voltar-se para os gentios rendeu frutos imediatos. Tício Justo, homem temente a Deus que morava ao lado da sinagoga, acolheu Paulo, ao passo que Crispo, líder da sinagoga, converteu-se com toda a sua família. A partir daí muitos coríntios converteram-se ao Senhor e foram batizados. A mudança para a propriedade vizinha à sinagoga foi altamente bem-sucedida, pois muitos coríntios agora ouviam a mensagem, criam e eram batizados.

Paulo recebe uma visão em Corinto (18.9-11)

Diante da ferrenha oposição em Tessalônica e Bereia, cidades da Macedônia, Paulo partiu e foi pregar em outras localidades. Em Corinto, porém, aconteceu o contrário. A oposição dos judeus só aumentou sua determinação de permanecer na cidade e continuar seu trabalho. O próprio Deus apareceu a Paulo numa visão e lhe disse: ...*Não temas; pelo contrário, fala e não te cales; porquanto eu estou contigo, e ninguém ousará fazer-te mal, pois tenho muito povo nesta cidade* (18.9,10). Jesus já havia aparecido a Paulo na estrada para Damasco (9.1-6; 26.12-18) e lhe apareceria no templo (22.17,18). Paulo seria encorajado novamente pelo Senhor quando preso em Jerusalém (23.11) e, posteriormente, em Roma (2Tm 4.16,17). O anjo do Senhor também apareceria a Paulo, em meio à tempestade, para garantir a segurança dos passageiros e da tripulação (27.23-25). Um dos nomes de Jesus é *Emanuel – Deus conosco* (Mt 1.23), título ao qual ele faz jus.⁵⁷⁵

Howard Marshall diz que a declaração indica a presciência divina do sucesso do evangelho em Corinto. Fortalecido por esta mensagem, Paulo podia aguardar o duplo cumprimento: a sua própria proteção contra a perseguição e a evangelização bem-sucedida.[576] Três fatos acerca dessa visão merecem destaque.

Em primeiro lugar, *uma ordem expressa de Deus*. O Senhor é categórico e enfático ao apóstolo, diante das nuvens escuras da perseguição: *Não temas; pelo contrário fala e não te cales* (18.9). A perseguição produz medo. Após ser apedrejado em Listra e açoitado em Filipos, Paulo podia ser tentado a recuar diante de novos embates. Em vez de temer diante da oposição, Paulo recebe ordens para falar e não se calar. A pregação deve prosseguir mesmo diante da oposição mais implacável.

Em segundo lugar, *uma promessa consoladora de Deus*. O Senhor conforta o coração do apóstolo dizendo-lhe: *...Eu estou contigo, e ninguém ousará fazer-te mal...* (18.10). A presença de Deus é o nosso escudo protetor. Quando estamos sob as asas do Onipotente, não precisamos temer. Quando estamos escondidos com Cristo, em Deus, nas regiões celestiais, não precisamos temer o ataque do inimigo. O cumprimento da profecia celestial ocorreu quando Gálio se tornou procônsul da província romana da Acaia. A narrativa de Lucas sugere que os judeus lançaram mão da oportunidade oferecida pela chegada de um novo governador para atacar Paulo. O ataque, porém, não prosperou diante do procônsul, e o evangelho recebeu legitimidade por parte da autoridade romana.[577]

Em terceiro lugar, *uma revelação gloriosa de Deus*. O Senhor revela que havia muitos eleitos naquela cidade e cabia a Paulo chamá-los por meio do evangelho: *... pois* *eu tenho muito povo nesta cidade* (18.10b). A doutrina da eleição, longe de anular o ímpeto evangelístico da igreja, deve ser seu maior incentivo. O mesmo Deus que elege os fins, a salvação dos eleitos, também elege os meios, a pregação do evangelho, para chamá-los à salvação. O povo que Deus havia escolhido na cidade de Corinto desde toda a eternidade deveria ser chamado à salvação por intermédio do ministério de Paulo. O próprio Jesus garante que a obra de Paulo em Corinto dará frutos. O próprio Deus destina seu povo para a vida eterna (13.48), abre o coração das pessoas para a mensagem do evangelho (16.14) e as conduz à salvação. Leon Morris observa: "Elas ainda não tinham feito nada para serem salvas; muitas nem sequer haviam escutado o evangelho. Mas elas pertenciam a Deus. Claramente é ele quem as conduziria à salvação na hora certa.[578]

A Bíblia diz que Deus conhece os que lhe pertencem (2Tm 2.19). Jesus conhece suas ovelhas. Ele as chama pelo nome, e elas o seguem. Aqueles que são destinados para a salvação creem (13.48). Nosso papel não é especular sobre a soberania divina na salvação, mas proclamar o evangelho a toda criatura. Nosso trabalho não é especular sobre a eleição dos outros, mas procurar com diligência cada vez maior confirmar nossa própria vocação e eleição (2Pe 1.10). Em vez de teorizar sobre o número dos eleitos, devemos esforçar-nos para entrar pela porta estreita (Lc 13.23,24).

Encorajado pela visão, Paulo permaneceu um ano e meio em Corinto, ensinando a palavra de Deus. Sabemos que Deus abençoou o ministério de Paulo ali, porque havia crentes em toda a província da Acaia (2Co 1.1). No porto da cidade de Cencreia, alguns crentes fundaram uma igreja na qual Febe servia ao Senhor.

Paulo enfrenta maior oposição em Corinto (18.12-17)

A obra de Deus suscita a fúria dos adversários. Os judeus se revoltaram concordemente contra Paulo e o levaram ao tribunal do procônsul romano Gálio. John Stott diz que Lucas estava certo ao chamar Gálio de *procônsul*, pois, naquele tempo, a Acaia era uma província senatorial do Império, portanto governada por um procônsul – enquanto uma província imperial era governada por um legado.[579]

Esse Gálio era o irmão mais velho de Sêneca, o filósofo e tutor de Nero.[580] A chegada de um novo procônsul deu aos judeus incrédulos a esperança de que Roma declararia ilegal a nova "seita cristã". Os judeus faziam queixas religiosas contra Paulo. Diziam que ele ensinava os homens a adorar a Deus por modo contrário à lei. O procônsul não acolheu a acusação dos judeus, julgando ser uma matéria de mero interesse religioso, e fez pouco caso da demanda, expulsando os judeus do tribunal. Ao se recusar a julgar o caso, Gálio deixou claro que Roma não se envolveria com as controvérsias religiosas dos judeus. No que lhe dizia respeito, Paulo e seus discípulos tinham tanto direito quanto os judeus de praticar sua religião e compartilhá-la com outros.[581]

John Stott corrobora essa ideia dizendo que, na prática, o procônsul deu um veredito favorável à fé cristã e estabeleceu um precedente significativo. O evangelho não podia mais ser acusado de ilegalidade, pois a sua liberdade como *religio licita* fora assegurada pela política imperial.[582] Simon Kistemaker observa que o governo romano permitia aos judeus adorar seu Deus tão livremente quanto os outros povos faziam com relação às suas divindades pagãs. As autoridades romanas sempre garantiram liberdade religiosa para os judeus, conquanto eles não perdessem esses direitos mediante ações revolucionárias.[583]

Gálio não deu a Paulo a oportunidade de se defender perante seus acusadores, porque para ele o assunto nada tinha que ver com a lei romana, mas com os meandros da religião judaica. Os judeus foram obrigados a ouvir que tinham levado a Gálio uma acusação que deveria ser julgada na sinagoga local, e não no tribunal de Gálio.[584]

Warren Wiersbe destaca que, no livro de Atos, Lucas enfatiza a relação entre o governo romano e a igreja cristã. Embora seja verdade que um conselho de judeus tenha proibido os apóstolos de pregar (4.17-21; 5.40), não há evidências em Atos de que Roma tenha feito o mesmo. Aliás, em Filipos (16.35-40), Corinto e Éfeso (19.35), os governantes romanos se mostraram não apenas tolerantes, mas também cooperativos.[585]

Paulo visita as igrejas depois de Corinto (18.18-23)

Paulo saiu de Corinto acompanhado de Priscila e Áquila rumo a Éfeso, capital da Ásia Menor, onde pregou aos judeus na sinagoga. Ali, Paulo deixou o casal colaborador e partiu para a Cesareia, subindo até Jerusalém. Depois retornou a Antioquia, a igreja enviadora, e dali percorreu as igrejas plantadas na primeira viagem missionária, ou seja, as igrejas de Antioquia da Pisídia, Icônio, Listra e Derbe. Paulo tinha profundo senso de responsabilidade tanto com as igrejas que o enviaram ao campo missionário quanto com as igrejas que haviam sido plantadas nessas viagens missionárias. Ele era tanto um plantador de igrejas como um pastor que nutria os neófitos na fé.

Paulo conta com colaboradores especiais depois de Corinto (18.24-28)

Apolo era natural de Alexandria, a segunda cidade mais importante do Império. Fundada por Alexandre, o Grande (daí seu nome) em 332 a.C., só perdia para Atenas como centro de cultura e aprendizado. Ali a Septuaginta foi traduzida e o judeu Filo se tornou famoso no primeiro século como gênio intelectual que combinava a filosofia grega com as Escrituras hebraicas, interpretando as Escrituras alegoricamente. A cidade possuía uma biblioteca universitária contendo quase setecentos mil livros. E sua população ultrapassava os seiscentos mil habitantes.[586]

Apolo chega a Éfeso, capital da província romana da Ásia Menor e seu centro comercial mais importante, com uma população em torno de trezentos mil habitantes. Graças ao porto que recebia mercadorias de todo o mundo e também escoava seus produtos, e graças ao templo da deusa Diana, uma das setes maravilhas do mundo antigo, a cidade atraía inúmeros visitantes do mundo inteiro. Esse templo de mármore branco era muito maior do que o Parthenon de Atenas. O colossal monumento tinha 140 metros de comprimento por mais de 78 metros de largura; e era sustentado por 100 colunas de quase 17 metros de altura cada. No recinto sagrado ficava a imagem de Diana (19.35).[587]

Apolo era um homem eloquente e poderoso nas Escrituras. Obreiro instruído na Palavra, pregava com entusiasmo e paixão. A expressão *fervoroso de espírito* significa literalmente "fervendo em seu espírito", isto é, cheio de entusiasmo.[588] Nas palavras de Matthew Henry, Apolo era um pregador que tinha tanto o fogo divino quanto a luz divina. Muitos pregadores são fervorosos de espírito, mas são fracos no conhecimento. Por outro lado, outros são eloquentes nas Escrituras, mas lhes falta fervor.[589]

Quatro coisas são ditas acerca de Apolo: a) ele era judeu; b) nasceu em Alexandria, cidade egípcia na qual durante muito tempo grande colônia de judeus ocupava dois de seus cinco bairros; c) era um varão eloquente; d) era poderoso nas Escrituras.[590]

Mesmo pregando com fervor e precisão sobre Jesus, Apolo não tinha todo conhecimento necessário. Vendo o potencial desse obreiro, Priscila e Áquila investiram nele e expuseram-lhe com mais exatidão o caminho de Deus. Nas igrejas do Novo Testamento, embora as mulheres não fossem ordenadas aos ofícios de liderança,[591] tinham espaço para serem cheias do Espírito Santo (1.14; 2.1,4) e para profetizarem (2.17,18; 21.9) bem como para ensinar teologia a um homem pregador (18.26). Aqueles que hoje querem proibir as mulheres cristãs, cheias do Espírito Santo, de pregar a Palavra de Deus e ensinar as santas Escrituras até mesmo na escola bíblica dominical, estão em desacordo com o exemplo das igrejas primitivas. Sobre este assunto, Justo González escreve:

> Priscila – e também as quatro filhas de Filipe, que pregavam (21.9) – é uma indicação do que Pedro disse em seu discurso do Pentecostes, de que os dons do Espírito são derramados sobre os jovens e velhos, os homens e mulheres. Diante dos atos desse Espírito, todas as limitações que nós, seres humanos, impomos uns aos outros devem ser afastados. A igreja latino-americana tem um valioso recurso nas mulheres, e os que se recusam a permitir o uso apropriado desses recursos devem ter cuidado para que não se vejam resistindo ao Espírito.[592]

John Stott afirma que o ministério de Priscila e Áquila foi oportuno e discreto. É muito melhor dar esse tipo de ajuda particular a um pregador, cujo ministério é defeituoso, do que corrigi-lo ou denunciá-lo publicamente.[593] Os ensinos recebidos foram eficazes, e os cristãos em Éfeso passaram a ter plena confiança em Apolo, a ponto de escreverem uma carta de apresentação aos discípulos na Acaia quando ele resolveu ir para lá.[594]

Chegando a Acaia, especificamente a Corinto, Apolo auxiliou muito os crentes, porque com grande poder convencia publicamente os judeus, provando por meio das Escrituras que Jesus era de fato o Messias. A eloquência e a erudição de Apolo chamaram a atenção (1Co 1.12; 3.4-6; 4.6). Mais tarde Paulo disse que ele plantou, mas foi Apolo quem regou a semente do evangelho em Corinto (1Co 3.6). É triste que uma "panelinha" se tenha formado ao redor dele e contribuído para causar divisão na igreja.[595]

NOTAS DO CAPÍTULO 19

[559] STOTT, John. *A mensagem de Atos* , p. 330.
[560] MARSHALL, I. Howard. *Atos: introdução e comentário.* 1982, p. 275.
[561] STOTT, John. *A mensagem de Atos* , p. 330,331.
[562] GONZÁLEZ, Justo L. *Atos*, p. 247.
[563] WIERSBE, Warren W. *Comentário bíblico expositivo*, p. 615.
[564] EARLE, Ralph. "Livro dos Atos dos Apóstolos", p. 343.
[565] KISTEMAKER, Simon. *Atos.* Vol. 2, p. 206.

566 STOTT, John. *A mensagem de Atos*, p. 330.
567 KISTEMAKER, Simon. *Atos*. Vol. 2, p. 206,207.
568 KISTEMAKER, Simon. *Atos*. Vol. 2, p. 207.
569 MacDONALD, William. *Believer's Bible commentary*, p. 1640.
570 GONZÁLEZ, Justo L. *Atos*, p. 248.
571 STOTT, John. *A mensagem de Atos*, p. 332.
572 WIERSBE, Warren W. *Comentário bíblico expositivo*, p. 616.
573 KISTEMAKER, Simon. *Atos*. Vol. 2, p. 212.
574 WIERSBE, Warren W. *Comentário bíblico expositivo*, p. 616.
575 WIERSBE, Warren W. *Comentário bíblico expositivo*, p. 618.
576 MARSHALL, I. Howard. *Atos: introdução e comentário*. 1982, p. 279.
577 MARSHALL, I. Howard. *Atos: introdução e comentário*. 1982, p. 280.
578 MORRIS, Leon. *New Testament theology*. Grand Rapids, MI: Zondervan, 1986, p. 154.
579 STOTT, John. *A mensagem de Atos*, p. 336,337.
580 RIENECKER, Fritz; ROGERS, Cleon. *Chave linguística do Novo Testamento grego*, p. 228; HENRY, Matthew. *Matthew Henry's commentary*, p. 1709.
581 WIERSBE, Warren W. *Comentário bíblico expositivo*, p. 619.
582 STOTT, John. *A mensagem de Atos*, p. 337.
583 KISTEMAKER, Simon. *Atos*. Vol. 2, p. 221.
584 KISTEMAKER, Simon. *Atos*. Vol. 2, p. 222.
585 WIERSBE, Warren W. *Comentário bíblico expositivo*, p. 619.
586 WIERSBE, Warren W. *Comentário bíblico expositivo*, p. 621.
587 WIERSBE, Warren W. *Comentário bíblico expositivo*, p. 621.
588 RIENECKER, Fritz; ROGERS, Cleon. *Chave linguística do Novo Testamento grego*, p. 229.
589 HENRY, Matthew. *HENRY, Matthew's Commentary*. 1961, p. 1711.
590 EARLE, Ralph. *Livro dos Atos dos Apóstolos*, p. 349.
591 Diaconisas, presbíteras e pastoras.
592 GONZÁLEZ, Justo L. *Atos*, p. 262.
593 STOTT, John. *A mensagem de Atos*, p. 340.
594 MARSHALL, I. Howard. *Atos: introdução e comentário*. 1982, p. 286.
595 WIERSBE, Warren W. *Comentário bíblico expositivo*, p. 622.

Capítulo 20

Uma igreja em Éfeso, a capital da Ásia Menor
(At 19.1-41)

A IGREJA DE ÉFESO tornou-se a igreja mais importante do primeiro século, depois da igreja de Jerusalém e de Antioquia da Síria. Em três anos que Paulo passou nessa grande metrópole de duzentos mil habitantes, o evangelho espalhou-se por toda a província da Ásia Menor, com igrejas estabelecidas em Laodiceia, Hierápolis, Colossos e outras regiões. Conforme Simon Kistemaker, embora em ocasião anterior o Espírito Santo o tivesse impedido de entrar na província da Ásia (16.6), Paulo considerou Éfeso crucial para a divulgação do evangelho.[596]

À guisa de introdução destacamos três pontos importantes.

Em primeiro lugar, *a importância estratégica da cidade de Éfeso*. Paulo escolhia com esmero as cidades nas quais se fixar. Éfeso não era apenas a capital da Ásia, mas também umas das cidades mais influentes do mundo. Ali ficavam o centro do culto ao imperador na Ásia Menor e o templo de Diana, o maior edifício da época, atraindo multidões de fiéis de todas as partes. Éfeso era também um grande centro de ocultismo do primeiro século. Alcançar essa metrópole com o evangelho era dar um passo decisivo na evangelização de toda a província da Ásia.

Paulo permaneceu em Éfeso mais tempo do que em qualquer outra parte. William Barclay elenca seis razões pelas quais Paulo se dedicou tanto tempo nessa grande metrópole:[597]

1. Éfeso era o grande centro comercial da Ásia Menor. Os vales férteis cortados pelos rios eram os principais redutos do comércio. A cidade ficava na desembocadura do rio Cayster e a menos de 5 km do mar Egeu, para dentro do continente, por isso dominava o comércio da região. Éfeso era considerada a tesoureira e a feira das vaidades da Ásia Menor.

2. Éfeso era a sede dos tribunais. Werner de Boor diz que a grandeza e a importância de Éfeso motivaram os romanos a conceder a essa cidade certa autonomia política, com um senado próprio e uma assembleia do povo. Por isso, no caso do levante dos ourives, não intervém o procônsul romano, mas o chanceler da própria cidade.[598] Em determinados momentos, o governador romano chegava à cidade para julgar os grandes casos penais. A cidade estava familiarizada com toda a ostentação do poder e da justiça de Roma.

3. Éfeso era a sede dos Jogos Panjônicos. Toda a região concorria a esses jogos. Os asiarcas sentiam-se honrados em organizar e promover essa modalidade esportiva. Ao visitar as ruínas de Éfeso em julho de 2011, vi as escavações arqueológicas que desenterraram a arena, no qual, estima-se, era possível acomodar 24 mil pessoas sentadas.

4. Éfeso era o lar dos delinquentes. O templo de Diana possuía o direito de asilo. Isto significava que, se algum delinquente alcançasse a área que rodeava o templo, estaria a salvo. Assim, a cidade se convertera no lar de assassinos, transgressores da lei e criminosos do mundo antigo.

5. Éfeso era o centro da superstição pagã. Os encantamentos e magias reunidos nas chamadas "Cartas de Éfeso" prometiam proteção nas viagens, filhos aos que não os tinham, êxito no amor e nos negócio. Pessoas de todas as partes do mundo se dirigiam a Éfeso para comprar esses pergaminhos mágicos, que eram usados como amuletos e talismãs.

6. Éfeso era o palco do grande templo de Diana. Um suntuoso templo de mármore branco, com colunas bordejadas de ouro, oito vezes maior do que o Parthenon. A maior glória de Éfeso era sediar o templo pagão mais famoso do mundo.

Em segundo lugar, *a presença de Paulo na cidade de Éfeso.* Era propósito de Paulo ter entrado na Ásia já no começo da segunda viagem missionária. Naquela época, o apóstolo foi impedido pelo próprio Deus. Agora, chegara o tempo oportuno de colocar o pé na Ásia e evangelizar essa província. Foi nessa cidade em que Paulo mais permaneceu. Ensinou três meses na sinagoga e dois anos na escola de Tirano. Ao todo foram três anos de intenso trabalho, pregando e ensinando judeus e gregos sobre o arrependimento e a fé em Cristo (20.20,21,31). Paulo Pregava tanto publicamente como também de casa em casa.

Em terceiro lugar, *a importância da igreja de Éfeso na evangelização da Ásia*. A igreja de Éfeso tornou-se a mais importante a partir da terceira viagem missionária de Paulo. Dali saíram os obreiros para plantar as igrejas da Ásia Menor. Por esta igreja passaram Priscila e Áquila. Nessa igreja ministrou Apolo. A essa igreja Paulo enviou Timóteo. Mais tarde, o apóstolo João também foi pastor ali e a própria Maria, mãe de Jesus, morou em Éfeso e pertenceu à igreja de Éfeso. Dali Paulo escreveu suas duas cartas aos coríntios. Paulo escreveu suas duas cartas a Timóteo quando este era pastor da igreja de Éfeso. De Éfeso João escreveu seu evangelho e suas três epístolas. Como vemos, a igreja de Éfeso tornou-se o centro das atenções apostólicas.

Destacamos alguns pontos importantes sobre o texto.

Paulo identifica um testemunho incoerente (19.1-7)

Depois que Apolo pregou uma mensagem incompleta em Éfeso, deixa a cidade rumo a Corinto, e Paulo chega para permanecer na metrópole por três anos. É em Éfeso que Paulo encontra doze homens com um testemunho incoerente, que haviam recebido o batismo de João, mas não tinham ainda recebido o Espírito Santo. Destacamos nesse sentido três fatos importantes.

Em primeiro lugar, *o batismo de João* (19.1-4). Quando Paulo perguntou a esses doze discípulos se haviam recebido o Espírito Santo quando creram, responderam que nem sequer tinham ouvido a respeito de sua existência. Tinham recebido o batismo de João, mas nada sabiam sobre o derramamento do Espírito. Ressaltamos que João Batista mencionou o Espírito Santo quando disse que ele próprio batizava com água, mas Jesus, que viria depois dele, batizaria com o Espírito Santo. O comentário do grupo meramente significava que eles não sabiam que o Espírito já tinha sido outorgado (Jo 7.39).⁵⁹⁹

É certo que esses doze homens ainda não eram cristãos, pois ninguém pode tornar-se cristão sem receber o Espírito Santo. Michael Green afirma categoricamente: "Está absolutamente claro que esses discípulos não eram de forma alguma cristãos".⁶⁰⁰ Eles ainda não acreditavam em Jesus, mas passaram a crer por meio do ministério de Paulo e foram então batizados com água e com o Espírito, mais ou menos simultaneamente.⁶⁰¹ Howard Marshall declara que dificilmente esses homens seriam cristãos porque não haviam recebido o dom do Espírito; podemos dizer com segurança que o Novo Testamento não reconhece a possibilidade de alguém ser cristão sem possuir o Espírito Santo (11.17; Jo 3.5; Rm 8.9; 1Co 12.3; Gl 3.2; 1Ts 1.6; Tt 3.5; Hb 6.4; 1Pe 1.2; 1Jo 3.24; 4.13).⁶⁰² Simon Kistemaker afirma que esses doze homens estavam numa fase introdutória à fé cristã. Assim como Priscila e Áquila ensinaram Apolo sobre o evangelho de Cristo e o fortaleceram, Paulo guiou esses seguidores de João para um conhecimento salvador de Jesus.⁶⁰³

Nessa mesma linha de pensamento, Warren Wiersbe escreve:

> Paulo explicou-lhes que o batismo de João era um batismo de arrependimento que olhava para o futuro, para a vinda do Messias prometido, enquanto o batismo cristão era um batismo que olhava para o passado, para a obra consumada de Cristo na cruz e para a sua ressurreição vitoriosa. O batismo de João estava do "outro lado" do Calvário e do Pentecoste. Foi correto em seu devido tempo, mas esse tempo havia terminado.⁶⁰⁴

Para John Stott, é mais provável que, apesar de terem ouvido a profecia de João acerca do Messias que viria batizando com o Espírito Santo, aqueles não soubessem de seu cumprimento no Pentecostes. Ainda viviam no Antigo Testamento, que culminou em João Batista. Não entendiam que a nova era fora iniciada por Jesus, nem que os que nele creem e são batizados recebem a bênção característica da nova era: a habitação do Espírito. Quando entenderam isso pela instrução de Paulo, colocaram sua fé em Jesus, cuja vinda o mestre João Batista anunciara. A norma da experiência cristã, portanto, é um conjunto de quatro fatores: arrependimento, fé em Jesus, batismo na água e a dádiva do Espírito.[605]

Em segundo lugar, *o batismo cristão* (19.5). Depois que esses doze discípulos ouviram falar sobre Jesus, receberam o batismo cristão. O batismo não é condição para a salvação, mas testemunho da salvação. O batismo é um selo visível de uma graça invisível. Aqueles que são de Cristo devem receber o sinal da aliança e identificar-se com ele. O batismo é um ato público por meio do qual afirmamos pertencer ao Senhor e ingressamos em sua família. Howard Marshall observa que esta é a única ocasião registrada no Novo Testamento na qual pessoas receberam um segundo batismo, e ela ocorreu porque o batismo anterior não havia sido o batismo cristão em nome de Jesus. Seria errôneo concluir deste incidente que atualmente as pessoas que não receberam o Espírito por ocasião do seu batismo devam ser batizadas de novo a fim de receberem o Espírito; a feição característica e essencial do batismo cristão é que é feito em nome de Jesus, não importa o relacionamento cronológico do dom do Espírito com o rito propriamente dito, conforme demonstra a ordem variada em Atos (antes do batismo: 10.47; na ocasião do batismo: 2.38; 8.38,39; depois do batismo: 8.15,16).[606] Justo González está coberto de razão ao ressaltar a importância disso para as nossas igrejas: não devemos afirmar saber mais do que realmente sabemos, nem tentar limitar e controlar os atos do Espírito.[607]

Em terceiro lugar, *o Pentecostes gentio* (19.6,7). Depois que os doze homens creram em Jesus e foram batizados em seu nome, Paulo impôs as mãos sobre eles, que receberam o Espírito Santo e passaram a falar em línguas e profetizar.

No livro de Atos há quatro momentos especiais em que o Espírito foi derramado: em Atos 2, sobre os judeus; em Atos 8, sobre os samaritanos; em Atos 10, sobre a família de Cornélio, um gentio temente a Deus, ou seja, um prosélito; e em Atos 19, sobre os gentios. Isso significa que o derramamento do Espírito é universal, para todos os povos. A experiência de falar em línguas e profetizar não é a evidência do batismo com o Espírito, pois não há esse fenômeno no derramamento do Espírito sobre os samaritanos (At 8).

Hoje, o dom de línguas não é evidência do batismo do Espírito Santo nem da plenitude do Espírito. Paulo perguntou: *Falam todos em outras línguas?* (1Co 12.30), e a estrutura gramatical, no grego, exige uma resposta negativa. Quando Paulo escreveu aos efésios sobre a plenitude do Espírito Santo, não fez menção das línguas (Ef 5.18-21). Em parte alguma das Escrituras somos admoestados a buscar o batismo do Espírito Santo ou o dom de línguas, mas a Bíblia ordena que sejamos cheios do Espírito.[608]

Concordo com Anthony Hoekema quando ele diz: "O Novo Testamento não apoia a crença de que o recebimento do Espírito Santo resulta no falar em línguas. Pelo contrário, a evidência histórica em Atos mostra que todos os cristãos que foram cheios do Espírito testemunharam de Jesus

Cristo de maneira inteligível".[609]* Warren Wiersbe chama a atenção para o fato de que todos os que se converteram em Éfeso durante o ministério de Paulo receberam o dom do Espírito Santo quando creram no Salvador. Paulo deixa isso claro em Efésios 1.13,14, e esse é o padrão para hoje.[610]

É importante destacar que os quatro derramamentos do Espírito Santo registrados em Atos foram confirmados pelos apóstolos: em Jerusalém, pelos doze; em Samaria, por Pedro e João; em Cesareia, por Pedro; e, em Éfeso, por Paulo.[611]

Paulo enfrenta resistência na sinagoga (19.8,9)

Ao final de sua segunda viagem missionária, Paulo já havia passado por Éfeso e pregado aos judeus (18.19,20). Mesmo com a insistência dos judeus para que ele permanecesse por mais tempo, o apóstolo não acedeu e viajou rumo a Jerusalém. Agora, de volta a Éfeso, Paulo retorna à sinagoga e por três meses fala ousadamente, dissertando e persuadindo os ouvintes sobre o reino de Deus. Para Howard Marshall, é improvável que isto signifique que Paulo pregava uma mensagem diferente daquela citada em 17.31; 18.5 e outras passagens que tratam Jesus como Messias. A mensagem se referia a Jesus e ao reino (28.31), e Lucas emprega termos diferentes para mera variação literária.[612]

Alguns membros da sinagoga começaram a resistir a Paulo, mostrando-se empedernidos e incrédulos e até mesmo falando mal do Caminho, ou seja, da religião cristã, diante da multidão. Em face dessa atitude hostil, Paulo deixou a sinagoga, juntamente com os discípulos, a fim de buscar um lugar neutro para ensinar a Palavra de Deus.

---

* [NR] Tradução livre

Paulo não entrou num embate infrutífero com os judeus. Otimizou seu tempo ao rumar com os discípulos para um lugar neutro, onde criou uma escola de teologia e ensinou regularmente a Palavra de Deus durante dois anos.

Paulo ensina na escola de Tirano (19.9,10)

No primeiro século não havia templos cristãos. Os crentes reuniam-se nas sinagogas, nas casas ou em lugares neutros. Assim Paulo fez em Éfeso. Saiu da sinagoga e foi para a escola de Tirano, provavelmente uma sala de preleções ou um edifício escolar, do qual Tirano era dono ou professor. Paulo estava ativo desde a hora quinta até à décima, isto é, das 11 horas da manhã até às 16 horas. Este período se seguia ao término do trabalho matutino e, a despeito de muitas pessoas aproveitarem o horário para uma "sesta", é historicamente provável que Paulo usasse a escola enquanto o próprio Tirano não a estivesse empregando, quando o auditório ficaria livre para frequentá-la.[613]

Paulo fez dessa escola seu quartel-general para ensinar a Palavra de Deus diariamente durante dois anos e treinar futuros líderes para o desenvolvimento da igreja na província da Ásia. Nessa escola formou vários evangelistas que saíram pela Ásia Menor, levando a Palavra de Deus e plantando igrejas. Obviamente, Paulo não ficou todo esse tempo restrito à cidade de Éfeso. Ele percorreu quase toda a Ásia Menor, conforme o relato de seus próprios opositores: *E estais vendo e ouvindo que não só em Éfeso, mas em quase toda a Ásia, este Paulo tem persuadido e desencaminhado muita gente, afirmando não serem deuses os que são feitos por mãos humanas* (19.26).

Existe um manuscrito grego que nos oferece algumas informações importantes sobre o trabalho de Paulo nesses dois anos na escola de Tirano. Diz que Paulo ensinava ali das 11 da manhã às 4 da tarde todos os dias. Antes e depois desses horários, Tirano necessitava do lugar. Nas cidades jônicas todo o trabalho cessava às 11 da manhã e não recomeçava até bem à entrada da tarde. Era demasiado opressivo trabalhar nesse horário. Era comum se dizer que em Éfeso havia mais gente dormindo à 1 hora da tarde do que à 1 hora da madrugada. Paulo ocupando a escola num horário tão desfavorável, em dois anos revolucionou a Ásia Menor.[614] John Stott diz que as preleções diárias de Paulo resultaram na evangelização de toda a província (19.10,20).[615]

Simon Kistemaker salienta que Éfeso foi durante décadas o centro evangelístico da igreja cristã na Ásia Menor (Ap 2.1-7) e o único lugar onde Paulo, durante suas viagens missionárias, passou três anos num ministério de ensino (20.31). Seu sucessor foi Timóteo (1Tm 1.3); e, mais tarde, o apóstolo João serviu na igreja de Éfeso.[616]

Deus confirma o apostolado de Paulo por meio de milagres (19.11,12)

Numa cidade de tanta idolatria e feitiçaria, Deus encoraja o apóstolo realizando milagres extraordinários pelas suas mãos, curando enfermos e libertando endemoninhados. Éfeso era um centro de ocultismo (19.18,19) e Paulo demonstrava o poder de Deus no centro do território de Satanás.

Os sinais e maravilhas eram credenciais dos apóstolos (2Co 12.12; Rm 15.19; Gl 3.5). Assemelhavam-se às atividades de Pedro (5.15,16). Porém, não eram realizados pelo poder inerente dos líderes, mas realizados por Deus por intermédio deles. Os milagres não são o evangelho, mas abrem as portas para ele. Os milagres não têm o poder de converter pessoas a Cristo, apenas testemunham o poder de Cristo. Os apóstolos não administravam os milagres, que eram realizados conforme a soberania divina e para a glória do próprio Deus.

Howard Marshall diz que o efeito do batismo foi produzir manifestações "carismáticas" do Espírito (2.4,17,18; 10.46). Fica claro a partir de outros relatos de conversões em Atos que semelhantes manifestações ocorriam de modo esporádico e não eram a regra geral (8.17; 8.39; 13.52; 16.34). No presente caso, alguns dons incomuns talvez fossem necessários para convencer este grupo de "semicristãos" de que eles agora eram plenamente membros da igreja de Cristo.[617]

John Stott atribui quatro características distintas a esses milagres realizados por Deus por intermédio de Paulo em Éfeso:

1. O próprio Lucas não se satisfaz em descrevê-los como meros "milagres", mas chama-os de *milagres extraordinários* (19.11).

2. Lucas não os vê como magia, pois os distingue das práticas mágicas que os convertidos de Éfeso logo confessariam e abandonariam, considerando-as más (19.18,19).

3. Paulo via esses milagres como credenciais apostólicas (2Co 12.12).

4. Assim como nos Evangelhos, a possessão demoníaca é diferenciada da doença; portanto o exorcismo é diferenciado da cura.[618]

Justo González afirma que a referência aos lenços e aventais de Paulo deu oportunidade para que alguns supostos evangelistas fizessem dinheiro com a venda deles e de outros itens abençoados. Contudo, observe que o texto bíblico não sugere que Paulo tenha distribuído ou proclamado o poder de seus lenços e aventais, mas que as pessoas os pegavam sem o conhecimento do apóstolo. Não há registro, como alguns declaram hoje, que Paulo tenha abençoado lenços para que pudessem ser realizados milagres por intermédio destes.[619]

Os falsos obreiros têm um poder inadequado (19.13-16)

Onde Deus levanta uma igreja, Satanás ergue uma sinagoga. Onde Deus instrumentaliza obreiros fiéis, Satanás apresenta seus falsos obreiros. Onde Deus realiza verdadeiros milagres, Satanás tenta simular com seus ardis. Os sete filhos de Ceva tentaram fazer o mesmo que Deus estava fazendo pelas mãos de Paulo e se deram mal, pois se aventuraram a libertar um homem endemoninhado em nome do Jesus que Paulo pregava. O espírito maligno falou por boca do homem possesso: *Conheço Jesus e sei quem ...é Paulo; mas vós, quem sois?* (19.15). O homem possesso saltou sobre eles furiosamente, deixando-os feridos e nus. Howard Marshall diz que a lição desta narrativa mostra o resultado de lançar mão indevidamente do nome de Jesus.[620] Os apóstolos curavam pessoas no nome de Jesus não para praticarem magia, mas para demonstrarem a autoridade de Jesus. O termo *nome* significa a pessoa, as palavras e as obras de Jesus, então qualquer um que o utilize identifica-se com Jesus e se torna um verdadeiro representante dele. Portanto, os descrentes não podem jamais usar o poder do nome de Jesus.[621]

De acordo com John Stott, é certo que há poder – poder para salvar e curar – no nome de Jesus, como Lucas faz questão de ilustrar (3.6,16; 4.10-12). Mas a sua eficácia não é mecânica, nem pode ser empregada levianamente.

Mesmo assim, apesar desse mau uso do nome de Jesus, o incidente teve um efeito saudável (19.17).[622]

A Palavra de Deus prevalece poderosamente (19.17-20)

Longe de envergonhar Paulo e desacreditar o evangelho, essa experiência trouxe temor tanto para judeus como para gregos, e o nome do Senhor foi engrandecido. Muitos creram em Cristo e demonstraram arrependimento numa confissão pública de seus pecados (19.18). Outros, que estavam envolvidos com práticas de feitiçaria e artes mágicas, queimaram seus livros em praça pública, numa corajosa atitude de rompimento definitivo com essas práticas pagãs. A atitude desses efésios foi radical e definitiva, como que numa incisão cirúrgica. O resultado desses fatos insólitos é que a Palavra de Deus crescia e prevalecia poderosamente em Éfeso e na Ásia Menor.

A cidade sede do culto de Diana tornou-se agora um território dominado pela Palavra de Deus. A terra da idolatria agora estava iluminada pela verdade das Escrituras. A luz espantou as trevas, e a verdade desmascarou a mentira. Lucas descreve como o poder do evangelho acabou com a influência generalizada da magia em Éfeso, pois os crentes concluíram que tais práticas eram incompatíveis e inconsistentes com a fé cristã.[623]

John Stott ressalta que o fato de os recém-convertidos estarem dispostos a jogar seus livros no fogo, em vez de converterem o seu valor em dinheiro, vendendo-os, era uma evidência notável da sinceridade de suas conversões. Esse exemplo levou a outras conversões, pois *assim a palavra do Senhor crescia e prevalecia poderosamente* (19.20).[624] A queima dos livros pelo público era um sinal claro de que o povo de Éfeso estava desistindo da magia e abraçando o evangelho de Jesus Cristo.[625] Não podemos desprezar o valor dos livros que foram queimados: cinquenta mil denários. O salário de trabalhador era de um denário por dia. Portanto, esse valor correspondia a 150 anos de um bom salário. Para Justo González, Lucas faz questão de mencionar esses números a fim de marcar um contraste entre o que acontece aqui e o episódio seguinte, no qual interesses econômicos tentam impedir a pregação do evangelho. Neste caso, o impacto do evangelho é tão grande que supera qualquer interesse econômico.[626]

Concluímos esse assunto com as sábias palavras de Simon Kistemaker:

> A cidade de Éfeso livrou-se da literatura perniciosa pela queima dos livros de magia e se tornou a depositária da literatura sagrada que formou o cânone do Novo Testamento. Durante o tempo em que Paulo viveu em Éfeso, ele escreveu suas Epístolas aos Coríntios. Quando Paulo ficou em prisão domiciliar em Roma, ele enviou sua carta aos Efésios. Nos anos posteriores, quando Timóteo era pastor em Éfeso, Paulo despachou as duas epístolas que levam o nome de Timóteo. Algumas décadas mais tarde, o apóstolo João compôs seu Evangelho e suas três epístolas de Éfeso. De certa maneira, pode-se dizer que assim como o Antigo Testamento fora confiado aos judeus (Rm 3.2), da mesma forma os efésios se tornaram os guardiões do Novo Testamento.[627]

Paulo planeja uma viagem arriscada (19.21,22)

Após essa esplêndida vitória em Éfeso, Paulo resolve ir a Jerusalém, passando pela Macedônia e Acaia. Seu projeto era participar da Festa de Pentecostes (20.16) e levar aos pobres da Judeia as ofertas levantadas entre as igrejas da Macedônia e Acaia (Rm 15.25-27; 1Co 16.1-4; 2Co 8.1-15). Depois disso, Paulo intentava seguir para Roma, a capital do

Império. Citando Bengel, John Stott registra: "Nenhum Alexandre, nenhum César, nenhum outro herói tem uma mente tão aberta como este pequeno benjamita".[628]

Paulo tinha duas motivações ao levar essa oferta das igrejas gentílicas à igreja judaica. A primeira era enfatizar a unidade espiritual da igreja. Se a igreja judaica recebesse de bom grado a oferta das igrejas gentílicas, a argamassa do amor cimentaria a unidade espiritual dessas igrejas. A segunda motivação de Paulo era ensinar o amor cristão de forma prática. Não é suficiente sentir compaixão. Nossos sentimentos precisam ser traduzidos em ação.

Essa viagem estava cercada de muitos perigos. Mais tarde Paulo chegou a dizer para os presbíteros de Éfeso que o Espírito Santo lhe assegurava que esse caminho seria espinhoso e cheio de cadeias e tribulações (20.22,23). Foi exatamente o que aconteceu. Paulo subiu a Jerusalém levando ofertas e ali foi preso, vítima de uma conspiração dos judeus. Dali seguiu preso para Cesareia e permaneceu dois anos encarcerado, sob acusação dos judeus. Então, foi enviado a Roma como prisioneiro de César.

Paulo enfrenta uma turba de cidadãos indignados (19.23-40)

Enquanto Paulo se preparava para sua viagem a Jerusalém, aconteceu grande alvoroço na cidade de Éfeso. Ele já havia dito que permanecera em Éfeso porque uma porta grande e oportuna para o trabalho se abriu, e muitos se opunham a ele (1Co 16.8,9). A oportunidade e a oposição exigiam sua presença em Éfeso. A oposição em Éfeso foi semelhante à que aconteceu em Filipos, ou seja, teve origens pagãs. Talvez Paulo estivesse se referindo a esse tumulto quando escreveu: *...Lutei em Éfeso com feras...* (1Co 15.32).

A narrativa de Lucas destaca três aspectos desse alvoroço em Éfeso: origem, desenvolvimento e término.[629]

Primeiro, quanto à sua origem, era inevitável que a autoridade soberana de Jesus desafiasse a má influência de Diana. Lucas afirma que os tumultos começaram por causa *do Caminho* (19.23). John Stott interpreta corretamente quando escreve:

> No fundo, a razão não era de natureza doutrinária, nem ética, mas sim econômica. Demétrio, como provável presidente da sociedade dos artífices de prata, dirigiu a atenção dos outros artesãos para o sucesso de Paulo em convencer o povo, afirmando *não serem deuses os que são feitos por mãos humanas*. Como resultado, a venda dos nichos de Diana (pequenos modelos do templo ou imagens da deusa) estavam diminuindo, ameaçando o alto padrão de vida deles. Não que Demétrio tivesse apelando diretamente à cobiça dos companheiros. Não, ele era muito sutil, o suficiente para desenvolver três motivos de preocupação mais respeitáveis: o perigo de seu ofício perder a fama; o perigo do seu templo perder o prestígio; e o perigo de sua deusa perder a majestade divina (19.27). Assim, interesses econômicos foram disfarçados de patriotismo local – neste caso, também sob o manto do zelo religioso.[630]

Segundo, quanto ao desenvolvimento do alvoroço, Lucas registra como a multidão, induzida pelos artífices, corre como uma turba ensandecida para o templo e grita freneticamente o nome da deusa Diana. Benjamim Franklin, citado por Wiersbe, definiu uma turba como "um monstro com uma porção de cabeças, mas sem nenhum cérebro".[631] Max Lerner, também citado por Wiersbe, comenta: "Em sua ignorância, cegueira e confusão, toda multidão é uma Liga de Homens Assustados à procura de segurança na ação coletiva".[632]

Finalmente, quanto ao fim do tumulto destacamos a habilidade do escrivão da cidade em aplacar a fúria da multidão, acalmando o conflito. Para sanar o alvoroço, o escrivão mencionou quatro pontos:

1. O mundo todo sabia que Éfeso era a cidade guardiã do templo de Diana e de sua imagem. Embora Diana fosse uma deusa virgem, padroeira da caça, era uma deusa de fertilidade, representada como figura feminina com muitos seios. Uma imagem dessa deusa foi colocada em um belo e majestoso templo de mármore branco com colunas bordejadas de ouro. A Festa de Diana era celebrada com orgias desenfreadas e bebedeiras.[633]

2. Gaio e Aristarco não eram culpados de sacrilégio, ou seja, falar contra o templo de Diana, nem de blasfêmia, ou seja, falar contra a deusa Diana (19.37).

3. Os acusadores conheciam os processos legais para fazer qualquer acusação, mas estavam usando um expediente repudiado por Roma.

4. Os próprios cidadãos de Éfeso estavam correndo o risco de serem acusados de desobediência civil.

John Stott está coberto de razão em afirmar que cada um desses argumentos era irrefutável; os quatro juntos eram decisivos.[634] Howard Marshall complementa que o apelo do escrivão foi bem-sucedido, e a assembleia foi dissolvida. Dentro das informações disponíveis, nenhum processo adicional foi instaurado, em público ou em particular, contra Paulo e seus colegas, da parte dos artífices.[635]

O propósito de Lucas em registrar esse episódio era apologético e político. Roma não tinha nenhuma acusação contra o cristianismo em geral nem contra Paulo em particular. Em Corinto, o procônsul Gálio se recusara até mesmo a ouvir a acusação dos judeus. Em Éfeso o escrivão deixou bem claro que a oposição era puramente emocional e que os cristãos, sendo inocentes, não precisavam temer os processos legais devidamente constituídos. Assim, a imparcialidade de Gálio, a amizade dos asiarcas e o raciocínio do escrivão deram a liberdade para que o evangelho continuasse o seu curso vitorioso.[636]

Destacamos a seguir a atitude de três homens:

1. Demétrio, o ourives. Um artesão que coordenava o grêmio dos artífices que fabricavam pequenos templos de prata, réplicas do grande templo de Diana, para os peregrinos levarem em seu retorno para casa. Assim, o templo de Diana, além de ser o orgulho da cidade, também era fonte de renda, pois os peregrinos de toda a bacia mediterrânea viajavam para visitá-lo.[637] Foi Demétrio quem promoveu um motim na cidade, incitando outros da mesma profissão a se levantarem contra o apóstolo. Sua acusação tinha como motivação o prejuízo financeiro da classe, mas ele camuflou esse fato com um argumento religioso, dizendo que o culto a Diana e seu templo estavam ameaçados a cair em descrédito pela pregação de Paulo. Desta forma, o furor e a confusão tomaram conta de multidão que se aglomerou no templo da cidade, que comportava mais de vinte mil pessoas. A multidão alvoroçada e ensandecida gritava a plenos pulmões: ...*Grande é a Diana dos efésios!* (19.34).

2. O escrivão da cidade, o pacificador. O escrivão era o principal magistrado da cidade. Por isso, somente quando ele se dirigiu à turba revolta é que o clima acalmou e a multidão se dispersou. Esse funcionário levava os registros públicos e apresentava os assuntos nas assembleias; a correspondência dirigida à cidade vinha em seu nome. Estava encarregado de pacificar o povo e evitar qualquer tumulto ou motim. Roma era benévola, mas não suportava desordem civil. No caso de um tumulto na cidade, esse escrivão podia até perder o seu posto. O escrivão desempenhou o seu papel com perícia invulgar, defendendo seus próprios interesses. Salvou Paulo e seus companheiros, mas o fez para salvar sua própria pele.[638]

Howard Marshall diz que o escrivão agiu não como defensor do cristianismo (pelo contrário!), mas como defensor da lei e da ordem, ansioso por evitar que a cidade obtivesse uma reputação por desordens e ações ilegais.[639] Na mesma linha de pensamento, Warren Wiersbe ressalta que, com permissão de Roma, Éfeso era uma "cidade livre" com a própria assembleia eleita; no entanto, os romanos aceitariam, de bom grado, qualquer pretexto para remover esses privilégios (19.40). A fim de acalmar a multidão, o escrivão usou a mesma tática que os ourives empregaram para iniciar o tumulto: apelou para a grandeza da cidade e de sua deusa.[640]

3. Paulo, o pregador. Paulo quis ir ao templo, um lugar colossal, construído em semicírculo sobre uma concavidade natural da terra, de frente para o porto e com assentos de mármore para 24 mil pessoas. Nesse local a multidão estava alvoroçada, gritando a plenos pulmões: *Grande é a Diana dos efésios*. Mas os amigos de Paulo o impediram de ir até lá. Paulo era um homem sem medo. Para os artesãos e o escrivão, o primordial era a segurança; para Paulo, esta sempre ocupava o último lugar.[641]

Concluímos este capítulo destacando que Lucas registra a declaração oficial de que os cristãos eram inocentes de qualquer crime, público (19.37) ou privado (19.38). Paulo recebeu essa mesma "aprovação oficial" em Filipos (16.35-40) e em Corinto (18.12-17), e voltaria a recebê-la depois de sua prisão em Jerusalém.[642]

Notas do capítulo 20

[596] KISTEMAKER, Simon. *Atos*. Vol. 2, p. 242.
[597] BARCLAY, William. *Hechos de los Apóstoles*, p. 150,151.
[598] DE BOOR, Werner. *Atos dos Apóstolos*, p. 271.
[599] MARSHALL, I. Howard. *Atos: introdução e comentário*. 1985, p. 288.
[600] GREEN, Michael. *I believe in the Holy Spirit*. London: Hodder & Stoughton, 1985, p. 135.
[601] STOTT, John. *A mensagem de Atos*, p. 342.
[602] MARSHALL, I. Howard. *Atos: Introdução e Comentário*. 1985, p. 287.
[603] KISTEMAKER, Simon. *Atos*. Vol. 2, p. 244.
[604] WIERSBE, Warren W. *Comentário bíblico expositivo*, p. 623.
[605] STOTT, John. *A mensagem de Atos*, p. 342,343.
[606] MARSHALL, I. Howard. *Atos: introdução e comentário*. 1985, p. 289.
[607] GONZÁLEZ, Justo L. *Atos*, p. 263.
[608] WIERSBE, Warren W. *Comentário bíblico expositivo*, p. 623.
[609] HOEKEMA, Anthony. *Holy Spirit Baptism*. Grand Rapids, MI: Eerdmans, 1972, p. 44,45.

610 WIERSBE, Warren W. *Comentário bíblico expositivo*, p. 623.
611 KISTEMAKER, Simon. *Atos*. Vol. 2, p. 247,248.
612 MARSHALL, I. Howard. *Atos: introdução e comentário*. 1985, p. 290.
613 MARSHALL, I. Howard. *Atos: introdução e comentário*. 1985, p. 291.
614 BARCLAY, William. *Hechos de los Apóstoles*, p. 153.
615 STOTT, John. *A mensagem de Atos* , p. 344.
616 KISTEMAKER, Simon. *Atos*. Vol. 2, p. 252,253.
617 MARSHALL, I. Howard. *Atos: introdução e comentário*. 1985, p.290.
618 STOTT, John. *A mensagem de Atos* , p. 344.
619 GONZÁLEZ, Justo L. *Atos*, p. 265.
620 MARSHALL, I. Howard. *Atos: introdução e comentário*. 1985, p. 293.
621 KISTEMAKER, Simon. *Atos*. Vol. 2, p. 256.
622 STOTT, John. *A mensagem de Atos* , p. 345.
623 KISTEMAKER, Simon. *Atos*. Vol. 2, p. 259.
624 STOTT, John. *A mensagem de Atos* , p. 345.
625 KISTEMAKER, Simon. *Atos*. Vol. 2, p. 260.
626 GONZÁLEZ, Justo L. *Atos*, p. 267.
627 KISTEMAKER, Simon. *Atos*. Vol. 2, p. 261.
628 STOTT, John. *A mensagem de Atos* , p. 346.
629 STOTT, John. *A mensagem de Atos* , p. 346.
630 STOTT, John. *A mensagem de Atos* , p. 347.
631 WIERSBE, Warren W. *Comentário bíblico expositivo*, p. 625.
632 WIERSBE, Warren W. *Comentário bíblico expositivo*, p. 625.
633 MARSHALL, I. Howard. *Atos: introdução e comentário*. 1985, p. 296.
634 STOTT, John. *A mensagem de Atos* , p. 349.
635 MARSHALL, I. Howard. *Atos: introdução e comentário*. 1985, p. 300.
636 STOTT, John. *A mensagem de Atos* , p. 350.
637 GONZÁLEZ, Justo L. *Atos*, p. 273.
638 BARCLAY, William. *Hechos de los Apóstoles*, p. 157,158.
639 MARSHALL, I. Howard. *Atos: introdução e comentário*. 1985, p. 299.
640 WIERSBE, Warren W. *Comentário bíblico expositivo*, p. 626.
641 BARCLAY, William. *Hechos de los Apóstoles*, p. 158.
642 WIERSBE, Warren W. *Comentário bíblico expositivo*, p. 626.

Capítulo 21

Paulo rumo a Jerusalém
(At 20.1-38)

APÓS TRÊS ANOS EM ÉFESO, Paulo se despede da igreja. Assumira um compromisso com os líderes da igreja de Jerusalém de que iria para os gentios, mas não esqueceria os pobres (Gl 2.10). Era hora de cumprir a promessa. Em virtude da extrema pobreza dos crentes da Judeia, o apóstolo levantou uma coleta entre os crentes gentios da Macedônia e Acaia e, junto com uma comitiva composta por companheiros de várias igrejas, viajou para Jerusalém levando essas ofertas.[643]

Warren Wiersbe diz que, nessa última terça parte do livro de Atos, Lucas registra a viagem de Paulo a Jerusalém, sua prisão nessa cidade e sua viagem a Roma.[644]

John Stott faz seis paralelos entre a viagem de Jesus a Jerusalém e a viagem de Paulo.[645] É claro que a comparação está longe de ser exata, pois a missão de Jesus era única. Vejamos:

1. Como Jesus, Paulo viajou para Jerusalém com um grupo de discípulos (20.4).[646]

2. Como Jesus, Paulo sofreu a oposição de judeus que conspiraram contra sua vida (20.3,19).[647]

3. Como Jesus, Paulo fez ou recebeu três profecias sucessivas sobre seus sofrimentos (20.22,23; 21.4,11), incluindo sua entrega aos gentios (21.11).[648]

4. Como Jesus, Paulo declarou sua disposição de entregar a vida (20.24; 21.13).[649]

5. Como Jesus, Paulo estava determinado a completar seu ministério, sem se desviar dele (20.24; 21.13).[650]

6. Como Jesus, Paulo expressou sua entrega à vontade de Deus (21.14).[651]

Destacamos a seguir alguns pontos importantes do texto em discussão.

Paulo se despede dos discípulos em Éfeso (20.1)

Paulo não fugiu de Éfeso por causa do tumulto criado por Demétrio, nem saiu furtivamente sob as sombras do anonimato depois que a tensão chegou ao fim. Cessado o tumulto, porém, mandou chamar os discípulos para confortá-los antes de partir. Paulo era um pastor. Seu zelo pastoral não lhe permitiu sair sem se reunir com seus filhos espirituais para encorajá-los.

Paulo fortalece os crentes da Macedônia e da Grécia (20.2,3)

Paulo não apenas gerava filhos espirituais, mas também cuidava deles. A igreja não é apenas uma sala de obstetrícia, mas também uma escola de treinamento. O apóstolo Paulo sempre voltou às igrejas que estabelecera para fortalecer os novos crentes na fé. Por essa razão visitou as igrejas da Macedônia – Filipos, Tessalônica e Bereia – e em seguida foi para Corinto, na província da Acaia, na Grécia.

Na Macedônia, Paulo esperou por Tito para informar-se sobre a situação da igreja de Corinto (2Co 2.13; 7.6,13) e novamente o enviou a Corinto (2Co 8.6,16,17). Depois, viajou para Corinto, onde passou três meses (20.3), talvez durante o inverno (1Co 16.6). Em Corinto, escreveu a carta aos Romanos, recolheu donativos financeiros para os santos em dificuldades em Jerusalém (Rm 15.26; 1Co 16.2,3; 2Co 8.2-4), viajou de volta pela Macedônia e, depois da Páscoa, navegou de Filipos para Trôade (20.6). Pretendia estar em Jerusalém antes do Pentecostes (20.16).[652]

Paulo muda o roteiro da viagem por causa de uma conspiração dos judeus (20.3-6)

O projeto de Paulo era sair de Corinto para a Síria, mas ele soube de uma conspiração dos judeus para matá-lo na viagem. Então, mudou o roteiro e, em vez de embarcar no porto coríntio de Cencreia, voltou por terra para a Macedônia. É provável que os compatriotas judeus que queriam eliminar Paulo também tivessem reservado passagem para Jerusalém. Eles poderiam facilmente arranjar uma maneira de lançá-lo ao mar durante a viagem.[653]

Da Macedônia acompanharam-no até a Ásia irmãos de várias igrejas, provavelmente uma comitiva encarregada de lhe dar segurança e também de levar as ofertas levantadas entre os crentes gentios para os crentes judeus (2Co 8.2,3). Paulo dificilmente viajava sozinho. Ele tinha preferência pelo trabalho de equipe. Esses amigos que o acompanharam na viagem eram Sópatro, Aristarco, Secundo, Gaio, Timóteo, Tíquico, Trófimo e Lucas (o nome deste último aparece implicitamente em virtude do emprego do pronome *nós*, conforme atestamos em Atos 20.6,7,13). Simon Kistemaker esclarece que esses homens, delegados de várias igrejas, acompanharam Paulo como guarda-costas. Eles também protegiam as ofertas que levavam para a igreja de Jerusalém.[654]

Paulo celebra um culto de despedida em Trôade (20.7-12)

Paulo partiu de Filipos e, depois de cinco dias de viagem, chegou a Trôade, onde seus amigos já o esperavam. Paulo visitara Trôade na segunda viagem missionária, mas não havia pregado o evangelho ali (16.8). Durante sua terceira viagem, porém, ele fundou uma igreja na cidade (2Co 2.12). Agora, Paulo permanece em Trôade uma semana. Como o navio onde os amigos de Paulo deveriam embarcar zarparia na segunda-feira, estando a igreja reunida no cenáculo no domingo, para participar da Ceia, Paulo se reuniu com eles para exortá-los. Três verdades nos chamam a atenção no texto.

Em primeiro lugar, *o culto na igreja de Trôade* (20.7,8). O culto foi realizado no domingo, o primeiro dia da semana. O domingo passou a ser chamado de *Dia do Senhor*, pois foi nesse dia que o Senhor Jesus ressurgiu dentre os mortos (Ap 1.10). Também devemos lembrar que o Espírito Santo foi derramado sobre a igreja no Dia do Senhor (At 2.1-4), ou seja, cinquenta dias após a ressurreição de Cristo.

Essa é a primeira referência ao culto de domingo no Novo Testamento. Portanto, é a evidência inequívoca mais primitiva que temos da prática cristã de reunir-se para a adoração no domingo.[655] Nesse culto houve exposição da Palavra e ministração da Ceia; edificação e celebração; culto da palavra e culto da mesa,[656] uma combinação de palavra e sacramento. John Stott diz que a igreja cristã no mundo inteiro segue esse exemplo desde então.[657]

Como não havia templos cristãos, os crentes estavam reunidos no terceiro andar do cenáculo. Era noite, porém o lugar era bem iluminado. Em virtude de sua partida no dia seguinte, Paulo aproveitou o ensejo para prolongar o sermão até à meia-noite.

Em segundo lugar, *uma tragédia na igreja de Trôade* (20.9). Naquela noite Paulo exortava os irmãos em Trôade e estendeu o discurso até meia-noite. O jovem Êutico estava sentado à janela e, tendo adormecido profundamente, caiu do terceiro andar, sofrendo morte imediata. Paulo desceu e, inclinando-se sobre ele, o trouxe de volta à vida. Subiu de novo ao cenáculo, celebrou a Ceia do Senhor e falou à igreja até o romper do dia. Esse episódio nos enseja algumas lições:

1. A janela é um lugar que oferece muitas distrações. Através da janela, quem está dentro olha para fora e quem está fora dá uma espiada para dentro. Ficar à janela é estar dentro, mas observando o que se passa lá fora. Ficar à janela é ter a atenção dividida e o coração distraído por muitas coisas. Êutico era um jovem da igreja: ele não abriu mão de estar reunido com seus irmãos na fé, mas ficou à janela. A janela parecia um lugar arejado e colorido que oferecia muitas distrações, mas não era seguro. Foi o palco da sua queda, o prelúdio da sua morte.

2. A janela é um lugar que divide o coração. Êutico estava no cenáculo, mas seus olhos também se voltavam para o mundo. Dali ouvia o apóstolo Paulo, mas também acompanhava o que se passava na rua. A janela roubava a sua atenção, distraía o seu coração e amortecia o seu apetite pelas coisas de Deus. Por isso, ele foi paulatinamente perdendo o interesse pelo que estava acontecendo dentro do cenáculo, a ponto de o sono enfiar-lhe as garras irresistíveis. Êutico caiu da janela porque não estava totalmente focado no que acontecia dentro do cenáculo. Enquanto os outros crentes se deleitavam no que Paulo dizia, Êutico foi dominado pelo sono e caiu.

3. A janela é um lugar de quedas perigosas. Quem cai de uma janela cai para fora, e não para dentro. Êutico caiu do terceiro andar e morreu. Sua queda foi uma tragédia. Se não fora o milagre operado pelo apóstolo Paulo, Êutico teria encerrado precocemente seus dias. Davi também viu uma janela aberta, e através dela, uma mulher se banhando; aquela janela aberta encerrou Davi numa terrível prisão de adultério e assassinato. As janelas hoje são mais coloridas e atraentes, mais numerosas e espaçosas. Os jovens encontram janelas por todos os lados. O mundo virtual escancara suas janelas sedutoras diante dos olhares divididos dos jovens crentes. Eles precisam fazer uma escolha. Não podem ficar com o coração dividido. Não podem ter um pé na igreja e outro no mundo. Não podem ser amigos do mundo e ao mesmo tempo amigos de Deus.

4. A janela é um lugar para ser abandonado. Quando Êutico caiu da janela, Paulo não gastou o resto da noite acusando os pais do jovem nem responsabilizando a congregação pela tragédia. Ele desceu, inclinou-se sobre o rapaz, abraçou-o e a vida voltou ao jovem. As Escrituras registram uns poucos exemplos de pessoas que foram ressuscitadas: dois no período do Antigo Testamento, no tempo de Elias e Eliseu; três durante o ministério de Jesus (a filha de Jairo, o filho da viúva de Naim e Lázaro); e dois no período apostólico (Dorcas e Êutico). Após ressuscitar Êutico, Paulo subiu e continuou o culto. A igreja conduziu vivo o rapaz e sentiu-se grandemente confortada. Certamente, Êutico não voltou para a janela. Aprendeu a lição. Ficar à janela é correr sérios riscos. É distrair o coração com as coisas do mundo. É expor-se a quedas desastrosas. É flertar com a própria morte. Não basta que nossos jovens estejam na igreja; eles precisam sair da janela.

Em terceiro lugar, *uma intervenção milagrosa na igreja de Trôade* (20.10-12). Paulo interrompe o culto momentaneamente, desce do cenáculo e ressuscita o jovem Êutico, devolvendo-o à igreja. Depois, volta ao cenáculo e dá prosseguimento ao culto, ministrando a Ceia e a Palavra até o alvorecer do dia. Para Justo González, o mais surpreendente aqui não é a ressurreição de Êutico, porém a reação da igreja a esse evento. A ressurreição de Êutico foi apenas um interlúdio em meio a algo mais importante. A igreja interrompeu sua vida interior em favor do necessitado. Às vezes, damos a impressão de que a coisa mais importante é a vida interior da igreja e de que todas as necessidades do mundo são apenas interrupções ou, no melhor dos casos, oportunidades que temos para apresentar a mensagem da igreja.[658]

Ainda mais surpreende é o segundo momento da narrativa. Paulo e os cristãos retornaram e continuaram sua adoração. O milagre da ressurreição de Êutico causou-lhes grande conforto (20.12), mas não foi motivo para se vangloriarem nem para abandonarem a adoração a Deus e saírem às ruas gritando e anunciando o grande milagre que Deus realizou. Por quê? Certamente, não porque o milagre é pequeno; antes, por haver um milagre ainda maior: a própria vida da igreja e a presença de Deus em sua vida comum e no partir do pão. Sem dúvida, o poder de Deus manifesta-se na ressurreição de Êutico, porém manifesta-se ainda mais na ressurreição de cada um de nós, nascidos de novo, tirados de uma vida devotada aos poderes da morte e renascidos para a vida de serviço ao Deus vivo. A igreja é um milagre de Jesus por intermédio do Espírito Santo. Esse é o tema central de Atos.[659]

Paulo viaja de Trôade a Mileto (20.13-16)

Enquanto os amigos de Paulo partiram de Trôade de navio, Paulo foi por terra até Assôs, onde o receberam a bordo. Dali navegaram até Mitilene, localizada a cerca de 80 km ao sul de Trôade. Passaram defronte de Quios, tocaram Samos e em seguida chegaram a Mileto, um porto a 50 km de Éfeso.

Paulo não quis voltar a Éfeso, devido à sua pressa para chegar em Jerusalém e ainda participar da Festa de Pentecostes (20.16). Lucas deixa entrever que Paulo é quem toma as decisões. Paulo organizou a viagem a pé para Assôs; Paulo decidiu não parar na província da Ásia; Paulo enviou um mensageiro a Éfeso para solicitar a vinda dos presbíteros a Mileto.[660] O capitão do navio presumivelmente decidiu ficar no porto de Mileto por alguns dias para carregar e descarregar o navio. Durante esses dias de espera, Paulo se encontrou com os presbíteros de Éfeso e lhes dirigiu seu discurso de despedida.[661]

Simon Kistemaker destaca que Lucas relata como Paulo ocupou as sete semanas entre o dia dos pães asmos e o

Pentecostes: ele gastou cinco dias viajando entre Neápolis e Trôade (20.6); ficou uma semana em Trôade (20.6); levou quatro dias para viajar de Trôade a Mileto (20.13-16); gastou talvez mais uma semana na viagem de Mileto a Tiro (21.1-3); permaneceu uma semana em Tiro (21.4); e, com paradas em Cesareia, precisava de pelo menos uma semana para viajar até Jerusalém (21.7-15).[662]

Paulo se despede dos presbíteros de Éfeso em Mileto (20.17-38)

No encontro em Mileto, Paulo se despede dos presbíteros de Éfeso com beijos, abraços e lágrimas. Em apenas três anos foram cultivados relacionamentos profundos entre Paulo e aqueles líderes. Paulo chama esses líderes de presbíteros (20.17) e bispos (20.28), empregando o verbo "pastorear" para descrever seu trabalho (20.28). Assim, na mente de Paulo, presbítero, bispo e pastor são termos correlatos. Não há hierarquia na igreja de Deus. Tanto os líderes quanto os liderados são servos de Cristo.

Warren Wiersbe divide a mensagem de despedida de Paulo em três partes:

1. Ao recapitular o passado (20.18-21), Paulo enfatizou sua fidelidade ao Senhor e à igreja ao ministrar durante três anos em Éfeso.

2. Ao falar sobre o presente (20.22-27), Paulo revelou seus sentimentos tanto em vista do passado quanto do futuro.

3. Por fim, ao mencionar o futuro (20.28-35), Paulo advertiu-os sobre os perigos que seriam enfrentados pela igreja.[663]

John Stott diz que, entre os discursos registrados em Atos, este é o único dirigido a um público cristão. Todos os outros são sermões evangelísticos pregados para o povo judeu (2.14ss; 14.14ss; 17.22ss) ou gentio (10.34ss; 14.14ss; 17.22ss); defesas legais diante do Sinédrio nos primeiros dias da igreja (4.8ss; 5.29ss; 7.1ss) ou as cinco palestras diante das autoridades judaicas e romanas que aparecem no final do livro (capítulos 22–26).[664]

Neste célebre sermão aos presbíteros de Éfeso, Paulo tange os principais assuntos ensinados em suas epístolas: a graça de Deus (v. 24,32), o reino de Deus (v. 25), o propósito de Deus (v. 27), o sangue remidor de Cristo (v. 28), o arrependimento e a fé (v. 21), a igreja de Deus e a sua edificação (v. 28,32), a inevitabilidade do sofrimento (v. 23,24), o perigo dos falsos mestres (v. 29,30), a necessidade da vigilância (v. 28-31), a carreira cristã (v. 24) e a nossa herança final (v. 32).[665]

No texto em tela, Paulo aborda sete compromissos de um líder, que analisamos a seguir.

Em primeiro lugar, *o compromisso do líder com Deus* (20.19). O primeiro compromisso do líder não é com a obra de Deus, mas com o Deus da obra. O relacionamento com Deus precede o trabalho para Deus. O primeiro chamado do presbítero é para andar com Deus e, como resultado dessa caminhada, fazer a obra de Deus.

Em Atos 20.19 Paulo testemunha como serviu a Deus com humildade e lágrimas por causa das ciladas dos judeus. Três fatos devem ser aqui destacados:

1. O líder está a serviço de Deus, e não dos homens. O líder serve a Deus, ministrando aos homens. Quem serve a Deus não busca projeção pessoal. Quem serve a Deus não anda atrás de aplausos e condecorações. Quem serve a Deus não depende de elogios nem desanima com as críticas. Quem serve a Deus não teme ameaças nem se intimida diante de perseguições. Quem teme a Deus não teme os homens, nem o mundo, nem mesmo o diabo. O pastor não pode vender sua consciência, mercadejar seu ministério nem compactuar com esquemas mundanos ou eclesiásticos para auferir vantagens imediatas. Judas vendeu Jesus por dinheiro. Demas ficou cego pelos holofotes do mundo e abandonou as fileiras daqueles que andavam em santidade. Muitos obreiros, de igual forma, são atraídos pela sedução do poder, do dinheiro e do prazer e perdem a honra, a família e o ministério. Precisamos ter claro em nosso coração a quem estamos servindo. Não servimos a interesses de pessoas ou grupos. Não servimos àqueles que alimentam a síndrome de Diótrefes e pensam tolamente serem os donos da igreja. O pastor deve estar a serviço de Deus.

2. O líder deve servir a Deus com senso profundo de humildade. Muitos batem no peito, anunciando arrogantemente que são servos de Deus. Outros, besuntados de orgulho, fazem propaganda de seu próprio trabalho. Outros servem a Deus, mas gostam dos holofotes. Há aqueles que fazem do serviço a Deus um palco onde se apresentam como os atores ilustres sob as luzes da ribalta. Um servo não busca autoglorificação. Fazer a obra de Deus sem humildade é construir um monumento para si mesmo. É levantar outra modalidade da Torre de Babel.

3. O líder não deve esperar facilidades pelo fato de estar servindo a Deus. Quem serve a Deus com humildade e integridade desperta polêmica e muita hostilidade no arraial do inimigo. Paulo servia a Deus com lágrimas. A vida ministerial não lhe foi amena. Em vez de ganhar aplausos do mundo, recebeu ameaças, açoites e prisões. Paulo manteve sua consciência pura diante de Deus e dos homens, mas os judeus tramaram ciladas contra ele. Viveu num campo minado. Enfrentou inimigos reais, porém, às vezes ocultos. Nem sempre Deus nos poupa dos problemas. Às vezes, ele nos treina nos desertos mais tórridos e nos vales mais profundos e escuros.

Em segundo lugar, *o compromisso do líder consigo mesmo* (20.18,28a). O apóstolo Paulo mostra nos versículos 18 e 28a a necessidade do pastor ter um sério compromisso consigo mesmo. Destacamos alguns pontos importantes nesse sentido:

1. O líder precisa cuidar de si mesmo antes de cuidar do rebanho de Deus. A vida do pastor é a vida do seu pastorado. Há muitos obreiros cansados da obra e na obra porque procuram cuidar dos outros sem cuidarem de si mesmos. Antes de pastorearmos os outros, precisamos pastorear a nós mesmos. Antes de exortar os outros, precisamos exortar a nós mesmos. Antes de confrontarmos os pecados dos outros, precisamos confrontar os nossos próprios pecados. O pastor não pode ser inconsistente. Sua vida é a base de sustentação do seu ministério. O sermão mais eloquente pregado pelo pastor é o sermão da vida. O sermão mais difícil de ser pregado é aquele que pregamos para nós mesmos.

2. O líder precisa cuidar de si mesmo para não praticar o que condena. O ministério não é uma apólice de seguro contra o fracasso espiritual. Há grande perigo de o pastor acostumar-se com o sagrado e perder de vista a necessidade de temer e tremer diante da Palavra. Os filhos de Eli carregavam a arca da aliança com uma vida impura. A arca não os livrou da tragédia. Muitos pastores vivem na prática de pecados e ainda assim mantêm a aparência. Muitos pastores saem dos esgotos da impureza, navegando no lamaçal de *sites* pornográficos, e depois sobem ao púlpito e exortam o povo à santidade. Essa atitude torna os pecados do pastor mais graves, mais hipócritas e mais danosos do que os das demais pessoas. São mais graves porque o pastor peca contra um conhecimento maior; mais hipócritas, porque o pastor condena o pecado em público e, às vezes, o pratica em secreto; e, mais danosos, porque quando um pastor cai, mais pessoas são atingidas.

3. *O líder precisa cuidar de si mesmo para não cair em descrédito.* Há pastores que perderam o ministério porque foram seduzidos pelos encantos do poder, embriagados pela sedução do dinheiro e acabaram presos às teias da tentação sexual. Há pastores que causaram mais males com seus fracassos do que benefícios com seu trabalho. Se um pastor perder a credibilidade, perde também o seu ministério. A integridade do pastor é o fundamento sobre o qual ele constrói seu ministério. Sem vida íntegra não existe pastorado. Hoje, assistimos com tristeza a muitos pastores gananciosos que mercadejam a Palavra e vendem a consciência no mercado do lucro. Há obreiros que são rigorosos com os crentes, mas levam de forma frouxa sua vida pessoal. Há pastores que apascentam a si mesmos, e não ao rebanho. Amam a sua própria glória em vez de buscar a honra do Salvador.

Em terceiro lugar, *o compromisso do líder com a Palavra de Deus* (20.20-27). Nos versículos 20-27, Paulo trata do compromisso do pastor com a Palavra de Deus. Vejamos alguns aspectos importantes:

1. *O líder precisa anunciar todo o conselho de Deus* (20.27). O pastor deve pregar só a Bíblia e toda a Bíblia.

Não pode aproximar-se das Escrituras com seletividade. Toda a Escritura é inspirada por Deus e útil para o ensino e correção. A única maneira de cumprir esse desiderato é pregar a Palavra expositivamente. O pastor não prega suas próprias ideias, mas expõe a Palavra. O pastor não faz a mensagem, apenas a transmite. A mensagem emana das Escrituras. Deus não tem nenhum compromisso com a palavra do pregador, mas apenas com sua Palavra.

2. O líder precisa pregar para a salvação (20.21). O pastor prega arrependimento e fé. Ele leva seus ouvintes a uma decisão. Ele é um evangelista. Prega para a salvação. Muitos pastores dizem não ter o dom de evangelista. Acostumam-se com um ministério burocrático, passando o tempo todo num escritório, atrás de uma mesa, muitas vezes navegando nas águas turvas da internet. Há pastores que perderam a paixão evangelística e não sabem mais o que é sentir as dores de parto. Precisamos de pastores que preguem sobre arrependimento e fé, que anunciem com a alma em fogo e com lágrimas nos olhos a mensagem da salvação que conduz o pecador à conversão. Paulo instruiu o seu filho Timóteo a cumprir cabalmente o seu ministério de evangelista (2Tm 4.5). Uma frase muito conhecida no meio evangélico diz: "Pastor não gera ovelha; é ovelha que gera ovelha". Essa frase é apenas parcialmente verdadeira. É certo que ovelha gera ovelha, mas também pastor gera ovelha. Ou seja, um pastor também é um ganhador de almas; também é um evangelista.

3. O líder precisa ensinar com fidelidade a Palavra (20.20). Paulo não apenas evangelizava; ele também ensinava. Não apenas gerava filhos espirituais, mas também os nutria com o trigo da verdade. O pastor é um discipulador. Ele deve mentorear as ovelhas de Cristo. O pastor é um mestre. A ele cabe o privilégio de ensinar as verdades benditas do evangelho ao povo de Deus. O pastor deve afadigar-se na Palavra (1Tm 5.17). Ele precisa cavar as insondáveis riquezas do evangelho de Cristo. O pastor é um estudioso e um erudito. A palavra do conhecimento deve estar em seus lábios para instruir o povo. Ele precisa ter uma alma sedenta para aprender e um coração ardente para ensinar. Quem cessa de aprender, cessa de ensinar. Quem se alimenta de migalhas, não pode oferecer pão nutritivo para o povo. Muitos pastores oferecem ao povo uma sopa rala em vez de alimento sólido, pois alimentam o povo da plenitude do seu coração e do vazio da sua cabeça. Outros ensinam doutrinas e tradições humanas em vez de ensinar a poderosa e eficaz Palavra de Deus.

4. *O líder precisa ensinar tanto às multidões quanto aos pequenos grupos* (20.20). Paulo ensinava de casa em casa e também publicamente. Há pastores que são loucos pelo frenesi da multidão, mas não se entusiasmam em falar a pequenos grupos. Há pregadores que só pregam para grandes auditórios. Sentem-se importantes demais para pregar numa pequena congregação ou numa reunião de grupo familiar. Esses indivíduos pensam que são mais importantes do que o apóstolo Paulo. O apóstolo dos gentios pregava de casa em casa. Jesus pregou seus mais esplêndidos sermões para uma única pessoa. Quem não se dispõe a pregar a um pequeno grupo não está credenciado a pregar a um grande auditório. Nossa motivação não deve estar nas pessoas, mas em Deus.

Em quarto lugar, *o compromisso do líder com o ministério* (20.24). O apóstolo Paulo sintetiza o seu ministério em três verdades sublimes ao declarar aos presbíteros de Éfeso:

Porque em nada considero a vida preciosa para mim mesmo, conquanto que eu complete a minha carreira e o ministério que recebi do Senhor Jesus para testemunhar o evangelho da graça de Deus (20.24). Destacamos a seguir essas três verdades:

1. Vocação (20.24). Paulo diz que recebeu o ministério do Senhor Jesus. Não se lançou no ministério por conta própria; foi chamado, vocacionado e separado para esse trabalho. Paulo não se tornou pastor porque buscava vantagens pessoais. Não entrou para as lidas ministeriais buscando segurança, emprego ou lucro financeiro. Não entrou no ministério com motivações erradas. O mesmo Senhor que lhe apareceu em glória no caminho de Damasco, esse também o chamou, o separou, o capacitou e o revestiu de poder para exercer o ministério. É o senso de vocação que dá ao pastor forças nas horas difíceis. A certeza do chamado divino é que lhe dá direção em tempos tenebrosos. É a convicção de que o Espírito Santo nos constituiu bispos sobre o rebanho que nos dá paz para continuarmos no trabalho, mesmo diante de circunstâncias adversas.

2. Abnegação (20.24). Paulo diz que não considerava a sua vida preciosa para si mesmo desde que cumprisse o seu ministério. O coração de Paulo não estava nas vantagens auferidas do ministério. Ele não atuava no ministério cobiçando prata ou ouro. Não participava de uma corrida desenfreada em busca de prestígio ou fama. Seu propósito não era ser aplaudido ou ganhar prestígio entre os homens. Na verdade ele estava pronto a trabalhar com as próprias mãos para ser pastor. Estava pronto a sofrer toda sorte de perseguição e privação para pastorear. Estava disposto a ser preso, a sofrer ataques externos e temores internos para pastorear a igreja de Deus. Estava pronto a dar a própria vida para cumprir cabalmente seu ministério.

3. *Paixão* (20.24). A grande paixão de Paulo era testemunhar o evangelho da graça de Deus. A pregação enchia o peito do velho apóstolo de entusiasmo. Ele sabia que o evangelho é o poder de Deus para a salvação de todo o que crê. Sabia que a justiça de Deus se revela no evangelho. Sabia que a mensagem do evangelho de Cristo é a única porta aberta por Deus para a salvação do pecador. Paulo se considerava um arauto, um embaixador, um evangelista, um pregador, um ministro da reconciliação. Sua mente estava totalmente voltada para a pregação. Seu tempo era totalmente dedicado à pregação. Mesmo quando estava preso, Paulo sabia que a Palavra não estava algemada.

Em quinto lugar, *o compromisso do líder com a igreja* (20.28-32). Nos versículos 28-32, Paulo fala sobre o compromisso dos presbíteros com a igreja. John Stott alerta que não há defesa bíblica para um único pastor tocando sozinho todos os instrumentos da orquestra ou para uma estrutura hierárquica ou piramidal na igreja local.[666] Sobre esse assunto, destacamos alguns pontos importantes:

1. O líder deve cuidar de todo o rebanho, e não apenas das ovelhas mais dóceis (20.28). Há ovelhas dóceis e indóceis. Há ovelhas que obedecem ao comando do pastor e ovelhas que se rebelam e fogem do cajado do pastor. Há ovelhas que escoiceiam o pastor e aquelas que são o deleite do pastor. Há um grande perigo do pastor cuidar apenas das ovelhas dóceis e deixar de lado as demais. A ordem divina é que o pastor cuide de todo o rebanho, e não apenas de parte dele.

2. *O líder não é o dono do rebanho, mas servo dele* (20.28). A igreja é de Deus, e não do pastor. Jesus é o único dono da igreja. O Senhor nunca deu uma procuração para nos apossarmos da sua igreja. Na igreja de Deus não existem chefes, caudilhos e donos. Todos somos nivelados no mesmo patamar: somos servos. Aqueles que se arvoram em donos da igreja e tratam-na como uma empresa particular, buscando abastecer-se das ovelhas em vez de servi-las e pastoreá-las, estão em aberta oposição ao propósito divino.

3. *O líder não pode impor-se arbitrariamente como líder do rebanho* (20.28). O pastor precisa ter plena consciência de que foi o Espírito Santo quem o constituiu bispo para pastorear a igreja. Qualquer manobra humana ou política de bastidor para continuar à frente de uma igreja é uma conspiração contra o plano de Deus. O pastorado não deve ser imposto. O pastor não pode agir com truculência. Ele não é um ditador, mas um pai. Não é um explorador do rebanho, mas um servo do rebanho. Muitos pastores constrangem as ovelhas e se impõem sobre elas com rigor despótico (1Pe 5.3). Outros orquestram vergonhosamente para permanecer no pastorado, fazendo acordos e conchavos pecaminosos. O pastor não deve aceitar o pastorado de uma igreja nem sair dela por conveniência, vantagens financeiras ou pressões. Ele precisa saber que, antes de ser pastor do rebanho, é servo de Cristo.

4. *O líder precisa compreender o valor da igreja aos olhos de Deus* (20.28). A igreja é a noiva do Cordeiro, a menina dos olhos de Deus. Ele a comprou com o sangue de Jesus. Tocar na igreja é ferir a noiva do Filho de Deus. O Senhor tem zelo pelo seu povo. Perseguir a igreja é perseguir ao próprio Senhor da igreja. Quem fere o corpo atinge também a

cabeça. Os pastores que tratam com rigor desmesurado as ovelhas de Cristo, e dispersam o rebanho ou deixam de protegê-lo dos lobos vorazes, estão desprezando a escrava resgatada, a amada do coração de Deus, a noiva do seu Filho bendito. John Stott é assaz oportuno ao escrever: "As ovelhas são o rebanho de Deus o Pai, compradas pelo precioso sangue de Deus o Filho e supervisionadas por pessoas indicadas por Deus o Espírito Santo".[667]

5. *O líder precisa proteger o rebanho dos ataques externos* (20.29). Paulo alerta que existem lobos do lado de fora buscando uma oportunidade de entrar no meio do rebanho para devorar as ovelhas. O pastor deve ser o guardião e o protetor do rebanho. Como Davi, ele precisa declarar guerra aos ursos e leões, protegendo o rebanho de seus dentes assassinos. Há muitos falsos mestres com suas perniciosas heresias tentando entrar na igreja. O pastor precisa estar atento!

Certa feita, num domingo de manhã, uma mulher bem vestida e acompanhada por uma comitiva entrou no templo e assentou-se no terceiro banco enquanto eu pregava. Ela me fez chegar às mãos um bilhete com os seguintes dizeres: "Pastor, o Espírito Santo me mandou hoje aqui, porque tenho uma mensagem a entregar a esta igreja". Li o bilhete, coloquei-o no bolso, terminei de pregar, impetrei a bênção apostólica e me dirigi à porta para cumprimentar o povo. Aquela mulher colocou o dedo no meu nariz e me acusou: "O senhor impediu que o Espírito Santo falasse à igreja hoje". Eu respondi: "Deus falou à igreja, a senhora é que não ouviu, pois eu preguei a Palavra de Deus e, quando essa Palavra é exposta com fidelidade, é o próprio Espírito Santo quem fala, pois só ele tem o poder de aplicar a bendita Palavra". E disse-lhe mais: "Como eu poderia dar-lhe a palavra sem a conhecer, sem saber de onde vem e para onde vai e no que crê?". Mais tarde, soube que, naquela mesma semana, a mulher provocou grandes estragos em algumas igrejas da cidade. Precisamos acautelar-nos dos lobos, ou seja, dos falsos mestres. John Stott avisa que, se os líderes cristãos ficam sentados, ociosos, e não fazem nada, ou viram as costas e fogem quando surgem as falsas doutrinas, receberão o terrível título de "mercenários" que não se preocupam com o rebanho de Cristo. Então, também se dirá dos convertidos como se disse a respeito de Israel: *Assim se espalharam, por não haver pastor, e se tornaram pasto para todas as feras do campo* (Ez 34.5).[668]

6. *O líder precisa proteger o rebanho dos ataques internos* (20.30). O perigo vem não apenas de fora, mas também de dentro. Alguns se levantam no meio da igreja declarando coisas perniciosas e arrastando atrás de si as ovelhas. Há lobos vestidos com peles de ovelhas dentro da igreja. Há falsos mestres enrustidos que buscam uma ocasião para se manifestarem e provocarem estrago no arraial de Deus. O pastor precisa ser zeloso no ensino, não dando guarida nem chance aos oportunistas que se infiltram no meio da igreja para disseminar suas heresias.

Em sexto lugar, *o compromisso do líder com o dinheiro* (20.33-35). Nos versículos 33-35 o apóstolo Paulo fala sobre o compromisso do pastor com o dinheiro. Nessa matéria há dois extremos perigosos. O primeiro é o pastor trabalhar motivado pelo salário. Muitos pastores aceitam o convite de uma nova igreja motivados puramente por um salário maior. A motivação para sair desta para aquela igreja não é o amor a Deus e às ovelhas, mas o apego ao dinheiro. O segundo extremo perigoso é a igreja não pagar um salário digno ao pastor. Há igrejas que pecam contra o pastor não lhe dando um sustento digno. O trabalhador é digno do seu salário. Quem está no ministério deve viver do ministério.

Muitas pessoas argumentam que Paulo trabalhava e pastoreava, e esse deveria ser o modelo para as igrejas contemporâneas. Mas o texto que estamos considerando não trata especificamente da questão do salário pastoral e nele, Paulo apenas dá o seu testemunho. É em 1Coríntios 9 que Paulo fala sobre a questão do salário pastoral e enfatiza que o pastor deve receber um salário digno. Se o pastor não deve ser ganancioso, por outro lado a igreja não deve ser avarenta.

O dinheiro é uma questão delicada e também um campo escorregadio no qual muitos obreiros têm caído. O dinheiro é uma bênção, mas o amor ao dinheiro é a raiz de todos os males (1Tm 6.10). O dinheiro é um bom servo, mas um péssimo patrão. O problema não é possuir dinheiro, mas ser possuído por ele. O problema não é ter dinheiro, mas o dinheiro nos ter. O problema não é guardar dinheiro no bolso, mas armazená-lo no coração.

É impossível servir a Deus e ao dinheiro ao mesmo tempo. Se colocarmos o nosso coração no dinheiro, acabaremos tirando o nosso coração de Deus. O dinheiro é um deus; é Mamom. O dinheiro é o ídolo mais adorado em nossa geração. Por amor a ele muitas pessoas vivem, morrem e matam. Por causa dele muitos se casam, se divorciam ou deixam de se casar. Por amor a ele muitos corrompem e outros são corrompidos. Há aqueles que, à semelhança do jovem rico, preferem a riqueza à salvação da sua alma. Muitos obreiros, discípulos de Judas Iscariotes, vendem a sua consciência, o seu ministério e o seu Senhor por míscras trinta moedas de prata.

Paulo nos ensina algumas lições importantes sobre o assunto em pauta.

O líder é alguém que faz a obra não motivado pelo dinheiro (20.33). Paulo não foi a Éfeso para cobiçar prata ou ouro das pessoas; foi para levar-lhes riquezas espirituais. O dinheiro jamais foi o vetor do ministério de Paulo. Ele diz que não cobiçou dinheiro nem vestes. Sua alegria no ministério não era receber benefícios da igreja, mas dar sua vida pela igreja.

O líder é alguém que se dedica à obra mesmo quando lhe falta dinheiro (20.34). Paulo trabalhou com as próprias mãos para continuar no ministério. Ele não abandonou o ministério para trabalhar na fabricação de tendas e jamais se empolgou com esse ofício a ponto de diminuir seu entusiasmo com o ministério. Quando as igrejas pagavam o que lhe era devido, Paulo se concentrava integralmente no ministério, mas, se as igrejas sonegavam seu salário, ele continuava exercendo o ministério, ainda que precisasse trabalhar para isso.

O líder é alguém que entende que mais feliz é aquele que dá do que aquele que recebe dinheiro (20.35). Paulo cita uma expressão de Jesus: *Mais bem-aventurado é dar do que receber*. A visão do pastor não deve ser a de um egoísta e avarento. O pastor precisa ter coração generoso, mãos dadivosas e bolso aberto. Se o pastor não tiver o hábito de ajudar as pessoas, não ensinará seu rebanho a ser generoso. Se o pastor não for dizimista, seu povo será infiel. Se o pastor nunca der uma oferta, suas ovelhas não aprenderão a ofertar. O pastor é o exemplo do rebanho.

Em sétimo lugar, *o compromisso do líder com a afetividade* (20.36-38). Nos versículos 36-38 vemos o relato da despedida de Paulo dos presbíteros de Éfeso na praia de Mileto. Eles se abraçaram, se beijaram e choraram publicamente.

Paulo passara três anos em Éfeso, tempo suficiente para formar fortes elos de amizade. Agora, os irmãos demonstram a intensidade desse afeto nessa despedida. Destacamos alguns pontos importantes aqui.

Nós somos seres afetivos (20.37). O amor precisa ser verbalizado e demonstrado. Nossas emoções precisam refletir nosso amor. Os presbíteros de Éfeso abraçaram e beijaram a Paulo numa praia, um lugar público. Eles não negaram, não camuflaram nem esconderam suas emoções. A mídia repleta de violência está minando as nossas emoções. Estamos ficando secos como um deserto. Não conseguimos mais chorar nem expressar nossas emoções. Uma senhora da igreja disse-me entre lágrimas após o culto: "Pastor, valorizo muito o seu abraço na porta da igreja, porque é o único que recebo durante a semana inteira". Há momentos em que a maior necessidade de uma pessoa na igreja não é ouvir o coral, mas receber o abraço de um irmão.

Nós precisamos demonstrar nosso afeto pelas pessoas que amamos (20.37). Muitos pastores não conseguem expressar seus sentimentos nem verbalizar seu amor pelas ovelhas. São como Davi, que só conseguiu expressar amor por seu filho Absalão no dia que ele morreu. Alguns pastores são como aqueles que só mandam flores para uma pessoa no seu funeral. Precisamos aprender a declarar o nosso amor pelos outros. Precisamos aprender a valorizar as pessoas enquanto elas estão conosco. Precisamos demonstrar nosso apreço enquanto elas podem ouvir nossa voz. Estava pregando num congresso de liderança e perguntei aos pastores qual tinha sido a última vez que eles haviam beijado seus presbíteros. Um pastor levantou a mão no fundo do auditório e disse: "Beijar eu não beijei nenhuma vez, mas vontade de morder eu já tive algumas vezes".

Nós precisamos entender a força terapêutica da afetividade (20.36-38). O amor é o elo de perfeição que une as pessoas. É o cinturão que mantém unidas as demais peças da virtude cristã. Uma pessoa não permanece numa igreja onde ela não tem amigos. A comunhão e a evangelização são temas profundamente conectados. Onde há união entre os irmãos, ali Deus ordena sua bênção e a vida para sempre (Sl 133.1-3). Certa feita uma irmã da igreja me telefonou informando que pretendia transferir-se para uma igreja mais próxima de sua casa. Eu carinhosamente lhe disse: "O problema é que você é tão importante para a nossa igreja, que não podemos abrir mão de sua presença". A mulher começou a chorar ao telefone e disse: "Pastor, na verdade eu não queria ir para outra igreja. Era isso o que eu precisava ouvir. Muito obrigada" e desligou o telefone. As pessoas são carentes afetivamente, e os pastores precisam compreender que o amor verbalizado e demonstrado tem um grande poder terapêutico.

Notas do capítulo 21

643 GONZÁLEZ, Justo L. *Atos*, p. 279.
644 WIERSBE, Warren W. *Comentário bíblico expositivo*, p. 627.
645 STOTT, John. *A mensagem de Atos* , p. 356.
646 Lucas 10.38.
647 Lucas 6.7,11; 11.53,54; 22.1,2.
648 Lucas 9.22,44; 18.31,32.
649 Lucas 12.50; 22.19; 23.46.
650 Lucas 9.51.
651 Lucas 22.42.
652 KISTEMAKER, Simon. *Atos*. Vol. 2, p. 287,288.
653 KISTEMAKER, Simon. *Atos*. Vol. 2, p. 290.
654 KISTEMAKER, Simon. *Atos*. Vol. 2, p. 292.
655 STOTT, John. *A mensagem de Atos* , p. 360.
656 GONZÁLEZ, Justo L. *Atos*, p. 280.
657 STOTT, John. *A mensagem de Atos* , p. 363.
658 GONZÁLEZ, Justo L. *Atos*, p. 281.
659 GONZÁLEZ, Justo L. *Atos*, p. 281,282.
660 KISTEMAKER, Simon. *Atos*. Vol. 2, p. 301,302.
661 KISTEMAKER, Simon. *Atos*. Vol. 2, p. 302.
662 KISTEMAKER, Simon. *Atos*. Vol. 2, p. 302.
663 WIERSBE, Warren W. *Comentário bíblico expositivo*, p. 630.
664 STOTT, John. *A mensagem de Atos* , p. 365.
665 STOTT, John. *A mensagem de Atos* , p. 366.
666 STOTT, John. *A mensagem de Atos* , p. 365.
667 STOTT, John. *A mensagem de Atos* , p. 372.
668 STOTT, John. *A mensagem de Atos* , p. 371.

Capítulo 22

A saga de Paulo em Jerusalém
(At 21—22)

PAULO ESTÁ DE MALAS PRONTAS para viajar rumo a Jerusalém. Será a última vez que o velho apóstolo colocará os pés na cidade de Davi. Embora um dos propósitos da sua viagem seja levar uma oferta colhida entre os crentes gentios para os crentes judeus, ele sabe que as curvas do futuro lhe reservam cadeias e tribulações. Paulo não nutre esperanças falsas; sabe que será preso. Não caminha na direção dos holofotes, mas rumo à prisão e à morte. Paulo chega a pedir oração à igreja de Roma para não ser morto pelos rebeldes judeus nessa arriscada viagem a Jerusalém (Rm 15.30,31).

Marshall observa que o discurso em Mileto marca o fim da obra missionária de Paulo, conforme o relato em Atos. De lá, o apóstolo viajou para Jerusalém, onde seria preso, encarcerado, sujeitado a vários processos e finalmente despachado a Roma para comparecer diante do Imperador.[669] Werner de Boor, por sua vez, não considera o caminho do sofrimento de Paulo sinônimo de perturbação e interrupção, mas o auge de sua atuação.[670]

Os capítulos 21 e 22 relatam a saga do apóstolo Paulo nessa viagem, bem como sua prisão em Jerusalém. Destacamos seis pontos para reflexão.

A viagem de Paulo de Mileto a Tiro (21.1-6)

As estações da viagem paulina são fáceis de identificar no mapa. Não havia ligações marítimas diretas para o fluxo de passageiros. As pessoas viajavam em navios mercantes cujo roteiro era estabelecido pelo destino da carga.[671]

Logo que Paulo zarpou de Mileto, porto nas proximidades de Éfeso, viajou até Cós, pequena ilha ao sul de Mileto; no dia seguinte, partiu para Rodes, ilha maior a sudeste, e, dali seguiu para Pátara, a leste de Rodes (21.1). Prosseguiu viagem de Pátara para a Fenícia, numa longa viagem de 650 km (21.2), bordejando a ilha de Chipre e navegando direto para Tiro, onde o navio deveria ser descarregado (21.3). Em Tiro, a principal cidade da Fenícia, Paulo se encontrou com os discípulos e permaneceu ali sete dias. Nessa cidade, Paulo recebeu uma profecia, alertando-o a não ir a Jerusalém (21.4). Marshall sugere que o significado dessa palavra deveria ser interpretado assim: "Se é isto que vai lhe acontecer, não faça a viagem para lá".[672] Após uma semana entre os crentes de Tiro, Paulo se despediu em clima de profunda emoção e cordialidade, prosseguindo sua viagem rumo a Jerusalém (21.5,6).

A viagem de Paulo de Tiro a Cesareia (21.7-16)

Após deixar a cidade de Tiro rumo a Cesareia, Paulo chegou a Ptolemaida, onde saudou os irmãos, permanecendo com eles por um dia (21.7). De Ptolemaida, o apóstolo viajou direto para a cidade de Cesareia, cerca de 64 km ao sul. Ali se hospedou na casa de Filipe, o evangelista, um dos sete diáconos da igreja de Jerusalém, cujas filhas eram profetisas (21.8,9). Filipe se estabelecera na cidade havia cerca de vinte anos (8.40). Desde então, sua família crescera (21.9).

A magnífica cidade de Cesareia fora construída por Herodes, o Grande, para servir como porto para Jerusalém. Paulo se hospedou na casa de Filipe, que fugira de Jerusalém por causa da perseguição, quando Estêvão, seu companheiro, foi morto com a participação de Saulo. No passado Filipe teve de fugir do perseguidor Saulo. Agora os dois estão juntos como irmãos, o perseguidor como hóspede na casa do perseguido.[673]

Enquanto Paulo estava em Cesareia, Ágabo, conhecido profeta, desceu da Judeia e profetizou a prisão de Paulo em Jerusalém, acrescentando que os judeus o entregariam nas mãos dos gentios (21.10,11). Cerca de quinze anos antes, Paulo e Ágabo haviam trabalhado juntos levantando uma oferta para as vítimas da grande fome que assolou a Judeia (11.27-30).

A profecia de Ágabo foi a combinação de um ato e uma interpretação falada. John Stott diz que Ágabo copiou a prática mímica de alguns profetas do Antigo Testamento, tais como Aías, que rasgou a veste de Jeroboão em doze pedaços (1Rs 11.29ss); Isaías, que andou nu e descalço durante três anos (Is 20.3ss); e Ezequiel, que pôs cerco a uma representação simbólica de Jerusalém (Ez 4.1ss). Ele tomou o cinto de Paulo, ligando com ele seus próprios pés e mãos

(21.11).⁶⁷⁴ Esta é a segunda profecia que parece incompatível com aquilo que o Espírito dissera a Paulo (21.23,24). Paulo rejeitou abertamente o pedido dos discípulos e seguiu resoluto para Jerusalém, mesmo sabendo que acabaria sendo preso.

Assim como os cristãos de Tiro, os cristãos de Cesareia imploraram a Paulo que não fosse a Jerusalém. Tanto a equipe que acompanhava Paulo como os discípulos de Cesareia tentaram demover o apóstolo de ir a Jerusalém, mas este os calou e respondeu com firmeza: *Que fazeis chorando e quebrantando-me o coração? Pois estou pronto não só para ser preso, mas até para morrer em Jerusalém pelo nome do Senhor Jesus* (21.13). Não conseguindo dissuadir o apóstolo de sua firme resolução de ir a Jerusalém, os irmãos se curvaram à vontade do Senhor (21.14). Depois dos preparativos, então, Paulo e sua comitiva subiram para Jerusalém (21.15,16).

John Stott levanta uma questão assaz complexa aqui. Será que Paulo agiu certo ao ignorar os amigos que lhe imploraram que abandonasse os seus planos? O que dizer das mensagens do Espírito Santo através dos profetas? Deveríamos acusar Paulo de teimosia ou admirá-lo por sua decisão inabalável?⁶⁷⁵

Vale ressaltar que, em Mileto, Paulo disse aos presbíteros de Éfeso que estava indo a Jerusalém *obedecendo ao Espírito Santo* (20.22, BLH), apesar das cadeias e tribulações. Lucas narra o acontecimento assim: *E, agora, constrangido em meu espírito, vou para Jerusalém, não sabendo o que ali me acontecerá senão que o Espírito Santo, de cidade em cidade, me assegura que me esperam cadeias e tribulações* (20.22,23). A grande questão é como conciliar essa convicção de Paulo com as profecias recebidas em Tiro (21.4) e Cesareia

(21.11), pois em ambas o Espírito Santo é evocado. Em Tiro, as pessoas que falaram foram movidas pelo Espírito e em Cesareia Ágabo afirma: *Isto diz o Espírito Santo*. Apesar disso, Paulo ignorou as duas mensagens e prosseguiu rumo a Jerusalém (21.14). Como resolver esse problema? Concordo com John Stott quando ele escreve: "Com certeza não se pode concluir que o Espírito Santo se contradisse, ordenando a Paulo que fosse, no capítulo 20, e anulando sua instrução no capítulo 21".[676]

Werner de Boor diz que Lucas não está se referindo a uma instrução do Espírito que impeça Paulo de ir a Jerusalém, contradizendo assim a certeza espiritual inabalável em que Paulo se encontrava. Lucas está apenas ilustrando de modo concreto o que Paulo mencionou de forma geral em suas palavras aos presbíteros de Éfeso: *Senão o que o Espírito Santo, de cidade em cidade, me revela, dizendo que me esperam prisões e tribulações* (20.23).[677]

John Stott defende que a melhor solução para esse impasse é fazer uma distinção entre uma predição e uma proibição. Com certeza, Ágabo apenas predisse que Paulo seria amarrado e entregue aos gentios (21.11); os apelos subsequentes a Paulo não são atribuídos ao Espírito e podem ter sido deduções falíveis feitas por homens, por causa da profecia do Espírito. Pois se Paulo tivesse ouvido os apelos de seus amigos, a profecia de Ágabo não seria cumprida."[678] Para Warren Wiersbe, os pronunciamentos proféticos podem ser entendidos como avisos (Prepare-se"), não como proibições ("Você não deve ir").[679]

O propósito de Lucas é mostrar que, à semelhança de Jesus, Paulo manifestou no seu rosto a intrépida resolução de ir a Jerusalém, mesmo sabendo o que lhe esperava nessa cidade. Em vez de considerarmos que Paulo se recusou a obedecer uma profecia, devemos admirá-lo por sua coragem e perseverança, pois não recuou nem mesmo diante da profecia de seu sofrimento. Paulo agiu como alguns soldados da Guerra Civil Espanhola: "Prefiro morrer de pé a viver de joelhos".[680]

Nessa mesma linha de raciocínio, Warren Wiersbe aconselha que, em vez de acusarmos Paulo de ter transigido, devemos louvá-lo por sua coragem, pois, ao ir a Jerusalém, ele tomou a vida nas próprias mãos, a fim de resolver o problema mais premente da igreja: a fenda cada vez mais larga entre os judeus legalistas da "extrema-direita" e os cristãos gentios. Os problemas começaram a se formar na assembleia de Jerusalém (At 15), e os legalistas passaram a seguir Paulo e a tentar tomar seus convertidos. A situação era séria, e Paulo sabia que fazia parte não apenas do problema, mas também da solução. No entanto, não podia resolver nada à distância, por meio de representantes; teria de ir a Jerusalém pessoalmente.[681]

A viagem de Paulo de Cesareia a Jerusalém (21.17-26)

Paulo chega a Jerusalém depois de uma longa viagem. Destacamos quatro fatos importantes de sua estada.

Em primeiro lugar, *uma acolhida calorosa* (21.17). Quando Paulo chegou a Jerusalém com sua comitiva, foi acolhido pelos irmãos com alegria. Sua recepção foi efusiva. Não havia tensão entre Paulo e os líderes da igreja de Jerusalém. Tanto Gálatas 2 quanto Atos 15 revelam essa unidade da igreja judaica e gentílica. A tensão estava na mente dos judaizantes que rejeitavam a ideia de gentios se tornarem cristãos antes de se fazerem judeus.

Em segundo lugar, *um encontro com a liderança* (21.18). No dia seguinte à chegada a Jerusalém, Paulo foi encontrar-se com Tiago, o líder da igreja, ocasião em que os presbíteros se reuniram para ouvirem o apóstolo. Nesse tempo era provável que Pedro e João não estivessem mais em Jerusalém. Uma vez que a igreja de Jerusalém havia crescido e agora tinha em seu rol dezenas de milhares de membros, seria necessário grande número de presbíteros para pastoreá-la.

Em terceiro lugar, *um testemunho minucioso* (21.19,20). Paulo relata minuciosamente, aos líderes da igreja de Jerusalém o que Deus fizera entre os gentios por seu ministério (1Co 15.10). Ao ouvirem o relatório missionário, todos deram glória a Deus e também contaram sobre as dezenas de milhares de judeus convertidos que se mantinham ainda zelosos da lei. John Stott diz que não se ouviu na igreja de Jerusalém nenhum murmúrio de desaprovação. Assim como na conversão de Cornélio (11.18), na evangelização dos gregos em Antioquia (11.22,23) e na primeira viagem missionária (14.27; 15.12), a evidência da graça de Deus para com os gentios era indiscutível, e a única resposta adequada era a adoração. O louvor de Tiago e dos presbíteros não era forçado, mas espontâneo e genuíno.[682]

Em quarto lugar, *uma ação preventiva* (21.21-26). Tiago estava preocupado com a chegada de Paulo a Jerusalém. Sabia que os boatos a seu respeito ainda não haviam sido dissipados. Circulava em Jerusalém uma falsa notícia de que Paulo ensinava os crentes judeus a apostatarem de Moisés, deixando de circuncidar seus filhos e de observar a lei de Moisés. Para prevenir o apóstolo de qualquer dissabor e também calar a boca dos críticos, Paulo foi aconselhado a purificar-se juntamente com toda sua comitiva, segundo a tradição dos judeus, fazendo o voto de nazireu e raspando a cabeça. Tiago relembra aos gentios que acompanhavam Paulo a necessidade de manterem os preceitos cerimoniais estabelecidos no Concílio de Jerusalém, abstendo-se de coisas sacrificadas aos ídolos, sangue, carne de animais sufocados e relações sexuais ilícitas. Paulo e sua equipe aceitaram com prontidão essas reivindicações.

Concordo com William Barclay quando ele escreve: "Há um momento em que fazer concessões não denota fraqueza, mas força".[683] Warren Wiersbe tem razão em dizer que a mesma graça que dava aos gentios a liberdade de se abster, também dava aos judeus a liberdade de observar seus costumes. Tudo o que Deus pedia deles era que aceitassem uns aos outros sem criar problemas nem divisões.[684] Marshall acrescenta que não havia nenhuma transigência em Paulo ao fazer essas concessões, especialmente porque a respectiva oferta não lhe parecia irreconciliável com a oferta que Jesus fez de si mesmo como sacrifício pelo pecado.[685] Citando F. F. Bruce, Marshall observa: "Um espírito verdadeiramente emancipado, tal qual aquele de Paulo, não é escravizado à sua própria emancipação.[686]

Mais uma vez John Stott nos ajuda a entender esse problema da convivência harmoniosa entre os convertidos judeus (21.20) e gentios (21.25). Qual era a preocupação de Tiago? a) Não era o caminho da salvação (Tiago e Paulo concordavam que este era através de Cristo, e não da lei); b) não era o que Paulo ensinava aos gentios convertidos (ele ensinava que a circuncisão era desnecessária, e Tiago e o Concílio de Jerusalém haviam dito a mesma coisa); e c) não era a lei moral (Paulo e Tiago concordavam que o povo de Deus deve levar uma vida santa de acordo com os mandamentos de Deus), mas eram os *costumes* dos judeus (21.21).[687]

Tiago e Paulo estavam de acordo em termos doutrinários e éticos. A tensão entre eles era de natureza exclusivamente cultural. A solução a que chegaram, portanto, não sacrificava nenhum princípio doutrinário ou moral, apenas fazia uma concessão prática. Desta forma, Paulo cede em favor da evangelização e também da solidariedade judaico-gentia. Por outro lado, Tiago manifesta atitude similar ao louvar a Deus pela missão entre os gentios e ao aceitar a oferta das igrejas gentias.[688]

A prisão de Paulo em Jerusalém (21.27-40)

Era a Festa de Pentecostes, e havia milhares de judeus em Jerusalém de todas as partes do mundo. Os judeus incrédulos vindos da Ásia, ao verem Paulo no templo, movidos pelo preconceito inflexível e pela violência fanática, numa atitude completamente diferente dos líderes da igreja de Jerusalém, alvoroçaram o povo e prenderam Paulo com violência.

John Stott explica que, após as três épicas viagens missionárias, Lucas descreve os cinco julgamentos enfrentados por Paulo. O primeiro foi diante de uma multidão de judeus na área do templo (capítulo 22); o segundo, diante do supremo conselho dos judeus em Jerusalém (capítulo 23); o terceiro e o quarto em Cesareia, diante de Félix e Festo (capítulos 24 e 25); e o quinto, também em Cesareia, diante do rei Herodes Agripa II (capítulo 26).[689]

Cinco fatos devem ser aqui destacados.

Em primeiro lugar, *um alvoroço medonho* (21.27). Os judeus foram os grandes adversários de Paulo e os grandes opositores do evangelho. Essa foi a principal tese de Lucas no livro de Atos (4.1—5.42; 7.54-60; 8.1-4; 9.23-25; 21.27-36; 23.12-21). Foram os judeus que por todos os cantos provocaram tumultos e agora mais uma vez alvoroçam a multidão. Nesse clima de motim, os judeus agarraram e prenderam Paulo.

Em segundo lugar, *uma acusação falsa* (21.28-30). Esses judeus asiáticos espalharam boatos sobre Paulo. Os boatos normalmente não se baseiam em fatos; antes, alimentam-se de meias-verdades, preconceitos e mentiras.[690] Esses críticos de plantão levantaram três acusações contra Paulo: acusaram-no de ensinar a todos a serem contra o povo, contra a lei e contra o templo.

Com respeito à lei, ainda que Paulo pregasse que Cristo era o fim da lei (Rm 10.4), não há evidência de que a atividade persuadisse os cristãos judeus a abandonar a circuncisão dos filhos ou os costumes judaicos. Romanos 14—15 e 1Coríntios 8—10 mostram que Paulo estava considerando a existência de judeus (os irmãos *fracos*) que tinham diferenças com os gentios quanto ao que podiam comer, e Paulo defendia o direito de cada grupo ter seus próprios pontos de vista, e a necessidade de cada um demonstrar tolerância para com o outro. Em Corinto, parece que Paulo defendeu os hábitos judaicos a respeito das mulheres que deviam ter a cabeça coberta no culto (1Co 11.2-16). Já vimos que Paulo mandou circuncidar Timóteo (16.3), e, conforme Atos 18.18, ele mesmo fez um voto judaico nazireu. A acusação, portanto, não tinha substância.[691]

Os judeus radicais pensaram que Paulo havia profanado o templo, introduzindo Trófimo, o efésio, no recinto sagrado. As acusações foram tidas por verdadeiras e a multidão se arremeteu contra Paulo com ensandecida violência. Na verdade, Paulo não estava profanando o templo, mas passando pela cerimônia de purificação, exatamente para não cometer profanação. Marshall diz que é irônico que esta fosse a acusação num período em que o próprio Paulo estava passando pela purificação a fim de não profanar o templo.[692]

Havia no templo um muro que separava o pátio dos gentios das demais áreas, e os gentios não tinham permissão de ir além do muro (Ef 2.14). Uma inscrição solene no muro dizia: "Nenhum forasteiro pode ultrapassar esta barreira que cerca o santuário e seus recintos. Qualquer intruso pego em flagrante será o único culpado pela sua morte".[693] William Barclay afirma que essa lei era tão respeitada que os romanos davam aos judeus autorização para matar sumariamente quem a desobedecesse.[694] Os judeus da diáspora gritavam por socorro, como se o pior sacrilégio estivesse sendo perpetrado diante de seus olhos. "O templo foi profanado!". Esse foi o grito que alvoroçou a multidão: a crença profundamente enraizada no coração dos judeus de que não se podia derramar sangue no recinto do templo. Por isso arrastaram Paulo para fora. *Imediatamente foram fechadas as portas*. E, no pátio externo do templo, a multidão tentou linchar Paulo.[695]

Em terceiro lugar, *uma decisão fatídica* (21.31a). Antes de investigar a veracidade das acusações e antes de oferecer ao acusado chance de defesa, os judeus deliberaram matá-lo. Embora não haja como comparar os sofrimentos de Cristo (que foram vicários) com os sofrimentos de Paulo, Lucas coteja o que Cristo enfrentou em Jerusalém com os sofrimentos de Paulo. Ambos foram rejeitados pelo povo e presos sem motivo; ambos foram acusados injustamente e prejudicados por testemunhas falsas; ambos apanharam no rosto diante do tribunal; ambos foram vítimas de planos secretos dos judeus; ambos ouviram o barulho aterrorizante de uma multidão que gritava: *Mata-o*; ambos foram sujeitados a uma série de cinco julgamentos – por Anás, pelo Sinédrio, pelo rei Herodes Antipas e duas vezes por Pilatos, no caso de Jesus; pela multidão, pelo Sinédrio, pelo rei Herodes Agripa II e por dois procuradores, Félix e Festo, no caso de Paulo.[696]

Em quarto lugar, *uma intervenção providencial* (21.31 b-36). O comandante Cláudio Lísias foi informado do motim e imediatamente se dirigiu à praça do templo com sua soldadesca, abortando a intenção dos judeus. Marshall diz que não levaria muito tempo para a notícia do distúrbio chegar à guarnição romana na cidade. Localizada na fortaleza Antônia, quartel-general da força de ocupação romana, ao noroeste do templo, era suficientemente alta para manter vigilância constante sobre os distúrbios embaixo, e dois lances de escadas a ligavam com o átrio dos gentios. A guarnição em Jerusalém era uma coorte, que tinha nominalmente 760 soldados da infantaria e 240 da cavalaria, todos comandados por um oficial romano.[697]

Os judeus cessaram de espancar Paulo quando o comandante mandou acorrentá-lo, para saber quem era e o que havia feito o prisioneiro. Nesse ínterim a multidão ensandecida gritava de forma desordenada sem saber por que vociferava contra o apóstolo. Por essa razão o comandante mandou recolher Paulo à fortaleza para não ser despedaçado pela multidão tresloucada, que clamava pela sua morte. A multidão gritava *mata-o*, da mesma forma que, quase trinta anos antes, outra multidão gritara contra outro prisioneiro (Lc 23.18).

Lucas apresenta as autoridades romanas como amigos do evangelho, não como inimigos. O primeiro gentio a se converter foi Cornélio, um centurião romano (10.1-48). O primeiro convertido das viagens missionárias de Paulo foi Sérgio Paulo, o procônsul romano de Chipre (13.12). Em Filipos os magistrados romanos até pediram desculpas a Paulo e Silas pelo espancamento e pela prisão (16.35-40). Em Corinto, Gálio, o procônsul da Acaia, recusou-se a ouvir as acusações dos judeus contra Paulo (18.12-17). Em Éfeso, o escrivão da cidade declarou inocentes os líderes cristãos (19.35-41). Agora, em Jerusalém e Cesareia, Cláudio Lísias, o comandante militar, coloca Paulo sob sua proteção.[698]

Voltando ao paralelo entre Jesus e Paulo, tanto Pilatos no julgamento de Jesus como Cláudio Lísias no julgamento de Paulo consideraram-nos inocentes. Assim como Lucas dedicou grande parte de seu evangelho para tratar da prisão e morte de Jesus, também dedicou boa parte de Atos para narrar a prisão e a defesa de Paulo. O livro de Atos termina mostrando Paulo preso em Roma. Dessa primeira prisão Paulo foi solto e declarado inocente. De acordo com John Stott, Lucas faz questão de demonstrar que, aos olhos da lei romana, Jesus e Paulo eram inocentes, dirigindo a atenção para o antecedente que estabeleceu a legalidade da fé cristã, como resultado de seus julgamentos.[699]

Em quinto lugar, *um esclarecimento necessário* (21.37-40). Com esta seção, começa a narrativa longa da prisão e dos julgamentos de Paulo, tanto em Jerusalém como em Cesareia, e da sua viagem para Roma, a fim de enfrentar o tribunal supremo.[700] Ao ser levado para a fortaleza, Paulo pede permissão para falar à multidão amotinada. O comandante imaginava que Paulo fosse o egípcio que havia aliciado quatro mil sicários. Paulo responde declarando ser um judeu natural de Tarso, importante província do Império. A multidão silencia, e Paulo dirige-se a seu povo em língua hebraica.

A defesa de Paulo em Jerusalém (22.1-21)

A defesa de Paulo diante da multidão pode ser examinada da seguinte forma.

Em primeiro lugar, *Paulo conta sua história anterior à conversão* (22.1-5). Paulo mostrou aos judeus que também era um judeu nascido em Tarso, mas fora criado em Jerusalém aos pés do grande mestre Gamaliel, sobrinho do famoso rabino Hillel. Paulo foi educado para ser um rabino, um líder do judaísmo. Dentre os de sua idade destacou-se, demonstrando grande zelo pela tradição de seus antepassados (Gl 1.14). Mais que isso, perseguiu com fúria mortal a religião do Caminho, tornando-se uma fera selvagem, prendendo e encerrando em prisões os discípulos de Cristo. Esse fato era fartamente conhecido pelo sumo sacerdote, que entregou a Paulo cartas de autorização para prender os cristãos que moravam em Damasco.

Em segundo lugar, *Paulo relata sua experiência de conversão* (22.6-11). A conversão de Paulo foi súbita e absolutamente extraordinária. Paulo não procurava Jesus; pelo contrário, ele o perseguia. Ele não encontrou a Jesus; foi encontrado por ele. Foi Jesus quem tomou a iniciativa de buscá-lo, confrontá-lo e salvá-lo. Isso aconteceu exatamente quando Paulo seguia para Damasco como uma fera selvagem para prender os cristãos. Jesus o derruba ao chão, quebra a dureza do seu coração, convertendo-o. Como um touro bravo e indomável que caçava os crentes, Paulo foi jogado ao chão e uma luz aurifulgente brilhou ao seu redor. Seus olhos ficaram cegos, mas os olhos da sua alma foram abertos. Ao mesmo tempo que se tornou cativo de Jesus, encontrou a liberdade. Quebrantado, cego e convertido, foi conduzido a Damasco.

Em terceiro lugar, *Paulo fala sobre o projeto de Deus em sua vida após a conversão* (22.12-16). Deus ordena que Ananias vá a casa de Judas, na rua Direita, para orar pela cura de Paulo, batizá-lo e informá-lo acerca de sua vocação para conhecer a Jesus e fazê-lo conhecido de todos os homens no mundo todo.

Em quarto lugar, *Paulo explica como lutou com Deus para aceitar seu ministério direcionado aos gentios* (22.17-21). Paulo narra a visão que teve em Jerusalém, quando o próprio Senhor apareceu a ele e lhe ordenou sair logo de Jerusalém. Em vez de obedecer de imediato ao Senhor, Paulo arrazoou com ele, elencando as razões pelas quais desejava permanecer em Jerusalém em vez de atender seu chamado para ser apóstolo aos gentios.

Paulo reivindica seus direitos como cidadão romano (22.22-30)

Os judeus ouviram Paulo até o momento em que ele testemunhou seu chamado para anunciar o evangelho aos gentios. A partir de então, passaram a gritar: *Tira tal homem da terra, porque não convém que ele viva* (22.22). Destacamos a seguir cinco pontos de interesse no episódio.

Em primeiro lugar, *a insanidade da multidão* (22.22,23). A multidão grita infrene pela morte de Paulo, enquanto arroja suas capas, atirando poeira para o ar. Por que a multidão de judeus está tão enfurecida? Aos seus olhos, o proselitismo (transformar gentios em judeus) não era problema, mas a evangelização (transformar gentios em cristãos, sem transformá-los primeiramente em judeus) era uma abominação. Era como dizer que não havia diferença entre judeus e gentios, pois ambos precisavam ir a Deus através de Cristo, sob idênticas condições.[701]

Em segundo lugar, *a ordem do comandante* (22.24). O comandante romano livra Paulo da multidão alvoroçada, salvando-o do linchamento e recolhendo-o à fortaleza. Porém, sem conhecer a verdade dos fatos, manda açoitá-lo, buscando com isso, descobrir as razões de tanta virulência da multidão contra ele. Essa atitude truculenta era o procedimento padrão para extrair informações de um prisioneiro. O açoite (do latim, *flagellum*) era um instrumento de tortura temível, feito de tiras de couro, carregadas de pedaços toscos de metal ou osso, presas a um cabo feito de madeira forte. Se o homem não morresse sob o açoite (o que acontecia frequentemente), decerto ficaria coxo para o resto da vida.[702]

Em terceiro lugar, *a pergunta de Paulo* (22.25). O mesmo Paulo que não reivindicou sua cidadania romana quando foi açoitado e preso em Filipos, agora, evita a afronta dos açoites em Jerusalém, revelando ao centurião que, como cidadão romano, não podia ser açoitado antes de ser condenado. Era ilegal submeter um cidadão romano a açoites sem um julgamento regular. A *Lex Valeria* e a *Lex Porcia* proibiam a fustigação, e até mesmo a algemação, de cidadãos romanos, e este direito foi confirmado pela *Lex Julia*, que dava aos cidadãos nas províncias o direito de apelar a Roma. Fica bem claro, portanto, que a lei favorecia Paulo e ele não hesitou em reivindicar seus direitos.[703]

Em quarto lugar, *o medo do comandante* (22.26-29). O centurião informou ao comandante acerca da cidadania romana de Paulo. Perturbado, o comandante constata que de fato Paulo era cidadão romano por direito de nascimento e fica receoso. A cidadania romana era adquirida por direito (posição ou ofício elevado) ou por merecimento (para os que tinham prestado bons serviços ao Império). Era transmitida de pai para filho (o caso de Paulo) e também podia ser comprada, não por uma taxa, mas pelo suborno de algum oficial corrupto (o caso de Cláudio Lísias).[704]

Em quinto lugar, *a soltura de Paulo* (22.30). O comandante ordenou que o prisioneiro fosse solto e que se reunisse o Sinédrio judaico, a fim de que Paulo pudesse fazer sua defesa diante dos líderes judaicos.

Notas do capítulo 22

[669] MARSHALL, I. Howard. *Atos: introdução e comentário*. 1982, p. 314.
[670] DE BOOR, Werner. *Atos dos Apóstolos*, p. 303.
[671] DE BOOR, Werner. *Atos dos Apóstolos*, p. 303.
[672] MARSHALL, I. Howard. *Atos: introdução e comentário*. 1982, p. 316.
[673] DE BOOR, Werner. *Atos dos Apóstolos*, p. 304.
[674] STOTT, John. *A mensagem de Atos*, p. 374.
[675] STOTT, John. *A mensagem de Atos*, p. 375.
[676] STOTT, John. *A mensagem de Atos*, p. 375,376.
[677] DE BOOR, Werner. *Atos dos Apóstolos*, p. 303.
[678] STOTT, John. *A mensagem de Atos*, p. 376.
[679] WIERSBE, Warren W. *Comentário bíblico expositivo*, p. 635.
[680] BARCLAY, William. *Hechos de los Apóstoles*. 1973, p. 165.
[681] WIERSBE, Warren W. *Comentário bíblico expositivo*, p. 635.
[682] STOTT, John. *A mensagem de Atos*, p. 384,385.
[683] BARCLAY, William. *Hechos de los Apóstoles*. 1973, p. 167.
[684] WIERSBE, Warren W. *Comentário bíblico expositivo*, p. 636,637.

685 MARSHALL, I. Howard. *Atos: introdução e comentário*. 1982, p. 319.
686 MARSHALL, I. Howard. *Atos: introdução e comentário*. 1982, p. 323.
687 STOTT, John. *A mensagem de Atos*, p. 386.
688 STOTT, John. *A mensagem de Atos*, p. 387.
689 STOTT, John. *A mensagem de Atos*, p. 379.
690 WIERSBE, Warren W. *Comentário bíblico expositivo*, p. 637.
691 MARSHALL, I. Howard. *Atos: introdução e comentário*. 1982, p. 321.
692 MARSHALL, I. Howard. *Atos: introdução e comentário*. 1982, p. 324.
693 WIERSBE, Warren W. *Comentário bíblico expositivo*, p. 637.
694 BARCLAY, William. *Hechos de los Apóstoles*. 1973, p. 168.
695 DE BOOR, Werner. *Atos dos Apóstolos*, p. 312.
696 STOTT, John. *A mensagem de Atos*, p. 381.
697 MARSHALL, I. Howard. *Atos: introdução e comentário*. 1982, p. 325.
698 STOTT, John. *A mensagem de Atos*, p. 381.
699 STOTT, John. *A mensagem de Atos*, p. 383.
700 MARSHALL, I. Howard. *Atos: introdução e comentário*. 1982, p. 327.
701 STOTT, John. *A mensagem de Atos*, p. 393.
702 STOTT, John. *A mensagem de Atos*, p. 394,395.
703 MARSHALL, I. Howard. *Atos: introdução e comentário*. 1982, p. 334.
704 STOTT, John. *A mensagem de Atos*, p. 395.

Capítulo 23

O julgamento de Paulo em Jerusalém e Cesareia
(At 23—24)

A MULTIDÃO QUE PRENDEU PAULO estava furiosa, e o comandante romano seguia confuso. Ele precisava saber com exatidão os verdadeiros motivos pelos quais os judeus acusavam Paulo (22.30). Já tentara interrogar a multidão, mas obtivera respostas dissonantes (21.33,34). Tentou usar a tortura, mas a cidadania romana de Paulo o impediu (22.24,25). Então, optou por um terceiro método – o julgamento pelo Sinédrio (22.30).[705]

O cerco contra Paulo se agrava. Ele comparecerá, por ordem do comandante romano, diante do Sinédrio judaico, o mesmo tribunal hostil que condenou Jesus à cruz e Estêvão ao apedrejamento. Sabe que não pode contar com a justiça desse tribunal nem com a benevolência desses líderes de dura cerviz.

Destacamos aqui alguns pontos importantes.

A defesa de Paulo diante do Sinédrio (23.1-10)

O Sinédrio é convocado, e Paulo se apresenta aos 71 membros do supremo tribunal dos judeus. O Sinédrio era responsável por interpretar e aplicar a lei judaica às questões de sua nação e levar a julgamento os que a transgredissem.[706] Alguns pontos merecem destaque na defesa de Paulo diante do Sinédrio.

Em primeiro lugar, *a cordialidade de Paulo* (23.1). Paulo se dirige a esse magno concílio dos judeus, chamando seus membros cordialmente de *varões irmãos*. Paulo amava seu povo (Rm 9.3) e respeitava seus líderes (23.1). Em vez de assacar contra eles pesados libelos acusatórios, trata-os com urbanidade e respeito. Por outro lado, Paulo se coloca em pé de igualdade com os membros do tribunal ao chamá-los de *irmãos*, uma vez que a maneira formal de dirigir-se ao Sinédrio era: *Príncipes do povo e anciãos de Israel*.[707]

Paulo diz aos líderes religiosos dos judeus que *andou com Deus e com a consciência tranquila*, ou seja, está em paz com Deus e consigo mesmo. Obviamente ele não se refere ao seu passado sombrio como perseguidor da igreja, mas à sua vida após a conversão. Seus juízos, porém, encaram-no com suspeitas. Para eles, essa afirmação representava a petulância de um criminoso empedernido, que merecia um tapa na boca.[708] Warren Wiersbe diz que *consciência* é uma das palavras prediletas de Paulo, e ele a emprega duas vezes no livro de Atos (23.1; 24.16) e 21 vezes em suas epístolas. O termo significa "conhecer com, ou saber em conjunto com". A consciência é o juiz ou a testemunha interior que nos aprova quando fazemos o que é certo e nos reprova quando fazemos o que é errado (Rm 2.15). A consciência não determina os padrões, apenas os aplica. Se um indivíduo persiste em pecar contra a consciência, pode desenvolver a chamada "má consciência" (Hb 10.22) ou "consciência cauterizada" (1Tm 4.2).[709]

Em segundo lugar, *a crueldade do sumo sacerdote* (23.2). O sumo sacerdote Ananias ficou tão irado ao ouvir que Paulo vivera *com toda boa consciência* que ordenou ao membro do conselho mais próximo que batesse em sua boca. Para Ananias, Paulo era um deturpador da religião judaica que tinha de ser humilhado e condenado.[710] Ananias ocupava o maior posto, mas se comportava da maneira mais baixa. Tinha poder, mas não ética. Tinha autoridade, mas não clemência. Ananias foi nomeado sumo sacerdote em 47 d.C. e demitido em 58-59 d.C. Rico e influente, era conhecido pela sua má fama e violência, e sua ganância o tornou impopular junto ao povo.[711]

Em terceiro lugar, *a reação de Paulo* (23.3-5). Assim como Jesus foi esmurrado quando compareceu diante do Sinédrio (Jo 18.22), também o foi seu apóstolo. Paulo, porém, não teve o mesmo controle de imediato. Por isso, desculpou-se por ter falado mal do sumo sacerdote, mesmo sendo este um homem execrável. Concordo com Warren Wiersbe que Paulo aqui demonstrou respeito pelo cargo, mas não pelo homem que o ocupava.[712]

Paulo chamou o sumo sacerdote de *parede branqueada*. Isso pode significar quatro coisas: Paulo o chamou de hipócrita; Paulo considerou sua atitude indigna de um sumo sacerdote; Paulo tinha uma deficiência visual e não o reconheceu como o sumo sacerdote, visto que, possivelmente, estava sem suas insígnias; e Paulo perdeu a razão quando foi rudemente interrompido e espancado no rosto.

O termo *parede branqueada* era usado para referir-se aos túmulos caiados. Se um israelita tocasse num cadáver, incorria em impureza cerimonial. Por isso, os túmulos eram branqueados para que ninguém os tocasse por equívoco. Descrever o sumo sacerdote, portanto, como *parede branqueada* era simplesmente acusá-lo de hipocrisia (Mt 23.27).

É bastante provável que Paulo soubesse quem era o sumo sacerdote, uma vez que Ananias era um homem inescrupuloso, glutão, ladrão e um traidor que, por vantagens inconfessas, estava a serviço dos romanos.[713] Ananias era conhecido como um homem brutal que se importava mais com o favor de Roma do que com o bem de Israel.[714] Ocupava o cargo mais elevado, porém vivia da forma mais vil. Na opinião de Marshall, quando Paulo alegou não saber que era o sumo sacerdote, estava falando com amarga ironia: "Não pensava que um homem que desse tal ordem pudesse ser o sumo sacerdote".[715]

Werner de Boor está convencido de que Paulo não era uma pessoa que praguejava quando estava furioso. Ele está proferindo uma profecia que se cumpriu. Ananias perdeu o cargo por causa do conflito sangrento que surgiu entre os judeus e os samaritanos. Por isso, o regente da Síria, Umídio Quadrato, o enviou ao tribunal imperial em Roma. Depois de retornar a Jerusalém, tornou-se aos poucos o mais rico e poderoso entre os sumos sacerdotes. A profecia de Paulo, porém, se cumpriu, e Ananias foi assassinado poucos anos depois, no começo do levante judaico contra Roma, por ser amigo dos romanos.[716]Nesse levante judaico em 66 d.C., Ananias teve de fugir, pois o povo sabia que ele era simpatizante de Roma. Os guerrilheiros judeus o encontraram escondido em um aqueduto do palácio de Herodes e o mataram. Foi uma morte vergonhosa para um homem desprezível.[717]

Em quarto lugar, *a estratégia de Paulo* (23.6-9). Ciente de que o Sinédrio era formado por fariseus e saduceus, e de que os saduceus, influenciados pela filosofia grega, não acreditavam na ressurreição, nem em anjos nem em espíritos, sem torcer a verdade, mas em defesa dela, Paulo afirmou que estava sendo julgado por causa da ressurreição dos mortos. É como se Paulo dissesse:

> Apesar de tudo sinto-me ligado a vocês, fariseus, estou do lado de vocês, com vocês partilho a esperança de Israel, que os saduceus abandonaram há tempo. Ao lado de vocês tenho a confiança de que o Deus vivo de fato ressuscita mortos, e estou perante o tribunal tão somente porque levo terminantemente a sério o que vocês na essência também professam.[718]

Pelo fato de Paulo não ter usado sua palavra como "cartada", mas como último esforço para preservar um vínculo com Israel, causou um grande impacto no tribunal e se livrou de uma condenação unânime por parte do Sinédrio.[719] Com isso, Paulo se defende ao mesmo tempo que provoca uma celeuma e acirrado debate entre seus acusadores. Simon Kistemaker diz que Paulo tocou aqui o ponto crítico da questão – isto é, a doutrina da ressurreição – que unia os fariseus e os cristãos, mas separava os fariseus e saduceus.[720] Nas palavras de Howard Marshall: "Na igreja judaica cristã primitiva alguém podia se tornar cristão e continuar fariseu, mas um saduceu teria de mudar totalmente sua posição teológica".[721]

O grupo dos saduceus consistia na aristocracia sacerdotal, ao passo que os fariseus eram representados pelos escribas. Havia diferenças tanto políticas como teológicas entre saduceus e fariseus. Os saduceus eram colaboracionistas e simpatizantes dos romanos, enquanto os fariseus protestavam silenciosamente contra Roma. Os saduceus eram teologicamente liberais, enquanto os fariseus eram conservadores em sua teologia.[722] Os saduceus não acreditavam na ressurreição, os fariseus eram defensores dessa doutrina. Diante desse incidente, o Sinédrio se dividiu e os fariseus se posicionaram a favor de Paulo, considerando-o inocente.

John Stott afirma que o antissobrenaturalismo dos saduceus era incompatível com o evangelho. Como Jesus explanou, eles não conheciam as Escrituras nem o poder de Deus (Mt 22.29). Paulo, porém, era fariseu não só pela linhagem e educação (23.6), mas também porque compartilhava com os fariseus a grande verdade e esperança da ressurreição, que era o motivo de seu julgamento.[723]

Em quinto lugar, *a intervenção do comandante* (23.10). Como os juízes que estavam assentados para julgar Paulo ficaram inflamados pela celeuma criada pela discussão teológica, e sabendo que Paulo seria inevitavelmente atingido por essa hostilidade, o comandante resolveu, por precaução, retirá-lo do Sinédrio e guardá-lo em segurança na fortaleza. Essa é a terceira vez que o comandante resgatou Paulo das mãos dos judeus e o levou à fortaleza de Antônia. William Barclay chama a atenção para o ódio histérico e fanático dos judeus – os escolhidos de Deus – em contraste com a justiça fria e imparcial do comandante romano, pagão aos olhos dos judeus.[724]

A consolação de Deus na prisão (23.11)

Após o confronto entre Paulo e Ananias, e a acalorada discussão entre os fariseus e os saduceus, o clima ficou extremamente tenso. Paulo estava numa espécie de beco sem saída. As esperanças de salvamento eram mínimas. Nesse momento de angústia, o próprio Senhor Jesus apareceu a Paulo na prisão e lhe disse: ...*Coragem! Pois do modo por que deste testemunho a meu respeito em Jerusalém, assim importa que também o faças em Roma* (23.11). A mensagem do Senhor a Paulo foi de encorajamento, aprovação e confirmação.[725]

Destacamos aqui três pontos importantes.

Em primeiro lugar, *o Deus que acompanha* (23.11). Naquela noite fatídica, o próprio Deus se colocou ao lado de Paulo. Lucas registra: *Na noite seguinte, o Senhor, pondo-se ao lado dele...* Na hora mais escura, Deus se apresentou junto ao seu arauto. O maior encorajamento que Paulo recebeu para prosseguir resoluto foi a presença de Jesus.

Em segundo lugar, *o Deus que encoraja* (23.11). Naquele momento de abatimento e desânimo, Deus disse a Paulo: *Coragem!...* O encorajamento não vem dos homens, mas de Deus. Não brota da terra, mas do céu. Não emana das circunstâncias, mas da palavra do Deus vivo.

Em terceiro lugar, *o Deus que comissiona* (23.11). Lucas conclui: ... *pois do modo por que deste testemunho a meu respeito em Jerusalém, assim importa que também o faças em Roma*. O destino de Paulo não estava nas mãos dos judeus ou dos romanos, mas estava nas mãos de Deus. Nenhuma força na terra poderia colocar um ponto final no ministério de Paulo, antes que ele cumprisse todo o propósito de Deus. Era da vontade de Deus que Paulo fosse a Roma e lá testemunhasse com a mesma ousadia que mostrara em Jerusalém, e ninguém poderia detê-lo até que cumprisse esse plano. Marshall afirma que o propósito de Paulo comparecer diante do tribunal judaico e romano não foi propriamente defender-se das acusações específicas, mas dar testemunho a respeito de Jesus.[726] Conforme Werner de Boor, Jesus confirma a Paulo que sua ida a Jerusalém fora correta, apesar das graves e conturbadas consequências.[727]

A conspiração tramada contra Paulo (23.12-15)

Quando o inimigo se vê vencido pelo argumento, utiliza-se da violência. Os judeus não conseguiram resistir aos argumentos de Paulo diante do Sinédrio, então resolveram matá-lo de forma traiçoeira, conspirando veladamente contra ele. Mais de quarenta judeus, num complô covarde, fizeram voto, sob anátema, de que não comeriam nem beberiam enquanto não tirassem a vida de Paulo. Mais que isso, buscaram apoio na liderança do Sinédrio para levarem a cabo esse intento assassino. Tanto esses quarenta judeus rebeldes como os líderes do Sinédrio estavam desprovidos de qualquer escrúpulo. A serviço da mentira e da violência, eram agentes do mal e não arautos do bem, ministros da violência e não embaixadores da paz.

O plano era fazer com que Paulo fosse levado ao tribunal pelas ruas e vielas estreitas da cidade, onde seria fácil interceptá-lo e assassiná-lo. O terror dos sicários – os "homens do punhal", que ocultavam a arma de lâmina curva nas dobras das vestes e estavam presentes em todos os lugares, seja no meio dos peregrinos, seja no templo, eliminando seus desafetos com rápidos golpes nocivos – era uma realidade sombria em Jerusalém. A intenção desses quarenta judeus fanáticos era surgir inesperadamente, pela fileira dos soldados que escoltavam Paulo, no curto trajeto da fortaleza ao tribunal, a fim de apunhalá-lo.[728] Mas nem os planos humanos mais cuidadosos e astutos podem ser bem-sucedidos quando Deus se opõe a eles. Nenhuma arma forjada contra o povo de Deus prevalecerá (Is 54.17).[729]

Vale a pena relembrar que, durante todo o ministério, Paulo enfrentou severa, permanente e implacável perseguição dos judeus. Foi assim em Damasco (9.23). Ele sofreu um atentado dos judeus helenistas em Jerusalém (9.29). Os judeus também o expulsaram de Antioquia da Pisídia (13.50,51) e ameaçaram apedrejá-lo em Icônio (14.5). O apóstolo foi apedrejado em Listra (14.19,20). Em Corinto, os judeus tentaram prendê-lo (18.12-17). Em Éfeso, conspiraram contra sua vida (20.19) e até planejaram jogá-lo ao mar (20.3). As palavras de Paulo em 1Tessalonicenses 2.14-16 adquirem significado especial quando levamos em consideração tudo o que ele sofreu nas mãos de seus compatriotas.[730]

A conspiração desarticulada (23.16-25)

Werner de Boor tem razão em dizer que, quando quarenta fanáticos fazem um juramento, não é possível manter sua decisão em segredo.[731] Deus usou vários instrumentos para desarticular a conspiração contra Paulo: seu sobrinho, o centurião, o comandante e a escolta composta por infantaria e cavalaria. Deus providenciou que 470 soldados, quase a metade da guarnição do templo, protegessem Paulo no traslado a Cesareia. Paulo não estava no controle da situação, mas Deus estava. O próprio Deus lhe abriu as portas da providência e do livramento. Nas palavras de Agostinho, citado por Wiersbe: "Confie o passado à misericórdia de Deus, o presente a seu amor, e o futuro a sua providência".[732] O que sabemos é que a notícia da conspiração passou do sobrinho de Paulo para Paulo, de Paulo para o centurião, e do centurião para o comandante, que tomou conhecimento da trama pelos lábios do jovem. Sem dúvida, lembrando a cidadania romana de Paulo, o comandante resolveu agir imediatamente.[733]

O traslado de Paulo de Jerusalém a Cesareia (23.26-35)

O comandante romano Cláudio Lísias escreveu uma carta ao governador Tibério Cláudio Félix e, sob forte escolta armada, enviou o apóstolo Paulo a Cesareia, o quartel-general de Roma na Palestina. O destacamento de 200 soldados, 70 homens de cavalaria e 200 lanceiros, ou seja, 470 militares, soa como um suprimento exagerado, que representava cerca de meia guarnição.[734] De Jerusalém a Cesareia havia mais de 90 km. A região toda era muito perigosa e estava habitada por judeus. Antipátride, cidade construída por Herodes, o Grande, estava a uns 38 km de Cesareia e era usada como posto militar romano para descanso entre Cesareia e Jerusalém. Essa região, aberta, plana e habitada em grande parte por gentios, era pouco apropriada para emboscadas. Por essa razão, que o corpo principal das tropas retornou em Antipátride e restou apenas a cavalaria como escolta até Cesareia (23.32).[735]

Cesareia era o destino de Paulo. A sede do governo romano não ficava em Jerusalém, mas em Cesareia. Ali, Paulo enfrentaria Félix, que nascera escravo e, por influência de seu irmão Palas, muito estimado na coorte e amigo pessoal do imperador Cláudio e mais tarde de Nero, conseguira o cargo de governador. Félix foi o primeiro escravo da história a tornar-se governador de uma província romana. Casou-se com três princesas sucessivas. Não se conhece o nome da primeira; a segunda era neta de Antônio e Cleópatra; a terceira era Drusila, a filha de Herodes Agripa I. Era um homem inescrupuloso e violento.[736]

Félix governou como procurador da Judeia por sete ou oito anos, desde 52 d.C. Era implacável em abafar as sublevações dos judeus. Apesar de liberto, parece nunca ter abandonado sua mentalidade servil, o que fez Tácito escrever que "ele praticou todo tipo de crueldade e luxúria, exercendo o poder de um rei com os instintos de um escravo".[737]

A acusação contra Paulo perante o tribunal do governador (24.1-9)

Agora Paulo está preso, indefeso e completamente vulnerável entre dois poderes, o religioso e o civil, o hostil e o amigável, Jerusalém e Roma. John Stott observa que Jerusalém e Roma eram os centros de dois blocos de poder extremamente fortes. A fé de Jerusalém remontava a Abraão, dois mil anos antes. O domínio de Roma se estendia por uns 2 milhões de km² ao redor do mar Mediterrâneo. A força de Jerusalém estava na história e na tradição; a de Roma, na conquista e organização. O poder combinado de Jerusalém e Roma era invencível. No entanto, Paulo tinha convicção de que não era traidor da igreja nem do Estado. Ele não havia cometido pecado de blasfêmia nem de sedição.[738]

O julgamento descrito em Atos 24 gira em torno de dois discursos, o de Tértulo, orador profissional levado a Cesareia pelos judeus, e o de Paulo. Os dois começam com *captatio benevolentiae,* um esforço para conquistar a boa vontade de Félix. O discurso de Tértulo (24.2-4) é cheio de adulação, enquanto o de Paulo é breve e honesto (24.10b).[739]

As palavras introdutórias de Tértulo rasgaram desabridos elogios ao governador Félix, numa bajulação que beirava a hipocrisia e até provocava náuseas, uma vez que ele agradece ao governador pela paz alcançada e pelas reformas realizadas, quando a realidade dos fatos era outra. Félix debelou alguns tumultos com tanta brutalidade e barbárie que conquistou não a gratidão, mas o horror da população judaica.⁷⁴⁰

O discurso de Tértulo traz três acusações contra Paulo: tumulto, promoção de seita e sacrilégio, ou seja, Paulo foi acusado de estar *contra a lei dos judeus, contra o templo* e *contra César* (25.7,8). De acordo com Warren Wiersbe, Tértulo apresentou três acusações contra Paulo: uma pessoal (*este homem é uma peste*), uma política (*promove sedições*) e uma religiosa (*tentou profanar o templo*).⁷⁴¹ Em outras palavras, Tértulo acusou Paulo de ser tanto antijudeu como antirromano.

John Stott destaca que até o momento Paulo se defendera diante de uma multidão de judeus (21.40ss) e do Sinédrio (23.1ss). Agora, tem de ser julgado diante dos procuradores Félix e Festo, e do rei Agripa II. Em todos esses cinco julgamentos, cujas acusações tinham natureza ora política (sedição), ora religiosa (sacrilégio), o público presente era em parte romano e em parte judeu. Assim, quando Paulo falou com a multidão de judeus e com o Sinédrio, o comandante romano Cláudio Lísias estava ali ouvindo, e, quando Paulo se apresentou a Félix e Festo, representantes de Roma, os judeus estavam ali acusando-o. Então, no quinto julgamento, o *grand finale,* o rei Agripa II reuniu ambas as autoridades em si mesmo, pois fora escolhido por Roma e também era um poder reconhecido em questões judaicas.⁷⁴²

Vejamos agora as três acusações endereçadas a Paulo.

Em primeiro lugar, *promotor de sedições entre os judeus* (24.5a). Essa era uma acusação gravíssima, devido às suas implicações políticas. Havia muitos agitadores judeus naquela época, bem como falsos Messias, que ameaçavam a "paz" que Tértulo atribuíra a Félix.⁷⁴³ A acusação de que

Paulo era *uma peste* sugeria que sua influência era infecciosa, ou seja, que ele era um perturbador da ordem pública.[744] Em grego, a palavra *loimos* significa uma pessoa que espalha uma peste, ou seja, alguém que põe em risco o bem comum e deve ser encarcerado e eliminado completamente. Tértulo caracteriza Paulo como uma pessoa subversiva, que coloca em perigo o Estado romano.[745]

Em segundo lugar, *agitador da seita dos nazarenos* (24.5b). Os judeus identificavam os cristãos como seguidores de Jesus, o nazareno. A palavra grega *hairesis* significava "seita, partido, escola" e era aplicada tanto aos saduceus (5.17) quanto aos fariseus (15.5; 26.5) como tradições dentro do judaísmo. E é nesse sentido que é empregada em referência aos cristãos. Concordo com Justo González quando ele diz que, naquela época, a palavra *hairesis* não tinha a conotação negativa que tem hoje. Não se referia essencialmente a uma doutrina errada, mas apenas a uma facção, grupo ou partido em uma discussão.[746]

Em terceiro lugar, *profanador do templo* (24.6). Os judeus asiáticos pensaram que Paulo havia introduzido Trófimo, o efésio, para dentro do recinto proibido do templo, centro da piedade judaica e símbolo da nação dos judeus (21.29). Como já afirmamos em capítulo anterior, essa era uma acusação extremamente grave, que resultaria em morte sumária do transgressor. Tértulo escamoteia a verdade quando diz que os judeus prenderam Paulo, mas Cláudio Lísias o arrebatou das mãos dos judeus com violência, quando, na verdade, os judeus estavam tentando linchar Paulo e o comandante o protegeu, livrando-o de suas mãos assassinas.[747]

A defesa de Paulo perante o governador (24.10-21)

Paulo se defende das três acusações levantadas contra ele e prova que os argumentos usados eram falsos.

Em primeiro lugar, *Paulo prova que não é um perturbador da paz* (24.11-13). Paulo não fora a Jerusalém para fazer uma insurreição ou criar transtornos. Fora para adorar a Deus e ofertar ao povo judeu. Fora para abençoar e não para causar tumulto.

Em segundo lugar, *Paulo prova que o Caminho não é uma seita* (24.14-16). Paulo reafirma que é seguidor da religião do Caminho, mas ao mesmo tempo diz que não se trata de uma seita, como os judeus a chamavam, pois ele adorava ao Deus de seus pais e cria no ensinamento das Escrituras. Paulo não era um inovador herético, mas um homem absolutamente fiel à fé dos seus antepassados. A religião do Caminho não era uma novidade religiosa inventada por Paulo, mas tinha suas raízes no Antigo Testamento. O Cristo anunciado por Paulo era o mesmo proclamado pelos profetas.

Em terceiro lugar, *Paulo prova que não profanou o templo* (24.17-21). Longe de ir a Jerusalém para profanar o templo, seu propósito era essencialmente religioso. Paulo foi a Jerusalém para demonstrar amor à sua nação e respeito às leis judaicas. Foi levar oferendas (24.17) e, quando entrou no templo com esse propósito, estava cerimonialmente puro (24.18). O tumulto não foi criado por Paulo, mas pelos judeus fanáticos. Quem profanou o templo não foi Paulo, mas seus acusadores.

O governador diante de Paulo (24.22-27)

Cinco verdades são aqui destacadas: os cuidados oferecidos a Paulo 24, a curiosidade espiritual do governador 24, a coragem de Paulo 24, a falta de escrúpulos do governador e a incoerência do governador. Examinemos esses cinco fatos.

Em primeiro lugar, *os cuidados oferecidos a Paulo* (24.22,23). Félix procurou conhecer mais acuradamente as coisas concernentes ao Caminho e adiou a causa, conservando Paulo detido no pretório, porém, tratando-o com indulgência, a ponto de o apóstolo poder ser servido por seus amigos e irmãos na fé cristã.

Em segundo lugar, *a curiosidade espiritual do governador* (24.24). À medida que Félix passou a conhecer um pouco mais acerca do Caminho, teve curiosidade de ouvir Paulo. Acompanhado de sua mulher Drusila, mandou chamar Paulo para ouvi-lo a respeito da fé em Cristo. Drusila era filha de Herodes Agripa I e irmã de Herodes Agripa II e Berenice (25.13). O primeiro casamento de Drusila, com Antíoco Epífanes de Comagene, não se concretizou, porque o noivo não conseguiu decidir-se a aderir ao judaísmo. Então, Drusila se casou com o rei Azizo de Emessa, na Síria, que cumpriu a condição de se circuncidar.[748] Mas Félix, com a ajuda de um mago cipriota chamado Atomos, seduziu Drusila e a persuadiu a deixar seu marido e se unir a ele.[749] Portanto, além de ser um homem violento, Félix era também adúltero. Justo González diz que um dos meios que Félix usou para progredir em sua carreira política foi por intermédio do casamento com mulheres influentes, e, por essa razão, Suetônio chama-o de "o marido das três rainhas".[750]

Em terceiro lugar, *a coragem de Paulo* (24.25). Paulo não foi um arauto da conveniência. Paulo não pregava para agradar. Tendo oportunidade de falar ao governador Félix, acompanhado de Drusila, sabendo que aquela era uma relação adulterina, desenvolve seu discurso sobre três temas contundentes, que como flechas, feriram a consciência de Félix: justiça, domínio próprio e juízo vindouro. Ao abordar o tema da justiça, Paulo mostrou a Félix e Drusila que eles deveriam tomar alguma atitude em relação ao pecado passado. Ao abordar o tema do domínio próprio, Paulo os constrangeu a tomar uma atitude com respeito à tentação presente. E ao abordar o tema do juízo vindouro, Paulo os levou a refletir sobre a atitude que deveriam ter com respeito ao julgamento futuro.[751] O governador ficou com medo do julgamento futuro, mas recusou-se a se arrepender dos seus maus caminhos e se voltar para a fé em Jesus.[752]

A atitude de Félix foi deplorável, pois em vez de arrepender-se, procrastinou a mais importante decisão de sua vida: ... *por agora, podes retirar-te, e, quando eu tiver vagar, chamar-te-ei* (24.25b). A procrastinação, o deixar para depois, é a mais insensata e mais perigosa decisão da vida, mormente, quando se trata da salvação de sua vida. O dia do arrependimento é hoje. O tempo do acerto com Deus é agora. Amanhã pode ser tarde demais!

Em quarto lugar, *a falta de escrúpulos por parte do governador* (24.26). Ao mesmo tempo que era atraído pela mensagem do evangelho, Félix buscava também uma oportunidade de receber de Paulo alguma propina. Kistemaker alega que, quando Félix ouviu Paulo dizer que levava donativos financeiros para o povo em Jerusalém (24.17), sua mente gananciosa imediatamente esquematizou um plano para cobrar pela liberdade de Paulo.[753] Além de violento e adúltero, Félix era também ganancioso e avarento. Em vez de dar ouvidos a Paulo, tentou "usar" o apóstolo em seus jogos políticos, talvez na esperança de extorquir algum dinheiro da igreja ou de obter o favor dos judeus.[754]

Em quinto lugar, *a incoerência do governador* (24.27). William Barclay diz que Félix não soube usar o poder com sabedoria e por isso foi chamado a Roma. Existia uma antiga discussão acerca de Cesareia ser uma cidade judaica ou grega. A discussão agravou-se a ponto de judeus e gregos entrarem numa verdadeira guerra. Houve um estalido de violência na qual os judeus saíram vitoriosos. Félix enviou as suas tropas para ajudar os gentios. Milhares de judeus morreram, e as tropas, com o consentimento e apoio de Félix, saquearam as casas dos judeus mais ricos da cidade. Os judeus fizeram o que todas as províncias romanas tinham o direito de fazer: enviaram a Roma notícias a respeito dessa atitude violenta do governador. Por essa razão, Félix, mesmo sabendo que Paulo era inocente, deixou-o preso dois anos, apenas como trunfo político, para conseguir o apoio dos judeus.[755]

Mas isso de nada adiantou. Félix foi deposto de seu cargo e só por influência de Palas, seu irmão, não foi executado em Roma.

Notas do capítulo 23

705 STOTT, John. *A mensagem de Atos* , p. 396.
706 WIERSBE, Warren W. *Comentário bíblico expositivo*, p. 641.
707 BARCLAY, William. *Hechos de los Apóstoles*, p. 175.
708 DE BOOR, Werner. *Atos do Apóstolos*, p. 322.
709 WIERSBE, Warren W. *Comentário bíblico expositivo*, p. 642.
710 KISTEMAKER, Simon. *Atos.* Vol. 2, p. 415.
711 KISTEMAKER, Simon. *Atos.* Vol. 2, p. 416.
712 WIERSBE, Warren W. *Comentário bíblico expositivo*, p. 642.
713 BARCLAY, William. *Hechos de los Apóstoles*, p. 175,176.
714 WIERSBE, Warren W. *Comentário bíblico expositivo*, p. 642.
715 MARSHALL, I. Howard. *Atos: introdução e comentário.* 1982, p. 338.
716 DE BOOR, Werner. *Atos dos Apóstolos*, p. 323.
717 WIERSBE, Warren W. *Comentário bíblico expositivo*, p. 642.
718 DE BOOR, Werner. *Atos dos Apóstolos*, p. 324.
719 DE BOOR, Werner. *Atos dos Apóstolos*, p. 324.
720 KISTEMAKER, Simon. *Atos.* Vol. 2, p. 421.
721 MARSHALL, I. Howard. *Atos: introdução e comentário.* 1982, p. 339.
722 MARSHALL, I. Howard. *Atos: introdução e comentário.* 1982, p. 339.
723 STOTT, John. *A mensagem de Atos* , p. 398.
724 BARCLAY, William. *Hechos de los Apóstoles*, p. 177.
725 WIERSBE, Warren W. *Comentário bíblico expositivo*, p. 644.
726 MARSHALL, I. Howard. *Atos: introdução e comentário.* 1982, p. 341.
727 DE BOOR, Werner. *Atos dos Apóstolos*, p. 325.
728 DE BOOR, Werner. *Atos dos Apóstolos*, p. 327.
729 STOTT, John. *A mensagem de Atos* , p. 400.
730 WIERSBE, Warren W. *Comentário bíblico expositivo*, p. 644.
731 DE BOOR, Werner. *Atos dos Apóstolos*, p. 328.
732 WIERSBE, Warren W. *Comentário bíblico expositivo*, p. 644.
733 STOTT, John. *A mensagem de Atos* , p. 401.
734 STOTT, John. *A mensagem de Atos* , p. 401.
735 BARCLAY, William. *Hechos de los Apóstoles*, p. 178.
736 BARCLAY, William. *Hechos de los Apóstoles*, p. 179.
737 KISTEMAKER, Simon. *Atos.* Vol. 2, p. 438. STOTT, John. *A mensagem de Atos,* p. 401.

738 STOTT, John. *A mensagem de Atos* , p. 405.
739 GONZÁLEZ, Justo L. *Atos*, p. 309.
740 STOTT, John. *A mensagem de Atos* , p. 407.
741 WIERSBE, Warren W. *Comentário bíblico expositivo*, p. 647.
742 STOTT, John. *A mensagem de Atos* , p. 406.
743 STOTT, John. *A mensagem de Atos* , p. 407.
744 MARSHALL, I. Howard. *Atos: introdução e comentário.* 1982, p. 349.
745 KISTEMAKER, Simon. *Atos.* Vol. 2, p. 452.
746 GONZÁLEZ, Justo L. *Atos*, p. 309.
747 STOTT, John. *A mensagem de Atos* , p. 407,408.
748 DE BOOR, Werner. *Atos dos Apóstolos*, p. 334.
749 BARCLAY, William. *Hechos de los Apóstoles*, p. 182.
750 GONZÁLEZ, Justo L. *Atos*, p. 308.
751 WIERSBE, Warren W. *Comentário bíblico expositivo*, p. 652.
752 KISTEMAKER, Simon. *Atos.* Vol. 2, p. 473.
753 KISTEMAKER, Simon. *Atos.* Vol. 2, p. 474.
754 WIERSBE, Warren W. *Comentário bíblico expositivo*, p. 652,653.
755 BARCLAY, William. *Hechos de los Apóstoles*, p. 182.

Capítulo 24

Paulo diante do governador Festo e do rei Agripa
(At 25—26)

Dois anos se passaram e Paulo ainda estava preso em Cesareia. Félix foi substituído por Festo e, agora, Paulo enfrentaria um novo julgamento diante de um novo magistrado. Esses dois anos não foram suficientes para aplacar a ira dos judeus. Ao contrário, as coisas se agravaram. Dois anos antes, apenas alguns judeus tramaram a morte de Paulo, mas agora, todo o Sinédrio estava engajado no complô. Os respeitados líderes tentam convencer e cooptar o governador Festo para transferir o julgamento de Paulo para Jerusalém, com o velado propósito de matá-lo.

Vamos examinar, à luz do texto em tela, alguns pontos importantes.

Paulo diante de Festo (25.1-22)

Félix havia perdido o seu mandato. Imediatamente, Pórcio Festo foi nomeado novo governador da província (a *província* a que Lucas se refere era a província romana da Síria, da qual a Palestina fazia parte).[756] Diferentemente de Félix, um escravo liberto que tinha subido na escala política até se tornar governador, Festo era membro de uma família nobre de Roma.[757] Embora mais consistente do que o mandato de Félix, o governo de Festo foi meteórico, uma vez que ele morreu dois anos depois de ter assumido o posto de governador.

Seu primeiro ato de governo foi subir a Jerusalém para uma conversa com os líderes judeus. Como hábil administrador, Festo precisava ganhar a simpatia dos líderes do Sinédrio. Governar sem apoio popular seria extremamente arriscado, e Festo não queria ver novos motins e revoltas como no período de Félix. Enquanto Festo estava em Jerusalém, os membros do Sinédrio tentaram seduzi-lo com um pedido hipócrita.

Simon Kistemaker sugere que a viagem de Pórcio Festo a Jerusalém está diretamente ligada à questão de Paulo, uma vez que ele havia herdado o problema de determinar sua culpa ou inocência. Como lhe faltava experiência nos assuntos da religião judaica, o novo governador foi imediatamente a Jerusalém para aprender sobre a lei, o culto e os costumes judaicos.[758]

Alguns pontos merecem ser destacados.

Em primeiro lugar, *o pedido dos líderes judeus* (25.1-3). Os judeus têm um pedido urgente para o novo governador. O pedido não vem do populacho ignorante, mas dos principais sacerdotes e dos maiorais. A liderança mais respeitada dos judeus, os membros do Sinédrio, apresenta queixa contra Paulo e roga ao governador que transfira o local do julgamento de Cesareia para Jerusalém. Esses líderes, porém, escondiam por trás desse pedido um ardil. A intenção não era promover um julgamento justo, mas matar Paulo numa emboscada. Justo González ressalta que o complô para matar Paulo no caminho ainda estava de pé.[759] Na opinião daqueles judeus, Paulo representava uma ameaça ao judaísmo e tinha de ser eliminado.

Simon Kistemaker diz que os líderes judeus indiretamente tentaram minar a autoridade de Festo ao fazê-lo mudar sua cadeira de juiz de Cesareia, onde o governador romano tinha residência e quartel-general, para Jerusalém, o centro de influência judaica.[760]

Em segundo lugar, *a recusa do governador Festo* (25.4-5). O governador frustra a expectativa do Sinédrio, pois não se deixa levar pelo apelo astucioso dos judeus. Mantém-se firme e determina que os judeus apresentem suas queixas contra Paulo em Cesareia, onde ele se encontrava preso sob a custódia do governo romano. Como diz Kistemaker, normalmente é o acusador que vai ao tribunal; o juiz e o júri não vão ao acusador.[761] Deus estava poupando, assim, a vida de Paulo pelas mãos de Festo, o governador romano. Essa recusa salvou a vida de Paulo, pois em Cesareia ele não corria o perigo de danos físicos. Ali os judeus não tinham como fazer-lhe mal, mas no caminho para Jerusalém ou nessa cidade Paulo correria risco de morte.[762]

Em terceiro lugar, *as acusações dos líderes judeus contra Paulo* (25.6-8). Os judeus levaram a Cesareia muitas e graves acusações contra Paulo. Tudo indica, porém, que eram as mesmas acusações de dois anos antes, quando Paulo foi preso em Jerusalém. Consistiam em pecados contra Deus e contra César; pecados religiosos e políticos; pecados de blasfêmia e sedição, ou seja, pecados contra a lei dos judeus, contra o templo e contra César (25.8). Ao ouvir as acusações, Festo logo se deu conta de que Paulo não era nenhum criminoso, e que as acusações contra ele se relacionavam com as leis e costumes dos judeus. Ele deveria julgar um cidadão romano que não ofendera César nem em palavra nem em ação.[763]

John Stott acrescenta que os distúrbios atribuídos a Paulo eram religiosos em sua origem, mas políticos em seu caráter. E esse era o motivo do representante de César ser obrigado a tomar conhecimento deles. Os judeus sabiam que os governadores romanos relutavam em condenar com base em acusações puramente religiosas e, portanto, tentaram dar um aspecto político à acusação religiosa. Nesse caso, o julgamento se prolongava porque a acusação era política, mas a prova era teológica.[764]

Em quarto lugar, *a fraqueza do governador Festo* (25.9). Festo cai na mesma armadilha de Félix. Queria usar Paulo como um instrumento para alcançar o favor dos judeus. Desta forma, propõe que Paulo seja julgado em Jerusalém. Os interesses políticos do governador falaram mais alto do que seu senso de justiça. A conveniência prevaleceu sobre a verdade.

De acordo com Werner de Boor, Festo fracassou no mesmo ponto de seu antecessor. Ele não é um juiz independente, mas funcionário político e juiz numa mesma pessoa. Não tem condições de condenar Paulo por falta de provas, nem tem coragem de absolvê-lo para não estragar logo no início de seu mandato o relacionamento com os líderes judeus.[765]

Mesmo sendo um expediente legítimo, pois o governador podia julgar os casos tanto em Cesareia como em Jerusalém, era notório que um julgamento em Jerusalém seria totalmente desfavorável a Paulo e, a essas alturas, Festo já tinha formado seu juízo a respeito da inocência de Paulo (25.10). Paulo sabia muito bem que poderia esperar justiça e absolvição apenas dos romanos, não dos judeus.[766] Na verdade, desde que Paulo chegara a Jerusalém, os judeus haviam pedido sua morte aos brados (21.27-31; 22.22; 23.10-15; 25.3). Em Jerusalém os judeus poderiam acusá-lo de profanar o templo, condená-lo e executá-lo; os romanos não poderiam intervir, e a cidadania de Paulo de nada valeria.[767]

Em quinto lugar, *a firmeza de Paulo* (25.10-12). Paulo usa suas prerrogativas como cidadão romano e afirma estar diante do tribunal de César, no qual deve ser julgado de forma isenta e justa. Afirma, outrossim, sem nenhum temor, estar pronto para morrer caso seja encontrado em falta. Porém, não está disposto a subir a Jerusalém para agradar os interesses políticos do governador nem cumprir os propósitos inconfessos dos judeus.

O que levou Paulo a apelar para César em vez de aceitar a proposta do governador de ser julgado por ele em Jerusalém? Kistemaker diz que Paulo pesou suas opções e temeu que: Festo usasse os membros do Sinédrio como seu conselho e, dessa forma, o processo não teria objetividade; o governador quisesse estabelecer boas relações com os judeus e, portanto, fosse parcial em seu julgamento; se Festo o declarasse inocente e o libertasse, Paulo não mais contaria com o poderio militar romano para sua proteção, e assim correria o risco de morte nas ruas de Jerusalém e estradas da Judeia; os judeus tramassem matá-lo no caminho de ida ou volta de Jerusalém.[768]

Paulo, sem titubear, apelou para ser julgado em Roma, diante de César. Ao fazer isso, ao mesmo tempo que apelou para César, também acusou o governador de não cumprir o seu dever.⁷⁶⁹ O governador não teve alternativa senão atender a vontade de Paulo, deliberando, assim, enviá-lo a Roma para ser julgado diante de César.

Para Kistemaker, o contexto revela que, o apelo de Paulo impedia o governador de pronunciar um veredito de inocência, se ele mais tarde decidisse fazê-lo. Em resumo, o apelo para César dava a Paulo um *status* acima das perseguições, tanto do Sinédrio em Jerusalém quanto do tribunal de Festo em Cesareia.⁷⁷⁰

Warren Wiersbe diz que um tribunal romano não poderia transferir uma causa a outro tribunal sem o consentimento do acusado. Por isso, Paulo se recusou a ir a Jerusalém, apelando para César.⁷⁷¹ Pelo menos três motivos levaram Paulo a fazer essa escolha: ele apelou a César para salvar sua vida; isso o levaria a Roma, como Jesus lhe havia dito (23.11); e por último, em Roma ele pregaria o evangelho aos membros da corte de Nero (Fp 1.13; 4.22) e talvez recebesse reconhecimento oficial para o cristianismo.⁷⁷²

John Stott é da opinião que Festo não estava preparado para esse desdobramento. O que faria agora? Não podia condenar Paulo, pois temia infringir a justiça romana, e não podia soltá-lo, pois temia ofender os judeus.⁷⁷³ Provavelmente Festo ficou envergonhado por ter lidado com o caso de Paulo de forma tão inadequada, a ponto de o prisioneiro ser forçado a apelar para César.⁷⁷⁴ Kistemaker afirma que, ao apelar para ser julgado diante de César, Paulo desembaraça Festo de seus deveres judiciais para com ele. Ao mesmo tempo, porém, coloca o governador numa posição nada invejável, a de ter de justificar o envio de Paulo a Nero sem acusações específicas. Nero e seus oficiais não veriam com bons olhos um governador que mostrasse tamanha incompetência em julgar questões triviais.[775]

Em sexto lugar, *Festo pede conselho a Agripa* (25.13-22). Nesse ínterim, chega a Cesareia o rei Herodes Agripa II e sua irmã Berenice, para uma visita de cortesia a Festo, o novo governador. Herodes Agripa II era filho de Herodes Agripa I e neto de Herodes, o Grande. Havia inúmeros rumores de que o seu relacionamento com Berenice era incestuoso.[776] Aos 13 anos de idade, ela se casara com um tio, Herodes de Cálcida, dando-lhe dois filhos durante os sete anos que durou seu casamento. Quando o marido morreu em 48 d.C., passou a viver com o irmão Agripa II, que se tornou o rei de Cálcida dois anos mais tarde. Para calar os rumores acerca da relação incestuosa com o irmão, Berenice se casou com Pólemon, o rei da Cilícia. Mas logo depois o abandonou e voltou ao irmão. Mais tarde Berenice teve um caso amoroso com o general romano Tito, mas este não chegou a se casar com ela por razões políticas.[777]

Kistemaker faz um relato mais minucioso sobre Herodes Agripa II:

> Quando Herodes Agripa I morreu em 44 d.C., Agripa II tinha 17 anos de idade, Berenice 16 e Drusila 6. Nesse tempo, Agripa II estava em Roma. Ele esperava que o imperador Cláudio lhe desse a coroa de seu pai, mas Cláudio achou que um jovem de 17 anos não tinha maturidade para governar a Palestina, impregnada por interesses religiosos, problemas e conflitos. Em 50 d.C., Cláudio confiou a Agripa o reino da Cálcida (no vale do Líbano), que tinha pertencido ao irmão de Herodes Agripa. Três anos mais tarde, entretanto, Cláudio ofereceu a Agripa II a tetrarquia de Filipos (Batanea, Traconite e Gaulanite), a tetrarquia de Lisanias (Abilene) e o território de Varus (Acra) em troca do reino da Cálcida. No primeiro ano do reinado de Nero (54 d.C.), o imperador deu a Agripa I várias cidades importantes e vilas tanto na

Galileia como na Pereia. Agripa II, então, governou a metade norte da Palestina. Embora ele se intitulasse "Grande Rei, sincero Amigo de César e Amigo de Roma", tentava também promover a causa judaica. Era conhecido como um especialista em costumes e conflitos judaicos (26.3) e era bem versado nas Escrituras (26.27). Agripa, o último membro da dinastia herodiana, morreu em 100 d.C.[778]

Festo falou a Agripa sobre o caso do prisioneiro Paulo. O governador precisava enviar um relatório ao imperador, contendo o libelo acusatório contra o réu. Festo, porém, estava convencido da inocência de Paulo. Sabendo Festo que Agripa fora treinado na corte de Cláudio e tinha excelente compreensão da religião judaica; sabendo ainda que Cláudio dera a Agripa II a posição de curador do templo de Jerusalém e o direito de indicar os sumos sacerdotes, o governador viu uma boa oportunidade de receber subsídio para lidar com esse prisioneiro e obter alguma informação mais consistente para incluir em seu relatório.[779]

Festo narra a Agripa como fora a audiência com Paulo e seus acusadores. Conta ainda sobre sua proposta para julgar Paulo em Jerusalém e fala finalmente sobre a recusa de Paulo de ir a Jerusalém e sua exigência de um julgamento diante de César. Com essas informações, Agripa mostrou interesse em ouvir também o prisioneiro Paulo.

Paulo diante de Agripa (25.23—26.32)

Como Deus falara a Paulo no dia de sua conversão, no caminho de Damasco, estava Paulo agora na presença de reis, dando testemunho de sua fé. Numa reunião cheia de pompa e luxo, Paulo é levado à presença de Agripa e Berenice para seu quinto julgamento. Esse é o maior e o mais elaborado de todos os cinco julgamentos. Lucas descreve a cena em detalhes, e a defesa de Paulo é mais polida em estrutura e linguagem do que as outras.[780] Destacamos alguns pontos.

Em primeiro lugar, *a opinião de Festo a respeito de Paulo* (25.23-25). Festo introduz o caso de Paulo diante do rei Agripa. John Stott diz que, de acordo com a tradição, Paulo era pequeno e pouco atraente, calvo, com sobrancelhas salientes, nariz adunco e pernas tortas, mas mesmo assim "cheio de graça". Não vestia manto nem coroa, apenas algemas e talvez uma túnica simples de prisioneiro; mesmo assim dominou a corte com sua dignidade e confiança tranquila semelhante a Cristo.[781]

Festo deixa claro que a acusação contra Paulo se avolumava, pois não vinha apenas dos líderes, mas também do povo (25.24). E agora, o governador deixa claro que os judeus não desejam apenas um julgamento isento, mas querem a cabeça de Paulo. Festo destaca, porém, que, mesmo Paulo tendo apelado para o imperador, considerava-o inocente das acusações (25.25).

Em segundo lugar, *o dilema de Festo a respeito de Paulo* (25.26,27). Festo não pode enviar Paulo a César sem escrever um relatório detalhado acerca dos crimes dos quais é acusado. Por isso, espera colher dessa audiência subsídios para escrever o libelo acusatório.

Concordo com John Stott quando ele diz que o relato de Festo sobre a situação de Paulo era uma mistura de verdade e erro. Era verdade que por duas vezes a comunidade judaica exigira a sua morte, e que Festo não o considerava culpado de nenhum crime capital (25.24,25). Porém, não era verdade que Festo não tinha "nada de positivo" definido para escrever ao imperador sobre Paulo (25.26) e que não conseguia mencionar as acusações contra ele (25.27). Pois, como vimos, as acusações dos judeus eram definidas e específicas. O que faltava a Festo não eram acusações, mas evidências para comprová-las. Na falta delas, ele deveria ter tido a coragem de declarar Paulo inocente e soltá-lo.[782]

Em terceiro lugar, *a defesa de Paulo diante de Agripa* (26.1-23). Paulo está diante de Herodes Agripa II, o último de sua dinastia a governar, ou seja, o último representante da família herodiana. Essa família era mundana, ambiciosa, violenta e moralmente corrupta, e geração após geração opôs-se à verdade. Herodes, o Grande, tentou matar o menino Jesus. O seu filho Herodes Antipas, tetrarca da Galileia, decapitou João Batista e escarneceu de Jesus. Herodes Agripa I mandou matar com espada o apóstolo Tiago, o filho de Zebedeu, e prender Pedro em Jerusalém. Agora, Paulo está diante de Herodes Agripa II.

Em sua consistente defesa, Paulo faz uma retrospectiva de sua vida, no seu mais longo discurso registrado no livro de Atos e, enfatiza quatro pontos importantes:

1. Paulo, o fariseu rigoroso (26.4-8). Paulo deixa claro que seu passado era conhecido de todos. Nascido em Tarso da Cilícia (22.3), fora criado em Jerusalém, aos pés do grande mestre Gamaliel, neto do rabino Hillel. Dentre os de sua idade destacou-se, tornando-se zeloso da tradição de seus pais (Gl 1.13,14), seguindo a ala mais radical da seita dos fariseus. Paulo deixa claro que suas raízes estavam plantadas no judaísmo (Fp 3.5,6), e que isso era uma preparação para a fé cristã. Paulo ainda esclarece que a fé cristã não é um desvio do judaísmo, mas o cumprimento da fé judaica tradicional de seus antepassados (26.4-8).

2. Paulo, o perseguidor fanático (26.9-11). Paulo conta sua tenebrosa história como carrasco da igreja. Perseguiu com ódio mortal a religião do Caminho (22.4). Perseguiu com violência o próprio Jesus (26.9). Prendeu muitos crentes em Jerusalém e dava seu voto quando os matavam (26.10). Açoitava os crentes dentro das sinagogas e forçava-os a blasfemar, fazendo verdadeiras cruzadas de terrorismo contra os crentes por cidades além dos limites de Jerusalém (26.11).

Paulo foi uma fera selvagem que caçou os cristãos como um predador persegue a sua presa para devorá-la.[783] Não respeitava domicílio doméstico (8.3) nem lugares sagrados (26.11). Paulo foi comparado também a um touro indomável que resiste os aguilhões (26.14). De fato, Paulo era um déspota cheio de ódio, um monstro celerado, um bárbaro truculento que perseguiu a igreja de Deus com desmesurado rigor. Ele revelou sua fúria contra os cristãos ao prendê-los, açoitá-los, esmagá-los, forçando-os a blasfemar contra Deus e a renegar sua fé em Jesus. Como carrasco impiedoso, concorreu para matar e exterminar muitos seguidores de Cristo.[784]

3. *Paulo, o apóstolo comissionado* (26.12-18). Paulo fala a Agripa sobre sua experiência no caminho de Damasco e como Jesus apareceu-lhe com grande fulgor e poder. Ali na estrada de Damasco, Paulo viu uma luz (26.12,13) e ouviu uma voz (26.14-18). Mesmo sendo um rabino judaico, douto na lei e zeloso da tradição de seus pais, ele vivia em densa escuridão e profundas trevas espirituais. Havia estudado a lei, mas não compreendia que seu propósito era levar o homem a Cristo (Gl 3.24). A luz sobrenatural vista no caminho de Damasco deixou-o cego por três dias, mas lhe abriu os olhos da alma para contemplar o Cristo vivo.[785]

Paulo não apenas viu uma luz, mas também ouviu uma voz. O domador de touros bravos jogou essa fera selvagem ao chão e bradou: ...*Saulo, Saulo, por que me persegues? Dura coisa te é recalcitrares contra os aguilhões* (26.14). O touro está caído, vencido, dominado, subjugado. O maior perseguidor do cristianismo está convertido. Jesus reverte a situação. O homem que perseguiu a fé cristã vai proclamá-la. O homem que promoveu intenso sofrimento ao povo de Deus agora sofrerá pelo nome de Cristo. O homem que foi o maior inimigo do cristianismo será seu maior arauto.

Paulo detalha para Agripa não apenas sua conversão súbita e dramática, mas também seu comissionamento para ser testemunha de Cristo entre os gentios, com o propósito de abrir-lhes os olhos e convertê-los das trevas para a luz e da potestade de Satanás para Deus, a fim de que recebam remissão de pecados e herança entre os santificados pela fé.

4. Paulo, o servo obediente (26.19-23). Paulo confessa a Agripa que não foi desobediente à visão celestial, mas prontamente e com senso de urgência começou a anunciar o evangelho aos judeus em Damasco, ao povo de Jerusalém e em toda a região da Judeia, e também aos gentios.

Paulo percorreu, com paixão na alma, com fogo no coração e com a verdade nos lábios, as regiões mais longínquas do Império, não regateando esforços, mas empunhando sempre com bravura o estandarte do evangelho. Atravessou províncias, rompeu fronteiras, marchou pelas estradas, cruzou desertos, navegou os mares, percorreu cidades e vilas, entrou em templos e sinagogas, falou nas praças, nas ilhas, na praia, nas escolas, nas prisões, nos régios salões das altas cortes, pregando a escravos e livres, vassalos e reis, grandes e pequenos, sábios e ignorantes, às multidões e aos solitários.[786]

A mensagem de Paulo consistia em arrependimento e fé. Era um chamado à conversão. Requeria não apenas um rotineiro e raso arrependimento, mas frutos sinceros de mudança de vida. Obviamente essa mensagem encontrou resistência dos judeus que, por essa razão, o prenderam em Jerusalém com o propósito de matá-lo.

Paulo prega essas verdades diante do rei Herodes Agripa II não porque esteja interessado em seu favor. Ele anseia por sua conversão. Na verdade, ninguém conseguiu demover Paulo de pregar Jesus e este crucificado. Suas cadeias nunca foram impedimento. Paulo não se considerava prisioneiro de César, mas prisioneiro de Cristo, embaixador em cadeias. Falava com vibrante ardor, doente ou com saúde, preso ou em liberdade, na cadeia ou nas praças, acolhido ou escorraçado, aplaudido ou apedrejado, amado ou açoitado, na fartura ou na pobreza. Constrangido pelo chamado divino, atravessara continentes em três viagens missionárias, alargando as fronteiras do reino de Deus, espargindo luz nas trevas, arrebatando prisioneiros da potestade de Satanás para Deus.[787]

Em quarto lugar, *a reação dos juízes* (26.24-32). O testemunho de Paulo provocou a reação imediata de Festo, que o interrompe aos berros. John Stott nos ajuda a entender esse cenário.[788] Vejamos:

1. A reação de Festo a Paulo (26.24). Festo chamou Paulo de louco, pensando que as muitas letras o haviam feito delirar.

2. A reação de Paulo a Festo (26.25,26). Paulo retruca ao governador, mostrando que seu testemunho é fruto de bom senso e verdade, uma vez que o próprio governador conhecia os fatos, e tudo o que ele acabara de falar era de conhecimento de todo o povo.

3. A reação de Paulo a Agripa (26.27). O réu encurrala o juiz e coloca-o num beco sem saída ao lhe fazer uma pergunta direta: *Acreditas, ó rei Agripa, nos profetas?* Antes de Agripa respirar, Paulo mesmo dá a resposta: ... *bem sei que acreditas.*

4. A reação de Agripa a Paulo (26.28). Agripa tergiversa e, como um autêntico herodiano, foge do cerne da questão, ficando apenas no "quase salvo", adiando a mais importante e urgente decisão de sua vida.

5. A reação de Paulo a Agripa (26.29,30). Paulo não contemporiza, mas exorta o rei Agripa dizendo que a posição que ele estava assumindo era a mais insensata e arriscada. O sensato seria tornar-se como Paulo e seguir suas pegadas, exceto suas cadeias. Para Justo González, o que Paulo está dizendo ao rei e também aos outros presentes nessa audiência é que ele não inveja a posição nem o poder deles e, exceto pelas algemas, está em situação muito melhor.[789]

6. Os juízes falam entre si (26.31). Os juízes ficam convencidos da inocência de Paulo e emitem seu parecer. Para eles, Paulo não era passível de morte, como queriam os seus acusadores judeus.

7. O parecer de Agripa para Festo (26.32). Agripa formula seu parecer ao governador Festo, dizendo que Paulo poderia ser solto, caso não tivesse apelado a César. Mais uma vez, os romanos reconhecem a inocência de Paulo diante da fúria ensandecida dos judeus.

Concluímos essa exposição, trazendo à memória dois pontos importantes.

Em primeiro lugar, *a defesa de Paulo*. A acusação dos judeus contra Paulo poderia ser sintetizada em dois quesitos: crimes contra Moisés e crimes contra César. Diante de

Félix, Paulo rejeitou a acusação de sectarismo e enfatizou a continuidade entre o evangelho e o Antigo Testamento. Diante de Festo, Paulo rejeitou a acusação de sedição, uma vez que nunca fora responsável por nenhuma perturbação da paz ou da ordem pública.[790] Diante de Agripa, não foram levantadas novas acusações. Assim, as três defesas de Paulo foram bem-sucedidas. Nem Félix, nem Festo, nem Agripa o julgaram culpado; antes, afirmaram sua inocência (24.22-27; 25.25; 26.31-32). O apóstolo, porém, não ficou satisfeito. Foi além. Ele proclamou, na corte, a sua tripla lealdade – a Moisés e aos profetas, a César e, sobretudo, a Jesus Cristo, que o encontrara na estrada para Damasco. Ele era um judeu fiel, um romano fiel e um cristão fiel.[791]

Em segundo lugar, *o testemunho de Paulo*. Concordo com John Stott quando ele diz que o propósito de Lucas em descrever as cenas do tribunal não era apenas apologético, mas evangelístico.[792] Paulo foi absolutamente destemido no testemunho de sua fé em Cristo tanto perante os governadores Félix e Festo quanto perante o rei Herodes Agripa II. Paulo testemunhou com desassombro acerca de seu encontro com Cristo e de seu comissionamento aos gentios. Proclamou com convicção tanto a morte quanto a ressurreição de Cristo como cumprimento das Escrituras.

Notas do capítulo 24

756 GONZÁLEZ, Justo L. *Atos*, p. 313.
757 KISTEMAKER, Simon. *Atos*. Vol. 2, p. 481.
758 KISTEMAKER, Simon. *Atos*. Vol. 2, p. 482.
759 GONZÁLEZ, Justo L. *Atos*, p. 313.
760 KISTEMAKER, Simon. *Atos*. Vol. 2, p. 485.
761 KISTEMAKER, Simon. *Atos*. Vol. 2, p. 485.
762 KISTEMAKER, Simon. *Atos*. Vol. 2, p. 485.
763 KISTEMAKER, Simon. *Atos*. Vol. 2, p. 487.
764 STOTT, John. *A mensagem de Atos*, p. 414.
765 DE BOOR, Werner. *Atos dos Apóstolos*, p. 338.
766 STOTT, John. *A mensagem de Atos*, p. 414.
767 KISTEMAKER, Simon. *Atos*. Vol. 2, p. 489.
768 KISTEMAKER, Simon. *Atos*. Vol. 2, p. 490.
769 GONZÁLEZ, Justo L. *Atos*, p. 314.
770 KISTEMAKER, Simon. *Atos*. Vol. 2, p. 492.
771 WIERSBE, Warren W. *Comentário bíblico expositivo*, p. 655.
772 KISTEMAKER, Simon. *Atos*. Vol. 2, p. 492.
773 STOTT, John. *A mensagem de Atos*, p. 414,415.
774 WIERSBE, Warren W. *Comentário bíblico expositivo*, p. 655.
775 KISTEMAKER, Simon. *Atos*. Vol. 2, p. 492.
776 STOTT, John. *A mensagem de Atos*, p. 416.
777 GONZÁLEZ, Justo L. *Atos*, p. 315; KISTEMAKER, Simon. *Atos*. Vol. 2, p. 497.
778 KISTEMAKER, Simon. *Atos*. Vol. 2, p. 496,497.
779 KISTEMAKER, Simon. *Atos*. Vol. 2, p. 495.
780 STOTT, John. *A mensagem de Atos*, p. 416,417.
781 STOTT, John. *A mensagem de Atos*, p. 417.
782 STOTT, John. *A mensagem de Atos*, p. 417,418.
783 Atos 8.3; 9.13; 9.21; 22.4; 26.9-11; 1Coríntios 15.9; Gálatas 1.13; 1Timóteo 1.13.
784 LOPES, Hernandes Dias. *Quase salvo, porém fatalmente perdido*. Santa Bárbara d'Oeste: Z3, 2011, p. 23.
785 WIERSBE, Warren W. *Comentário bíblico expositivo*, p. 657.
786 LOPES, Hernandes Dias. *Quase salvo, porém fatalmente perdido*, p. 20.
787 LOPES, Hernandes Dias. *Quase salvo, porém fatalmente perdido*, p. 20,21.
788 STOTT, John. *A mensagem de Atos*, p. 424,425.

[789] GONZÁLEZ, Justo L. *Atos*, p. 317.
[790] STOTT, John. *A mensagem de Atos* , p. 426.
[791] STOTT, John. *A mensagem de Atos* , p. 427.
[792] STOTT, John. *A mensagem de Atos* , p.

Capítulo 25

Paulo a caminho de Roma
(At 27—28)

PAULO HAVIA APELADO A CÉSAR e agora estava a caminho de Roma. Depois de dois anos preso em Cesareia, sendo julgado por Félix, Festo e Agripa, o apóstolo finalmente zarpa rumo à capital do Império, acompanhado de Lucas, Aristarco e mais 276 passageiros (27.37). Dentre esses passageiros havia uma leva de prisioneiros (27.1). É provável que esses prisioneiros fossem condenados à morte, porém, antes de morrer deveriam oferecer um espetáculo aos romanos, sedentos de ver, em seus anfiteatros, homens e mulheres serem jogados nas arenas para enfrentar as feras ou mesmo serem traspassados pelas espadas dos gladiadores.

Roma era a mais esplêndida cidade da época, capital do mais poderoso Império que já havia dominado o mundo. Roma revelava tanto uma beleza colossal como uma corrupção profunda. Resplandecia como o sol, ao mesmo tempo que estava imersa num caudal de trevas. Escritores da época como Sêneca e Juvenal chamaram-na de "cloaca de iniquidade" e "esgoto do mundo".[793]

Roma abrigava em seu seio hospitaleiro pessoas de todos os tipos: romanos, gregos, bárbaros e judeus. Embora tivesse seu panteão de divindades, respeitava a religião dos diversos povos que formavam seu Império. A lei romana dava a todo cidadão o direito de defender-se, e o direito romano tornou-se um modelo para o mundo inteiro até os dias atuais. As estradas construídas e protegidas pelas falanges romanas possibilitavam o comércio rápido e o transporte dos missionários pelo mundo conhecido. Roma reunia o melhor e o pior do mundo. Era a cidade das oportunidades para onde convergiam pessoas de todas as partes.

Essa magnificente capital e maior cidade do vasto império romano sempre fora a aspiração de Paulo. *Importa-me ver também Roma*. Essas foram as palavras do apóstolo durante seu ministério em Éfeso (19.21), mas ele não fazia ideia de tudo o que lhe aconteceria antes que chegasse à cidade imperial: prisão ilegal, julgamentos perante judeus e romanos, reclusão e até mesmo naufrágio. Certamente Paulo não planejava chegar a Roma como prisioneiro.[794]

Por oito vezes, Paulo deixou claro esse propósito de visitar Roma:

1. Quando essa viagem foi o alvo de todas as suas orações (Rm 1.10).

2. Quando ele se propôs várias vezes a visitar os crentes de Roma (Rm 1.13a).

3. Quando expressou claramente que em todas essas investidas para visitar Roma foi impedido (Rm 1.13b).

4. Quando afirmou que, ao escrever sua carta aos Romanos estava pronto para anunciar o evangelho aos crentes de Roma (Rm 1.15).

5. Quando afirmou ter sido impedido de visitar Roma, onde Cristo ainda não tinha sido anunciado, porque seu compromisso era prioritariamente pregar o evangelho (Rm 15.20-22).

6. Quando disse que já havia pregado em todos os recantos do Império e não havia mais onde pregar nas regiões que percorrera, portanto, aproveitaria para passar por Roma quando de sua visita à Espanha (Rm 15.23,24).

7. Quando afirma que estava de partida para Jerusalém, a fim de levar uma oferta aos santos e, então, seguiria para a Espanha, passando por Roma (Rm 15.25-29).

8. Quando pede oração à igreja de Roma para orar por ele, a fim de que se visse livre dos rebeldes judeus, lograsse bom êxito na entrega da oferta e pudesse então chegar a Roma com alegria (Rm 15.30-32).[795] Mas não era apenas Paulo que desejava ir a Roma; Deus também o queria lá, como lhe disse na prisão de Jerusalém: *Coragem, Paulo, pois do modo como deste testemunho em Jerusalém, importa que também dês testemunho em Roma* (23.11).

Como afirmamos em capítulos anteriores, Lucas traça um paralelo entre o ministério de Cristo e o ministério de Paulo. Dois quintos do evangelho de Lucas descrevem a viagem de Jesus da Galileia a Jerusalém (Lc 9.51—19.44), e o último terço de Atos descreve a viagem de Paulo de

Jerusalém a Roma (19.21—28.31). Captaríamos a perspectiva geográfica geral se o Evangelho de Lucas fosse intitulado "Da Galileia a Jerusalém" e o livro de Atos chamasse "De Jerusalém a Roma", pois enquanto Jerusalém foi o alvo do ministério de Jesus, Roma era o alvo de Paulo. As viagens de Jesus e Paulo são semelhantes, pois ambas incluíram uma determinação resoluta, uma prisão, uma série de julgamentos em tribunais judaicos e romanos, até culminar na morte.[796]

A origem da igreja de Roma ainda é uma incógnita. De acordo com a tradição do catolicismo romano, Pedro foi bispo da igreja de Roma durante 25 anos, ou seja, de 42 d.C. a 67 d.C., quando foi crucificado de cabeça para baixo por ordem de Nero. Vários são os argumentos que podemos usar para refutar essa pretensão romana.

Em primeiro lugar, *a Bíblia não tem nenhuma palavra sobre o bispado de Pedro em Roma*. A palavra Roma aparece apenas nove vezes na Bíblia, e Pedro nunca foi mencionado em conexão com ela. Não há nenhuma alusão a Roma em nenhuma das epístolas de Pedro. O livro de Atos nada mais fala de Pedro depois de Atos 15, senão que ele fez muitas viagens com sua mulher (1Co 9.5). A versão católica *Confraternity Version* traduz *esposa* por *irmã*, mas a palavra grega é *gune*, e não *adelphe*.

Em segundo lugar, *não há nenhuma menção de que Pedro tenha sido o fundador da igreja de Roma*. Possivelmente os romanos presentes no Pentecostes (2.10,11) foram os fundadores da igreja de Roma.

Em terceiro lugar, *no ano 60 d.C., quando Pedro escreveu sua primeira carta, não estava em Roma*. Pedro escreveu essa carta do Oriente e não do Ocidente. Estava na Babilônia, Assíria, e não em Roma (1Pe 5.13). Flávio Josefo diz que na província da Babilônia havia muitos judeus.

Em quarto lugar, *Paulo escreve sua carta à igreja de Roma em 58 d.C. e não menciona Pedro*. Nesse período, Pedro estaria no auge do pontificado em Roma, mas Paulo não dirige sua carta a Pedro. Ao contrário, encaminha a carta à igreja como seu instrutor espiritual (Rm 1.13). No capítulo 16 da carta aos Romanos, Paulo faz 26 saudações aos mais destacados membros da igreja de Roma e não menciona Pedro. Se Pedro já fosse bispo da igreja de Roma há dezesseis anos (42 d.C. a 58 d.C.), por que Paulo diria: *Porque muito desejo ver-vos, a fim de repartir convosco algum dom espiritual, para que sejais confirmados* (Rm 1.11)? Não seria um insulto gratuito a Pedro? Não seria presunção de Paulo com relação ao bispo da igreja? Se Pedro fosse papa da igreja de Roma, por que Paulo afirmaria que não costumava edificar sobre o fundamento de outrem: *Esforçando-me, deste modo, por pregar o evangelho, não onde Cristo já fora anunciado, para não edificar sobre fundamento alheio* (Rm 15.20)? Paulo diz isso porque Pedro não estivera nem estava em Roma.

Em quinto lugar, *Paulo escreve cartas de Roma e não menciona Pedro*. Enquanto Paulo esteve preso em Roma (61 d.C. a 63 d.C.), os judeus crentes de Roma foram visitá-lo e nada se fala a respeito de Pedro, visto que os judeus nada sabiam acerca dessa *seita* que estava sendo impugnada. Se Pedro estava lá, como esses líderes judeus nada sabiam sobre o cristianismo (28.16-30)? Paulo escreve várias cartas da prisão em Roma (Efésios, Filipenses, Colossenses, Filemom) e envia saudações dos crentes de Roma às igrejas sem mencionar Pedro. Durante sua segunda prisão, Paulo escreveu sua última carta (2Timóteo) em 67 d.C. Paulo afirma que todos os seus amigos o abandonaram e apenas Lucas estava com ele (2Tm 4.10,11). Pedro estava lá? Se estava, faltou-lhe cortesia por nunca ter visitado e assistido Paulo na prisão.

Em sexto lugar, *não há nenhum fato bíblico ou histórico em que Pedro transfira seu suposto posto de papa a outro sucessor*. Não apenas está claro à luz da Bíblia e da história que Pedro não foi papa, como também não há nenhuma evidência bíblica ou histórica de que os papas são sucessores de Pedro.

Ainda que Pedro tenha sido o bispo de Roma, o primeiro papa da igreja (o que é fartamente negado com irrefragáveis provas), não temos provas de que haja legítima sucessão apostólica; e, se houvesse, os supostos sucessores deveriam subscrever as mesmas convicções teológicas de Pedro. Desta forma, o catolicismo romano defende e prega doutrinas estranhas às Escrituras, que bandeiam para uma declarada apostasia religiosa. Assim, é absolutamente incongruente afirmar que o papa possa ser legítimo sucessor de Pedro, quando sua teologia e sua prática estão em flagrante oposição ao que apóstolo Pedro creu e pregou. Pedro condenou o que os papas aprovam.

A viagem de Cesareia a Creta (27.1-12)

A nossa vida é como uma viagem, às vezes tempestuosa. Muitos escritores têm retratado a vida como uma viagem. Homero em seu livro *Odisseia* descreveu a vida como uma viagem. John Bunyan em seu livro *O peregrino* descreveu a vida do cristão como a caminhada de um homem pelos perigos até chegar ao Paraíso. Na jornada da vida atravessamos caminhos cheios de espinhos, despenhadeiros íngremes, pântanos lodacentos, pinguelas estreitas, desertos causticantes e mares encapelados.

Mesmo quando estamos fazendo a vontade de Deus e também a nossa, encontramos tempestades pela frente.

Como já afirmamos, o sonho de Paulo era ir a Roma e dali à Espanha (Rm 1.14-16; 15.28). Quando Paulo foi preso em Jerusalém, Deus lhe disse que queria que ele desse testemunho também em Roma (23.11). Portanto, era da expressa vontade de Deus que Paulo fosse a Roma. Mas, quando ele embarcou para esse destino, enfrentou terrível tempestade. Nem sempre estaremos na contramão da vontade de Deus por enfrentarmos tempestades. Quando estivermos passando por tempestades, Deus estará guiando-nos. Quando nossos olhos estiverem embaçados pelas brumas espessas e pelo denso nevoeiro da tempestade, poderemos ter a garantia que a mão de Deus ainda nos dirige. Deus enxerga no escuro. A tempestade pode arrancar o leme das nossas mãos e o navio pode estar fora do nosso controle, mas não fora do controle de Deus. Podemos chegar como náufragos a uma ilha, tendo apenas a vida como despojo, mas Deus ainda estará no controle (27.26).

Lucas registra a viagem de Paulo a Roma como testemunha ocular. Ele fez parte da caravana que saiu de Cesareia com destino a Roma. O uso da primeira pessoa do plural é prova disso (27.1—28.16). Os dois últimos capítulos de Atos são, portanto, uma espécie de diário de bordo.

Uma leva de 276 passageiros embarcou para Roma. Dentre esses, alguns prisioneiros. Como já afirmamos, esses prisioneiros, diferentemente de Paulo, provavelmente já eram homens condenados à morte que seriam usados como vítimas humanas para entreter a população na arena romana.[797]

A viagem de Cesareia à ilha de Malta deu-se em dois estágios, em dois navios diferentes, que vinham de Adramítio, um porto da África situado no litoral nordeste do mar Egeu, perto de Trôade (27.2), e de Alexandria, no Egito

(27.6). O primeiro navio, adramitino, era um cargueiro. A primeira escala da viagem foi em Sidom. Paulo encontrou o favor do centurião romano, Júlio e teve a oportunidade de ali ver alguns amigos e receber deles assistência (27.1-3). Matthew Henry diz que o centurião, convencido da inocência de Paulo e da injúria feita a ele, tratou-o como amigo, um erudito, um cavalheiro, um homem que tinha influência no céu.[798]

De Sidom seguiram viagem, sob a proteção de Chipre, em virtude dos fortes ventos contrários, atravessando o mar ao longo da Cilícia e Panfília, até chegarem a Mirra, na Lícia (27.4,5).

Em Mirra encontraram um navio alexandrino que estava de viagem marcada para Roma, e todos se transferiram do cargueiro adramitino para essa nova embarcação. Esse navio alexandrino era também um cargueiro que transportava trigo de Alexandria para Roma (27.38). Vale ressaltar que o Egito era, nessa época, o maior celeiro de grãos do Império.[799] Simom Kistemaker registra que, no primeiro século, Roma dependia do Egito para seu suprimento de grãos; como consequência, o governo romano desenvolveu a marinha mercante que transportava grandes quantidades de grãos do porto egípcio de Alexandria para Putéoli, no sul da Itália.[800]

Em virtude dos ventos contrários, navegaram vagarosamente até Cnido, no extremo sudoeste da Ásia Menor. Dali foram para Salmona, até chegarem a Bons Portos, perto da cidade de Laseia (27.4-8). Matthew Henry diz que, embora aquele que fosse um bom porto, não era o destino final deles. Sejam quais forem as circunstâncias agradáveis que possam existir neste mundo, devemos lembrar que não estamos em casa e, portanto, é preciso partir, pois pode haver mais perigo onde há mais prazer.[801]

O inverno se aproximava, e a viagem até Roma seria impossível nessa estação. Nos tempos antigos, era contraindicado navegar em alto-mar após 15 de setembro.[802] Seria prudente passar o inverno em algum porto da região. Paulo, um veterano em viagens marítimas, conhecendo os riscos da navegação pelas águas do Mediterrâneo nesse período do ano, aconselha a tripulação a não continuar a viagem, mesmo sendo aquele porto um lugar pouco apropriado para passar o inverno (27.9,10). Matthew Henry está coberto de razão ao dizer que é melhor ficar seguro em um porto incômodo do que ficar perdido em um mar tempestuoso.[803] O centurião, porém, não deu crédito à advertência de Paulo e, por orientação do piloto e do mestre do navio, com apoio da maioria da tripulação, decidiu prosseguir viagem até Fenice, porto da ilha de Creta, um lugar mais seguro, para então, ali passarem o inverno (27.11,12).

Nas tempestades da vida precisamos estar atentos às placas de sinalização. A segurança de uma viagem depende da obediência à sinalização disposta no caminho. Desobedecer é entrar em rota de colisão e enveredar-se por caminhos de morte. Há três fatos dignos de nota neste texto.

Em primeiro lugar, *a advertência* (27.10). Quando Paulo e seus companheiros de viagem embarcaram para Roma, a viagem parecia segura e tranquila. Era um bom navio, havia um comandante e marinheiros experientes. Os passageiros estavam em segurança. No entanto, logo que iniciaram a viagem, começaram a soprar os ventos contrários (27.4). Chegou a um ponto em que Paulo os admoestou, dizendo: ...*Vejo que a viagem vai ser trabalhosa, com dano e muito prejuízo, não só da carga e do navio, mas também da nossa vida* (27.9,10). Eles não ouviram o conselho de Paulo e logo veio um tufão, que tirou o navio da mão deles. Aprenda a ler as placas do caminho. Aprenda a discernir os sinais que Deus lhe dá. Quando não prestamos atenção às placas e sinalizações da vida, podemos provocar acidentes ou cair num abismo.

Em dezembro de 2000 fiz uma viagem de carro com minha família, de Jackson, Mississippi, a Boston, em Massachusetts. Naquela semana os noticiários alertavam para o perigo das estradas. Estava chovendo e também nevando. Preocupado com a longa viagem de mais de 2.000 km, pensei em desistir. Ao mesmo tempo, não queria frustrar o pastor que nos convidara, então resolvi iniciar a viagem. Saímos bem cedo e por volta de meio-dia paramos para almoçar já no estado de Alabama. Por volta das 13h30, reiniciamos a viagem. A temperatura estava abaixo de zero e uma chuva fina molhava o asfalto. De repente, entramos numa longa ponte e avistei que ao final havia uma aglomeração de pessoas. Segundos depois, percebi que o carro estava sem controle. Não havia aderência, estávamos em cima de uma fina camada de gelo. O carro ziguezagueava sobre a ponte, enquanto clamávamos aflitos pela intervenção de Deus. Em questão de segundos, cruzamos a ponte e o carro bateu no para-choques de uma *pick-up* que, também desgovernada, caíra numa vala, entre as duas pistas. O automóvel arrebentou-se todo, mas pela providência divina fomos poupados da morte. Naquele dia pude compreender que não é seguro viajar sem observar os sinais de perigo.

Em segundo lugar, *o descrédito* (27.11). Lucas relata: *Mas o centurião dava mais crédito ao piloto e ao mestre do navio do que ao que Paulo dizia.* O centurião deve ter pensado: Esse Paulo pode saber alguma coisa de Bíblia, mas não entende nada de mar. Assim, o centurião desprezou a advertência de

Paulo e seguiu viagem. Não é seguro enfrentar as estradas da vida sem observar os sinais. Na viagem da vida precisamos buscar conselho e orientação daqueles que andam com Deus. Quem despreza conselhos sofre grandes danos.

Em terceiro lugar, *a voz da maioria nem sempre é a voz de Deus* (27.12). A maioria dos que estavam no navio decidiu partir, ignorando o conselho de Paulo. A maioria nem sempre está com a razão. A maioria nem sempre discerne a vontade de Deus. Seguir a cabeça da maioria pode colocar-nos em grandes encrencas. Sansão, mesmo sendo nazireu e não podendo beber vinho, deu uma festa em seu casamento, como era o costume dos jovens da sua época (Jz 14.10). Ele não teve coragem de ser diferente. Não teve peito para discordar da maioria. Ali começou uma derrocada em sua vida. Muitos jovens vão para uma boate porque a maioria dos colegas de classe vai. Muitos jovens mergulham nas drogas porque a maioria dos adolescentes experimenta. A maioria dos jovens perde a virgindade no namoro porque a mídia diz que isso é normal. Cuidado com a maioria! A Bíblia afirma que largo é o caminho que conduz à perdição e são muitos que entram por ele.

A viagem de Creta a Malta (27.13-38)

Logo que zarparam de Fenice, descumprindo a orientação de Paulo, experimentaram uma leve sensação de sucesso, pois o vento soprava brandamente (27.13). Não tardou, porém, para que o mar se transformasse em um monstro indomável. O navio começou a ser jogado de um lado para o outro com grande violência, sob as fortes rajadas de vento e imensas ondas provocadas pelo tufão de vento, uma espécie de redemoinho, ou ciclone, chamado Euroaquilão. A direção do vento levou-os para a grande *Sirte*, um banco de areia ao norte da costa da África, famoso pelos muitos naufrágios que aconteceram ali.[804] Sirte era um verdadeiro cemitério de navios. O navio já não obedecia mais ao comando do piloto. Então, cessaram a manobra e se deixaram levar. Concordo com Matthew Henry quando ele diz: "Quando é inútil se esforçar, é sábio render-se".[805] Longe da ilha de Creta, o navio estava agora exposto à tempestade em mar aberto. Por não ouvirem os conselhos de Paulo, todos se viam agora em apuros. Há cinco resultados colhidos dessa indisposição de ouvir a advertência.

Em primeiro lugar, *a aparente segurança* (27.13). Logo que zarparam de Creta, em desobediência à advertência de Paulo, perceberam que soprava um vento brando e o mar estava esmaltado por águas tranquilas. Certamente deve ter havido um buchicho dentro do navio, zombando dos conselhos de Paulo. O vento brando faz muita gente confundir as circunstâncias da vida. Por um momento parecia que Paulo estava errado e a maioria estava certa. Se você pudesse ver a carranca do diabo nas tentações, jamais cairia nelas. Se um jovem pudesse ver a degradação das drogas, jamais cairia nas lábias de um traficante. Se um homem pudesse ver o opróbrio em que cai um viciado no alcoolismo, jamais tomaria o primeiro gole. O diabo é um mentiroso e um falsário. Ele promete vida e arrasta seus escravos para a morte. O pecado é uma fraude: parece delicioso aos olhos, mas é um veneno mortal.

Em segundo lugar, *o perigo* (27.14). Depois do vento brando, repentinamente as circunstâncias mudaram e surgiu um tufão. A crise chegou. O mar se revoltou. Sempre que deixamos de observar as placas de Deus ao longo da estrada da vida, corremos o risco de sérios acidentes. De repente, o tufão chega, a vida se transtorna e tudo vira de cabeça para baixo. Os acidentes acontecem repentinamente. Surgem inesperadamente. Basta seguir no caminho sem observar as placas e, mais cedo ou mais tarde, o acidente acontecerá.

Em terceiro lugar, *a impotência* (27.15). A fúria dos ventos era tão rigorosa que eles perderam o controle do navio. O navio já não obedecia mais a nenhum comando. O leme já não estava mais nas mãos daqueles que conduziam o batel. O navio ficou à deriva. As coisas fugiram do controle, e a vida virou de ponta-cabeça. Há momentos em que você quer conduzir a sua vida para uma direção, mas ela segue em direção contrária. As ondas revoltas superam sua capacidade de gerenciamento. A crise torna-se maior do que suas forças. Prevalece sobre sua vontade. Talvez você esteja vivendo essa situação. Você já perdeu o controle da sua vida, do seu casamento, das suas finanças, da sua família? Você é como aquele navio, em alto-mar, jogado de um lado para o outro ao sabor do vendaval.

Em quarto lugar, *o prejuízo* (27.18,19). Eles precisaram aliviar o navio e jogar seus bens fora para salvar a própria vida. Houve grande prejuízo e enormes perdas financeiras. A desobediência é um caminho de muitos desastres, inclusive financeiro. Singrar as águas para a viagem da vida sem atender às advertências de Deus é candidatar-se ao naufrágio. Muitas pessoas deixam de ler as placas de Deus e mentem, roubam, corrompem e matam para granjear mais riquezas. Acumulam tesouros na terra, alcançam glória e fama por um tempo. Mas, depois, tudo o que fizeram na surdina, nas caladas da noite, ao arrepio da lei, vem à tona. Aí perdem a honra, a dignidade e a própria riqueza que acumularam com injustiça.

Em quinto lugar, *a desesperança* (27.20). Diz o historiador Lucas que *dissipou-se, afinal, toda esperança de salvamento.*

O centurião, os marinheiros, a tripulação e os prisioneiros embarcados naquele navio perderam completamente a esperança de sobreviver. Eles haviam chegado ao fim da linha, ao fundo do poço, ao desespero fatal. A morte parecia inevitável. Destacamos aqui dois pontos importantes.

1. As medidas da tripulação para salvar o navio (27.13-20). Várias medidas foram tomadas na tentativa de salvar o navio da avassaladora tempestade. Primeiro, eles recolheram a bordo o barco salva-vidas (27.16). Segundo, cingiram o navio, passando cabos por baixo do casco para manter as tábuas unidas ou amarradas a proa à popa, por cima do convés, a fim de evitar que ele quebrasse ao meio (27.17a). Terceiro, arriaram os aparelhos, ou seja, a âncora flutuante, para agir como freio à medida que eram empurrados para frente (27.17b). Quarto, jogaram parte da carga do navio no mar (27.18). Quinto, lançaram fora o máximo possível de equipamentos do navio (27.19).

Contudo, após quatorze dias sem aparecer sol ou estrelas no céu, ainda atirados de um lado para outro pela fúria dos ventos, perderam toda a esperança de salvamento (27.20).[806]

2. As intervenções de Paulo na hora do desespero (27.21-38). Quando a tempestade agitou o mar, Paulo se apresentou para acalmar os companheiros de viagem. Três foram as intervenções do apóstolo.

A primeira intervenção foi seu apelo para que mantivessem o bom ânimo (27.21-26). Em meio ao grande desespero que tomou conta de todos, Paulo encoraja a tripulação e os prisioneiros, dizendo: *Tende bom ânimo* (27.22,25). Um anjo de Deus havia aparecido a Paulo, informando-lhe que, apesar da perda do navio e de toda a sua carga, nenhuma pessoa pereceria (27.23), pois o projeto de levá-lo a Roma para comparecer perante César estava de pé (27.24). A confiança de Paulo no cumprimento dessa promessa estava na fidelidade daquele que fez a promessa (27.25), embora antes eles tivessem de parar numa ilha (27.26). Com profunda pertinência, Matthew Henry escreve:

> Assim como a fúria dos mais poderosos inimigos, assim também o mais violento mar não pode prevalecer contra as testemunhas de Deus até que tenham dado seu testemunho. Enquanto Deus tiver uma tarefa para eles fazerem, suas vidas deverão ser prolongadas.[807]

A segunda intervenção foi no sentido de que permanecessem juntos (27.27-32). Depois de duas semanas de tempestade, sem o controle do navio, os marinheiros sentiram a proximidade da terra após algumas sondagens (27.27,28). Com medo de que o navio fosse arremessado contra as rochas, jogaram quatro âncoras da popa, para manter o navio seguro, e oraram pedindo para que o dia amanhecesse (27.29). Nesse momento, os marinheiros tentaram fugir do navio, lançando o bote da proa (27.30). Paulo interveio imediatamente e alertou ao centurião Júlio que eles não poderiam salvar-se caso os marinheiros não permanecessem no navio (27.31). Imediatamente, os soldados abortaram o plano dos marinheiros e cortaram os cabos do bote, deixando-o ir (27.32).

A terceira intervenção foi o apelo para que comessem (27.33-38). Diante do desespero que assaltara a todos no navio, já havia duas semanas que ninguém conseguia comer nada, seja pelo pânico provocado pela tempestade, seja pelo enjoo provocado pelo mar agitado. Quando o dia já estava raiando, Paulo toma um pão, dá graças e encoraja a todos a comerem. Ao se alimentarem, todos recobram o ânimo e resolvem jogar o restante do trigo no mar (27.38). John

Stott destaca essas intervenções de Paulo, com as seguintes palavras:

> Paulo combinava a espiritualidade e o bom senso, a fé e as obras. Ele acreditava que Deus cumpriria suas promessas e teve a coragem para dar graças na presença de pagãos calejados. Mas a sua confiança e santidade não impediram de ver que o navio não deveria se arriscar no começo do inverno, ou que não se podia permitir que os marinheiros fugissem, ou que a tripulação e os passageiros esfomeados precisavam comer para sobreviver, ou (mais tarde, na praia) que ele precisava juntar lenha para manter o fogo aceso. Que homem! Ele era homem de Deus e homem de ação; homem do Espírito e homem de bom senso.[808]

O naufrágio e a chegada dramática à ilha de Malta (27.39—28.10)

Quando o homem chega ao fim da linha, os recursos de Deus ainda estão disponíveis. Os impossíveis dos homens são possíveis para Deus. A desesperança humana não fecha as cortinas para a intervenção divina. Vejamos três fatos importantes aqui.

Em primeiro lugar, *um salvamento milagroso* (27.39-44). A noite trevosa se despedira, e um novo dia trazia esperança em suas asas. A tripulação avistou terra. Era uma ilha, Malta, mas eles não reconheceram o lugar. Os marinheiros levantaram as âncoras, largando as amarras do leme, direcionando o navio para a praia (27.40). Fragilizado pelas ondas que chicotearam o navio por duas semanas, a embarcação enfim encalhou num banco de areias. A proa ficou imobilizada, ao mesmo tempo que a popa era açoitada violentamente pelo vento. Por fim, o navio quebrou-se e o naufrágio se revelou inevitável (27.41). O navio, que estranhamente suportara a tempestade no vasto oceano, onde tinha espaço para virar, é feito em pedaços quando encalhado. Desse modo, se o coração se fixa no mundo por amor e afeição, acaba perdendo-se. As tentações de Satanás batem contra ele, e ele é destruído; mas, enquanto ele se mantém acima do mundo, embora sacudido pelas preocupações e tumultos, há esperança. Eles tinham a praia em vista e, no entanto, sofreram naufrágio no porto, para nos ensinar a nunca sermos autoconfiantes.[809]

Nesse momento, os soldados que tinham o compromisso de transportar os prisioneiros a Roma resolveram matá-los. Isso, porque de acordo com a lei romana, o soldado encarregado da vigilância de um prisioneiro era responsabilizado em seu lugar, caso esse prisioneiro viesse a escapar (27.42). Simon Kistemaker diz que a ingratidão dos soldados foi demasiadamente cruel, quando eles decidiram matar Paulo e todos os outros prisioneiros. Paulo anunciara a boa notícia de que suas vidas seriam poupadas; ele os encorajara quando já haviam perdido a esperança de viver; e lhes dera conselhos de valor, exortando-os a comer.[810] O centurião Júlio, porém, impediu os soldados de consumarem essa matança e ordenou a todos os que sabiam nadar que saltassem primeiro no mar (27.43), enquanto os outros deveriam usar tábuas e destroços do barco para chegarem à praia. Desta forma, conforme Deus havia prometido, todos alcançaram a terra firme em segurança (27.44).

Em segundo lugar, *um acolhimento amoroso* (28.1-6). Os malteses foram chamados de bárbaros não porque eram rudes e selvagens, mas porque não falavam o grego. William Barclay explica que o termo grego, *barbaroi*, aproxima-se mais do significado de "nativos".[811] Werner de Boor acrescenta que, naquele tempo, essa expressão era puramente neutra e ainda não tinha a conotação de rudeza e crueldade que adquiriu no curso da nossa história.[812] Aliás, os bárbaros acolheram com grande civilidade e destacada humanidade os náufragos que chegaram à ilha. Prepararam uma grande fogueira para aquecê-los, uma vez que estavam molhados e transidos de frio.

De todo o grupo que se salvou, apenas Paulo procurou manter o fogo aceso e foi procurar alguns gravetos para lançá-los na fogueira. No navio, Paulo assumiu a liderança para salvar a vida dos passageiros. Agora, ele dá o exemplo, catando gravetos para manter a fogueira acesa. Nenhuma tarefa é pequena demais para os servos de Deus que têm a "mente de Cristo".[813] Ao lançar um feixe de gravetos no fogo, uma víbora prendeu-sê-lhe na mão. Os bárbaros gritaram em coro: "É um assassino. Tendo-se livrado do mar, a justiça não o deixa viver. Vai cair, vai inchar, vai morrer". Paulo não caiu, não inchou nem morreu. Então, mudaram de opinião e disseram: "É um deus!". Mais uma vez Lucas destaca o aspecto volúvel da multidão. Em Listra, Paulo foi adorado como deus e depois apedrejado (14.11-19), enquanto em Malta foi chamado de assassino e depois de deus.[814] Justo González destaca a teologia banal dos malteses, popular hoje em alguns círculos chamados evangélicos. Conforme essa teologia, toda má sorte é punição do pecado, e todos os que têm fé e obedecem às ordens de Deus sempre serão afortunados e até mesmo prósperos do ponto de vista econômico. De acordo com a crença dos malteses, se a cobra picou Paulo, era um sinal do pecado, e se ele não morreu da picada, era um sinal da divindade.[815]

Em terceiro lugar, *um propósito grandioso* (28.7-10). Os propósitos de Deus não podem ser frustrados mesmo quando somos açoitados por tempestades borrascosas.

Na verdade, não foi a tempestade que levou Paulo e toda aquela gente para a ilha de Malta, mas a mão providente de Deus. O pai de Públio, o prefeito da ilha, estava enfermo, com febre e disenteria; Paulo orou por ele, e o homem foi curado (28.8). Diante desse fato, os demais enfermos buscaram Paulo, que orou por eles e todos ficaram curados (28.9). Deus queria Paulo em Malta e o levou até lá através de um dramático naufrágio. John Stott diz que as curas sobrenaturais faziam parte do ministério do apóstolo (2Co 12.12) e a gratidão dos habitantes da ilha foi expressa através de presentes e suprimentos (28.10).[816]

A chegada de Paulo a Roma (28.11-16)

O inverno havia terminado. Era tempo de seguir viagem rumo à cidade de Roma. Os náufragos que passaram os três meses de inverno na ilha de Malta (talvez de novembro a fevereiro) agora embarcam no terceiro navio, outro barco alexandrino, que invernara na ilha. O nome da embarcação era *Dióscuro,* cujo significado é "os deuses gêmeos" ou "os gêmeos celestiais", chamados Castor e Pólux, os filhos de Júpiter, ou seja, os deuses da navegação e padroeiros dos navegadores, conforme a mitologia grego-romana.[817] Werner de Boor diz que esses deuses da mitologia grega eram alvo de grande adoração, sobretudo no Egito.[818]

Esta última viagem foi realizada em quatro etapas:

1. Uma etapa de 130 km, de Malta a Siracusa, a capital da Sicília, onde ficaram três dias (28.11,12).

2. Uma etapa de 110 km, de Siracusa a Régio (28.13).

3. Uma etapa de 290 km, de Régio a Putéoli, no golfo de Nápolis (28.13b).[819] Ali passaram uma semana com os irmãos em Cristo.

4. Uma etapa de 200 km, feita por terra, e não por mar, de Puteóli a Roma (28.14). Depois de poucos quilômetros devem ter encontrado a famosa Via Ápia, que apontava diretamente para Roma ao norte, conhecida como a mais antiga, a mais reta e a mais perfeita estrada do mundo (28.15a).

Uma comitiva da igreja de Roma foi encontrar-se com Paulo e seus companheiros no caminho, precisamente na Praça de Ápio e as Três Vendas. Ao ver os irmãos da igreja de Roma a quem Paulo escrevera sua mais robusta epístola, o apóstolo deu graças a Deus e sentiu-se mais animado (28.15b). Paulo chega a Roma não como havia sonhado, mas como prisioneiro. Werner de Boor comenta sobre essa entrada de Paulo em Roma:

> Quantas vezes Paulo dirigiu para Roma seus anseios, suas orações, seus planos! Agora ele chegou! Mas Lucas não diz palavra alguma sobre os pensamentos e sentimentos que passaram pela alma de Paulo. Nós, porém, precisamos silenciar diante da frase sucinta de Lucas. Quantas pessoas entraram em Roma ao longo dos séculos da Antiguidade: generais, imperadores, comerciantes, poetas, filósofos. Ninguém terá dado grande atenção à entrada de um prisioneiro judeu com escolta militar. Não obstante, ali segue pelas ruas de Roma alguém que influenciará de forma mais profunda e duradoura o mundo do que todos os portadores de nomes famosos, ovacionados pelo povo de Roma quando entraram na cidade.[820]

A primeira prisão de Paulo em Roma durou dois anos (28.30), e Paulo ficou confinado a uma casa alugada, onde era vigiado por um soldado, mas tinha liberdade de receber as pessoas e ensinar livremente (28.16). Matthew Henry faz uma oportuna observação:

Quantos homens importantes fizeram sua entrada em Roma, coroados e triunfantes, que realmente eram as pragas de sua geração! Mas aqui um bom homem faz sua entrada em Roma, acorrentado e vencido como um pobre cativo, que era realmente a maior bênção de sua geração. Esse pensamento é suficiente para fazer qualquer um odiar este mundo para sempre.[821]

O ministério de Paulo em Roma (28.17-31)

Paulo estava preso em Roma, mas seu ministério seguia em plena atividade. Ele estava algemado, mas a Palavra de Deus tinha total liberdade. Paulo não era prisioneiro de César, mas de Cristo (Ef 4.1). Era um embaixador em cadeias (Ef 6.20). Suas algemas faziam parte do plano de Deus e ele sabia que essas circunstâncias contribuiriam para o progresso do evangelho (Fp 1.12).

Destacamos aqui alguns pontos importantes.

Em primeiro lugar, *o ministério de Paulo em relação aos judeus* (28.17-27). Paulo convoca os líderes judeus da cidade de Roma para se encontrarem com ele. Seu propósito é defender-se das acusações que os judeus assacaram contra ele, tanto em Jerusalém como nas províncias. Nessa defesa, Paulo enfatiza o seguinte: ele não fizera nada contra os judeus nem contra os costumes de seus antepassados (28.17a); b) ele foi preso pelos judeus e entregue aos romanos (28.17b), mas estes, ao interrogá-lo, concluíram que era inocente das acusações e quiseram libertá-lo por não acharem nada que justificasse sua morte (28.18); e ele apelou a César porque os judeus se opuseram à sua libertação, não obstante ele mesmo nada tivesse contra seu povo (28.19). Finalmente, Paulo diz que está preso por causa da esperança de Israel, ou seja, por anunciar Cristo, sua morte e ressurreição (28.20).

Os judeus relataram a Paulo que não haviam recebido nenhuma acusação formal contra ele da Judeia e gostariam de ouvi-lo com mais exatidão acerca dessa nova fé que ele anunciava, ou seja, a seita nazarena que era impugnada por toda parte (28.21,22). No dia marcado, os judeus vieram em grande número e Paulo fez uma exposição detalhada de manhã até a tarde, concentrando-se no reino de Deus e sua vinda, persuadindo-os a respeito de Jesus, tanto pela lei de Moisés como pelos profetas (28.23). Assim, usando as Escrituras, Paulo identificou o Jesus histórico com o Cristo bíblico.[822]

O resultado desse vigoroso testemunho dividiu os ouvintes em dois grupos: os que creram e os que continuaram incrédulos (28.24). Por haver discordância entre eles, os judeus se despediram, mas Paulo com toda ousadia advertiu-os, usando as palavras do profeta Isaías:[823] *Vai a este povo e dize-lhe: De ouvido ouvireis e não entendereis; vendo, vereis e não percebereis. Porquanto o coração deste povo se tornou endurecido; com os ouvidos ouviram tardiamente e fecharam os olhos, para que jamais vejam com os olhos, nem ouçam com os ouvidos; para que não entendam com o coração, e se convertam, e por mim sejam curados* (28.26,27).

Em segundo lugar, *o ministério de Paulo voltado aos gentios* (28.28,29). Uma vez que os judeus rejeitaram conscientemente o evangelho e fecharam após si a porta da graça, Paulo endereça seu ministério aos gentios, pois estes, que jaziam em densas trevas, ouviriam de bom grado as boas novas da salvação (28.28). John Stott destaca que, por três vezes, a oposição teimosa dos judeus fez Paulo voltar-se para os gentios – em Antioquia da Pisídia (13.46), em Corinto (18.6) e em Éfeso (19.8,9). Agora, pela quarta vez, na capital mundial, e de forma mais decisiva ainda, ele o faz novamente

(28.28).[824] Enquanto Paulo se volta para os gentios, os judeus se vão, tendo entre si grande contenda (28.29).

Em terceiro lugar, *o ministério de Paulo na prisão* (28.30,31). Lucas informa que a prisão domiciliar de Paulo durou dois anos e, nesse tempo, ele recebia a todos os que o procuravam (28.30). A casa alugada de Paulo em Roma se tornou um centro de missões.[825] A atividade de Paulo em Roma foi descrita com precisão: ele pregou o reino de Deus e ousadamente, sem impedimento algum, ensinou as coisas referentes ao Senhor Jesus Cristo (28.31). Paulo estava preso e acorrentado, mas a Palavra de Deus estava livre. Sua prisão se torna um templo, uma igreja, e assim, é para ele um palácio. Suas mãos estão amarradas, mas, graças a Deus, sua boca não foi amordaçada. Um ministro zeloso e fiel pode suportar melhor qualquer dificuldade do que ser silenciado. Aqui, Paulo é um prisioneiro e, no entanto, um pregador; está preso, mas a palavra do Senhor não se deixa aprisionar.[826]

O livro de Atos termina sem uma conclusão. Justo González diz que, em vez de terminar com ponto final, o livro talvez devesse terminar com reticências.[827] Isso porque a história da igreja continua. Concordo com John Stott quando ele escreveu: "Os Atos dos Apóstolos terminaram há muito tempo. Mas os atos dos seguidores de Jesus continuarão até o fim do mundo, e a palavra deles vai se espalhar até aos confins do mundo".[828] O mesmo Espírito, cujos atos observamos no livro de Atos, continua agindo entre nós; pois ainda que vivamos no tempo dos atos do Espírito; vivemos, por assim dizer, no capítulo 29 de Atos.[829]

O propósito de Lucas é mostrar como o evangelho, anunciado inicialmente por iletrados pescadores judeus, saiu de Jerusalém e, em trinta anos, conquistou Roma, a capital do Império. Jamais alguém poderia imaginar tamanha façanha. Werner de Boor ressalta que Lucas é um "narrador" no antigo estilo bíblico da simples realidade. Fazemos nossa leitura de Atos como se andássemos num trem e passássemos celeremente por uma estação após a outra, conduzidos por paisagens sempre novas até a grande parada final da viagem. Muitas vezes gostaríamos de gritar "Pare! Pare!" e desembarcar, a fim de nos informar melhor sobre essa ou aquela estação importante. Porém, o trem prossegue sua viagem, e novas terras se descortinam ao nosso redor.[830]

O relato de Lucas sobre essa primeira prisão de Paulo não é exaustivo, mas as epístolas escritas dessa prisão (Efésios, Filipenses, Colossenses e Filemom) nos acrescentam informações muito importantes: a) A prisão de Paulo levou a igreja de Roma a pregar com mais ousadia. b) Nesses dois anos Paulo evangelizou toda a guarda pretoriana, bem como outros membros da casa imperial. c) Não podendo visitar as igrejas, Paulo lhes escreveu cartas, as quais fazem parte do cânon sagrado. d) Dessa primeira prisão, Paulo orou para ser libertado e pediu oração nesse sentido às igrejas. e) Paulo continuou seu trabalho após ser solto, fazendo uma espécie de quarta viagem missionária. f) Paulo foi capturado novamente e colocado numa masmorra romana, de onde saiu para o martírio no ano 67 d.C. Esse gigante de Deus tombou na terra como um mártir, mas foi recebido no céu como um príncipe. A Deus seja a glória, por sua vida, ministério e exemplo!

Notas do capítulo 25

793 STOTT, John. *A mensagem de Atos* , p. 433.
794 WIERSBE, Warren W. *Comentário bíblico expositivo*, p. 660.
795 STOTT, John. *A mensagem de Atos* , p. 434.
796 STOTT, John. *A mensagem de Atos* , p. 435.
797 STOTT, John. *A mensagem de Atos* , p. 436.
798 HENRY, Matthew. *Comentário bíblico Atos-Apocalipse*, p. 286.
799 STOTT, John. *A mensagem de Atos* , p. 438.
800 KISTEMAKER, Simon. *Atos*. Vol. 2, p. 561.
801 HENRY, Matthew. *Comentário bíblico Atos-Apocalipse*, p. 286.
802 KISTEMAKER, Simon. *Atos*. Vol. 2, p. 564.
803 HENRY, Matthew. *Comentário bíblico Atos-Apocalipse*, p. 287.
804 GONZÁLEZ, Justo L. *Atos*, p. 323.
805 HENRY, Matthew. *Comentário bíblico Atos-Apocalipse*, p. 288.
806 STOTT, John. *A mensagem de Atos* , p. 439,440.
807 HENRY, Matthew. *Comentário bíblico Atos-Apocalipse*, p. 290.
808 STOTT, John. *A mensagem de Atos* , p. 443.
809 HENRY, Matthew. *Comentário bíblico Atos-Apocalipse*, p. 293.
810 KISTEMAKER, Simon. *Atos*. Vol. 2, p. 589.
811 BARCLAY, William. *Hechos de los Apóstoles*, p. 199.
812 DE BOOR, Werner. *Atos dos Apóstolos*, p. 362.
813 WIERSBE, Warren W. *Comentário bíblico expositivo*. Vol. 5, p. 663.
814 STOTT, John. *A mensagem de Atos* , p. 445.
815 GONZÁLEZ, Justo L. *Atos*, p. 328.
816 STOTT, John. *A mensagem de Atos* , p. 446.
817 STOTT, John. *A mensagem de Atos* , p. 447.
818 DE BOOR, Werner. *Atos dos Apóstolos*, p. 364.
819 WIERSBE, Warren W. *Comentário bíblico expositivo*, p. 664.
820 DE BOOR, Werner. *Atos dos Apóstolos*, p. 365,366.
821 HENRY, Matthew. *Comentário bíblico Atos-Apocalipse*, p. 299.
822 STOTT, John. *A mensagem de Atos* , p. 449.
823 Isaías 6.9,10.
824 STOTT, John. *A mensagem de Atos* , p. 450,451.
825 KISTEMAKER, Simon. *Atos*. Vol. 2, p. 626.
826 HENRY, Matthew. *Comentário bíblico Atos-Apocalipse*, p. 305.
827 GONZÁLEZ, Justo L. *Atos*, p. 331.
828 STOTT, John. *A mensagem de Atos* , p. 457.
829 GONZÁLEZ, Justo L. *Atos*, p. 332.
830 DE BOOR, Werner. *Atos dos Apóstolos*, p. 371.

LEIA DO MESMO AUTOR

SUICÍDIO
Hernandes Dias Lopes

Neste livro, o autor trata do suicídio de forma clara e equilibrada, discutindo suas causas, mitos e prevenção. De forma bastante esclarecedora e com sabedoria, traz uma nova visão do suicídio para o meio cristão, propondo com isso uma nova reflexão sobre o tema. A discussão é rica justamente porque o drama da vida e da morte é vivido por todos nós, e nossas reflexões são sempre carregadas de sentimentos.

200 p. | 13,5 x 20,5 cm

PAPADO E O DOGMA DE MARIA
Hernandes Dias Lopes

O livro apresenta uma avaliação bíblica dos papéis do apóstolo Pedro e de Maria, mãe de Jesus. O autor aborda o assunto a partir do Novo Testamento e investiga os documentos da tradição eclesiástica a respeito da sucessão apostólica de Pedro e da perpétua virgindade de Maria. Sua análise tem por finalidade tornar clara a relevância real que Pedro e Maria têm para a igreja e a doutrina cristã.

96 p. | 13,5 x 20,5 cm

INTERVENÇÕES DE DEUS NA HISTÓRIA
Hernandes Dias Lopes

De maneira magistral o autor faz um resumo da história da igreja cristã que nasceu sob a ação poderosa do Espírito Santo e que, ao longo de sua trajetória, teve marcas profundas de avivamento espiritual, fruto da ação de Deus em seu meio. Rememorar os grandes feitos divinos era uma prática do povo de Deus e é algo que devemos resgatar na atualidade, para podermos aprender com a história, pois os que não aprendem com ela estão destinados a repetir os seus erros. A história é nossa pedagoga ou nossa acusadora.
Historia est magistra vitae.

88 p. | 10,5 x 15 cm

LEIA TAMBÉM OUTRAS OBRAS SOBRE O TEMA

ATOS
Justo González

O livro que chamamos de "Atos dos Apóstolos", na verdade, é "Atos do Espírito Santo", percepção que resiste ao tempo e que é a chave deste livro primordial. Justo González aprofunda essa percepção, inserindo o evangelho do Espírito em seu contexto social. Cada versículo é discutido em termos de suas implicações sociais e teológicas.

360 p. | 16 x 23 cm

UMA HISTÓRIA DO CRISTIANISMO
Kenneth Scott Latourette

Uma história do cristianismo traz para o leitor abrangência, riqueza e profundidade de detalhes que só a mente brilhante de Latourette poderia nos mostrar. O autor nos apresenta a história do cristianismo no contexto mundial nos ajudando a entender os caminhos do cristianismo na atualidade e como evitar que erros do passado se repitam no futuro. São dois volumes que se tornaram uma verdadeira enciclopédia de quase seis mil verbetes! Em uma linguagem simples, a obra é uma ferramenta indispensável para o historiador, estudante ou qualquer pessoa que tenha interesse em entender melhor a história do cristianismo.

896 p. | 16 x 23 cm

PAULO, O MAIOR LÍDER DO CRISTIANISMO
Hernandes Dias Lopes

Quem era esse homem que provocava verdadeiras revoluções por onde passava? Quais eram suas credenciais? Quem eram seus pais? Onde nasceu? Como foi educado? Que convicções religiosas nortearam-lhe os passos? Suas cartas ainda falam. Sua voz póstuma é poderosa. Milhões de pessoas são abençoadas ainda hoje pela sua vida e pelo seu legado. Cabe-nos, tão somente, agora, imitar esse homem como ele imitou Cristo. Hernandes Dias Lopes nos convida a fazer uma fascinante viagem por meio das Escrituras, rumo ao passado, entrando pelos corredores do tempo, a fim de descobrirmos essas respostas e permitirmos que suas palavras falem aos nossos corações.

152 p. | 13,5 x 20,5 cm

Sua opinião é importante para nós.

Por gentileza, envie-nos seus comentários pelo e-mail:

editorial@hagnos.com.br

Visite nosso site:

www.hagnos.com.br